OMNIBUS

Dan Brown

IL CODICE DA VINCI

Traduzione di Riccardo Valla

MONDADORI

Questo libro è un'opera di fantasia. Personaggi e luoghi citati sono invenzioni dell'autore e hanno lo scopo di conferire veridicità alla narrazione.
Qualsiasi analogia con fatti, luoghi e persone, vive o defunte, è assolutamente casuale.

http://www.danbrown.com

http://www.librimondadori.it

ISBN 88-04-52341-7

RINGRAZIAMENTI

Innanzitutto ringrazio il mio editor, il mio amico Jason Kaufman, per avere lavorato così duramente a questo progetto e per avere sinceramente capito il vero significato di questo libro. E l'incomparabile Heide Lange, instancabile difensore del *Codice da Vinci*, agente straordinaria, amica fidata.

Non riuscirei mai a esprimere pienamente la gratitudine per l'eccezionale squadra della Doubleday, per la loro generosità, la fede e la guida illuminata. Un grazie soprattutto a Bill Thomas e Steve Rubin, che hanno creduto in questo libro fin dall'inizio. Grazie anche al gruppo iniziale di sostenitori all'interno della casa editrice, guidato da Michael Palgon, Suzanne Herz, Janelle Moburg, Jackie Everly e Adrienne Sparks, alle capaci forze commerciali della Doubleday e a Michael Windsor per la splendida copertina dell'edizione americana.

Per la loro generosa assistenza nelle ricerche del libro, desidero ringraziare il Museo del Louvre, il ministero francese della Cultura, il progetto Gutenberg, la Bibliothèque Nationale, la Gnostic Society Library, il dipartimento di Studi sulla pittura e il Servizio documentazione del Louvre, la Catholic World News, l'Osservatorio reale di Greenwich, la London Record Society, la Muniment Collection di Westminster Abbey, John Pike e la Federation of American Scientists e i cinque membri dell'Opus Dei (tre in attività, due dimissionari) che mi hanno raccontato le loro esperienze all'interno dell'associazione, positive o negative che fossero.

La mia gratitudine va anche al Water Street Bookstore per avermi procurato un gran numero dei libri che mi servivano per le mie ricerche, a mio padre Richard Brown – insegnante di matematica e scrittore – per l'aiuto che mi ha dato sulla proporzione divina e la sequenza di Fibonacci, Stan Planton, Sylvie Baudeloque, Peter McGuigan, Francis McInerney, Margie Wachtel, Andre Vernet, Ken Kelleher della Anchorball Web Media, Cara Sottak, Karyn Popham, Esther Sung,

Miriam Abramowitz, William Tunstall-Pedoe e Griffin Wooden Brown.

E infine, in un libro che si affida così fortemente alla sacralità femminile, non potrei non ricordare le due donne eccezionali che hanno influenzato la mia vita. La prima è mia madre, Connie Brown, collega scrittrice, nutrice del mio spirito, musicista e modello per quel ruolo. E mia moglie Blythe, storica dell'arte, pittrice, editor di prima linea e senza dubbio la donna più sorprendentemente dotata di talento che abbia mai conosciuto.

IL CODICE DA VINCI

A Blythe... ancora.
Più che mai.

Il Priorato di Sion – società segreta fondata nel 1099 – è una setta realmente esistente. Nel 1975, presso la Bibliothèque Nationale di Parigi, sono state scoperte alcune pergamene, note come *Les Dossiers Secrets*, in cui si forniva l'identità di numerosi membri del Priorato, compresi sir Isaac Newton, Botticelli, Victor Hugo e Leonardo da Vinci.

La prelatura del Vaticano nota come Opus Dei è un'associazione cattolica la cui profonda devozione è stata oggetto di interesse dei media dopo i rapporti di lavaggio del cervello, di coercizione e di una pericolosa pratica chiamata "mortificazione corporale". L'Opus Dei ha recentemente terminato la costruzione di una sua sede centrale nazionale, del costo di quarantasette milioni di dollari, situata al numero 243 di Lexington Avenue, a New York City.

Tutte le descrizioni di opere d'arte e architettoniche, di documenti e rituali segreti contenute in questo romanzo rispecchiano la realtà.

PROLOGO

Il famoso curatore del Louvre, Jacques Saunière, raggiunse a fatica l'ingresso della Grande Galleria e corse verso il quadro più vicino a lui, un Caravaggio. Afferrata la cornice dorata, l'uomo di settantasei anni tirò il capolavoro verso di sé fino a staccarlo dalla parete, poi cadde all'indietro sotto il peso del dipinto.

Come da lui previsto, una pesante saracinesca di ferro calò nel punto da cui era passato poco prima, bloccando l'ingresso al corridoio. Il pavimento di parquet tremò. Lontano, un allarme cominciò a suonare.

Per un momento, ansimando profondamente, il curatore rimase immobile per fare l'inventario dei danni. "Sono ancora vivo." Uscì da sotto la tela, strisciando, e si guardò attorno, nella galleria simile a una caverna, per cercare un nascondiglio.

Si udì una voce, spaventosamente vicina. «Non si muova.»

Il curatore, che era riuscito a mettersi carponi, si immobilizzò e voltò lentamente la testa. A soli cinque metri da lui, dietro la saracinesca, si scorgeva attraverso le sbarre l'enorme silhouette del suo assalitore. Era un uomo alto, dalle spalle larghe, la pelle pallida come quella di uno spettro, i capelli bianchi radi. Aveva le iridi rosa e le pupille rosso scuro.

L'albino prese una pistola dalla tasca e infilò la canna in mezzo alle sbarre, puntandola contro Saunière. «Non doveva fuggire.» Parlava con un accento difficile da individuare. «Adesso mi dica dov'è.»

«Gliel'ho già detto» balbettò il curatore, indifeso e inginoc-

11

chiato sul pavimento della galleria. «Non ho idea di che cosa stia parlando.»

«Lei mente.» L'uomo lo fissò, perfettamente immobile, a parte il luccichio dei suoi occhi spettrali. «Lei e i suoi compagni possedete qualcosa che non è vostro.»

Il curatore si sentì percorrere da una scarica di adrenalina. "Da chi può averlo saputo?"

«Questa notte ritornerà ai suoi legittimi guardiani. Mi dica dov'è nascosta e le risparmierò la vita.» L'uomo puntò la pistola contro la testa del curatore. «È un segreto per cui vale la pena di morire?»

Saunière si sentì mancare il fiato.

L'albino inclinò leggermente la testa, prendendo la mira lungo la canna dell'arma.

Saunière alzò le mani come per difendersi. «Aspetti. Le dirò quello che vuole sapere.» Poi proseguì lentamente, scandendo con attenzione le parole. La bugia che raccontò l'aveva già ripetuta molte volte, tra sé e sé... augurandosi ogni volta di non doverla mai pronunciare.

Quando il curatore ebbe terminato di parlare, il suo assalitore sorrise con aria astuta. «Sì. È esattamente quello che mi hanno detto gli altri.»

Saunière trasalì. "Gli altri?"

«Ho trovato anche loro» disse il gigantesco albino. «Tutt'e tre. Hanno confermato quello che lei mi ha raccontato adesso.»

"Non può essere!" L'identità nascosta del curatore, come quella dei suoi tre *sénéchaux*, era sacra come l'antico segreto da loro protetto. Saunière ora comprendeva l'accaduto: i suoi siniscalchi avevano seguito la procedura e detto la stessa bugia prima di morire. Faceva parte del protocollo stabilito.

L'aggressore puntò di nuovo la pistola. «Scomparso lei, sarò il solo a conoscere la verità.»

"La verità." In un istante, il curatore comprese il vero orrore della situazione. "Se morrò, la verità andrà persa per sempre." Istintivamente, cercò di mettersi al riparo.

La pistola ruggì; il curatore sentì un lancinante bruciore quando il proiettile gli entrò nello stomaco. Cadde in avanti... lottando contro il dolore. Poi, lentamente, Saunière si girò su se stesso e guardò il suo assalitore, dietro le sbarre.

L'albino puntava ora la pistola contro la sua testa.

Il curatore chiuse gli occhi. I suoi pensieri erano una tempesta di paura e rimpianto.

Il *clic* del percussore che batteva a vuoto echeggiò nel corridoio.

L'albino guardò l'arma con espressione quasi divertita. Fece per prendere dalla tasca un altro caricatore, poi parve cambiare idea e fissò con calma, sorridendo, l'addome di Saunière. «Qui il mio lavoro è finito.»

Il curatore abbassò lo sguardo e vide sulla bianca camicia di lino il foro del proiettile. C'era un piccolo cerchio di sangue, poche dita sotto lo sterno. "Mi ha ferito allo stomaco." Quasi crudelmente, il proiettile aveva mancato il cuore. Come ex combattente della *Guerre d'Algérie*, aveva già visto molte volte quell'orribile morte prolungata. Sarebbe sopravvissuto per una quindicina di minuti, mentre i suoi succhi gastrici filtravano nella cavità toracica, avvelenandolo lentamente dall'interno.

«Il dolore è buono, Monsieur» disse l'albino. Poi scomparve.

Rimasto solo, Jacques Saunière tornò a osservare la saracinesca d'acciaio. Era in trappola; per riaprire la porta occorrevano almeno venti minuti. Prima che qualcuno facesse in tempo ad arrivare a lui, sarebbe morto. Eppure, la paura che adesso l'attanagliava era assai superiore a quella della morte.

"Devo trasmettere il segreto."

Alzandosi in piedi a fatica, richiamò alla mente i tre fratelli assassinati. Pensò alle generazioni venute prima di loro, alla missione affidata a tutt'e quattro.

"Un'ininterrotta catena di conoscenze."

E all'improvviso, adesso, nonostante tutte le precauzioni e le misure di sicurezza, Jacques Saunière era il solo legame rimasto, l'unico guardiano di uno dei più terribili segreti mai esistiti.

Rabbrividendo, si rizzò in piedi.

"Devo trovare un modo..."

Era intrappolato all'interno della Grande Galleria ed esisteva solo una persona al mondo a cui passare la fiaccola. Saunière guardò le pareti della sua ricchissima prigione. La collezione dei più famosi dipinti del mondo pareva sorridergli come un gruppo di vecchi amici.

Stringendo i denti per il dolore, fece appello a tutte le sue forze e capacità. Sapeva che il compito disperato che lo attendeva avrebbe richiesto fino all'ultimo istante di quel poco di vita che ancora gli rimaneva.

1

Robert Langdon riprese coscienza lentamente. Un telefono squillava nell'oscurità, uno scampanellio acuto. Un suono che non gli era familiare. Cercò a tastoni la lampada sul comodino e la accese. Sollevando le palpebre ancora gonfie per il sonno, si guardò attorno e scorse una ricca camera da letto in stile, con mobili Luigi XVI, pareti affrescate e un colossale letto in mogano col baldacchino.

"Dove diavolo sono finito?"

L'accappatoio in tessuto jacquard appeso a una delle colonne portava lo stemma HOTEL RITZ PARIS.

Pian piano, la nebbia cominciò ad allontanarsi dal suo cervello. Langdon sollevò il ricevitore. «Pronto?»

«Monsieur Langdon?» chiese un uomo. «Spero di non averla svegliata.»

Con la mente ancora confusa dal sonno, Langdon lanciò un'occhiata alla sveglia sul comodino. Mezzanotte e trentadue. Si era addormentato meno di un'ora prima, ma si sentiva come un'anima ritornata dal regno dei morti.

«Qui è la portineria, Monsieur. Mi scusi il disturbo, c'è una persona che chiede di lei. Insiste che è urgente.»

Langdon faticava ancora a connettere. "Una persona?" Lesse oziosamente la scritta su un cartoncino posato sul comodino.

L'UNIVERSITÀ AMERICANA DI PARIGI
È LIETA DI PRESENTARE UNA SERATA CON
ROBERT LANGDON
PROFESSORE DI SIMBOLOGIA RELIGIOSA, HARVARD UNIVERSITY

Langdon gemette tra sé. La sua conferenza – una proiezione di diapositive sulla simbologia pagana nascosta nelle pietre della Cattedrale di Chartres – doveva avere arruffato il pelo a qualche ascoltatore fondamentalista. Probabilmente uno studioso di religioni l'aveva seguito fino all'albergo per insultarlo.

«Mi dispiace» disse Langdon «ma sono stanco e...»

«*Mais, monsieur*» insistette il portiere abbassando il tono di voce e sussurrando in fretta: «Il suo visitatore è una persona importante».

Langdon non ne dubitava. I suoi libri sull'arte religiosa e sulla simbologia del culto lo avevano reso, a dispetto delle sue intenzioni, una celebrità nel mondo dell'arte; inoltre, l'anno precedente, la sua visibilità si era moltiplicata per cento a causa del suo coinvolgimento in un incidente avvenuto nel Vaticano, a cui era stata data un'amplissima pubblicità. Da allora il flusso di storici convinti della propria importanza e di maniaci dell'arte che suonavano alla sua porta non si era più arrestato.

«Per favore, mi può usare la gentilezza» rispose Langdon, il quale faticava a non lanciargli qualche improperio «di farsi lasciare il nome e il numero di telefono di questa persona, e di dirle che farò del mio meglio per chiamarla prima di lasciare Parigi, martedì prossimo? Grazie.» E riagganciò, prima che il portiere potesse protestare.

Seduto sul letto, Langdon guardò con ira la guida dell'albergo, appoggiata sul comodino. La copertina vantava: DORMIRE COME UN BAMBINO NELLA CITTÀ DELLE LUCI. BUON SONNO AL RITZ DI PARIGI. Alzò la testa e fissò lo specchio a parete davanti a lui. L'uomo che gli ricambiò lo sguardo era un estraneo, spettinato ed esausto.

"Hai bisogno di una vacanza, Robert."

L'ultimo anno lo aveva stancato moltissimo, ma a Langdon non piaceva vederne la prova allo specchio. I suoi occhi azzurri, di solito acuti e vivaci, erano velati e gonfi. La mascella forte era coperta dalla barba scura di un giorno e così il mento, tagliato verticalmente da una fossetta. Sulle tempie, le strisce grigie si erano allargate, annettendosi nuove aree del suo cespuglio di capelli scuri e ricciuti. Anche se le colleghe sostenevano che il grigio accentuava il suo fascino di studioso, Langdon non si faceva illusioni.

"Se il 'Boston Magazine' mi vedesse ora."

Il mese precedente, con grande imbarazzo di Langdon, il "Boston Magazine" lo aveva elencato tra le dieci persone più affascinanti della città, un discutibile onore che lo aveva reso oggetto di infinite battute da parte dei colleghi di Harvard. Quella sera, a cinquemila chilometri da casa, il complimento era tornato ad assillarlo alla conferenza da lui tenuta.

«Signore e signori» aveva detto la moderatrice, parlando all'aula piena, nel Pavillon Dauphine dell'Università americana di Parigi «il nostro ospite di questa sera non ha bisogno di presentazione. È autore di numerosi libri: *La simbologia delle sette segrete*, *L'arte degli Illuminati*, *Il linguaggio perduto degli ideogrammi*, e quando afferma che ha scritto il testo fondamentale sulla *Iconologia della religione* intendo questa frase alla lettera. Molti di voi usano il suo volume nei loro corsi.»

Gli studenti che facevano parte del pubblico avevano annuito con entusiasmo.

«Avevo pensato di presentarlo ricapitolando il suo impressionante *curriculum vitae*. Però...» Aveva guardato ironicamente Langdon, che sedeva accanto a lei. «Una persona del pubblico mi ha appena passato una presentazione assai più, per così dire... "seducente".»

E aveva mostrato una copia del "Boston Magazine".

Langdon si era sentito correre un brivido lungo la schiena. "Dove diavolo è andata a pescarlo?"

La moderatrice aveva cominciato a leggere alcune frasi scelte, tratte dall'articolo idiota; Langdon si era sentito sprofondare sempre più nella sedia. Trenta secondi più tardi, la gente rideva e la donna non dava segno di volersi arrestare. «"E il rifiuto del signor Langdon di parlare in pubblico del suo inconsueto ruolo nel conclave vaticano dello scorso anno gli ha fatto certamente guadagnare qualche ulteriore punto nel nostro 'affascinometro'".» Come se non bastasse, si era anche messa a pungolare il pubblico. «Volete saperne di più?»

La folla aveva applaudito.

"Che qualcuno la fermi" aveva supplicato Langdon, mentre la donna si tuffava nuovamente nell'articolo.

«"Anche se il professor Langdon non ha quella bella presenza palestrata che contraddistingue alcuni dei nostri giovani prescelti, questo accademico quarantenne ha dalla sua il fascino dell'erudito. La sua accattivante presenza è sottolineata da una voce stranamente bassa e baritonale, che le sue studentesse descrivono come 'cioccolata per le orecchie'".»

L'intera sala era scoppiata a ridere.

Langdon era riuscito a rivolgere al pubblico un sorriso imbarazzato. Sapeva quel che veniva ora – un commento ridicolo su un "Harrison Ford in giacca di Harris Tweed" – e, poiché quella sera gli era sembrato di potere finalmente indossare senza pericolo un girocollo Burberry e la giacca di Harris Tweed, a quel punto aveva deciso di passare all'azione. «Grazie, Monique» aveva detto, alzandosi prima del tempo e costringendola ad allontanarsi dal podio. «Il "Boston Magazine" è davvero molto abile nelle narrazioni di fantasia.» Fissò il pubblico e sospirò con imbarazzo. «E se scopro chi ha portato quel giornale, lo faccio deportare dal consolato americano.»

La folla aveva riso.

«Bene, signori, come tutti sapete, questa sera sono venuto a parlare del potere dei simboli...»

Il silenzio venne di nuovo interrotto dallo squillo del telefono.

Incredulo, Langdon si lasciò sfuggire un gemito e sollevò il ricevitore. «Sì?»

Come prevedeva, era di nuovo la portineria. «Signor Langdon, mi scusi di nuovo. La chiamo per informarla che il suo ospite sta salendo. Pensavo che fosse bene avvertirla.»

A quel punto, Langdon era ormai del tutto sveglio. «Ha lasciato salire qualcuno nella mia stanza?»

«Le mie scuse, Monsieur, ma un uomo del genere... non ho l'autorità di fermarlo.»

«Ma chi è, esattamente?»

Il portiere aveva già riattaccato.

Un attimo più tardi, qualcuno bussò rumorosamente alla porta.

Insicuro sul da farsi, Langdon scese dal letto e sentì le dita dei piedi infilarsi profondamente nel tappeto savonnerie. Si infilò l'accappatoio dell'albergo e si diresse alla porta. «Chi è?»

«Signor Langdon? Devo parlare con lei.» L'uomo aveva un distinto accento francese, un latrato secco, autorevole. «Sono il tenente Jérôme Collet. Direction central Police judiciaire.»

Langdon rimase interdetto per qualche istante. "La polizia giudiziaria?" La sua Direzione centrale era qualcosa di molto vicino all'FBI americano.

Senza togliere la catena di sicurezza, Langdon socchiuse di pochi centimetri la porta. La faccia che lo guardava era affilata e sbiadita. Il tenente Collet era eccezionalmente magro e indossava un'uniforme blu dall'aspetto estremamente serio.

«Posso entrare?» chiese il poliziotto.

Langdon era ancora esitante. I suoi dubbi aumentavano a mano a mano che gli occhi segnati del tenente lo scrutavano. «Di cosa si tratta?»

«Il mio *capitaine* richiede la sua consulenza per una questione privata.»

«Adesso?» cercò di obiettare Langdon. «È mezzanotte passata.»

«È vero che lei doveva incontrarsi con il curatore del Louvre, questa sera?»

Langdon sentì bruscamente crescere il disagio. Lui e il famoso curatore Jacques Saunière dovevano incontrarsi per bere qualcosa insieme, dopo la conferenza all'Università americana, ma Saunière non si era fatto vedere. «Sì. Come fate a saperlo?»

«Abbiamo trovato il suo nome nell'agenda degli appuntamenti di Saunière.»

«Spero che non sia successo nulla.»

L'agente trasse un lungo sospiro e infilò nella fessura della porta una polaroid. «Questa foto è stata scattata meno di un'ora fa. All'interno del Louvre.»

Nel guardare la bizzarra immagine, Langdon passò dall'iniziale repulsione a un improvviso accesso di collera. «Chi può aver fatto una cosa simile?»

«Speravamo che lei potesse aiutarci a rispondere alla domanda, data la sua conoscenza della simbologia e la sua intenzione di incontrarsi con lui.»

Langdon continuò a fissare la foto. Al suo orrore si sommava adesso la paura. L'immagine era raccapricciante e profondamente strana e gli dava un allarmante senso di déjà-vu. Poco più di un anno prima, lo studioso aveva ricevuto la fotografia di un altro cadavere e una simile richiesta di aiuto. Ventiquattr'ore più tardi aveva rischiato di perdere la vita all'interno del Vaticano. La foto che aveva davanti agli occhi era del tutto diversa, eppure il luogo in cui era stata scattata aveva qualcosa di familiare.

Il poliziotto guardò l'orologio da polso. «Il mio *capitaine* ci aspetta, signore.»

Langdon lo udì appena. Continuava a fissare la fotografia. «Questo simbolo, e il modo strano in cui il corpo è stato...»

«Messo in posa?» suggerì il poliziotto.

Langdon annuì e sentì correre un brivido lungo la schiena. «Non riesco a immaginare chi possa fare qualcosa del genere a una persona.»

L'agente lo guardò con espressione cupa. «Lei non ha capito, signor Langdon. Quel che vede nella fotografia...» Si interruppe per un istante. «Monsieur Saunière se l'è fatto da solo.»

2

A più di un chilometro di distanza, il gigantesco albino chiamato Silas varcò zoppicando il portone principale della lussuosa residenza della sua associazione: un palazzo di arenaria grigia sulla Rue La Bruyère. Il cilicio – una cintura irta di spine nella parte interna – attorno alla coscia gli incideva la pelle, ma il suo cuore cantava di soddisfazione per il servizio reso a Dio.

"Il dolore è buono."

I suoi occhi dalle iridi rosse esaminarono in fretta l'atrio mentre entrava nella residenza. Era vuoto. Salì silenziosamente le scale per non destare nessuno dei suoi fratelli numerari. La porta della sua camera era aperta; lì le serrature erano proibite. Entrò e accostò la porta dietro di sé.

La stanza era spartana: pavimento di rovere, un armadio di abete, una brandina in un angolo, che gli serviva da letto. Quella settimana, Silas era ospite a Parigi, ma da molti anni godeva della benedizione di un simile asilo a New York City.

"Il Signore mi ha offerto il suo rifugio e mi ha dato uno scopo nella vita."

E quella sera, finalmente, Silas pensava di avere cominciato a ripagare il suo debito. Corse all'armadio, recuperò il cellulare nascosto nel cassetto e compose un numero.

«Sì?» gli rispose un uomo.

«Maestro, sono tornato.»

«Parla» ordinò l'uomo. Pareva soddisfatto di udirlo.

«Tutt'e quattro se ne sono andati. I tre *sénéchaux* e il *Grand-Maître*.»

Per qualche istante, l'uomo non rispose, come se mormorasse una preghiera. «Allora, penso che tu abbia l'informazione.»

«Tutt'e quattro hanno detto la stessa cosa. Ciascuno indipendentemente dall'altro.»

«E tu credi loro?»

«La concordanza era troppo grande per trattarsi di una coincidenza.»

Un respiro eccitato. «Eccellente. Temevo che il vincolo alla segretezza, tipico di quella fratellanza, l'avesse avuta vinta.›

«La prospettiva della morte è una forte motivazione.»

«Allora, figlio mio, dimmi che cosa devo sapere.»

Silas si rendeva conto che le informazioni strappate alle sue vittime lo avrebbero stupito. «Maestro, tutt'e quattro hanno confermato l'esistenza della *clef de voûte*, la leggendaria "chiave di volta".»

Sentì che l'interlocutore traeva bruscamente il fiato; percepì con nettezza l'eccitazione del Maestro. «La chiave di volta. Esattamente come sospettavamo.»

Secondo la leggenda, la fratellanza aveva creato una mappa di pietra – una chiave o pietra di volta – una tavoletta scolpita che rivelava il nascondiglio del massimo segreto della fratellanza: un'informazione così importante che la sua protezione era la ragione dell'esistenza stessa della fratellanza.

«Quando avremo in mano la chiave di volta» disse il Maestro «saremo a un solo passo di distanza dal nostro obiettivo.»

«Siamo più vicino di quanto lei non pensi. La chiave di volta è qui a Parigi.»

«Parigi? Incredibile. Sembra persino troppo facile.»

Silas riferì gli ultimi avvenimenti della notte; come tutt'e quattro le vittime, negli istanti precedenti la morte, avessero disperatamente cercato di ricomprarsi la loro vita senza Dio raccontando il loro segreto. Ciascuno aveva detto a Silas la stessa cosa: che la chiave di volta era astutamente nascosta in un punto preciso di una delle antiche chiese di Parigi, quella di Saint-Sulpice.

«Dentro una casa del Signore!» esclamò il Maestro. «Quanto si prendono gioco di noi!»

«Come hanno fatto per secoli.»

Il Maestro tacque, come per godersi appieno il trionfo di quel momento. Infine parlò: «Hai reso un grande servizio a Dio. Abbiamo atteso per secoli questo momento. Devi recuperare la pietra per me. Immediatamente. Questa notte stessa. Tu sai qual è la posta».

Silas sapeva che la posta era inestimabile, ma quanto gli chiedeva il Maestro gli pareva impossibile. «Quella chiesa è una fortezza, soprattutto di notte. Come faccio a entrare?»

Con il tono sicuro di sé delle persone importanti, il Maestro gli spiegò che cosa dovesse fare.

Quando Silas chiuse la comunicazione, la sua pelle fremeva nell'attesa.

"Un'ora" ripeté a se stesso, lieto che il Maestro gli avesse concesso il tempo di fare la necessaria penitenza, prima di entrare in una casa di Dio. "Devo purgare la mia anima dei peccati di quest'oggi." I peccati da lui commessi avevano uno scopo santo. Le azioni di guerra contro i nemici di Dio si effettuavano da secoli. Il perdono era assicurato.

Eppure, come Silas sapeva, l'assoluzione richiedeva un sacrificio.

Dopo avere chiuso gli scuri, si spogliò e si inginocchiò al centro della stanza. Guardando in basso, osservò il cilicio legato alla coscia. Tutti i veri seguaci della *Via* portavano quello strumento, una fascia di cuoio irta di uncini metallici che incidevano la pelle come continuo *memento* delle sofferenze di Cristo. Il dolore causato dagli uncini aiutava anche a vincere i desideri della carne.

Sebbene Silas, quel giorno, avesse portato il cilicio per più delle due ore richieste, sapeva che si trattava di una giornata particolare. Prese la fibbia e la strinse di un foro, serrando i denti quando gli uncini gli entrarono ancora più profondamente nella carne. Esalando lentamente il fiato, assaporò il dolore come rito di purificazione.

"Il dolore è buono" sussurrò fra sé, ripetendo le sacre parole di padre Josemaría Escrivá, il Maestro dei Maestri. Anche se Escrivá era morto nel 1975, la sua saggezza era sopravvissuta, le sue parole erano ancora sussurrate da migliaia di servitori fedeli, in tutto il globo, quando si inginocchiavano per terra ed eseguivano la sacra pratica nota come "mortificazione corporale".

Silas rivolse ora l'attenzione a una grossa corda annodata, arrotolata con precisione sul pavimento accanto a lui. La "disciplina". I nodi erano sporchi di sangue rappreso. Ansioso di giungere alla purificazione attraverso il dolore, Silas recitò una breve preghiera. Poi, afferrata la corda, chiuse gli occhi e si sferzò con violenza la schiena, in modo da sentire i nodi ferirgli la pelle. Una seconda sferzata gli lacerò la carne. Poi un'altra e un'altra.

"Castigo corpus meum."

E infine sentì scorrere il sangue.

3

La frizzante aria d'aprile sferzava il finestrino aperto della Citroën ZX che correva a sud dopo avere lasciato Place Vendôme. Nel sedile del passeggero, Robert Langdon osservava la città passare veloce accanto a lui e cercava di chiarirsi i pensieri. Dopo avere fatto una rapida doccia ed essersi rasato, il suo aspetto era tornato ragionevolmente presentabile, ma le preoccupazioni gli erano rimaste. La spaventosa immagine del corpo del curatore rimaneva bloccata nella sua mente.

"Jacques Saunière è morto."

Langdon non poteva fare a meno di provare un forte senso di perdita per la morte del curatore. Nonostante Saunière avesse fama di essere una sorta di recluso, era facile provare venerazione per lui a causa della sua grande dedizione alle arti. I suoi libri sui codici segreti celati nei quadri di Poussin e Teniers erano tra i testi adottati da Langdon per i suoi corsi. Lui aveva aspettato con ansia l'incontro di quella sera ed era rimasto deluso quando il curatore non era comparso.

Di nuovo l'immagine del curatore si presentò alla sua mente. "È stato Jacques Saunière a ridursi in quel modo?" Langdon si voltò a guardare dal finestrino, costringendosi a fugare quella visione.

All'esterno dell'auto, la città cominciava allora a chiudere le sue attività: i venditori ambulanti portavano via i loro carretti di *amandes* caramellate, i camerieri trasferivano sul marciapiede i sacchi di immondizia, una coppia di innamorati tiratardi si stringeva per riscaldarsi, mentre soffiava il vento profumato di germogli di gelsomino. La Citroën viaggiava con autorità in mezzo al caos: la sua sirena bitonale e dissonante si apriva la strada in mezzo al traffico, come un coltello.

«*Le capitaine* era molto lieto, quando ha scoperto che lei era ancora a Parigi» disse il poliziotto, parlando per la prima volta da quando avevano lasciato l'hotel. «Una coincidenza fortunata.»

Langdon si sentiva tutt'altro che fortunato e la coincidenza non era una categoria di cui si fidasse molto. Avendo trascorso la vita a esplorare i collegamenti nascosti tra i diversi emblemi e le diverse ideologie, vedeva il mondo come una rete di storie e di eventi profondamente intrecciati tra loro. "I collegamenti possono essere invisibili" aveva spesso ripetuto ai suoi allievi di simbologia a Harvard "ma ci sono sempre, sepolti appena sotto la superficie." «Suppongo» disse «che sia stata l'Università americana di Parigi a dirvi dove alloggiavo.»

Il poliziotto scosse la testa. «L'Interpol.»

"L'Interpol" pensò Langdon. "Naturalmente." Si era dimenticato che la richiesta, in apparenza innocua, di tutti gli hotel europei di vedere il passaporto quando ci si registrava per una camera non era solo una stramba formalità del Vecchio Continente, ma era un obbligo di legge. Ogni notte, in tutta l'Europa, i funzionari dell'Interpol potevano individuare con esattezza chi dormisse in ciascun albergo. Trovare Langdon al Ritz non doveva avere richiesto più di cinque secondi.

Mentre la Citroën accelerava verso sud, comparve la sagoma illuminata della Torre Eiffel, che in lontananza, a destra, svettava verso il cielo scuro della notte. Nel vederla, a Langdon tornò alla mente Vittoria e la scherzosa promessa che si erano scambiati un anno prima, di incontrarsi ogni sei mesi in qualcuno dei punti più romantici del mondo. La Torre Eiffel, pensava Langdon, sarebbe potuta benissimo entrare nell'elenco ma, purtroppo, aveva baciato per l'ultima volta Vittoria in un rumoroso aeroporto di Roma, più di un anno addietro.

«L'ha mai montata?» chiese il poliziotto.

Colto di sorpresa, Langdon si augurò di avere capito male. «Scusi?»

«È bella, vero?» soggiunse il poliziotto, indicando la Torre Eiffel. «C'è già montato?»

«No, non sono mai salito sulla torre.»

«È il simbolo della Francia. Secondo me è perfetta.»

Langdon annuì senza compromettersi. Gli studiosi di simboli spesso osservavano come la Francia – paese famoso per il machismo, l'adulterio e i suoi capi di Stato insicuri e di bassa statura come Napoleone e Pipino il Breve – non avrebbe potuto scegliere un simbolo nazionale più adatto di quello: un fallo eretto, alto trecento metri.

Quando raggiunsero l'intersezione con Rue de Rivoli, il semaforo era rosso, ma la Citroën non rallentò. Il tenente Collet accelerò per superare l'incrocio ed entrò in un tratto alberato di Rue de Castiglione, che faceva da ingresso settentrionale ai famosi giardini delle Tuileries. Molti turisti pensavano che il nome "Jardin des Tuileries" si riferisse alle migliaia di tulipani che sbocciavano laggiù, ma "Tuileries" si riferiva in realtà a qualcosa di molto meno romantico. Quel parco era un tempo un enorme scavo, una sorta di sentina malsana della città, da cui i costruttori parigini scavavano l'argilla per fabbricare le famose tegole rosse parigine, ossia le *tuiles*.

Quando entrarono nei giardini deserti, il tenente Collet infilò la mano sotto il cruscotto e spense l'assordante sirena. Langdon trasse un lungo sospiro e si godette per qualche istante l'assoluto silenzio. All'esterno dell'auto, il pallido raggio dei fari alogeni scivolava sulla ghiaia della strada alberata del parco e il rumore delle ruote scandiva un ritmo ipnotico. Langdon aveva sempre considerato le Tuileries terreno sacro. Erano i giardini dove Claude Monet aveva sperimentato con la forma e col colore e aveva letteralmente ispirato la nascita del movimento impressionista. Quella sera, però, vi regnava una strana atmosfera minacciosa.

La Citroën svoltò a sinistra e si diresse a est lungo il *boulevard* centrale del parco. Dopo avere girato attorno a un laghetto circolare, il poliziotto attraversò un viale spoglio per entrare in un'ampia piazza quadrata. Langdon vedeva ora la fine delle Tuileries, contrassegnata da un gigantesco arco di pietra.

L'Arc du Carrousel.

Nonostante i rituali orgiastici che un tempo si tenevano all'Arc du Carrousel, gli amanti dell'arte venerano quel luogo per un motivo del tutto diverso. Dalla piazza in fondo alle Tuileries si possono scorgere quattro dei più importanti musei di belle arti del mondo, uno per ciascun punto cardinale della bussola.

A destra e a sud, al di là della Senna e del Quai Voltaire, Langdon vedeva la facciata scenograficamente illuminata della vecchia stazione ferroviaria, oggi il rinomato Musée d'Orsay. A sinistra scorgeva invece la cima dell'ultramoderno Centre Pompidou, che ospitava il museo di Arte moderna. Dietro di lui, a ovest, sapeva che l'antico obelisco di Ramses si alzava al di sopra degli alberi e contrassegnava la Galerie du Jeu de Paume.

E davanti a lui, attraverso l'arco, Langdon poteva vedere adesso il monolitico palazzo rinascimentale che era divenuto il più famoso museo di belle arti del mondo.

Il Musée du Louvre.

Langdon provò un familiare senso di meraviglia mentre i suoi occhi si sforzavano inutilmente di cogliere l'intera massa dell'edificio. In fondo a una piazza di dimensioni enorme, l'imponente facciata del Louvre si stagliava come una cittadella nel cielo parigino. Il Louvre aveva la forma di un enorme ferro di cavallo ed era l'edificio più lungo d'Europa, più di tre Torri Eiffel messe l'una in fila all'altra. Neppure i centomila metri quadri di spazio aperto tra le ali del museo riuscivano a intaccare la maestosità dell'immensa facciata. Una volta, Langdon aveva percorso l'intero perimetro del Louvre: una stupefacente escursione di cinque chilometri.

Per poter debitamente apprezzare le 65.300 opere d'arte esposte nell'edificio, si calcolava che un visitatore avrebbe impiegato cinque settimane, ma la maggior parte dei turisti sceglieva l'esperienza abbreviata che Langdon chiamava il "Louvre Light": una corsa attraverso il museo per vedere le tre opere d'arte più famose, la *Monna Lisa* – o, come era chiamata in vari paesi europei, *La Gioconda* –, la *Venere di Milo* e la *Vittoria alata*. L'umorista Art Buchwald si era una volta vantato di avere visto tutt'e tre i capolavori in cinque minuti e cinquantasei secondi.

Il poliziotto prese un walkie-talkie e parlò in un francese rapidissimo: «*Monsieur Langdon est arrivé. Deux minutes*».

Dall'altoparlante giunse una conferma indecifrabile, una sorta di gracidio coperto dalle scariche.

Il poliziotto infilò il walkie-talkie nel vano della portiera e si rivolse a Langdon. «Incontrerà il *capitaine* all'entrata principale.»

Ignorando le segnalazioni che vietavano alle auto l'accesso alla piazza, accelerò e lanciò la Citroën nella zona pedonale. L'ingresso principale era adesso visibile. Si distingueva in lontananza, circondato da sette fontane triangolari da cui si alzava un getto d'acqua illuminato.

La *Pyramide.*

Il nuovo ingresso del Louvre parigino era divenuto famoso quanto il museo stesso. La controversa piramide di vetro in stile neomoderno, progettata dall'architetto americano di origine cinese I.M. Pei, suscitava ancora l'odio dei tradizionalisti che l'accusavano di distruggere la dignità rinascimentale dell'insieme. Goethe aveva descritto l'architettura come musica congelata; i detrattori di Pei descrivevano quella piramide come il rumore delle unghie che graffiano la lavagna. Gli ammiratori progressisti, invece, salutavano la piramide trasparente di Pei, alta ventuno metri, come un'abbagliante sinergia di struttura antica e di tecnologia moderna, un legame simbolico tra il vecchio e il nuovo, che contribuiva a introdurre il Louvre nel millennio appena iniziato.

«Le piace la nostra piramide?» chiese il tenente Collet.

Langdon aggrottò la fronte. I francesi, a quanto pareva, amavano fare agli americani quel tipo di domande. Naturalmente si trattava di una domanda a trabocchetto. Se avesse ammesso che la piramide gli piaceva, sarebbe stato giudicato un americano privo di gusto; se avesse detto che non gli piaceva avrebbe offeso i francesi.

«Mitterrand era un uomo di carattere» rispose Langdon, sottolineando la differenza tra l'opera e il committente. Del vecchio presidente francese che aveva commissionato la piramide si diceva che soffrisse del "complesso del faraone". Responsabile d'avere riempito Parigi di obelischi, oggetti d'arte e manufatti egizi, François Mitterrand aveva una propensione talmente forte per la cultura egizia da guadagnarsi il nomignolo di "Sfinge", affibbiatogli dai suoi compatrioti.

«Come si chiama il suo capitano?» chiese Langdon per cambiare argomento.

«Bezu Fache» ripose Collet, mentre si avvicinavano all'ingresso principale. «Noi lo chiamiamo *le Taureau*.»

Langdon lo guardò con sorpresa. Che ogni francese avesse un misterioso soprannome animale? «Chiamate il vostro capitano "il Toro"?»

Collet inarcò le sopracciglia. «Il suo francese è migliore di quanto lei non ammetta, Monsieur Langdon.»

"Il mio francese fa schifo" pensò Langdon "ma la mia iconografia zodiacale è ottima." *Taurus* era il Toro. L'astrologia era una simbologia costante in tutto il mondo.

Collet fermò l'auto e indicò un punto tra due fontane: un'ampia porta nel fianco della piramide. «Ecco l'entrata. Buona fortuna, Monsieur.»

«Lei non viene?»

«Ho l'ordine di lasciarla qui. Ho un altro lavoro da svolgere.»

Langdon trasse un sospiro e scese dall'auto. "I registi siete voi e lo spettacolo è vostro."

Collet inserì la marcia e ripartì.

Rimasto solo a guardare le luci posteriori dell'automobile che si allontanava. Langdon rifletté che poteva ancora ripensarci, uscire dal cortile, prendere un taxi e tornare in albergo a dormire. Ma qualcosa gli diceva che non sarebbe stata una buona idea.

Mentre si muoveva verso le fontane circondate dalla nebbia, lo studioso aveva l'impressione di avere attraversato una soglia immaginaria e di essere finito in un altro mondo. Tornava ad affacciarsi l'impressione che aveva avuto all'inizio, di vivere in un sogno. Venti minuti prima, dormiva in albergo. Adesso era davanti a una piramide trasparente costruita dalla Sfinge e aspettava un poliziotto chiamato il Toro.

"Sono intrappolato in un quadro di Salvador Dalí" pensò.

Fece qualche passo e arrivò all'ingresso principale, un'enorme porta girevole. Al di là dei vetri si scorgeva il foyer, vuoto e nell'ombra.

"Che faccio, busso?"

Si chiese se qualcuno degli stimati egittologi di Harvard avesse mai bussato all'ingresso di una piramide e se si fosse aspettato una risposta. Stava per picchiare sul vetro ma, sotto di sé, vide una figura salire la scala. Era un uomo massiccio dai capelli scuri, quasi un Neandertal, con una giacca nera a doppio petto che faticava a contenere le enormi spalle. Saliva con grande sicurezza di sé; aveva le gambe corte e muscolose. In quel momento parlava al cellulare, ma terminò la chiamata prima di raggiungere Langdon. Gli fece segno di entrare.

«Bezu Fache» si presentò quando lo studioso uscì dalla porta girevole. «Capitano della Direzione centrale di polizia giudiziaria.» Il tono di voce era adatto al suo aspetto: un brontolio gutturale, come un'incipiente tempesta.

Langdon gli tese la mano. «Robert Langdon.»

L'enorme palma di Fache si avvolse attorno alla sua con la forza di una pressa idraulica.

«Ho visto la foto» disse Langdon. «Il suo agente ha detto che è stato lo stesso Jacques Saunière a...»

«Signor Langdon» lo interruppe Fache, trafiggendolo con due occhi neri come l'inchiostro. «Ciò che ha visto nella foto è solo l'inizio di quel che ha fatto Saunière.»

4

Il capitano Bezu Fache camminava come un toro incollerito, con le spalle dritte e il mento piantato nel petto. Aveva i capelli neri e lucidi, pettinati all'indietro, con un ciuffo centrale dall'attaccatura simile alla punta di una freccia, che divideva in due ben distinte parti la fronte sporgente e lo precedeva come la prua di una nave da guerra. Mentre avanzava, i suoi occhi scuri parevano scavare la terra davanti a lui e davano un'impressione di ferocia che corrispondeva alla sua fama di severità in ogni cosa.

Langdon seguì il capitano lungo la famosa scalinata di marmo che portava nell'atrio sotterraneo, sotto la piramide di vetro. Mentre scendevano, passarono accanto a due agenti della polizia giudiziaria armati di mitragliette. Il messaggio era chiaro: questa notte nessuno entra, nessuno esce senza il permesso del capitano Fache.

Scendendo sotto il livello del terreno, Langdon provò un crescente allarme. La presenza di Fache era tutt'altro che rassicurante e il Louvre, a quell'ora della notte, aveva un aspetto sepolcrale. La scala, come quella di certi cinematografi, era illuminata da sottili strisce di luce incassate nell'alzata dello scalino. Langdon sentiva i propri passi echeggiare sul vetro, in alto. Alzò gli occhi e vide svanire oltre il tetto trasparente qualche ricciolo di nebbia illuminata, proveniente dalle fontane.

«Lei approva?» chiese Fache, indicando col mento la piramide.

Langdon sospirò. Non aveva più voglia di giocare. «Sì, la vostra piramide è magnifica.»

Fache brontolò: «Una ferita sulla faccia di Parigi».

"Uno a zero." Langdon sentiva che il suo accompagnatore era un uomo difficile da accontentare. Si domandò se Fache sapesse che la piramide, per esplicita richiesta del presidente Mitterrand, era costituita di esattamente 666 lastre di vetro, una bizzarra richiesta che era ancora oggetto di discussione da parte degli appassionati di esoterismo, per i quali il 666 era il numero della Bestia, ossia di Satana.

Langdon preferì lasciar perdere. A mano a mano che si inoltravano nel foyer sotterraneo, le sue superfici cominciarono a emergere dall'ombra. Costruito diciassette metri sotto il livello del suolo, il nuovo atrio del Louvre, settemila metri quadrati, si allungava come una grotta infinita. Con il suo marmo di un caldo color ocra intonato alla pietra color miele della facciata sovrastante, la sala sotterranea era in genere piena di luce e di turisti. Quella notte, invece, l'atrio era spoglio e scuro e l'intero spazio dava un senso di gelo che richiamava alla mente l'atmosfera di una cripta.

«E gli agenti del servizio di sicurezza del museo?» chiese Langdon.

«*En quarantaine*» rispose Fache, in tono leggermente offeso, come se lo studioso avesse messo in dubbio l'integrità dei suoi uomini. «Ovviamente, questa sera è entrato qualcuno che non doveva entrare. Tutti i guardiani notturni sono stati riuniti in un'altra ala per essere interrogati. Saranno i miei agenti a occuparsi della sicurezza del museo per questa notte.»

Langdon annuì. Accelerò il passo per non allontanarsi da Fache.

«Conosceva bene Jacques Saunière?» chiese il capitano.

«In realtà non lo conoscevo affatto. Non l'ho mai incontrato.»

Fache fece la faccia sorpresa. «E il vostro primo incontro doveva avere luogo questa notte?»

«Sì. Ci eravamo dati appuntamento nella portineria dell'Università americana, alla fine della mia conferenza, ma lui non è venuto.»

Fache prese un appunto in un quadernetto. Mentre camminavano, Langdon scorse anche la seconda, meno importante piramide del Louvre – la *Pyramide Inversée* – un enorme lucernario capovolto che scendeva dal soffitto come una stalattite, in una parte del mezzanino vicino a dove si trovavano loro. Fache salì alcuni scalini fino a una galleria dalla volta ad arco che portava la scritta: DENON. L'ala Denon era la più famosa delle tre principali sezioni del Louvre.

«Chi ha organizzato l'incontro di questa sera?» chiese all'improvviso Fache. «Lei o Saunière?»

La domanda era leggermente strana, date le abitudini del curatore del Louvre. «Il signor Saunière» rispose Langdon mentre entravano nella galleria. «La sua segretaria mi ha mandato un'e-mail qualche settimana fa. Ha detto che il curatore sapeva della conferenza e che voleva discutere alcuni particolari con me, mentre ero a Parigi.»

«Che particolari?»

«Non lo so. Qualcosa che riguardava l'arte, suppongo. Condividevamo alcuni interessi.»

Fache lo guardò con scetticismo. «Non ha idea dell'argomento dell'incontro?»

Langdon non ne aveva idea. All'epoca, le parole di Saunière avevano destato la sua curiosità, ma non aveva voluto chiedere maggiori dettagli. Il famoso Jacques Saunière amava la privacy e concedeva pochissime udienze; Langdon considerava già un grande onore poterlo incontrare.

«Signor Langdon, può almeno fare un'ipotesi sull'argomento che la vittima poteva voler discutere con lei la notte in cui è stato ucciso? Potrebbe esserci d'aiuto.»

L'insistenza della domanda metteva a disagio lo studioso. «A dire il vero, non saprei proprio. Non gliel'ho chiesto. Mi sentivo onorato di essere stato contattato da lui. Sono un ammiratore dell'opera di Saunière. Spesso uso i suoi testi nei miei corsi.»

Fache prese nota dell'informazione nel suo quadernetto.

I due uomini erano adesso a metà della galleria e Langdon cominciava a vedere le scale mobili alla fine, entrambe ferme.

«Dunque, lei condivideva alcuni interessi con Saunière?» chiese Fache.

«Sì. A dire il vero, ho impiegato gran parte dello scorso anno a scrivere la prima stesura di un libro che tratta del principale campo di studi di Saunière. Non vedevo l'ora di strizzargli il cervello.»

Fache rizzò di scatto la testa. «*Pardon?*»

Evidentemente si trattava di un'espressione troppo americana. «Non vedevo l'ora di conoscere i suoi pensieri sull'argomento.»

«Capisco. E qual è l'argomento?»

Langdon ebbe un istante di esitazione; non sapeva come formulare la risposta. «Essenzialmente, il mio manoscritto riguarda l'iconografia del culto della dea, il concetto di santità femminile e l'arte e i simboli a esso associati.»

Fache si passò una mano fra i capelli. «E Saunière era un esperto sull'argomento?»

«Il massimo esistente.»

«Capisco.»

Langdon aveva l'impressione che Fache non capisse affatto. Jacques Saunière era considerato il principale iconografo mondiale sulla dea. Non solo aveva una passione personale per tutti i reperti relativi a fertilità, culti della dea, la Wicca e il femminino sacro, ma nei vent'anni in cui era stato curatore del Louvre aveva anche accumulato nel museo la più grande collezione mondiale di oggetti artistici sulla dea: asce bipenni usate dalle sacerdotesse del più antico tempio di Delfi, caducei dorati, centinaia di ankh di Tjet che assomigliavano a piccoli angeli eretti, sonagli di sistro adoperati nell'antico Egitto per allontanare gli spiriti maligni e una stupefacente quantità di statuette raffiguranti Horo allattato dalla dea Iside.

«Che Jacques Saunière fosse a conoscenza del suo manoscritto?» suggerì Fache. «Potrebbe avere organizzato l'incontro per aiutarla in qualche punto del libro.»

Langdon scosse la testa. «A dire il vero, nessuno sa ancora nulla del mio manoscritto. È in prima stesura e l'ho fatto vedere soltanto al mio editor.»

Fache non disse nulla.

Langdon non aggiunse la ragione per cui non aveva mostrato il manoscritto ad altri. Le sue trecento pagine – provvisoriamente intitolate *Simboli della sacralità femminile perduta* – proponevano alcune interpretazioni non convenzionali dell'iconografia religiosa corrente e avrebbero certamente suscitato molte polemiche.

Adesso, mentre si avvicinava alle scale mobili, si fermò perché si era accorto che Fache non era più con lui. Quando si voltò, vide che si era fermato a qualche metro di distanza, accanto a uno degli ascensori.

«Prendiamo l'ascensore» disse il capitano, mentre le porte scorrevoli si aprivano. «Come lei certamente sa, la galleria è piuttosto lontana, a piedi.»

Pur essendo consapevole che l'ascensore avrebbe abbreviato la salita fino all'ala Denon, Langdon non si mosse.

«Qualcosa non va?» chiese Fache, seccato, tenendo aperta la porta.

Langdon sospirò e guardò con desiderio la scala mobile. "È tutto a posto" mentì a se stesso, incamminandosi verso l'ascensore. Da bambino era caduto in un pozzo abbandonato e aveva rischiato di morire: per ore aveva continuato a tenersi a galla in quello stretto spazio prima che venissero a salvarlo. Da allora aveva la fobia dei luoghi chiusi: ascensori, metropolitane, campi di squash. "L'ascensore è una macchina perfettamente sicura" si ripeté, ma un'altra voce nella sua mente protestava: "È una sottile scatola di latta dentro un pozzo!". Trattenendo il respiro, montò nell'ascensore e provò il consueto brivido di terrore quando le porte si chiusero.

"Pochi piani. Una decina di secondi."

«Lei e il signor Saunière» chiese Fache, quando l'ascensore si mosse «non vi siete mai parlati? Non vi siete mai scritti? Non vi siete mai spediti qualche oggetto?»

Un'altra domanda strana. Langdon scosse la testa. «No. Mai.»

Fache inclinò la testa come per prendere mentalmente nota del fatto. Senza più parlare, fissò davanti a sé un punto delle porte cromate.

Mentre salivano, Langdon cercò di pensare a qualcos'altro che non fossero le quattro pareti che lo circondavano. Riflesso sulla porta lucida dell'ascensore, vide il fermacravatta del capitano: un crocifisso d'argento con incastonati tredici pezzi di onice nera. La cosa era vagamente sorprendente. La croce era nota come *crux gemmata*, un simbolo cristiano che si riferiva a Cristo e ai dodici apostoli. Langdon non si era aspettato che un capitano di polizia ostentasse così apertamente la propria religione. Comunque, erano in Francia e il cristianesimo non era una religione, quanto piuttosto un diritto di nascita.

«È una *crux gemmata*» disse all'improvviso Fache.

Sorpreso, Langdon alzò gli occhi e incrociò lo sguardo del capitano, riflesso sulla porta di metallo lucido.

L'ascensore si arrestò e la porta si aprì.

Langdon si affrettò a uscire nel corridoio, ansioso di raggiungere l'ampio spazio concesso dai famosi soffitti alti delle gallerie del Louvre. L'ambiente in cui si trovò, però, non era quello che si aspettava.

Sorpreso, si bloccò.

Fache lo guardò. «A quanto pare, signor Langdon, lei non ha mai visto il Louvre dopo la chiusura.»

"Penso proprio di no" si disse lui, cercando di orientarsi. Di solito perfettamente illuminate, le gallerie del Louvre erano straordinariamente buie, quella notte. Invece della solita luce bianca e diffusa che scendeva dall'alto, dalla base delle pareti si irradiava un chiarore rosso: intermittenti macchie di luce rossa che illuminavano le piastrelle del pavimento.

Spostando lo sguardo lungo il corridoio buio, Langdon comprese che avrebbe dovuto aspettarselo. Quasi tutte le principali gallerie d'arte impiegavano di notte luci di servizio rosse, piazzate strategicamente a un livello basso, che permettevano ai membri del personale di percorrere i corridoi, ma che mantenevano i dipinti in una relativa oscurità per rallentare gli effetti dell'esposizione dei pigmenti alla luce. Quella notte il museo aveva un aspetto quasi opprimente. Lunghe ombre lo attraversavano e i soffitti erano invisibili, nascosti in uno spazio incommensurabile, vuoto e buio.

«Da questa parte» disse Fache, dirigendosi a destra e passando per una serie di gallerie collegate tra loro.

Langdon lo seguì. La sua vista si abituò gradualmente al buio. Tutt'intorno a lui, grandi quadri a olio cominciarono a materializzarsi come foto che si sviluppino in un'immensa camera oscura; i loro occhi lo seguirono mentre si muoveva da una sala all'altra. Sentiva il familiare odore dell'aria dei musei – un'essenza asciutta, deionizzata – prodotta dai deumidificatori industriali con filtro a carbone attivo che rimanevano accesi per tutto l'arco della giornata, in modo da eliminare la corrosiva anidride carbonica del respiro dei visitatori.

Montate in alto, sulle pareti, le telecamere della sicurezza trasmettevano un chiaro messaggio ai visitatori: "Ti vediamo. Non toccare niente".

«Qualcuna è vera?» chiese Langdon, indicandole.

Fache scosse la testa. «Naturalmente, no.»

La cosa non stupì lo studioso. La sorveglianza video, in musei di quella dimensione, non solo era proibitiva dal punto di vista economico, ma anche inefficace. Con ettari di gallerie da sorvegliare, il Louvre avrebbe richiesto centinaia di addetti soltanto per tenere d'occhio i monitor. Molti grandi musei adottano oggi una "sicurezza di contenimento": "Rinuncia a tenere lontano i ladri. Chiudili dentro". Il "contenimento" entrava in funzione nelle ore di chiusura e se un intruso avesse portato via un'opera d'arte, le uscite di quel settore si sarebbero chiuse e il ladro si sarebbe trovato dietro le sbarre ancor prima che arrivasse la polizia.

Dal corridoio di marmo, davanti a loro, venivano alcune voci. Il rumore pareva giungere da un'ampia rientranza sulla destra. In quella zona, una forte luce illuminava il corridoio.

«L'ufficio del curatore» spiegò il capitano Fache.

Quando furono più vicini, Langdon vide in fondo a un'anticamera il lussuoso studio di Saunière: pareti rivestite di legno, quadri di antichi maestri, un'enorme scrivania in stile su cui si scorgeva il modellino di un cavaliere in armatura, alto sessanta centimetri. Nella stanza c'erano diversi agenti di polizia, intenti a telefonare e a scrivere appunti. Uno sedeva alla scrivania di Saunière e inseriva dati in un computer portatile. A quanto pareva, l'ufficio privato del curatore era divenuto temporaneamente la centrale operativa della polizia giudiziaria per quella notte.

«*Messieurs*» li chiamò Fache «*ne nous dérangez pas sous aucun prétexte. Entendu?*»

All'interno dell'ufficio, tutti gli rivolsero un cenno d'assenso.

Langdon aveva appeso all'esterno delle sue camere d'albergo francesi un numero sufficiente di cartellini NE PAS DERANGER da capire l'ordine del capitano. Non dovevano essere disturbati per nessun motivo. Lasciandosi alle spalle il gruppetto di agenti, Fache condusse Langdon ancora più avanti, lungo la galleria in penombra. Trenta metri più in là si apriva l'ingresso alla più famosa sezione del Louvre – la *Grande Galerie* – un ampio corridoio, apparentemente interminabile, che ospitava i più preziosi capolavori italiani. Langdon già sapeva che il corpo di Saunière era laggiù; anche nella polaroid, il famoso pavimento a parquet della Grande Galleria era inconfondibile.

Quando fu più vicino, Langdon vide che l'ingresso era bloccato da un'enorme grata di ferro che assomigliava a quelle usate per tenere lontano dai castelli medievali gli eserciti nemici.

«Sicurezza di contenimento» disse Fache, indicando la grata.

Anche nella penombra, la barriera pareva in grado di resistere a un carro armato. Quando vi arrivò davanti, Langdon guardò attraverso le sbarre, cercando di distinguere qualcosa nella penombra della galleria.

«Dopo di lei, signor Langdon» disse Fache.

Lo studioso lo guardò senza capire. "Dopo di me, dove?"

Il capitano gli indicò il pavimento ai piedi della grata.

Langdon si chinò a guardare. Nella penombra non se n'era accorto. La barriera era sollevata di una sessantina di centimetri e lasciava aperto uno scomodo passaggio.

«Quest'area è ancora vietata alle guardie di sicurezza del Louvre» disse Fache. «La mia squadra della Police Technique et Scientifique ha appena finito il suoi rilievi.» Indicò l'apertura. «Per favore, passi sotto.»

Langdon osservò prima lo stretto spazio in basso e poi la pesante grata di ferro. "Certamente è uno scherzo!" Sembrava una ghigliottina pronta a piombare sugli intrusi per schiacciarli.

Fache brontolò alcune parole in francese e controllò l'orologio. Si mise in ginocchio e scivolò con tutta la sua massa sotto la grata. Giunto dall'altra parte, si guardò indietro attraverso le sbarre e fissò Langdon.

Lo studioso sospirò. Appoggiò le palme al pavimento lucido e si sdraiò sullo stomaco. Mentre passava, la giacca si agganciò al fondo della grata e lui batté la nuca contro il ferro. "Sta' calmo, Robert" pensò, mentre percorreva, strisciando, l'ultimo tratto. Nell'alzarsi cominciò a sospettare che quella notte sarebbe stata assai più lunga del previsto.

5

Murray Hill Place, la nuova sede nazionale e centro di conferenze dell'Opus Dei, è collocato al numero 243 di Lexington Avenue, a New York City. Costato poco più di quarantasette milioni di dollari, il grattacielo di dodicimila metri quadrati è rivestito di mattoni rossi e di calcare dell'Indiana. Progettato da May & Pinska, contiene più di cento camere da letto, sei sale da ricevimento, biblioteche, sale di lettura, sale congressi e uffici. Al primo, settimo e quindicesimo piano ci sono tre cappelle, decorate di marmi e sculture. Il sedicesimo piano è unicamente residenziale. Gli uomini entrano nell'edificio dall'ingresso principale di Lexington Avenue, le donne da una strada laterale e sono sempre "acusticamente e visivamente isolate" dagli uomini all'interno dell'edificio.

Nel silenzio del suo appartamento all'ultimo piano, il vescovo Manuel Aringarosa aveva preparato, qualche ora prima, una piccola borsa da viaggio e indossato la tradizionale veste nera. In genere si sarebbe stretto attorno ai fianchi una fascia color porpora, ma quella sera avrebbe viaggiato tra la gente e non voleva richiamare l'attenzione sul suo alto incarico. Solo un occhio molto acuto avrebbe notato l'anello vescovile in oro a quattordici carati, con ametiste scure e diamanti, con incisi gli emblemi della mitra e del bastone pastorale. Si infilò a tracolla la borsa da viaggio, mormorò una breve preghiera, lasciò l'appartamento e scese fino all'atrio, dove l'autista lo aspettava per accompagnarlo all'aeroporto.

Seduto a bordo di un aereo di linea diretto a Roma, Aringarosa guardava dal finestrino le acque nere dell'Atlantico. Il sole era ormai tramontato, ma il vescovo sapeva che la sua stella si stava alzando. "Questa sera vinceremo la battaglia" pensò, stupito nel ricordare che solo pochi mesi prima si era sentito inerme contro le mani che minacciavano di distruggere il suo impero.

Come presidente generale dell'Opus Dei, il vescovo Aringarosa aveva trascorso l'ultimo decennio della vita diffondendo il messaggio dell'"opera di Dio", che era ciò che significa, alla lettera, *opus Dei*. L'associazione, fondata nel 1928 dal sacerdote spagnolo Josemaría Escrivá, patrocinava un ritorno ai valori cattolici tradizionali e incoraggiava i suoi appartenenti a compiere grandi sacrifici, nel corso della loro vita, per portare a compimento l'opera di Dio.

La filosofia tradizionalista dell'Opus Dei si era inizialmente radicata nella Spagna prima della salita al potere di Franco, ma con la pubblicazione nel 1934 del libro di esercizi spirituali di Josemaría Escrivá, *La Via* – 999 argomenti di meditazione per compiere l'opera di Dio durante la propria vita – il messaggio del sacerdote spagnolo si era diffuso nel mondo; oggi, con più di quattro milioni di copie della *Via* circolanti in quarantadue lingue, l'Opus Dei era ormai una forza a livello globale. Le sue residenze, i suoi centri di insegnamento e persino le sue università si incontravano in gran parte delle metropoli. L'Opus Dei era, in tutto il mondo, l'organizzazione cattolica in più rapida crescita e finanziariamente più solida, anche se, purtroppo, come Aringarosa aveva imparato a sue spese, in un'epoca di cinismo religioso, di sette e di predicatori televisivi, il crescente potere dell'Opus Dei e la sua ricchezza attiravano i sospetti come la calamita attira la limatura di ferro.

«Molti etichettano l'Opus Dei come una setta che opera il lavaggio del cervello. Altri la definiscono una società segreta ultraconservatrice. Che cos'è, in realtà?» gli chiedeva spesso qualche giornalista.

«L'Opus Dei non è né l'una né l'altra» rispondeva pazientemente il vescovo. «Noi siamo semplicemente una parte della Chiesa cattolica. Siamo un gruppo di cattolici che hanno scelto come priorità quella di seguire la dottrina cattolica con tutto il rigore possibile nella nostra vita quotidiana.»

«L'opera di Dio comporta necessariamente voti di castità,

cessione dei propri beni, espiazione dei peccati attraverso l'autoflagellazione e il cilicio?»

«Lei si riferisce soltanto a una minima parte dei membri dell'Opus Dei» rispondeva Aringarosa. «Ci sono molti livelli di dedizione. Migliaia di appartenenti all'Opus Dei sono sposati, hanno famiglia e portano avanti l'opera di Dio nella loro comunità. Altri scelgono una vita di ascetismo all'interno delle nostre residenze chiuse, lontano dal mondo. Sono scelte personali, ma tutti, nell'Opus Dei, condividono la meta di migliorare il mondo portando avanti l'opera di Dio. Certo è una finalità di grande merito.»

Ma la ragionevolezza non funzionava quasi mai. I media si pascevano di scandali e l'Opus Dei, come tutte le organizzazioni di analoga dimensione, aveva tra i suoi appartenenti qualche anima malconsigliata che gettava ombra sull'intero gruppo.

Due mesi prima, un gruppo dell'Opus Dei, in una università del Midwest americano, era stato scoperto a somministrare mescalina agli aspiranti membri per portarli a uno stato euforico che doveva essere interpretato dai neofiti come un'esperienza estatica religiosa. Lo studente di un'altra università, nella sua malintesa ansia di purificazione, aveva usato il cilicio uncinato per ben più delle due ore al giorno consigliate e si era procurato un'infezione che per poco non l'aveva portato alla morte. A Boston, non molto tempo prima, il giovane proprietario di una banca di investimenti aveva lasciato tutto il suo denaro all'Opus Dei prima di tentare il suicidio in un momento di depressione.

"Pecorelle smarrite" pensò Aringarosa, con profonda compassione per loro.

Naturalmente, il peggior motivo di imbarazzo era stato il processo – un processo che aveva ricevuto un'enorme pubblicità – dell'agente dell'FBI Robert Hanssen, il quale, oltre a essere un importante membro dell'Opus Dei, era risultato un maniaco sessuale. Al processo si era scoperto che aveva installato telecamere nascoste nella propria camera da letto, in modo che gli amici potessero vederlo mentre faceva sesso con la moglie. "Non certo il passatempo di un devoto cattolico" aveva commentato il giudice.

Dolorosamente, questi fatti avevano contribuito a far nascere il gruppo di osservazione noto come Opus Dei Awareness Network, una rete di informazione sull'Opus Dei. Il sito del gruppo – www.odan.org – conteneva agghiaccianti storie di ex appartenenti all'Opus Dei che avvertivano dei pericoli che correva chi si fosse iscritto. A causa di quei rapporti, i giornali si riferivano adesso all'associazione come alla "mafia di Dio" e alla "setta di Cristo".

"Noi temiamo quello che non capiamo" pensò Aringarosa, chiedendosi se quegli accusatori avessero idea del numero di vite che erano state arricchite dall'Opus Dei. L'associazione godeva del pieno appoggio e della benedizione del Vaticano. "L'Opus Dei è una prelatura personale dello stesso pontefice."

Recentemente, però, l'Opus Dei era stata minacciata da una forza infinitamente più potente dei media, un nemico inatteso, a cui Aringarosa non poteva certo nascondersi. Cinque mesi prima, il caleidoscopio del potere era stato scosso e Aringarosa barcollava ancora sotto il colpo.

"Non si rendono conto della guerra a cui hanno dato inizio" mormorò tra sé il vescovo, riprendendo a guardare l'oceano avvolto nel buio. Per un istante fissò il riflesso della sua faccia sul vetro: un viso irregolare, lungo e abbronzato, dominato da un naso piatto e aquilino, che era stato spezzato da un pugno quando lui era ancora un giovane sacerdote in Spagna. Ormai, però, non notava più quel difetto fisico. Aringarosa viveva nel mondo delle anime, non in quello della carne.

Quando il jet giunse sulla costa del Portogallo, il telefono cellulare che Aringarosa portava in tasca cominciò a vibrare nella modalità "suoneria silenziosa".

Anche se i regolamenti del trasporto aereo proibivano l'uso dei cellulari durante il volo, Aringarosa sapeva di non poter perdere la chiamata. Solo una persona conosceva quel numero: l'uomo che aveva inviato al vescovo il telefono. Con una leggera agitazione, rispose a bassa voce: «Sì?».

«Silas ha localizzato la chiave di volta» disse l'uomo che l'aveva chiamato. «È a Parigi, nella chiesa di Saint-Sulpice.»

Il vescovo Aringarosa sorrise. «Allora siamo vicino alla nostra meta.»

«Possiamo averla subito, ma ci serve la sua influenza.»

«Naturalmente. Mi dica che cosa occorre fare.»

Quando Aringarosa spense il telefono, il suo cuore era in tumulto. Guardò di nuovo nel vuoto della notte e si sentì una creatura minuscola rispetto agli avvenimenti da lui messi in moto.

A ottocento chilometri di distanza, l'albino chiamato Silas era curvo su un piccolo catino e si puliva il sangue dalla schiena, osservando le macchie rosse sull'acqua. «"Purificami con issopo e sarò mondato"» pregò, citando il salmo. «"Lavami e sarò più bianco della neve."»

Silas provava un'eccitazione che aveva sperimentato soltanto nella sua vita precedente. La cosa lo sorprendeva e insieme lo elettrizzava. Negli ultimi dieci anni aveva seguito la *Via* e si era ripulito dei peccati, aveva ricostruito la sua vita, cancellando la violenza del passato. Quella notte, però, tutto era nuovamente affiorato in un attimo. L'odio che si era sforzato duramente di seppellire era stato evocato, ed egli si era sorpreso nel constatare la velocità con cui il suo passato era tornato ad affacciarsi. E con quello, naturalmente, le sue antiche capacità. Arrugginite ma ancora utili.

"La parola di Gesù è di pace, di non violenza, d'amore." Questo era stato insegnato a Silas fin dall'inizio, il messaggio che teneva nel cuore. Ma era il messaggio che i nemici di Cristo volevano adesso distruggere. "Coloro che minacciano Dio con la forza saranno accolti con la forza. Incrollabile e salda."

Per due millenni i soldati cristiani avevano difeso la loro fede contro coloro che avevano cercato di cancellare il messaggio di Cristo. Quella notte, anche Silas era stato chiamato in battaglia. Si asciugò le ferite e si infilò la tonaca col cappuccio, lunga fino alle caviglie. Era di linea molto semplice, di lana nera, e sottolineava il biancore della sua pelle e dei capelli. Stringendosi il cordone attorno alla vita, sollevò sulla testa il cappuccio e si concesse di guardare per un istante la propria immagine allo specchio. "Gli ingranaggi sono già in moto."

6

Dopo essersi infilato sotto la grata di sicurezza, Robert Langdon si trovava ora sulla soglia della Grande Galleria e aveva l'impressione di essere nell'imboccatura di un canyon lungo e profondo.

Da entrambi i lati le pareti spoglie si alzavano per dieci metri e svanivano nell'oscurità. Il chiarore rosso dell'illuminazione di servizio conferiva un innaturale aspetto infuocato a una stupefacente collezione di quadri di Leonardo, Tiziano e Caravaggio appesi a cavi che scendevano dal soffitto. Nature morte, scene religiose, paesaggi, con accanto ritratti di nobili e di politici.

Anche se la Grande Galleria ospitava i più famosi capolavori d'arte italiana del Louvre, molti visitatori ritenevano che la più stupefacente caratteristica di quell'ala fosse il suo famoso pavimento a parquet. Costituito di assi diagonali di legno di rovere, disposte secondo un disegno geometrico che impediva allo sguardo di staccarsene, il pavimento creava un'effimera illusione ottica: un reticolo a molte dimensioni che dava ai visitatori il senso di galleggiare lungo la galleria su una superficie che cambiava a ogni passo.

Quando Langdon cominciò a distinguere il pavimento, il suo sguardo si bloccò bruscamente su un oggetto che giaceva a terra, pochi metri alla sua sinistra, circondato dal nastro di segnalazione della polizia. Si voltò verso Fache. «Ma quello sul pavimento... non è un Caravaggio?»

Il capitano annuì, senza guardare.

Quel quadro, si disse lo studioso, valeva almeno due milioni di dollari, eppure era abbandonato sul pavimento come un manifesto vecchio. «Che diavolo ci fa, sul pavimento?»

Fache lo guardò torvo. Chiaramente, non trovava niente di strano nel fatto che un Caravaggio fosse per terra. «Questa è la scena di un delitto, signor Langdon. Non abbiamo toccato nulla. Quella tela è stata spostata dal curatore. Staccandola dalla parete ha attivato il sistema di sicurezza.»

Langdon tornò a fissare la grata e cercò di immaginare la scena.

«Il curatore è stato aggredito nel suo ufficio, si è rifugiato nella Grande Galleria e ha attivato la chiusura di sicurezza staccando quel dipinto dalla parete. La grata è scesa immediatamente, bloccando tutte le entrate. C'è solo una porta da cui si accede a questa galleria.»

Langdon era leggermente confuso. «Il curatore ha catturato il suo aggressore all'interno della Grande Galleria?»

Fache scosse la testa. «La grata di sicurezza ha *separato* Saunière dal suo aggressore. L'assassino è rimasto chiuso all'esterno e gli ha sparato attraverso la grata.» Fache indicò un cartellino arancione legato a una delle sbarre della grata sotto cui erano passati. «La squadra della Scientifica ha trovato residui di polvere da sparo di una pistola. Ha mirato attraverso le sbarre. Saunière era solo quando è morto qui dentro.»

Langdon ripensò alla fotografia del corpo di Saunière. "Mi avevano detto che aveva fatto tutto da solo." Diede un'occhiata all'immenso corridoio davanti a loro. «Dov'è il corpo?»

Fache raddrizzò il fermacravatta a forma di croce e si incamminò. «Come probabilmente saprà, la Grande Galleria è piuttosto lunga.»

La lunghezza esatta, se la memoria non l'ingannava, era di circa quattrocentocinquanta metri. Altrettanto impressionante era la larghezza della sala, che avrebbe permesso comodamente il transito di un paio di treni passeggeri affiancati. Il centro della galleria era punteggiato di statue e di colossali urne di porcellana che servivano come elegante divisorio e a mantenere un flusso ordinato dei visitatori nelle due direzioni.

Fache taceva e camminava rapidamente lungo la corsia destra della galleria, lo sguardo fisso in avanti. Langdon aveva l'impressione di mancare di rispetto a quei capolavori, passandogli davanti senza dedicare loro neppure un'occhiata. "Non che si possa vedere molto, con questa luce" si giustificò.

Il bagliore rosso e ovattato evocava purtroppo in lui ricordi dell'ultima volta che Langdon aveva visto quel tipo di luce, negli archivi segreti del Vaticano. Era la seconda volta, nelle ultime ore, che gli tornava in mente il rischio mortale da lui corso a Roma. Il pensiero di quella città richiamò a sua volta il ricordo di Vittoria. Anche a lei non pensava da mesi. Stentava a credere che il suo viaggio a Roma risalisse solo all'anno prima, gli sembrava che fossero passati decenni. "Un'altra vita." Le ultime notizie ricevute da Vittoria risalivano a dicembre: una cartolina postale in cui diceva di partire per il mare di Giava per continuare le sue ricerche sulla fisica della comunicazione, qualcosa che riguardava l'impiego dei satelliti per seguire le migrazioni delle mantre. Langdon non si era mai illuso che una donna come Vittoria Vetra potesse essere felice di vivere con lui nel campus di un college, ma il loro incontro a Roma aveva destato in lui un desiderio che non aveva mai creduto di poter provare. La sua innata preferenza per la vita di scapolo e le semplici libertà che gli permetteva era stata in qualche modo scossa, per essere sostituita da un imprevisto senso di vuoto, che era aumentato nel corso dell'anno precedente.

Continuarono a camminare in fretta, ma Langdon non scorse alcun cadavere. «Jacques Saunière ha fatto tutta questa strada?»

«Il signor Saunière è stato ferito allo stomaco. È morto molto lentamente. Forse ha impiegato quindici o venti minuti. Era ovviamente un uomo fisicamente molto robusto.»

Langdon si voltò verso di lui, stupefatto. «E la sicurezza ha impiegato *quindici* minuti ad arrivare fin qui?»

«Naturalmente no. Il servizio di sicurezza del Louvre ha reagito immediatamente all'allarme e ha trovato la Grande Galleria chiusa. Attraverso la grata, hanno sentito che qualcuno si muoveva dall'altra parte del corridoio, ma non sono riusciti a vedere chi fosse. Hanno gridato, ma non hanno avuto risposta. Pensando che potesse essere soltanto un criminale, hanno seguito il protocollo e hanno chiamato la polizia giudiziaria. Noi siamo arrivati nel giro di quindici minuti.

Quando siamo giunti sul posto, abbiamo sollevato la barriera quanto bastava per scivolare sotto, e io ho fatto entrare una decina di agenti armati. Hanno percorso l'intera galleria per bloccare l'intruso.»

«E...?»

«Non hanno trovato nessuno all'interno. Eccetto...» Indicò un punto davanti a loro. «... lui.»

Langdon sollevò lo sguardo per seguire la mano tesa di Fache. Dapprima pensò che il capitano indicasse una grande statua di marmo nel mezzo del corridoio. Proseguendo, però, poté scorgere ciò che c'era dietro la statua. A trenta metri di distanza, un unico faretto su un treppiede allungabile illuminava il pavimento, creando un'isola di luce bianca in mezzo alle rade luci rosse della galleria. Nel centro della zona illuminata, come un insetto sotto il microscopio, si scorgeva il corpo del curatore, nudo sul pavimento.

«Ha visto la foto» commentò Fache «e quindi non dovrebbe essere una sorpresa.»

Langdon si sentì raggelare mentre si avvicinava al cadavere. Davanti a lui c'era una delle più strane immagini che avesse mai visto.

Il corpo pallido di Jacques Saunière giaceva sul pavimento esattamente come gliel'aveva mostrato la fotografia. Mentre, fermo al di sopra del corpo, socchiudeva gli occhi a causa della luce troppo forte, Langdon si rammentò con stupore che Saunière aveva consumato i suoi ultimi minuti di vita disponendo il proprio corpo in quello strano modo.

Saunière appariva straordinariamente robusto per un uomo della sua età, e la muscolatura era perfettamente visibile. Si era tolto tutti i vestiti, li aveva posati sul pavimento, ben ripiegati, e si era sdraiato sulla schiena, nel centro dell'ampio corridoio, allineandosi perfettamente con l'asse della sala. Aveva le braccia tese all'esterno e le gambe divaricate come se galleggiasse sull'acqua del mare facendo il "morto" o, pensiero ancora più macabro, come un uomo legato a cavalli invisibili per essere squartato.

Poco sotto lo sterno di Saunière, una macchia di sangue contrassegnava il punto in cui il proiettile era entrato nella sua carne. La ferita appariva straordinariamente piccola, e ne era uscita solo una macchia di sangue nero.

Anche l'indice sinistro di Saunière era insanguinato; a quanto pareva, era stato tuffato nella ferita per creare l'aspetto più sconvolgente del suo macabro letto di morte: servendosi del proprio sangue come inchiostro e usando come carta il proprio addome nudo, Saunière aveva disegnato sulla propria carne un semplice simbolo, cinque linee rette che si incrociavano in modo da formare una stella a cinque punte.

"Il pentacolo."

La stella di sangue, con al centro l'ombelico di Saunière, dava al suo corpo una sorta di aria vampiresca o negromantica. La foto che gli era stata mostrata era già abbastanza raccapricciante, ma adesso, osservando con i propri occhi la scena, Langdon provava una crescente inquietudine. "E se l'è fatto da sé."

«Signor Langdon?» chiese Fache, fissandolo.

«È un pentacolo» rispose lo studioso. La sua voce suonava più bassa del voluto, in quello spazio immenso. «Uno dei più antichi simboli al mondo. Già in uso quattromila anni prima di Cristo.»

«E che cosa significa?»

Langdon aveva sempre qualche esitazione a rispondere a quella domanda. Spiegare a qualcuno il "significato" di un simbolo era come spiegargli ciò che doveva provare ascoltando un brano musicale: era una sensazione che mutava da persona a persona. Un cappuccio bianco con i buchi per gli occhi, negli Stati Uniti faceva pensare al Ku Klux Klan ed evocava immagini di odio e di razzismo, ma in Spagna richiamava immagini di fede religiosa.

«I simboli hanno significati diversi a seconda della loro collocazione» disse Langdon. «Principalmente, il pentacolo è un simbolo religioso pagano.»

Fache annuì. «Adorazione del diavolo.»

«No» lo corresse Langdon, pentendosi di non avere scelto termini più chiari.

Oggigiorno, il termine "pagano" era diventato quasi sinonimo di "adoratore del diavolo" ma si trattava di un grosso equivoco La parola derivava dal latino *paganus*, che significava "abitante della campagna". I "pagani" erano i contadini ignoranti che rimanevano fedeli alle vecchie religioni rurali del culto della natura. Di fatto, così forte era l'avversione della Chiesa verso coloro che abitavano nelle *villae* rurali, che anche il termine innocuo per definire un abitante di un villaggio – "villano" – aveva finito per assumere un carattere negativo.

«Il pentacolo» spiegò Langdon «è un simbolo precristiano legato al culto della natura. Gli antichi vedevano il mondo diviso in due metà, maschile e femminile. I loro dèi e le loro dee cercavano di mantenere un equilibrio dei poteri, yin e yang. Quando il principio maschile e quello femminile erano in equilibrio, nel mondo regnava l'armonia. Quando erano squilibrati, vi regnava il caos.» Langdon indicò lo stomaco di Saunière. «Questo pentacolo rappresenta la metà femminile di tutte le cose, un concetto religioso che gli storici delle religioni chiamano il "femminino sacro" o la "dea divina". Saunière sapeva queste cose meglio di chiunque altro.»

«Saunière si è tracciato sullo stomaco un simbolo divino femminile?»

Langdon dovette ammettere che la cosa era strana. «Nelle sue interpretazioni più specifiche, il pentacolo simboleggia Venere, la dea della bellezza femminile e dell'amore sessuale.»

Fache lanciò un'occhiata all'uomo nudo ed emise un brontolio.

«Le religioni antiche erano basate sull'ordine divino della natura. La dea Venere e il pianeta Venere erano una cosa sola ed erano identici. La dea aveva un posto nel cielo notturno ed era nota con vari nomi: Venere, la Stella dell'Est, Ishtar, Astarte. Tutti possenti concetti femminili legati alla Natura e alla Madre Terra.»

A quel punto, Fache pareva ancora più preoccupato, come se in qualche modo preferisse l'idea del culto del diavolo.

Langdon decise di non dilungarsi sulla più stupefacente proprietà del pentacolo, l'origine "grafica" del suo legame con Venere. Da giovane studente di astronomia, Langdon aveva appreso con stupore che il pianeta Venere tracciava un pentacolo perfetto sull'eclittica ogni otto anni. Gli antichi che avevano osservato quel fenomeno erano rimasti talmente stupefatti che Venere e il suo pentacolo erano divenuti i simboli della perfezione, della bellezza e degli aspetti ciclici dell'amore sessuale. Come tributo alla magia di Venere, i greci avevano fatto ricorso al suo ciclo di otto anni per organizzare i giochi olimpici. Oggi poche persone sapevano che la ricorrenza, ogni quattro anni, delle moderne Olimpiadi seguiva ancora un mezzo ciclo di Venere. E un numero ancora minore di persone sapeva che la stella a cinque punte stava quasi per diventare il simbolo ufficiale delle Olimpiadi, ma era stato scartato all'ultimo momento: le cinque punte erano state trasformate in cinque anelli che si incrociavano, per esprimere meglio lo spirito olimpionico di globalità e di armonia.

«Signor Langdon» disse all'improvviso Fache. «Ovviamente, il pentacolo deve anche collegarsi al diavolo. I vostri film americani dell'orrore lo mettono bene in chiaro.»

Langdon aggrottò la fronte. "Grazie, Hollywood." La stella a cinque punte era ormai un cliché in tutti i film di serial killer satanici. Di solito era tracciata sulla parete dell'appartamento di qualche satanista, accanto a presunti simboli diabolici. Langdon provava sempre un forte senso di frustrazione quando vedeva il simbolo in quel contesto; in realtà, le vere origini del pentacolo erano del tutto divine. «Le assicuro che, qualunque cosa compaia nei film» disse Langdon «l'interpretazione del pentacolo come simbolo diabolico non è storicamente accurata. Il significato originale femminile è corretto, ma nel corso dei millenni il simbolismo del pentacolo è stato distorto: nel nostro caso specifico, con molto spargimento di sangue.»

«Non credo di capire.»

Langdon lanciò un'occhiata al crocifisso di Fache e si chiese come formulare la spiegazione. «La Chiesa, capitano. I simbo li sono molto resistenti, ma il significato del pentacolo è stato alterato dalla Chiesa cattolica romana dei primi secoli. Come parte della sua campagna per eliminare la religione pagana e convertire al cristianesimo le masse, la Chiesa lanciò una campagna denigratoria contro gli dèi e le dee pagani, presentando come diabolici i loro simboli.»

«Vada avanti.»

«È una cosa che si verifica in tempi di rivoluzione» proseguì lo studioso. «Una potenza emergente fa propri i simboli esistenti e li degrada nel tentativo di cancellarne il significato. Nella lotta tra simboli pagani e simboli cristiani, i pagani hanno perso: il tridente di Nettuno è diventato il forcone del diavolo, il cappello a punta della vecchia erborista è divenuto il cappello della strega e il pentacolo di Venere è divenuto il segno del diavolo.» Fece una pausa. «Purtroppo i militari degli Stati Uniti hanno contribuito ad affermare la perversione del pentacolo, che adesso è diventato il nostro principale simbolo di guerra. Lo dipingiamo sugli aerei da caccia e lo mettiamo sulle spalline dei nostri generali.» "Con buona pace della dea dell'amore e della bellezza."

«Interessante.» Fache indicò il corpo disteso a terra. «E la posizione del cadavere? Che cosa le suggerisce?»

Langdon si strinse nelle spalle. «La posizione ribadisce il riferimento al pentacolo e al femminino sacro.»

Fache aggrottò la fronte. «Scusi?»

«Duplicazione. Ripetere un simbolo è il modo più semplice per rafforzarne il significato. Jacques Saunière si è messo in una posizione che ribadisce il simbolo della stella a cinque punte.» "Se un pentacolo è utile allo scopo, due lo sono ancora di più."

Fache passò lo sguardo sulle cinque punte del corpo di Saunière – braccia, gambe e testa – e si ravviò i capelli. «Analisi interessante.» Si interruppe. «E la nudità?» Pronunciò la parola con un lamento; pareva trovare repellente l'idea di un corpo nudo, maschile, di quell'età. «Perché si è tolto i vestiti?»

"Buona domanda" pensò Langdon. Se l'era chiesto fin dal primo momento in cui aveva visto la polaroid. La sua sola ipotesi era che un corpo umano nudo fosse un'ulteriore allusione a Venere, la dea della sessualità. Anche se la cultura moderna aveva cancellato gran parte dei collegamenti tra Venere e l'unione fisica tra maschio e femmina, l'etimologia scorgeva ancora un residuo del significato originale di Venere nella parola "venereo". Langdon decise di lasciar perdere. «Capitano Fache, è ovvio che non posso dirle perché il signor Saunière abbia disegnato quel simbolo sul proprio corpo o perché abbia assunto questa posizione, ma posso assicurarle che un uomo come Jacques Saunière avrebbe considerato il pentacolo come un segno della divinità femminile. La correlazione tra questo simbolo e il femminino sacro è ben nota agli storici dell'arte e agli studiosi di simbologia.»

«Bene. E perché ha usato come inchiostro il suo sangue?»

«Ovviamente, non aveva altro con cui tracciarlo.»

Fache tacque per un istante. «In realtà, credo che si sia servito del sangue perché la polizia seguisse certe procedure di medicina legale.»

«Scusi?»

«Guardi la mano sinistra.»

Langdon passò lo sguardo sul braccio bianco del cadavere, fino alla mano, ma non vide nulla. Si avvicinò e si inginocchiò, e allora notò con sorpresa che Saunière stringeva tra le dita un grosso pennarello.

«Saunière lo aveva in mano quando lo abbiamo trovato» spiegò Fache, spostandosi di alcuni metri fino a un tavolino pieghevole, coperto di strumenti investigativi, cavi elettrici e apparecchiature elettroniche. «Come le dicevo» continuò, frugando tra gli oggetti sul tavolino «non abbiamo toccato nulla. Conosce questo tipo di penna?»

Langdon si abbassò per leggere l'etichetta del pennarello.

STYLO DE LUMIERE NOIRE.

Sollevò la testa, sorpreso.

Il pennarello a luce nera o penna "a filigrana" impiega un particolare tipo di inchiostro che permette a restauratori, addetti dei musei e poliziotti di tracciare segni invisibili sugli oggetti: un inchiostro fluorescente, con un diluente non corrosivo a base di alcol, che risulta visibile solo ai raggi ultravioletti, o luce nera. Il personale dei musei vi ricorre nelle ispezioni quotidiane per collocare segni invisibili sulle cornici dei dipinti da restaurare.

Mentre Langdon si alzava, Fache raggiunse il faretto e lo spense. La galleria piombò nell'oscurità.

Momentaneamente cieco, lo studioso provò un senso di panico. Poi scorse la figura di Fache, illuminata da una luce rosso violacea. Si avvicinava reggendo in mano una lampada portatile che lo avvolgeva in quell'alone viola.

«Come lei forse sa» spiegò il capitano «la polizia usa l'illuminazione a luce nera per cercare nella scena del crimine il sangue e le altre tracce utili alla medicina legale. Perciò può immaginare la nostra sorpresa quando...» Bruscamente, puntò la luce sul cadavere.

Langdon abbassò lo sguardo e trasalì per lo shock.

Con il cuore che accelerava i battiti, osservò lo strano messaggio che adesso era comparso sul pavimento. Scritte in caratteri luminescenti, le ultime parole del curatore si leggevano nitidamente vicino al corpo. E a mano a mano che leggeva la scritta di colore rosso brillante, Langdon sentì addensarsi la nebbia che, nel suo cervello, avvolgeva quell'intera notte.

Lesse di nuovo il messaggio e fissò Fache. «Che diavolo significa?»

Alla luce della lampada, gli occhi di Fache che lo fissavano erano bianchi come quelli di un morto. «Questa, signore» disse il capitano «è esattamente la domanda a cui lei deve rispondere.»

Non molto lontano, nell'ufficio di Saunière, il tenente Collet, che nel frattempo era tornato al Louvre, controllava un radioregistratore posato sull'enorme scrivania del curatore. A eccezione dello strano modellino – simile a un robot – di un cavaliere medievale che lo fissava dall'angolo della scrivania, Collet era solo. Regolò il volume delle cuffie e controllò che il segnale registrato dall'hard disk fosse abbastanza forte. Tutto era regolare. I microfoni funzionavano perfettamente e il segnale era chiaro.

"Il momento della verità" pensò.

Sorridendo, chiuse gli occhi e si preparò a godersi il resto della conversazione che veniva registrata all'interno della Grande Galleria.

7

La modesta abitazione del custode, all'interno della chiesa di Saint-Sulpice, era collocata al primo piano della chiesa stessa, a sinistra della balconata del coro. Era un alloggio di due stanze con il pavimento di pietra e l'arredamento ridotto al minimo; da più di dieci anni ospitava sorella Sandrine Bieil. La sua residenza ufficiale era il vicino convento, se qualcuno fosse venuto a cercarla, ma lei preferiva la tranquillità della chiesa e si era pian piano allestita un comodo alloggio con un letto, il telefono e un fornello per cucinare.

Nella sua veste di *conservatrice d'affaires* della chiesa, sorella Sandrine era responsabile di tutti gli aspetti non religiosi del funzionamento di Saint-Sulpice: la manutenzione generale, l'assunzione di personale e di guide, la sorveglianza dell'edificio dopo l'orario di visita, oltre al compito di ordinare i vari materiali di consumo, tra cui anche il vino e le ostie della comunione.

Quella notte dormiva già profondamente quando venne destata dal trillo del telefono. Con uno sbadiglio sollevò il ricevitore. «*Sœur Sandrine. Eglise Saint-Sulpice.*»

«Pronto, sorella» le disse una voce maschile, in francese.

La donna si rizzò a sedere. "Ma che ora è?" Anche se aveva riconosciuto la voce del suo superiore, in tutti quegli anni non aveva mai ricevuto una sua telefonata. L'abate era un uomo profondamente pio che andava a letto subito dopo l'ultima messa.

«Mi scusi se l'ho svegliata, sorella» disse l'abate. Anch'egli pareva assonnato e aveva la voce tesa. «Le devo chiedere un favore. Ho appena ricevuto una telefonata da un influente vescovo americano. Forse ha sentito parlare di lui. Manuel Aringarosa.»

«Il capo dell'Opus Dei?» "Certo che lo conosco, chi non lo conosce, nella Chiesa?" Negli ultimi anni, la prelatura conservatrice di Aringarosa era diventata sempre più potente. La loro ascesa alla grazia era iniziata con un balzo nel 1982, quando papa Giovanni Paolo II li aveva improvvisamente innalzati a "prelatura personale del papa", dando così l'approvazione ufficiale a tutte le loro pratiche. Curiosamente, l'avanzamento dell'Opus Dei era avvenuto lo stesso anno in cui, a quanto si diceva, la ricca associazione aveva trasferito quasi un miliardo di dollari all'Istituto vaticano per le opere di religione – lo IOR, comunemente noto come la Banca del Vaticano – evitandogli così un'imbarazzante bancarotta. Con una seconda manovra che aveva fatto sollevare molte sopracciglia, il papa aveva messo il fondatore dell'Opus Dei sul "binario veloce" della santificazione, accelerando in questo modo le procedure per la nomina a santo e riducendole, da un periodo nell'ordine di un secolo a una semplice ventina di anni. Sorella Sandrine non poteva fare a meno di pensare che le buone grazie di cui godeva a Roma l'Opus Dei fossero alquanto sospette, ma le decisioni della Santa Sede non si discutono.

«Il vescovo Aringarosa mi ha telefonato per chiedermi un favore» le disse l'abate, in tono piuttosto nervoso. «Uno dei suoi numerari, i residenti fissi dell'associazione, è a Parigi questa notte...»

Più ascoltava la strana richiesta, più sorella Sandrine sentiva aumentare la confusione. «Scusi, ma lei dice che questo numerario dell'Opus Dei in visita non può aspettare fino a domattina?»

«Temo di no. Il suo aeroplano parte molto presto. Ha sempre sognato di poter vedere Saint-Sulpice.»

«Ma la chiesa è molto più interessante di giorno, con i raggi del sole che penetrano attraverso l'*oculus*, la gradazione delle ombre sullo gnomone; sono queste cose a rendere unica Saint-Sulpice.»

«Sorella, sono d'accordo con lei, ma lo riterrei un favore

57

personale se potesse farlo entrare questa notte. Potrà essere laggiù all'una... vale a dire tra venti minuti.»

Sorella Sandrine aggrottò la fronte. «Naturalmente. Sarà mio piacere accoglierlo.»

L'abate la ringraziò e chiuse la comunicazione.

Perplessa, sorella Sandrine rimase per un momento a godersi il calore del letto, cercando di allontanare dal cervello i veli del sonno. A sessant'anni faticava ad alzarsi così all'improvviso, anche se la telefonata di quella notte l'aveva certamente scossa. L'Opus Dei aveva sempre destato in lei una profonda inquietudine. Oltre al fatto che la prelatura praticava l'arcano rituale della mortificazione corporale, il suo modo di considerare le donne era medievale, se non peggiore. Era stata sfavorevolmente colpita dalla notizia che i numerari di sesso femminile erano costretti a pulire la zona degli uomini, senza alcuna ricompensa, mentre questi erano a messa; le donne dormivano in terra mentre gli uomini avevano materassi e brandine; inoltre, erano sottoposte a ulteriori richieste di mortificazione personale, come punizione per il peccato originale. Pareva che il boccone del frutto della conoscenza assaggiato da Eva fosse un debito che le donne dovevano espiare per l'eternità. Tristemente, proprio mentre la Chiesa cattolica si muoveva per gradi nella giusta direzione per ciò che riguardava i diritti delle donne, l'Opus Dei minacciava di cancellare i pochi progressi. Comunque, sorella Sandrine aveva ricevuto un ordine e doveva obbedire.

Posò i piedi a terra e si alzò lentamente; il pavimento sotto le piante nude era gelido e per tutto il corpo le corse un brivido, accompagnato da un'imprevista apprensione.

"Intuizione femminile?"

In quanto seguace di Dio, sorella Sandrine aveva imparato a trovare la pace nella voce tranquillizzante della propria anima. Quella notte, però, la voce dell'anima era silenziosa come la chiesa vuota che le stava intorno.

8

Langdon non riusciva a staccare lo sguardo dalle lettere rosse fosforescenti tracciate sul pavimento. L'ultima comunicazione di Jacques Saunière era il più improbabile messaggio d'addio che lo studioso potesse immaginare.

Il messaggio diceva:

13-3-2-21-1-1-8-5
O, Draconian devil!
Oh, lame saint!

Anche se Langdon non aveva la minima idea del significato, comprese perché Fache avesse pensato al pentacolo come a qualcosa di legato al culto del diavolo.

"O, Draconian devil!" O, diavolo draconiano!

Saunière aveva effettivamente lasciato un riferimento al diavolo. Altrettanto bizzarra era la serie di numeri. «In parte sembra un cifrario numerico.»

«Sì» disse Fache. «I nostri crittologi stanno già lavorando su quei numeri. Crediamo che siano la chiave per portarci a chi lo ha ucciso. Forse una telefonata o qualche tipo di codice di riconoscimento. I numeri hanno qualche significato simbolico per lei?»

Langdon guardò di nuovo quelle cifre e la sua impressione fu che gli sarebbero occorse parecchie ore per cavarne qualche significato simbolico. "Sempre che Saunière ve ne abbia inserito qualcuno." Al suo occhio i numeri parevano disposti completamente a caso. Era abituato a successioni simboliche che avevano una qualche apparenza di senso, ma tutti quegli elementi – il pentacolo, il testo, i numeri – parevano scelti completamente a casaccio.

«Lei sosteneva in precedenza» riprese Fache «che le azioni compiute da Saunière prima di morire avevano lo scopo di trasmettere qualche sorta di messaggio. Il culto della dea o qualcosa del genere. Come vi si inserisce questo messaggio?»

Langdon sapeva che si trattava di una domanda retorica. Quel bizzarro messaggio, ovviamente, non aveva alcun rapporto con lo scenario immaginato da lui e relativo al culto della dea.

"O, Draconian devil? Oh, lame saint?" Oh diavolo draconiano? Oh santo zoppicante?

Fache osservò: «Questo testo sembrerebbe un'accusa di qualche tipo, non è d'accordo?».

Langdon cercò di immaginare gli ultimi minuti del curatore intrappolato nella Grande Galleria, con la coscienza di dover morire. Pareva logico. «Un'accusa contro l'assassino avrebbe senso, mi pare.»

«Il mio compito, naturalmente, è di dare un nome a quella persona. Mi permetta di chiederle una cosa, signor Langdon. Secondo lei, a parte i numeri, qual è l'aspetto più strano del messaggio?»

"L'aspetto più strano?" Un uomo in punto di morte si era chiuso nella galleria, si era disegnato un pentacolo sulla pancia e aveva scritto sul pavimento una misteriosa accusa. Fache avrebbe fatto più in fretta a chiedergli che cosa *non* era strano in tutta quella situazione. «La parola "draconiano"?» azzardò, dicendo la prima cosa che gli veniva in mente. Langdon era abbastanza certo che un riferimento a Dracone, lo spietato politico greco del settimo secolo prima di Cristo, fosse un pensiero alquanto improbabile per un uomo in punto di morte. «"Diavolo draconiano" mi pare una strana scelta di parole.»

«Draconiano?» ripeté Fache, in tono visibilmente seccato. «Non mi sembra che la stranezza principale, qui, stia nelle singole parole scelte da Saunière.»

Langdon non capiva che cosa Fache avesse in mente, ma cominciava a pensare che lui e Dracone condividessero molte idee.

«Saunière era un francese» disse Fache. «Abitava a Parigi Eppure, dovendo scrivere il messaggio...»

«L'ha scritto in inglese» terminò lo studioso, che solo ora capiva che cosa intendesse dire il capitano.

Fache annuì. «*Précisément*. Qualche idea del motivo?»

Langdon sapeva che Saunière parlava un inglese impeccabile; tuttavia, neanche lui riusciva a capire il motivo di quella scelta. Si strinse nelle spalle.

Fache indicò di nuovo il pentacolo sull'addome di Saunière. «Niente a che vedere con il culto del diavolo? Ne è sempre sicuro?»

Langdon non era più sicuro di nulla. «Simboli e testo non mi paiono corrispondere. Mi spiace di non poterle essere di molto aiuto.»

«Forse questo potrà offrirle qualche chiarimento.» Fache indietreggiò e sollevò la lampada a luce nera illuminando un'area più vasta. «E adesso?»

Con stupore di Langdon comparve attorno al corpo del curatore un cerchio approssimativo. A quanto pareva, Saunière si era disteso sul pavimento e aveva tracciato alcuni lunghi archi attorno a sé, col risultato di inscrivere il proprio corpo all'interno di un cerchio.

In un istante, il significato divenne chiaro.

«L'*Uomo vitruviano*» mormorò lo studioso. Saunière aveva ricreato una copia formato naturale del più famoso disegno di Leonardo da Vinci.

Ritenuto il più corretto disegno anatomico della sua epoca, l'*Uomo vitruviano* era diventato una delle moderne icone della cultura e veniva stampato su manifesti, copertine di libri e T-shirt in tutto il mondo. Il famoso disegno era costituito di un cerchio perfetto con inscritto un corpo nudo maschile, le braccia tese lateralmente e le gambe divaricate.

"Leonardo da Vinci." Langdon sentì un brivido di stupore. Adesso le intenzioni di Saunière erano perfettamente chiare. Nei suoi ultimi istanti di vita, il curatore si era spogliato e si era posizionato in modo da costituire una chiara riproduzione dell'*Uomo vitruviano*.

Il cerchio era l'elemento cruciale che gli era mancato fino a quel momento. Simbolo femminile di protezione, il cerchio attorno al corpo nudo dell'uomo completava il messaggio di Leonardo, l'armonia di maschio e femmina. A quel punto, però, la domanda era: perché Saunière aveva voluto imitare un disegno famoso?

«Signor Langdon» disse Fache «certamente un uomo come lei non ignora che Leonardo da Vinci aveva una propensione per le arti più tenebrose.»

Langdon non si aspettava che Fache conoscesse così bene Leonardo, ma l'osservazione contribuiva a spiegare i sospetti del capitano sul culto del diavolo. Leonardo da Vinci era sempre stato un argomento imbarazzante per gli storici, soprattutto quelli di tradizione cristiana. Nonostante il suo genio visionario, era un omosessuale dichiarato e un adoratore del divino ordine della natura, due caratteristiche che lo ponevano costantemente in stato di peccato contro Dio. Inoltre, le bizzarrie dell'artista proiettavano su di lui un'aura chiaramente demoniaca: Leonardo esumava i cadaveri per studiare l'anatomia umana; teneva misteriosi diari scritti in calligrafia invertita che risultavano illeggibili; credeva di possedere il potere alchemico di trasformare il piombo in oro e anche di poter ingannare Dio creando un elisir che allontanava la morte; inoltre, le sue invenzioni comprendevano orrendi, mai prima immaginati, strumenti di guerra e di tortura.

"L'ignoranza genera diffidenza" pensò Langdon.

Anche la grande produzione di capolavori d'arte di argomento religioso aveva finito soltanto per alimentare la reputazione di ipocrisia spirituale dell'artista. Accettando centinaia di ricche commissioni da parte della Chiesa, Leonardo dipingeva i suoi soggetti cristiani non per manifestare la propria fede, ma per motivi puramente venali: erano il mezzo che gli permetteva di condurre una vita dispendiosa. Purtroppo Leonardo era uno spirito bizzarro che spesso si divertiva a mordere la mano che lo alimentava. In molti dei suoi quadri cristiani aveva inserito simbolismi nascosti che non erano affatto cristiani, come tributo alle proprie convinzioni e come sottile presa in giro della Chiesa. Langdon aveva persino tenuto una conferenza, alla National Gallery di Londra, sull'argomento: "La vita segreta di Leonardo: simbolismo pagano nell'arte cristiana".

«Comprendo la sua preoccupazione» rispose quindi «ma

Leonardo da Vinci non ha mai realmente praticato la magia nera. Era un uomo di elevatissima spiritualità, anche se era in costante conflitto con la Chiesa.» Nel dirlo, una strana idea gli passò per la mente. Diede un'altra occhiata alla scritta sul pavimento. "*O, Draconian devil! Oh, lame saint!*"

«Sì?» chiese Fache.

Langdon soppesò attentamente le parole. «Pensavo che Saunière condivideva con Leonardo gran parte delle ideologie spirituali, compresa la preoccupazione perché la Chiesa ha eliminato il femminino sacro dalla religione moderna. Forse, imitando un famoso disegno di Leonardo da Vinci, Saunière voleva semplicemente dare eco alla loro comune frustrazione per la demonizzazione della dea da parte della Chiesa moderna.»

Fache socchiuse gli occhi. «Pensa che Saunière abbia voluto chiamare la Chiesa un santo zoppicante e un diavolo draconiano?»

A Langdon parve una conclusione un po' azzardata, ma il pentacolo pareva avallare in un certo modo quella conclusione. «Dico solo che il signor Saunière ha dedicato la vita a studiare la storia della dea e chi si è dato maggiormente da fare per cancellare quella storia è la Chiesa cattolica. Può darsi che Saunière, nel suo addio, abbia voluto esprimere la sua delusione.»

«Delusione?» chiese Fache, in tono decisamente ostile. «Questo messaggio suona più incollerito che deluso, non le pare?»

Langdon aveva ormai dato fondo a tutta la sua pazienza. «Capitano, lei mi ha chiesto le mie impressioni su quello che Saunière ha voluto dire, e io gliele ho dette.»

«Lei sostiene dunque che questa è un'accusa contro la Chiesa?» chiese Fache, parlando a denti stretti. «Signor Langdon, nel mio lavoro ho visto un mucchio di morti e lasci che le dica una cosa. Quando un uomo è assassinato da un altro uomo, non credo che i suoi ultimi pensieri lo portino a scrivere misteriose affermazioni spirituali che nessuno è in grado di capire. Per me, pensa solo a una cosa.» Il sussurro di Fache parve tagliare l'aria. «*La vengeance*. Pensa solo alla vendetta. Credo che Saunière abbia scritto questo messaggio per indicarci il suo assassino.»

Langdon lo fissò. «Ma tutto ciò non ha senso.»

«No?»

«No» ripeté, stanco e frustrato. «Mi ha detto che Saunière è stato assalito nel suo ufficio da una persona che, a quanto pare, lui aveva invitato a entrare.»

«Sì.»

«Perciò pare ragionevole concludere che il curatore conoscesse il suo aggressore.»

Fache annuì. «Vada avanti.»

«Perciò, se Saunière conosceva la persona che l'ha ucciso, che razza di indizio è questo?» Indicò il pavimento. «Codici numerici? Santi azzoppati? Diavoli draconiani? Pentacoli sullo stomaco? È troppo enigmatico.»

Fache aggrottò la fronte come se l'idea non gli fosse mai affiorata alla mente. «Non so come darle torto.»

«Considerate le circostanze» continuò lo studioso «penserei che se Saunière avesse voluto far sapere chi l'ha ucciso, non avrebbe scritto questi indovinelli, ma il nome dell'assassino.»

Mentre Langdon parlava, un sorriso di soddisfazione comparve sulle labbra di Fache, per la prima volta in quella notte. «Précisément» disse il capitano. «Précisément.»

"Sto assistendo al lavoro di un maestro" pensava il tenente Collet mentre regolava le manopole del radioregistratore e ascoltava la voce di Fache che gli giungeva dagli auricolari. L'agent supérieur sapeva che erano stati momenti come quello a portare il capitano in cima alla polizia francese. "Fache è capace di riuscire dove nessuno oserebbe avventurarsi."

L'arte delicata del cajoler, del lusingare gli indiziati per farli confessare, si era perduta nel moderno esercizio della legge, perché richiedeva un'eccezionale calma in momenti di grande pressione. Pochi possedevano il sangue freddo necessario per quel tipo di operazione, ma Fache sembrava nato per essa. La sua calma e la sua pazienza sembravano quelle di una macchina.

La sola emozione mostrata da Fache quella notte pareva limitarsi a una decisa risolutezza, come se quell'arresto fosse qualcosa di personale per lui. Le istruzioni date da Fache ai suoi agenti, un'ora prima, erano state stranamente brevi e perentorie. "So chi ha ucciso Jacques Saunière" aveva detto Fache. "Sapete cosa fare, questa notte non dovranno esserci errori."

E fino a quel momento non ce n'erano stati.

Collet non conosceva ancora la prova che aveva convinto Fache della colpevolezza del suo indiziato, ma non intendeva certamente mettere in dubbio gli istinti del Toro. A volte il sesto senso di Fache sembrava quasi sovrannaturale. "Dio gli parla all'orecchio" aveva detto un agente, dopo un'impressionante dimostrazione delle doti istintive del capitano. E Collet doveva ammettere che se Dio esisteva davvero, Bezu Fache doveva essere nella lista dei suoi benemeriti. Il capitano si accostava alla messa e alla comunione con una zelante assiduità che andava ben oltre la consueta osservanza della funzione domenicale, praticata dagli altri agenti per mantenere buone relazioni con la comunità. Quando il papa era stato in visita a Parigi, qualche anno prima, Fache aveva usato tutto il suo ascendente per ottenere un'udienza. Una foto di Fache con il papa era adesso appesa nel suo ufficio. Gli agenti, tra di loro, la chiamavano "il Toro papale".

Collet trovava bizzarro che una delle rare dichiarazioni pubbliche di Fache degli ultimi anni fosse stata la sua immediata reazione alle notizie dello scandalo per gli episodi di pedofilia nell'ambiente della Chiesa. "Quei preti dovrebbero essere impiccati due volte" aveva dichiarato Fache. "Una per i loro crimini contro i bambini, e un'altra per avere infangato il buon nome della Chiesa cattolica." Collet aveva l'impressione che la seconda ragione fosse quella che destava maggiormente la collera del suo superiore.

Tornò a osservare il computer portatile per occuparsi del suo secondo incarico di quella notte: il sistema satellitare di localizzazione. L'immagine sullo schermo mostrava la piantina dell'ala Denon, uno schema digitale che si era fatto dare dalla sicurezza del Louvre. Seguendo il labirinto di corridoi e di sale, Collet trovò facilmente ciò che cercava. Nel cuore della Grande Galleria ammiccava una minuscola luce rossa.

La marque.

Fache teneva la preda con un guinzaglio molto corto, quella notte, e faceva bene, perché Robert Langdon si era dimostrato un osso molto duro.

9

Per assicurarsi che la sua conversazione con Langdon non venisse interrotta, Bezu Fache aveva spento il telefono cellulare. Purtroppo, però, era un costoso modello con incorporata una radio trasmittente e ricevente, che ora, contrariamente ai suoi ordini, veniva usata da uno dei suoi agenti per mettersi in contatto con lui.

«*Capitaine?*» La trasmissione crepitava come quella di un walkie-talkie.

Fache digrignò i denti per la collera. Non immaginava nulla di così importante da potere indurre Collet a interrompere la sua *surveillance cachée*, specialmente in quel momento critico.

Si rivolse a Langdon con uno sguardo di scusa. «Un momento, per favore.» Prese dalla cintura il telefono e premette il pulsante per la trasmissione radio. «*Oui?*»

«*Capitaine, un agent du Département de Cryptologie est arrivé.*»

Per un attimo Fache scordò la collera. "Un crittologo?" Nonostante il momento infelice, era probabilmente una buona notizia. Fache, dopo avere scoperto la misteriosa scritta sul pavimento, aveva scaricato le fotografie dell'intera scena del delitto nei computer del dipartimento di Crittologia, nella speranza che qualcuno gli spiegasse che cosa aveva voluto dire Saunière. Se un decifratore di codici era arrivato, probabilmente significava che avevano decifrato il messaggio di Saunière.

«Al momento sono occupato» trasmise Fache, e il suo tono di voce faceva chiaramente intendere che il suo interlocutore non avrebbe dovuto chiamarlo. «Di' al crittologo di aspettare nello studio di Saunière. Parlerò con lui quando avrò finito.»

«Con *lei*» precisò Collet. «È l'agente Neveu.»

L'irritazione di Fache si accrebbe ancor di più. Sophie Neveu, una giovane *déchiffreuse* parigina che aveva studiato crittologia in Inghilterra alla Royal Holloway, era uno dei peggiori errori della polizia di Parigi. Era stata appiccicata a Fache due anni prima come parte di un tentativo, voluto dal ministro, di inserire più donne nelle forze di polizia. Ma l'escursione del ministro nel politicamente corretto, pensava Fache, indeboliva il dipartimento. Alle donne non solo mancava l'energia fisica necessaria per il lavoro di polizia, ma la loro sola presenza costituiva una pericolosa distrazione per gli uomini in servizio. Come Fache aveva temuto, Sophie Neveu si dimostrava una disturbatrice assai peggiore delle altre.

A trentadue anni, aveva una decisione che sfiorava l'ostinazione. La sua appassionata difesa delle nuove metodologie crittografiche esasperava i vecchi crittologi francesi suoi superiori. E, cosa che preoccupava maggiormente Fache, c'era il fatto che, in un ufficio di uomini di mezza età, una donna giovane e attraente distraeva sempre dal lavoro.

Dalla radio, Collet continuò: «L'agente Neveu ha insistito per parlarle immediatamente, capitano. Ho cercato di fermarla, ma è entrata nella galleria».

Fache fece un passo indietro, incredulo. «È inaccettabile! Avevo detto chiaramente di...»

Per un momento, Robert Langdon pensò che Bezu Fache avesse un infarto. Il capitano era a metà di una frase quando la sua mascella si fermò bruscamente e gli occhi gli si dilatarono. Il suo sguardo tagliente era fisso su qualcosa dietro le spalle di Langdon. Prima che lo studioso potesse voltarsi, da dietro di lui si udì una voce di donna.

«Excusez-moi, messieurs.»

Langdon si voltò e vide una giovane donna che si avvicinava. Si muoveva verso di loro, lungo la galleria, a passi lunghi e sicuri. Indossava un golf chiaro, lungo fin quasi al ginocchio, e calzoni neri, era molto attraente e dimostrava una trentina d'anni. I folti capelli rosso castano, dal taglio irregolare, le ricadevano sino alle spalle. Diversamente dalle bionde pallide che incontrava a Harvard, quella donna possedeva una bellezza che trasmetteva un senso di salute e di genuinità e una forte dose di sicurezza.

Con stupore di Langdon, la donna si rivolse a lui e gli tese la mano. «Monsieur Langdon, sono l'agente Neveu del dipartimento di Crittologia della polizia giudiziaria.» Il tono era cordiale; parlava inglese con un leggero accento francese. «Lieta di fare la sua conoscenza.»

Langdon le strinse la mano e incrociò lo sguardo con il suo. Aveva gli occhi verde scuro, vivaci e chiari.

Fache trasse lentamente il fiato, come se si preparasse a redarguirla.

«Capitano» disse lei, voltandosi verso Fache e precedendolo «scusi l'interruzione, ma...»

«Ce n'est pas le moment!» sbuffò Fache.

«Ho cercato di telefonarle» proseguì Sophie in inglese, come per riguardo nei confronti di Langdon. «Ma il suo telefono era spento.»

«L'ho spento per un buon motivo» disse Fache, soffiando come un gatto. «Stavo parlando col signor Langdon.»

«Ho decifrato il codice numerico» disse lei, senza altri preamboli.

Langdon provò un senso di eccitazione. "Ha decifrato il codice?"

Fache rimase senza parole per la sorpresa.

«Prima di spiegarlo» disse Sophie «ho però un messaggio urgente per il signor Langdon.»

Fache la guardò con apprensione. «Per il signor Langdon?»

La donna annuì e tornò a voltarsi verso lo studioso. «Deve mettersi in contatto con l'ambasciata americana, signor Langdon. Hanno un messaggio per lei, proveniente dagli Stati Uniti.»

Langdon la guardò con sorpresa; il suo interesse per il codice venne improvvisamente travolto da un'ondata di preoccupazione. "Un messaggio dagli Stati Uniti?" Cercò di immaginare chi potesse essere. Solo un limitato numero di suoi colleghi sapeva che lui era a Parigi.

Fache aveva aggrottato la fronte. «L'ambasciata americana?» chiese, in tono sospettoso. «Come potevano sapere che il signor Langdon è qui?»

Sophie si strinse nelle spalle. «A quanto pare, l'hanno cercato all'albergo e il portiere ha detto loro che era uscito con un agente della polizia giudiziaria.»

Fache aveva ancora dubbi. «E l'ambasciata ha telefonato al dipartimento di Crittologia?»

«No, signore» rispose Sophie con voce ferma. «Quando ho chiesto al nostro centralino di mettersi in contatto con lei, mi hanno riferito che c'era un messaggio per il signor Langdon e mi hanno chiesto di informarlo se fossi riuscita a mettermi in comunicazione.»

Fache sembrava leggermente confuso; fece per dire qualcosa, ma Sophie stava già parlando con l'americano.

«Signor Langdon» gli disse, estraendo di tasca un foglietto «ecco il numero del servizio messaggi della vostra ambasciata. Chiedevano di telefonare non appena possibile.» Gli diede il foglietto, con grande serietà. «Mentre spiego il codice al capitano Fache, lei deve telefonare.»

Langdon osservò il foglio. C'erano un numero di telefono di Parigi e un interno. «Grazie» disse, preoccupato. «Dove trovo un telefono?»

Sophie stava già prendendo un cellulare dalla tasca del golf, ma Fache la fermò. Aveva l'aspetto del Vesuvio pronto a esplodere. Senza staccare gli occhi da Sophie, prese il proprio cellulare e lo porse allo studioso. «Questa linea è sicura, signor Langdon. Può usare questo apparecchio.»

Langdon non capiva perché Fache fosse tanto irritato con la giovane donna. A disagio, prese il telefono del capitano. Fache si allontanò immediatamente di alcuni passi con Sophie e cominciò a rimproverarla a bassa voce. Ormai, Langdon provava una vera antipatia per il capitano. Si voltò dall'altra parte e accese il cellulare. Aprì il foglio che Sophie gli aveva dato e compose il numero.

Dall'altra parte della comunicazione, il telefono cominciò a squillare.

Uno squillo... due squilli... tre squilli...

Alla fine ebbe la comunicazione.

Langdon si aspettava di sentire il centralino dell'ambasciata, ma gli rispose una segreteria. Stranamente, la voce registrata gli era familiare: era quella di Sophie Neveu.

«*Bonjour, vous êtes bien chez Sophie Neveu*» disse la voce registrata. «*Je suis absente pour le moment, mais...*»

Confuso, Langdon si voltò verso Sophie. «Scusi, signorina Neveu, ma temo che lei mi abbia dato il...»

«No, il numero è quello» lo interruppe subito Sophie, come se già si aspettasse quel commento. «L'ambasciata ha una messaggeria automatica. Deve comporre il numero interno per ascoltare il messaggio.»

Langdon la guardò senza capire. «Ma...»

«Sono i tre numeri scritti sul foglio.»

Langdon fece per dire qualcosa sullo strano errore, ma la donna gli lanciò un'occhiata che intimava: "Non faccia domande. Componga quei numeri".

Ancora confuso, Langdon compose i tre numeri scritti sul foglio: 4-5-4.

Il messaggio precedente si interruppe e una voce elettronica disse in francese: «La segreteria ha un nuovo messaggio».

A quanto pareva, 4-5-4 era il codice per ascoltare i messaggi registrati dell'agente Neveu quando era fuori casa.

"Che cosa sto facendo? Ascolto i messaggi privati di quella donna?" Langdon sentiva soltanto il fruscio del nastro che si riavvolgeva. Finalmente si fermò e iniziò il messaggio. Anche questa volta era la voce di Sophie.

«Signor Langdon» diceva la donna, a bassa voce e in tono allarmato. «Non reagisca in alcun modo a questo messaggio. Ascolti con calma. In questo momento lei è in pericolo, segua attentamente le mie istruzioni.»

10

Silas sedeva al volante dell'Audi nera che gli aveva procurato il Maestro e guardava dal finestrino la grande chiesa di Saint-Sulpice, illuminata dal basso da numerosi gruppi di fari. I due campanili si alzavano come salde sentinelle al di sopra del lungo corpo dell'edificio. Su ciascun fianco, una fila scura di sottili archi rampanti sporgeva come le costole di un animale aggraziato.

"I pagani hanno usato una casa di Dio per nascondere la loro chiave di volta." Anche in questo caso, la fratellanza aveva confermato la sua leggendaria reputazione di setta dedita all'insidia e all'inganno. Silas era ansioso di trovare la pietra e di darla al Maestro, in modo che la Chiesa potesse recuperare quel che la fratellanza aveva sottratto ai fedeli molto tempo prima.

"Questo darà ulteriore potere all'Opus Dei."

Parcheggiata l'Audi nella deserta Place Saint-Sulpice, Silas esalò lentamente il fiato e cercò di schiarirsi la mente in vista del compito che l'attendeva. La schiena gli faceva ancora male a causa della mortificazione corporale di poco prima, ma il dolore non aveva importanza, al confronto delle sofferenze da lui patite prima che l'Opus Dei lo salvasse.

Eppure, i ricordi di quella vita continuavano ad avvelenare la sua anima.

"Libera il tuo odio" Silas impose a se stesso. "Perdona coloro che ti hanno offeso."

Alzando gli occhi sulle torri di pietra di Saint-Sulpice, dovette lottare contro una familiare onda di riflusso, la forza che spesso richiamava la sua mente indietro nel tempo e lo chiudeva di nuovo nella prigione che in gioventù era stata il suo mondo. I ricordi del purgatorio affiorarono, come ogni volta, sotto forma di una tempesta che colpiva i suoi sensi: il puzzo di cavoli marci, di morte, di orina e di feci. Le grida di disperazione che si perdevano nell'ululato del vento dei Pirenei e il singhiozzare di uomini dimenticati da tutti.

"Andorra" pensò, e strinse i pugni.

Incredibilmente, in quel territorio brullo e maledetto tra Spagna e Francia, mentre rabbrividiva nella sua cella e chiedeva solo di morire, Silas era stato salvato.

Anche se al momento non se n'era accorto.

"La luce è giunta dopo molto tempo dal tuono."

Non si chiamava Silas, allora, anche se non ricordava il nome che i genitori gli avevano dato. Era fuggito di casa quando aveva sette anni. Il padre ubriacone, un rozzo lavoratore del porto, infuriato dalla nascita di un figlio albino, picchiava regolarmente la moglie, incolpandola della condizione del bambino, che per lui costituiva una vergogna. Quando il figlio cercava di difenderla, veniva a sua volta percosso.

Una notte c'era stato un litigio terribile e la madre non si era più alzata. Il bambino era rimasto a lungo accanto al corpo senza vita della madre e aveva provato un irresistibile senso di colpa perché non aveva potuto impedire che ciò accadesse.

"È colpa mia!"

Come se un demone si fosse impadronito del suo corpo, il bambino era andato in cucina e aveva afferrato un grosso coltello. Come sotto ipnosi, aveva raggiunto la camera da letto, dove il padre dormiva ubriaco. Senza una parola, l'aveva pugnalato alla schiena. Il padre aveva gridato per il dolore e aveva cercato di allontanarsi, ma il figlio aveva continuato a colpirlo finché nella casa non era tornato il silenzio.

Il bambino era fuggito di casa, ma aveva trovato altrettanto ostili le strade di Marsiglia. Il suo aspetto diverso ne aveva fatto un reietto tra gli altri giovani vagabondi ed era stato costretto a vivere da solo nella cantina di una fabbrica abbandonata, mangiando la frutta che riusciva a rubare e il pesce crudo del porto. I suoi soli compagni erano i giornali strappati che trovava tra i rifiuti e sui quali aveva imparato a leggere.

Col tempo era divenuto sempre più robusto. Quando aveva dodici anni, un'altra vagabonda, che aveva il doppio dei suoi anni, lo aveva preso in giro davanti a tutti e aveva cercato di rubargli il cibo. Lui l'aveva picchiata fin quasi a ucciderla. Quando le guardie erano riuscite a staccarlo da lei, gli avevano dato un ultimatum: o lasci Marsiglia o vai in riformatorio.

Il ragazzo si era allontanato lungo la costa fino a raggiungere Tolone. Col tempo, le occhiate di disprezzo di coloro che lo incontravano erano divenute sguardi di paura. Il ragazzo era divenuto un giovanotto eccezionalmente alto e forte. Quando la gente gli passava vicino, la sentiva sussurrare: "Un fantasma". Lo dicevano sgranando gli occhi per la paura nel vedere la sua pelle bianca. "Un fantasma con gli occhi di un diavolo!"

Ed egli si sentiva davvero un fantasma. Un essere trasparente, che volava da un porto all'altro.

La gente che guardava nella sua direzione non posava gli occhi su di lui.

A diciott'anni, in un porto, mentre cercava di rubare una cassa di prosciutto da una nave da carico, era stato scoperto da un paio di marinai. I due uomini che avevano cominciato a colpirlo puzzavano di birra, esattamente come un tempo suo padre. I ricordi gonfi di paura e di odio si erano affacciati come un mostro che risale dalle profondità del mare. Con le mani nude, il giovane aveva spezzato il collo a un marinaio e solo l'arrivo della polizia aveva evitato al secondo di subire la stessa sorte.

Due mesi più tardi, in ceppi, arrivava alla prigione di Andorra.

"Sei bianco come un fantasma" lo avevano preso in giro i compagni, quando le guardie l'avevano portato dentro, nudo e raggelato. "*Mira el espectro!* Forse il fantasma riuscirà a fuggire attraverso le pareti!"

In dodici anni di prigione, la sua pelle e la sua anima si erano disseccate fino a convincerlo di essere davvero trasparente.

"Sono un fantasma.

"Sono privo di peso.

"*Yo soy un espectro... pálido como un fantasma... caminando este mundo a solas.*"

Una notte il fantasma era stato destato dalle urla degli altri carcerati. Non capiva che forza invisibile scuotesse il pavimento su cui dormiva, né quale mano possente facesse tremare la calce della sua cella di pietra ma, non appena era balzato in piedi, un enorme masso era caduto sul punto esatto dove aveva dormito fino a un attimo prima. Guardando in alto per capire da dove venisse quella pietra, aveva visto un foro nella parete che oscillava ancora e, dal foro, un'immagine che non vedeva da più di dieci anni. La luna.

Mentre la terra continuava a tremare, il fantasma si era infilato nel foro e si era trovato davanti a un'enorme distesa aperta; un istante più tardi correva lungo il fianco della montagna per rifugiarsi nel bosco. Aveva continuato a correre per tutta la notte, sempre in discesa, nonostante la fame e la stanchezza.

A malapena consapevole dei propri atti, all'alba si era trovato in una radura dove la ferrovia passava in mezzo alla foresta. Aveva seguito le rotaie, muovendosi come in un sogno. Quando aveva visto un carro merci aperto, vi si era infilato per rifugiarsi. Al suo risveglio, il treno era in viaggio. "Da quanto tempo? Quanta strada avrò percorso?" Sentiva un crampo allo stomaco. "Sto morendo?" Si era riaddormentato. Era stato poi destato da qualcuno che gridava, lo percuoteva e l'aveva gettato giù dal vagone. Insanguinato, aveva raggiunto un piccolo villaggio e aveva cercato invano qualcosa da mangiare. Alla fine, troppo debole per fare ancora un solo passo, si era disteso sul marciapiede e aveva perso i sensi.

La luce era tornata lentamente e il fantasma si era chiesto da quanti giorni fosse morto. "Un giorno? Tre giorni?" Non aveva importanza. Il suo letto era soffice come una nuvola e l'aria attorno a lui aveva l'odore dolciastro delle candele. Gesù era sopra di lui e lo guardava. "Sono qui io" aveva detto Gesù. "La pietra è rotolata via e tu sei rinato."

Si era addormentato e si era destato nuovamente. Aveva la testa un po' confusa. Non aveva mai creduto nel paradiso, ma adesso c'era Gesù che lo custodiva. Il fantasma aveva visto del cibo accanto al letto e l'aveva mangiato, provando l'impressione che la carne tornasse a materializzarsi sulle sue ossa. Aveva dormito di nuovo. Al suo risveglio, Gesù gli sorrideva ancora e gli diceva: "Sei salvo, figlio mio. Benedetti coloro che seguono i miei passi".

Si era di nuovo addormentato.

A destare il fantasma, questa volta, era stato un grido di dolore. Il suo corpo era balzato fuori del letto, si era diretto verso il luogo da cui giungevano le grida, in fondo al corridoio. Si era trovato in una cucina dove c'era un uomo massiccio che ne picchiava uno più mingherlino. Istintivamente, il fantasma aveva afferrato l'uomo più grosso e lo aveva sbattuto contro il muro. L'uomo era fuggito, lasciando soli il fantasma e un giovane uomo vestito da prete. Il religioso aveva una brutta frattura al naso. Il fantasma lo aveva sollevato e lo aveva messo a sedere.

«Grazie, amico mio» aveva detto il sacerdote, parlando in un francese non molto sicuro. «Le monete delle elemosine sono una tentazione per i ladri. Tu parlavi francese nel sonno. Parli anche spagnolo?»

Il fantasma aveva scosso la testa.

«Come ti chiami?» aveva proseguito, nel suo francese incerto.

Il fantasma non ricordava il nome che i genitori gli avevano dato. Le uniche parole che riusciva a ricordare erano gli insulti delle guardie della prigione.

Il prete aveva sorriso. «*No hay problema.* Io sono Manuel Aringarosa. Sono un sacerdote venuto da Madrid. Sono stato inviato qui per costruire una chiesa per conto dell'Obra de Dios.»

«Dove sono?» La sua voce aveva un timbro cavernoso.

«A Oviedo. Nel Nord della Spagna.»

«Come sono arrivato qui?»

«Qualcuno ti ha lasciato sulla mia soglia. Eri malato e ti ho dato da mangiare. Sei qui da alcuni giorni.»

Il fantasma aveva osservato il suo giovane salvatore. Erano passati anni da quando una persona era stata gentile con lui. «Grazie, padre.»

Il prete si era toccato il labbro sporco di sangue. «Sono io a doverti ringraziare, amico mio.»

Quando il fantasma si era destato l'indomani mattina, il mondo gli era parso più chiaro. Aveva guardato il crocifisso sulla parete sopra il letto. Anche se aveva smesso di parlargli, la sua presenza gli dava un senso di pace. Quando si era rizzato a sedere, aveva notato con stupore un ritaglio di giornale sul tavolino. L'articolo era in francese e risaliva a una settimana prima. Quando aveva letto la storia, si era sentito prendere dal panico. Parlava di un terremoto sulle montagne che aveva distrutto una prigione e messo in libertà molti criminali pericolosi.

Il suo cuore aveva accelerato i battiti. "Il sacerdote sa chi sono!" L'emozione che aveva provato allora era quasi una novità per lui. Vergogna. Senso di colpa. Ed era accompagnata dal timore di essere catturato. Si era alzato di scatto. "Dove posso fuggire?"

«Gli Atti degli Apostoli» aveva detto qualcuno dalla porta.

Il fantasma si era voltato, impaurito.

Il giovane sacerdote gli aveva sorriso. Aveva sul naso un enorme cerotto e teneva in mano una vecchia Bibbia. «Ne ho trovato una in francese per te. Ho segnato il capitolo.»

Confuso, il fantasma aveva preso la Bibbia e aveva guardato il punto indicato dal sacerdote.

"Atti, 16."

I versetti parlavano di un prigioniero chiamato Silas che giaceva nudo e dolorante per le percosse nella sua cella e cantava inni a Dio. Quando raggiunse il versetto 26, il fantasma rimase a bocca aperta per lo stupore.

"... D'improvviso venne un terremoto così forte che furono scosse le fondamenta della prigione; subito tutte le porte si aprirono."

Aveva fissato il sacerdote.

Questi gli aveva sorriso con calore. «D'ora in poi, amico mio, se non hai altro nome, ti chiamerò Silas.»

Il fantasma gli aveva rivolto un cenno d'assenso. "Silas." Era tornato al mondo della carne. "Mi chiamo Silas."

«È ora di colazione» aveva detto il sacerdote. «Avrai bisogno di tutte le tue energie se vorrai aiutarmi a costruire questa chiesa.»

Seimila metri al di sopra del Mediterraneo, il volo 1618 dell'Alitalia sobbalzava per le turbolenze dell'aria, causando un po' di nervosismo tra i passeggeri. Il vescovo Aringarosa non se ne accorse. Pensava al futuro dell'Opus Dei, ansioso di sapere a che punto fosse giunto il piano, a Parigi, e rimpiangeva di non poter telefonare a Silas. Gli era stato vietato. Il Maestro l'aveva messa come condizione.

«È per la sua sicurezza» gli aveva detto il Maestro, parlando in inglese con un forte accento francese. «Conosco abbastanza le comunicazioni elettroniche per sapere che si possono intercettare. Le conseguenze potrebbero essere disastrose per lei.»

Aringarosa sapeva che il Maestro aveva ragione. Quell'uomo dava l'impressione di essere eccezionalmente cauto. Non aveva comunicato ad Aringarosa la sua identità, ma si era rivelato estremamente attendibile: ci si poteva fidare dei suoi ordini. Dopotutto era riuscito a ottenere informazioni assolutamente segrete. "Il nome dei quattro più alti membri della fratellanza!" Era stato uno dei risultati che avevano convinto il vescovo della capacità del Maestro di ottenere lo stupefacente risultato che aveva promesso.

«Vescovo» gli aveva detto il Maestro «ho effettuato tutti i preparativi. Perché il mio piano abbia successo, lei deve ordinare a Silas di obbedire *solo* a me per alcuni giorni. Voi due non dovete parlarvi. Io comunicherò con lui mediante canali sicuri.»

«Lo tratterà con rispetto?»

«Un uomo di religione merita il massimo rispetto.»

«Eccellente. D'accordo. Io e Silas non ci parleremo finché tutto non sarà finito.»

«Lo faccio per proteggere la sua identità, quella di Silas e il mio investimento.»

«Il suo investimento?»

«Vescovo, se la sua ansia di essere tenuto continuamente aggiornato dovesse farla finire in galera, non sarebbe in grado di pagare la mia parcella.»

Il vescovo aveva sorriso. «Buona osservazione. I nostri desideri sono in perfetto accordo. Dio sia con lei.»

"Venti milioni di euro" pensò ora il vescovo, guardando distrattamente dal finestrino. "Una cifra accettabile per un segreto così pericoloso."

Quel pensiero rafforzò la sua sicurezza: il Maestro e Silas non l'avrebbero deluso. Il denaro e la fede erano le due motivazioni più forti.

11

«*Une plaisanterie numérique?*» Bezu Fache era livido e fissava Sophie Neveu con incredulità. "Uno scherzo numerico." «Il suo giudizio professionale sul codice di Saunière è che si tratta di una sorta di burla matematica?»

Fache non riusciva a capire l'impudenza di quella donna. Non solo lo aveva interrotto senza permesso, ma adesso cercava di convincerlo che Saunière, nei suoi ultimi momenti di vita, aveva pensato di lasciare una presa in giro sotto forma matematica?

«Questo codice» spiegò Sophie, rapidamente «è di una semplicità quasi assurda. Jacques Saunière deve avere pensato che lo avremmo risolto immediatamente.» Prese di tasca un foglietto e lo mostrò a Fache. «Ecco la decrittazione.»

Fache guardò il foglio.

1-1-2-3-5-8-13-21

«Tutto qui?» ribatté con ira l'uomo. «Ha solo messo i numeri in ordine crescente!»

Sophie ebbe anche la faccia tosta di rivolgergli un sorriso soddisfatto. «Esattamente.»

Fache abbassò il tono di voce. Adesso era solo un brontolio gutturale. «Agente Neveu, non so dove diavolo lei voglia arrivare con questo, ma le suggerisco di arrivarci in fretta.» Lanciò un'occhiata a Langdon, ancora intento ad ascoltare con attenzione il messaggio registrato presso l'ambasciata americana. Dall'espressione dello studioso, che era pallido come un cencio, Fache aveva l'impressione che le notizie fossero davvero brutte.

«Capitano» continuava Sophie, in un antipatico tono di sfida «la sequenza di numeri che le ho dato è una delle più importanti progressioni matematiche della storia.»

Fache non aveva mai saputo che esistessero sequenze matematiche che si potessero definire famose, né gli piaceva il tono di superiorità di Sophie.

«È la sequenza di Fibonacci» spiegò la donna, indicando il foglietto. «Una progressione in cui ciascun termine è pari alla somma dei due termini precedenti.»

Fache studiò i numeri. Ciascun termine era effettivamente la somma dei due precedenti. Tuttavia, non riusciva a capire come potessero collegarsi alla morte di Saunière.

«Il matematico Leonardo Fibonacci ha elaborato questa successione di numeri nel tredicesimo secolo. È ovvio che non può essere una coincidenza se *tutti* i numeri scritti da Saunière sul pavimento appartengono a quella famosa sequenza.»

Fache fissò per alcuni istanti la giovane donna. «Bene, ma se non c'è coincidenza, può spiegarmi perché Jacques Saunière l'ha scritta? Che intendeva dire? Qual è il significato?»

Sophie si strinse nelle spalle. «Assolutamente nessuno. Proprio questo è il punto. È un semplice gioco crittografico. Come prendere le parole di una poesia famosa e cambiarne l'ordine a caso per vedere se qualcuno capisce l'elemento che le parole hanno in comune.»

Fache fece un passo avanti, minacciosamente, fino a portarsi a pochi centimetri da Sophie. «Spero sinceramente che lei abbia una spiegazione migliore.»

La donna gli rivolse uno sguardo altrettanto duro. «Capitano, vista l'importanza della sua indagine di questa notte, pensavo che le interessasse sapere che forse Jacques Saunière voleva farsi beffe di coloro che avrebbero indagato. Invece, a quanto pare, la cosa non le interessa. Informerò il direttore del dipartimento di Crittologia che lei non ha più bisogno di noi.»

Con questo, girò sui tacchi e si allontanò per la strada da cui era giunta.

Stupefatto, Fache la guardò scomparire nell'oscurità. "È impazzita?" Sophie Neveu gli aveva appena fornito un esempio di *suicide professionnel*.

Tornò a guardare Langdon, che era ancora al telefono e

ascoltava attentamente il messaggio, con un'aria di intensa preoccupazione. "L'ambasciata americana." Bezu Fache era un uomo dalle numerose avversioni, ma poche lo facevano incollerire più di quell'ambasciata.

Fache e l'ambasciatore si scontravano regolarmente sugli affari di Stato comuni, soprattutto per ciò che riguardava l'arresto di cittadini statunitensi in visita a Parigi. Quasi tutti i giorni, il suo dipartimento fermava studenti americani per possesso di droghe, uomini d'affari americani per commercio sessuale con prostitute minorenni, turisti americani per taccheggio o per danneggiamenti. In base alla legge, l'ambasciata americana poteva intervenire ed estradare i cittadini americani colpevoli, riportandoli negli Stati Uniti dove in genere la loro punizione consisteva in un buffetto sulla mano.

E l'ambasciata ricorreva sempre a quella legge.

"La castrazione della polizia giudiziaria" la chiamava Fache. "Paris Match" aveva pubblicato recentemente una vignetta in cui Fache era ritratto come un cane poliziotto: cercava di mordere un criminale americano, ma non riusciva a raggiungerlo perché era incatenato al cancello dell'ambasciata statunitense.

"Ma non questa notte" pensò Fache. "Il caso è troppo importante."

Quando chiuse il telefono, Langdon sembrava sul punto di perdere i sensi.

«Tutto a posto?» gli chiese il capitano.

Debolmente, Langdon scosse la testa.

"Brutte notizie da casa" pensò Fache. Nel riprendere il cellulare, notò che lo studioso aveva le mani sudate.

«Un incidente» balbettò Langdon, fissando con una strana espressione il capitano. «Un amico.» Si interruppe per un istante. «Domattina devo prendere il primo volo.»

Fache non aveva dubbi che lo shock dello studioso fosse genuino, ma gli parve di cogliere un'altra emozione, come se una lontana paura si fosse improvvisamente affacciata alla sua mente. «Mi dispiace» disse, osservandolo con attenzione. «Vuole sedere?» Indicò una delle panche a disposizione dei visitatori.

Langdon fece un vago cenno d'assenso e mosse alcuni passi

verso il sedile. Poi si fermò, con l'aria ancora più confusa. «In realtà, avrei bisogno della toilette.»

Fache fece una smorfia all'idea della perdita di tempo. «La toilette... Certo. Interrompiamo per qualche minuto.» Indicò la direzione da cui erano giunti. «Le toilette sono vicino all'ufficio del curatore.»

Langdon indicò la direzione opposta, dove terminava la Grande Galleria. «Mi pare che ci siano delle toilette più vicino, da quella parte.»

Langdon aveva ragione. Loro si trovavano a due terzi della galleria e in fondo c'erano davvero le toilette. «Vuole che l'accompagni?»

Langdon scosse la testa e si incamminò. «Non è necessario. Vorrei restare alcuni minuti da solo.»

A Fache non piaceva l'idea che Langdon girasse da solo per la galleria, ma sapeva che la sola uscita era quella vicino all'ufficio di Saunière, la grata da cui erano entrati. Anche se i regolamenti antincendio francesi richiedevano che una sala così vasta avesse numerose uscite d'emergenza, le scale erano state bloccate automaticamente quando Saunière aveva attivato il sistema di sicurezza. Il sistema era stato adesso disattivato e le scale erano transitabili, ma l'apertura delle porte esterne avrebbe fatto suonare un allarme e le porte al piano terreno erano piantonate dai suoi agenti. Langdon non poteva uscire senza che Fache se ne accorgesse.

«Devo ritornare per un momento nell'ufficio di Saunière» disse il capitano. «Mi raggiunga là, signor Langdon. Dobbiamo discutere ancora qualche particolare.»

Langdon gli rivolse un cenno affermativo mentre scompariva nell'oscurità.

Con un diavolo per capello, Fache si avviò nella direzione opposta. Quando arrivò alla grata, scivolò sotto di essa, lasciò la galleria, percorse il tratto di corridoio ed entrò come una furia nell'ufficio di Saunière. «Chi ha dato il permesso a Sophie Neveu di entrare nell'edificio?» gridò.

Gli rispose Collet. «Ha detto alle guardie di avere decifrato il codice.»

Fache si guardò attorno. «Se n'è andata?»

«Non era con lei?»

«No, è andata via.» Fache lanciò un'occhiata in direzione del corridoio. A quanto pareva, Sophie non si era fermata a scambiare quattro chiacchiere con i colleghi.

Per un momento, Fache si chiese se non fosse il caso di telefonare alle guardie all'ingresso per dire loro di fermare Sophie Neveu e di riportarla da lui prima che lasciasse l'edificio, poi rifletté che a consigliarlo era solo il suo orgoglio, il desiderio di avere l'ultima parola. Quella notte aveva già perso fin troppo tempo.

"Dell'agente Neveu mi occuperò più tardi" si disse. Già pregustava il piacere di farla licenziare.

Allontanò dalla mente il pensiero di Sophie Neveu e per un momento fissò il cavaliere in miniatura sulla scrivania di Saunière. Poi tornò a occuparsi di Collet. «Lo vedi?»

Il tenente gli rivolse un cenno d'assenso e mostrò a Fache lo schermo del computer. Il puntino rosso era perfettamente visibile sulla piantina del loro piano; ammiccava regolarmente in una stanza indicata come TOILETTES PUBLIQUES.

«Ottimo» commentò Fache, accendendo una sigaretta e allontanandosi. «Devo fare una telefonata. Assicurati che Langdon non vada da altre parti.»

12

Robert Langdon si sentiva girare la testa mentre si dirigeva verso l'estremità della Grande Galleria. Ripeteva mentalmente il messaggio telefonico di Sophie. Alla fine del corridoio, un'insegna luminosa con i simboli internazionali delle toilette gli permise di superare un labirinto di bacheche in cui erano esposti disegni italiani, che servivano soprattutto a non far vedere le toilette dalla galleria.

Raggiunse la toilette maschile, entrò e accese la luce.

La stanza era vuota.

Si avvicinò al lavandino. Si spruzzò acqua fredda sulla faccia e cercò di destarsi del tutto. La stanza era illuminata da forti luci fluorescenti e puzzava di ammoniaca. Mentre si asciugava la faccia, la porta si aprì con un cigolio. Langdon si girò.

Sophie Neveu entrò e lo guardò con aria allarmata. «Grazie a Dio, è riuscito a venire. Non abbiamo molto tempo.»

Langdon guardò con stupore la crittologa della polizia giudiziaria Sophie Neveu. Solo qualche minuto prima, nell'ascoltare il suo messaggio telefonico, aveva pensato che la donna fosse pazza. Eppure, più l'aveva ascoltato, più si era convinto che Sophie Neveu parlasse con sincerità. "Non reagisca in alcun modo a questo messaggio. Ascolti con calma. In questo momento lei è in pericolo, segua attentamente le mie istruzioni." Nonostante i dubbi, Langdon aveva deciso di seguire esattamente il suggerimento di Sophie. Aveva detto a Fache che il messaggio riguardava un incidente a un amico. Poi aveva chiesto di servirsi delle toilette in fondo alla galleria.

Sophie era adesso davanti a lui, con il fiato corto dopo avere percorso di corsa un tratto di galleria. Alla forte luce del neon, Langdon notò con sorpresa che, nonostante l'aria volitiva, aveva lineamenti delicati. Solo il suo sguardo era tagliente, un contrasto che faceva pensare a certi ritratti di Renoir, velati ma chiari, con una sfrontatezza che riusciva però a conservare tutto il suo mistero.

«Volevo avvertirla, signor Langdon» cominciò Sophie, ansimando «che lei è *sous surveillance cachée*. Sotto osservazione segreta.» Mentre parlava, il suo inglese dal forte accento francese echeggiava sulla parete e la sua voce assumeva un tono cavernoso.

«Ma... perché?» chiese lo studioso. La donna glielo aveva già detto nel messaggio, ma lui voleva udirlo dalle sue labbra.

«Perché» rispose lei «il principale indiziato, in questo omicidio, è lei.»

Langdon era già preparato a quelle parole, ma continuavano a sembrargli del tutto ridicole. Secondo Sophie, non era stato chiamato al Louvre come esperto di simboli, ma come indiziato ed era adesso involontariamente sottoposto a uno dei metodi d'interrogatorio preferiti dalla polizia parigina, la sorveglianza nascosta, un abile inganno con cui la polizia invitava un indiziato sulla scena del crimine e lo interrogava nella speranza che si innervosisse e finisse per incriminare se stesso.

«Controlli nella tasca sinistra della sua giacca» continuò Sophie. «Troverà la prova che lei è sotto sorveglianza.»

Langdon sentì aumentare l'apprensione. "Controllare nella mia tasca?" Pareva qualche trucco da illusionista.

«Controlli.»

Senza capire bene, Langdon infilò la mano in tasca, una tasca che non usava mai. Provò a frugare ma non trovò nulla. "Che diavolo dovrei trovare?" Tornò a chiedersi se Sophie Neveu non fosse pazza. Poi le sue dita sfiorarono qualcosa d'inatteso. Un oggetto piccolo e duro. Lo prese tra le dita e lo fissò con stupore. Era un disco metallico, grosso come un bottone o come una pila per orologi da polso. Non aveva mai visto un oggetto del genere. «Che diavolo...?»

«Un localizzatore GPS» spiegò Sophie. «Trasmette continuamente la sua posizione a un satellite del Global Positioning System e la polizia giudiziaria riesce a seguirlo sul suo computer. Ce ne serviamo per controllare la posizione delle persone. È accurato con la precisione di mezzo metro in qualsiasi punto del globo. Le hanno messo una sorta di guinzaglio elettronico. L'agente che è venuto a prenderla all'albergo gliel'ha infilato in tasca prima di lasciare la stanza.»

Langdon ripensò alla stanza d'albergo. Si era fatto rapidamente la doccia, si era vestito e, mentre uscivano, il tenente Collet lo aveva aiutato a infilare la giacca. «Fuori fa freddo, signor Langdon» aveva detto. «La primavera a Parigi è ben diversa da quella che descrivono le vostre canzonette.» Langdon l'aveva ringraziato e si era infilato la giacca.

Sophie lo guardava con attenzione. «Non le ho parlato del localizzatore perché non volevo che si frugasse nelle tasche davanti a Fache. Non deve sapere che lei l'ha trovato.»

Langdon non seppe che cosa rispondere.

«Le hanno messo in tasca il localizzatore perché temevano che fuggisse.» Si interruppe per un istante. «Anzi, *speravano* che lei fuggisse; sarebbe stato un indizio in più.»

«Ma perché dovrei fuggire?» esclamò Langdon. «Io sono innocente!»

«Fache è convinto del contrario.»

Con ira, Langdon si accostò al cestino per gettarvi il localizzatore.

«No!» esclamò Sophie, fermandogli il braccio. «Lo lasci in tasca. Se lo getta via, il segnale smetterà di muoversi e capiranno che lei l'ha trovato. Il solo motivo che ha spinto Fache a lasciarla sola è che può controllare la sua posizione. Se immaginasse che lei ha scoperto le sue intenzioni...» Non terminò la frase. Prese l'oggetto dalle dita di Langdon e lo infilò nuovamente nella sua tasca. «Il localizzatore resta con lei. Almeno per il momento.»

Langdon si sentiva perduto. «Ma come può pensare che io abbia ucciso Jacques Saunière?»

«Ha alcune buone ragioni per sospettare di lei» rispose Sophie, aggrottando la fronte. «C'è un indizio che lei non conosce. Fache gliel'ha tenuto accuratamente nascosto.»

Langdon rimase a bocca aperta.

«Ricorda le tre righe di testo che Saunière ha scritto sul pavimento?»

Langdon annuì. I numeri e le parole erano incisi nella sua mente.

Sophie abbassò la voce. «Purtroppo, quello che lei ha visto non era l'intero messaggio. C'era una quarta riga. Fache l'ha fotografata e poi l'ha cancellata prima che lei arrivasse.»

Langdon sapeva che l'inchiostro di quelle penne a filigrana si poteva facilmente cancellare, ma non capiva perché Fache avesse distrutto una prova.

«Fache non voleva che lei leggesse l'ultima riga del messaggio.» Sophie fece una pausa. «Almeno, non prima di avere finito con lei.»

Sophie prese di tasca un foglio ripiegato e lo aprì. Era una fotografia, riprodotta mediante la stampante di un computer. «Fache ha caricato nei computer del dipartimento di Crittologia le immagini della scena del delitto, nella speranza che riuscissimo a decifrare il messaggio lasciato da Saunière. Questa è la foto del messaggio completo.» Porse la pagina a Langdon.

Stupito, lo studioso osservò l'immagine. Si scorgeva il messaggio lasciato sul pavimento. L'ultima riga lo colpì come un pugno allo stomaco.

13-3-2-21-1-1-8-5
O, Draconian devil!
Oh, lame saint!
P.S. Trova Robert Langdon

Per parecchi secondi, Langdon fissò con stupore il poscritto di Saunière. "Trova Robert Langdon." Aveva l'impressione che la terra gli tremasse sotto i piedi. "Saunière ha lasciato un poscritto con il mio nome?" Non riusciva a immaginarne la ragione.

«Adesso capisce» gli disse in fretta Sophie «perché Fache ha ordinato di portarla qui e perché è il suo principale indiziato?»

La sola cosa che Langdon capiva, in quel momento, era lo sguardo soddisfatto di Fache quando gli aveva suggerito che Saunière avrebbe scritto il nome dell'assassino.

"Trova Robert Langdon."

«Ma perché Saunière ha voluto scrivere il mio nome?» chiese lo studioso, che adesso passava dalla confusione alla collera. «Perché avrei dovuto uccidere Jacques Saunière?»

«Fache deve ancora scoprire un movente, ma ha registrato l'intera conversazione di questa notte, nella speranza che lei gliene rivelasse uno.»

Langdon aprì la bocca ma non riuscì a proferire parola.

«Fache ha un microfono in miniatura» spiegò Sophie. «È collegato a un trasmettitore nella sua tasca e il segnale è registrato dal suo agente nell'ufficio del curatore.»

«È una cosa impossibile» balbettò Langdon. «Ho un alibi. Dopo la conferenza sono andato direttamente in albergo. Può chiederlo al portiere.»

«Fache l'ha già chiesto. Il rapporto dice che lei ha ritirato la chiave alle ventidue e trenta. Purtroppo l'omicidio è avvenuto attorno alle ventitré. Potrebbe avere lasciato l'albergo senza essere visto.»

«Ma è una pazzia! Fache non ha nessuna prova!»

Sophie lo guardò come per dire: "Nessuna prova?". «Signor Langdon, il suo nome è scritto sul pavimento accanto al cadavere e dall'agenda di Saunière risulta che lei aveva un appuntamento pressappoco all'ora dell'omicidio.» Si interruppe. «Fache ha indizi più che sufficienti per arrestarla e interrogarla.»

Langdon capì all'improvviso di avere il bisogno di un avvocato. «Non sono stato io.»

Sophie trasse un sospiro. «Questa non è la televisione americana, signor Langdon. In Francia, la legge protegge la polizia, non gli accusati. Purtroppo, nel nostro caso, bisogna anche tenere presente i media. Jacques Saunière era una figura molto famosa e molto amata dai parigini, la sua uccisione sarà la notizia del giorno. A Fache sarà chiesto di rilasciare una dichiarazione, e farà una figura assai migliore se potrà dire di avere già arrestato un indiziato. Che lei sia colpevole o no, la polizia la terrà in custodia finché non sarà riuscita a capire che cosa è realmente successo.»

Langdon si sentiva come un animale in gabbia. «Perché mi dice tutto questo?»

«Perché, signor Langdon, credo che lei sia innocente.» Sophie distolse per un momento lo sguardo e poi tornò a fissare lo studioso. «E perché è in parte colpa mia, se lei è nei guai.»

«Scusi? È colpa sua se Saunière ha cercato di incastrarmi?»

«Saunière non cercava affatto di incastrarla. È stato un errore. Il messaggio sul pavimento era destinato a me.»

A Langdon occorse un istante per registrare quelle parole. «Scusi?»

«Il messaggio non era rivolto alla polizia. Era rivolto a me. Probabilmente ha dovuto fare tutto in fretta e non si è reso conto di come l'avrebbe interpretato la polizia.» Si interruppe per un istante. «Il codice numerico non ha alcun significato. Saunière l'ha scritto per assicurarsi che all'indagine partecipassero i crittologi, per fare in modo che io sapessi subito che cosa gli era successo.»

Langdon aveva perso da tempo il contatto con la realtà. Che Sophie Neveu fosse pazza o no, era un problema ancora aperto, ma almeno adesso lo studioso capiva perché cercasse di aiutarlo. "P.S. Trova Robert Langdon." A quanto pareva, la donna pensava che il curatore avesse lasciato quel poscritto criptico per lei, per dirle di trovare Langdon. «Ma perché pensa che il messaggio fosse rivolto a lei?»

«L'*Uomo vitruviano*» spiegò lei. «Quel disegno è sempre stato il mio preferito, fra tutta l'opera di Leonardo. Saunière l'ha usato per richiamare la mia attenzione.»

«Un momento. Lei dice che il curatore conosceva le sue preferenze artistiche?»

Lei annuì. «Mi dispiace. Avrei dovuto procedere per ordine. Io e Jacques Saunière...» Sophie si interruppe.

A Langdon parve di cogliere una strana malinconia, un dolore del passato che si agitava appena al di sotto della superficie. A quanto pareva, tra Sophie Neveu e Jacques Saunière esisteva qualche rapporto particolare. Studiò la donna incantevole davanti a lui; sapeva che spesso, in Francia, gli uomini attempati si prendevano amanti giovani. Eppure, in qualche modo, Sophie Neveu non gli pareva adatta al ruolo della "mantenuta".

«Abbiamo litigato dieci anni fa» continuò Sophie, con un filo di voce. «Da allora non ci siamo più parlati. Questa notte, quando è arrivata al dipartimento la notizia della sua morte e ho visto le immagini del suo corpo e della scritta, ho capito che voleva mandarmi un messaggio.»

«Per l'*Uomo vitruviano*?»

«Sì, e per le lettere "P.S.".»

«Post scriptum?»

Lei scosse la testa. «P.S. sono le mie iniziali.»

«Ma lei si chiama Sophie Neveu.»

La donna distolse lo sguardo. «"P.S." è il soprannome che mi dava quando vivevo con lui.» Arrossì. «Sono le iniziali di *Princesse Sophie*.»

Langdon non seppe che cosa rispondere.

«Una sciocchezza, lo so» continuò Sophie «ma sono cose di parecchi anni fa. Quando ero bambina.»

«Lei lo conosceva quando era *bambina*?»

«Certo» rispose lei, con gli occhi gonfi per l'emozione. «Jacques Saunière era mio nonno.»

14

«Dov'è Langdon?» chiese Fache, esalando l'ultima boccata della sigaretta mentre ritornava nello studio del curatore.

«Ancora nella toilette, signore.» Il tenente Collet si aspettava quella domanda.

Fache brontolò tra sé: «Se la prende comoda».

Il capitano si portò dietro le spalle di Collet per controllare la posizione sul computer, e l'agente ebbe quasi l'impressione di potergli leggere nei pensieri. Fache avrebbe avuto una voglia pazza di andare a controllare Langdon. Teoricamente, all'indiziato sotto osservazione si concedevano tutto il tempo e la libertà possibili, per dargli un falso senso di sicurezza. Langdon doveva tornare da loro di propria volontà. Però, erano già passati dieci minuti... *"Troppo."*

«C'è qualche possibilità che ci abbia scoperto?» chiese Fache.

Collet scosse la testa. «Dalla toilette giungono movimenti, perciò lui ha ancora addosso il localizzatore. Può darsi che si senta male. Se avesse trovato il localizzatore, l'avrebbe gettato via e avrebbe tentato la fuga.»

Fache controllò l'orologio. «Va bene.»

Nonostante quelle parole, il capitano sembrava preoccupato. Per tutta la notte, Collet aveva notato una strana concentrazione nel suo superiore. Di solito, quando era sotto pressione, Fache era gelido e distaccato, ma quella sera pareva emotivamente interessato, come se si trattasse di una questione personale.

"Niente di strano" pensò Collet. *"Fache ha disperatamente bisogno di questo arresto."* Recentemente, il ministro e la

stampa avevano criticato apertamente le tattiche aggressive di Fache, i suoi scontri con importanti ambasciate straniere, le sue enorme spese in nuove tecnologie. Quella notte, l'arresto di un importante americano, arresto condotto grazie ai suoi strumenti high-tech, avrebbe messo sotto silenzio le critiche, permettendo a Fache di mantenere il suo lavoro per qualche altro anno, fino a potersi ritirare con la sua ricca pensione. "E Dio sa se ne ha bisogno" pensò Collet. La passione per la tecnologia aveva danneggiato Fache non soltanto dal punto di vista professionale, ma anche personalmente. Si diceva che avesse investito i suoi risparmi in azioni di aziende della new economy, alcuni anni prima, e che avesse perso la camicia. "E Fache è una persona che indossa solo le camicie più fini."

Quella notte c'era ancora molto tempo a disposizione. La strana interruzione di Sophie Neveu, anche se sgradevole, era stata solo una sospensione momentanea. La donna se n'era andata e Fache aveva ancora qualche asso nella manica. Doveva infatti informare Langdon che il suo nome era stato scritto sul pavimento dalla vittima. "P.S. Trova Robert Langdon." La reazione dell'americano a quella notizia sarebbe stata davvero rivelatrice.

«Capitano?» lo chiamò un altro dei suoi uomini. «Penso che farebbe meglio a prendere questa comunicazione.» Gli porse un telefono, con aria preoccupata.

«Chi è?» chiese Fache.

L'agente aggrottò la fronte. «Il direttore del nostro dipartimento di Crittologia.»

«E...?»

«Si tratta di Sophie Neveu, signore... c'è qualcosa che non quadra.»

15

Era giunto il momento.

Silas si sentiva rafforzato, mentre usciva dalla Audi nera e il leggero vento della notte agitava la sua ampia tonaca. "Il vento del cambiamento già soffia nell'aria." Sapeva che il suo compito avrebbe richiesto più intelligenza che forza, e di conseguenza lasciò nell'auto la pistola, la Heckler & Koch USP calibro quaranta da tredici colpi che gli era stata fornita dal Maestro.

"Un'arma di morte non ha posto nella casa di Dio."

La piazza davanti alla grande chiesa era deserta, a quell'ora della notte, e le uniche anime visibili erano, dall'altra parte di Place Saint-Sulpice, un paio di adescatrici minorenni che mostravano la mercanzia al traffico degli ultimi turisti nottambuli. I loro corpi freschi risvegliarono nei fianchi di Silas un ben noto desiderio. I muscoli della sua coscia si contrassero istintivamente; le punte del cilicio si piantarono con dolore nella carne.

La concupiscenza svanì subito. Da dieci anni Silas si era fedelmente negato ogni indulgenza sessuale, anche autosomministrata. Era la *Via*. Sapeva di avere sacrificato molto per seguire l'Opus Dei, ma in cambio aveva ricevuto molto. Il voto di celibato e la rinuncia alle proprietà personali non gli erano mai parsi un sacrificio. Tenuto conto della povertà da cui proveniva e degli orrori sessuali da lui patiti in prigione, il celibato era il benvenuto, come cambiamento.

Da quando era tornato in Francia, per la prima volta dopo essere stato arrestato e spedito in prigione ad Andorra, Silas sentiva che il suo paese di nascita lo metteva alla prova, cercava di trarre memorie violente dalla sua anima redenta. "Sei rinato" ricordò a se stesso. Il servizio che quel giorno aveva reso a Dio aveva comportato il peccato dell'omicidio, ed era un sacrificio che Silas sapeva di dover conservare in silenzio nel proprio cuore per tutta l'eternità.

"La misura della tua fede è la misura del dolore che puoi sopportare" gli aveva detto il Maestro. Silas conosceva il dolore ed era ansioso di dimostrare il proprio valore al Maestro, a colui che gli aveva assicurato che le sue azioni erano comandate da un potere più grande.

«Hago la obra de Dios» sussurrò Silas, avviandosi verso l'entrata della chiesa.

All'ombra del massiccio ingresso, trasse un profondo respiro. Solo in quel momento comprese del tutto ciò che stava per fare e che cosa lo aspettava all'interno.

"La chiave di volta... Ci condurrà alla nostra meta finale."

Sollevò il pugno, bianco come quello di un fantasma, e batté tre volte sul legno.

Qualche istante più tardi, i catenacci dell'enorme porta cominciarono a muoversi.

16

Sophie si chiedeva quanto tempo le rimanesse prima che Fache capisse che lei non aveva lasciato l'edificio. Vedendo che Langdon era ancora sopraffatto dalle notizie che gli aveva dato, si chiese se avesse fatto bene a bloccarlo in quella toilette. "Che altro potevo fare?"

Ripensò al corpo del nonno, nudo e nella posizione leonardesca sul pavimento. C'era stato un tempo in cui il nonno significava tutto per lei, ma quella notte aveva notato con sorpresa di non provare dolore, come se l'uomo Jacques Saunière fosse ormai un estraneo. Il loro rapporto si era cancellato in un istante, una notte di marzo, quando lei aveva ventidue anni.

"Dieci anni fa." Sophie era tornata a casa con qualche giorno d'anticipo, alla fine dei corsi della sua università inglese, e per errore aveva trovato il nonno impegnato in un'attività a cui, ovviamente, Sophie non avrebbe dovuto assistere. Ancora oggi stentava a credere che fosse vero.

"Se non l'avessi visto con i miei occhi..."

Troppo sorpresa e piena di vergogna per ascoltare i penosi tentativi di spiegazione del nonno, Sophie era immediatamente andata ad abitare da sola, usando i suoi risparmi e affittando con alcune amiche un piccolo appartamento. Aveva giurato di non riferire mai a nessuno quello che aveva visto. Il nonno aveva cercato disperatamente di mettersi in contatto con lei, aveva mandato lettere e cartoline, supplicando Sophie di incontrarsi con lui per ascoltare la sua spiegazione. "Ma che spiegazione?" Sophie aveva risposto una volta sola, per proibirgli di telefonarle e di cercare di incontrarla in pubblico. Temeva che la spiegazione risultasse ancor più spaventosa della scena da lei vista.

Incredibile, ma Saunière non aveva mai rinunciato a scriverle, e adesso Sophie aveva in un cassetto dieci anni di lettere non aperte. A credito del nonno occorre dire che aveva sempre rispettato il suo volere e non le aveva mai telefonato.

"Fino a questo pomeriggio."

«Sophie?» La voce di Saunière le era parsa straordinariamente invecchiata, nella registrazione della segreteria. «Ho rispettato per tanto tempo il tuo desiderio... mi dispiace di telefonarti, ma ti devo parlare. È successa una cosa terribile.»

Nella cucina del suo piccolo appartamento parigino, Sophie aveva provato un brivido nel sentirlo dopo tanti anni. La sua voce gentile aveva ridestato molti bei ricordi infantili.

«Sophie, ascoltami, per favore.» Le parlava in inglese, come aveva sempre fatto quando era bambina. "Fa' pratica di francese a scuola, fa' pratica di inglese a casa." «Non puoi restare in collera per sempre. Non hai letto le lettere che ti ho scritto in tutti questi anni? Non capisci ancora?» Si era interrotto per un istante. «Dobbiamo parlarci subito. Per favore, concedi a tuo nonno quest'unico desiderio. Telefonami al Louvre. Subito. Credo che tutt'e due siamo in grave pericolo.»

Sophie aveva fissato l'apparecchio telefonico. "Pericolo?" Che cosa voleva dire?

«Principessa...» aveva continuato il nonno, con un'emozione che Sophie non era riuscita a individuare bene. «So di averti tenuto nascosto molte cose, e so che mi sono costate il tuo affetto. Ma l'ho fatto per salvarti. Adesso però devi conoscere la verità. Per favore, ti devo dire la verità sulla tua famiglia.»

Sophie aveva sentito che il cuore accelerava i battiti. "La mia famiglia?" I genitori di Sophie erano morti quando lei aveva solo quattro anni. La loro auto era caduta da un ponte ed era precipitata in un fiume dalle acque tumultuose. Nell'auto c'erano anche la nonna e il fratellino di Sophie; l'intera sua famiglia era stata cancellata in un istante. Aveva una scatola piena di ritagli di giornale che lo confermavano.

Ma quelle parole le avevano fatto provare un'immensa nostalgia. "La mia famiglia!" In quell'istante, Sophie aveva rivisto le immagini di un sogno che l'aveva destata innumerevoli volte quando era bambina. "La mia famiglia è viva! Tornano a casa!" Ma, come nel suo sogno, l'immagine era svanita. "La tua famiglia è morta, Sophie. Non torna a casa."

«Sophie...» continuava il nonno, dalla segreteria. «Da anni aspettavo di dirtelo. Aspettavo il momento giusto, ma adesso non c'è più tempo. Telefonami al Louvre. Non appena senti questa mia comunicazione. Aspetterò qui tutta la notte. Temo che tutt'e due siamo in pericolo. Ci sono molte cose che devi sapere.»

Il messaggio era terminato.

Nel silenzio, Sophie aveva atteso per alcuni minuti, tremante. Ma, a mano a mano che rifletteva sul messaggio del nonno, le era parso che una sola possibilità avesse senso e che uno solo fosse lo scopo di Saunière.

Era un'esca per farla abboccare.

Ovviamente, il nonno desiderava disperatamente vederla. Ed era disposto a tutto. Sophie aveva provato per lui un disgusto ancora maggiore. Si era chiesta se avesse scoperto di essere malato e avesse deciso di giocare quella carta per vederla un'ultima volta. In tal caso, l'aveva scelta bene.

"La mia famiglia."

Adesso, nella toilette del Louvre, Sophie sentiva l'eco del messaggio telefonico del pomeriggio. "Sophie, temo che tutt'e due siamo in pericolo. Telefonami."

Non gli aveva telefonato. Né si era ripromessa di farlo. Adesso, però, il suo scetticismo aveva ricevuto un duro colpo. Il nonno era stato assassinato all'interno del suo stesso museo. E aveva scritto un messaggio in codice sul pavimento.

Un messaggio per lei, ne era certa.

Anche se non era ancora riuscita a decifrare il significato del messaggio, per Sophie la sua natura criptica era un'ulteriore prova che il messaggio era per lei. La passione di Sophie per la crittografia derivava dall'aver trascorso l'infanzia con Jacques Saunière, un appassionato di codici, giochi di parole ed enigmi. "Quante domeniche abbiamo passato a risolvere i crittogrammi e le parole crociate del giornale?"

A dodici anni Sophie riusciva a terminare senza aiuto il cruciverba di "Le Monde" e il nonno l'aveva iniziata ai cruciverba in inglese, agli indovinelli matematici e ai cifrari a sostituzione. Sophie ne era appassionata. Alla fine aveva trasformato quella passione in professione divenendo una crittologa per la polizia giudiziaria.

Quella notte, la crittologa in Sophie era stata costretta ad ammirare l'efficacia con cui il nonno aveva usato un semplice codice per unire due estranei, Sophie Neveu e Robert Langdon.

La domanda era: perché l'aveva fatto?

Purtroppo, dall'espressione confusa dello studioso, Sophie capiva che l'americano non aveva idea del motivo per cui Saunière li avesse chiamati in causa.

Lo interrogò di nuovo. «Lei e mio nonno dovevate incontrarvi questa sera. Per quale motivo?»

Langdon era sinceramente perplesso. «L'incontro è stato organizzato dalla sua segretaria, che non ha precisato una ragione in particolare e io non l'ho chiesta. Pensavo che, essendo a conoscenza della mia conferenza sull'iconografia pagana delle cattedrali cristiane, gli interessasse l'argomento e che volesse scambiare qualche commento dopo la conferenza.»

Sophie non si lasciò convincere. Il collegamento era troppo esile. Suo nonno conosceva l'iconografia pagana meglio di chiunque al mondo. Inoltre era un uomo eccezionalmente riservato e non era il tipo che amasse chiacchierare con il primo professore venuto dall'America, a meno che non ci fosse qualche ragione importante.

Sophie trasse un profondo respiro e provò un'altra strada. «Mio nonno mi ha telefonato oggi pomeriggio per dirmi che eravamo in grave pericolo. Questo significa qualcosa per lei?»

Langdon la guardò con preoccupazione. «No, ma considerando quanto è successo...»

Sophie annuì. Considerando quanto era successo, sarebbe stata una sciocca a non spaventarsi. Non sapendo quali altre strade tentare, si avvicinò alla finestra in fondo alla toilette e in silenzio guardò all'esterno attraverso la rete di fili d'allarme inseriti nel vetro. Erano piuttosto in alto. Almeno dodici metri.

Con un sospiro, osservò il panorama notturno di Parigi. Alla sua sinistra, sull'altra sponda della Senna, si scorgeva la Torre Eiffel illuminata. Davanti a lei, l'Arc de Triomphe. E a destra, in cima all'altura di Montmartre, la graziosa cupola arabescata del Sacré-Cœur, la cui pietra levigata brillava di luci bianche.

Sotto di lei, all'estremità più occidentale dell'ala Denon, la principale arteria di traffico in direzione nord-sud della Place du Carrousel passava accanto all'edificio e tra essa e la facciata del Louvre c'era solo uno stretto marciapiede. Sulla strada, la solita fila di autocarri che viaggiavano di notte per le consegne attendeva che il semaforo diventasse verde; le loro luci di posizione parevano farsi beffe di Sophie, che era sopra di loro e non sapeva come uscire.

«Non so che dire» commentò Langdon, dietro di lei. «Ovviamente, suo nonno cerca di dirci qualcosa. Mi dispiace di non poterle essere d'aiuto.»

Sophie si voltò verso di lui. Le era parso di sentire un sincero rimpianto nella voce dello studioso. Nonostante tutti i suoi guai, ovviamente desiderava aiutarla. "L'insegnante in lui" pensò, ricordando quanto aveva letto nel suo profilo compilato dalla polizia giudiziaria. Un accademico che chiaramente odiava trovarsi all'oscuro, privo di una spiegazione. "Ecco qualcosa che abbiamo in comune" pensò.

Nel suo lavoro di decifratrice di codici, il compito di Sophie consisteva nell'estrarre un significato da serie di dati apparentemente prive di senso. Quella notte, la sua convinzione era che Robert Langdon – che lo sapesse o no – possedeva informazioni che a lei erano necessarie. "Principessa Sophie, trova Robert Langdon." Il messaggio di Saunière non avrebbe potuto essere più chiaro. Sophie aveva bisogno di tempo. Tempo per fare ricerche con Langdon. Tempo per pensare. Tempo per risolvere insieme quel mistero. Purtroppo, il tempo stava esaurendosi rapidamente.

Guardando Langdon, Sophie gli comunicò l'unica soluzione che le era venuta in mente. «Da un minuto all'altro, Bezu Fache la arresterà. Io posso farla uscire da questo museo. Ma dobbiamo agire subito.»

Langdon sgranò gli occhi. «Lei vuole che io fugga?»

«È la cosa migliore che lei possa fare. Se permette a Fache di arrestarla, trascorrerà settimane in una prigione francese mentre il dipartimento di Giustizia e l'ambasciata americana litigheranno per decidere quale corte dovrà processarla. Ma se riusciamo a uscire di qui e a raggiungere l'ambasciata, il suo governo proteggerà i suoi diritti mentre dimostreremo che lei non ha niente a che fare con l'omicidio.»

Langdon non pareva neppure vagamente convinto. «Lasci perdere! Fache ha agenti armati a tutte le uscite. Anche se ci allontanassimo senza che ci sparino, la fuga mi farà sembrare colpevole. Deve dire a Fache che il messaggio era per lei e che Saurière non ha scritto il mio nome per accusarmi.»

«Lo farò» disse in fretta Sophie «ma dopo che lei sarà al sicuro nell'ambasciata americana. È a poco più di un chilometro da qui e la mia auto è parcheggiata davanti al museo. Trattare con Fache qui dentro è troppo rischioso, non capisce? Fache si è assunto come missione quella di dimostrare la sua colpevolezza. La sola ragione per cui ha rinviato il suo arresto è stata la speranza che, tenendola sotto osservazione, emergesse qualche accusa contro di lei.»

«Esattamente. Come *fuggire*!»

Il telefono cellulare di Sophie prese a squillare. "Fache, probabilmente." Lei lo spense. «Signor Langdon» disse in fretta «le devo rivolgere un'ultima domanda.» "E l'intero suo futuro può dipendere dalla risposta." «Le parole sul pavimento non ne sono chiaramente la prova, ma Fache ha detto a tutti di essere "certo" della sua colpevolezza. Riesce a immaginare qualche altra ragione che può averlo convinto?»

Langdon rifletté per alcuni secondi. «Assolutamente nessuna.»

Sophie sospirò. "Questo significa che Fache mente." La ragione di quella menzogna, Sophie non riusciva a immaginarla, ma non era quello il punto. Il punto era che Bezu Fache intendeva arrestare Langdon a ogni costo. Sophie aveva bisogno che Langdon la aiutasse e quel dilemma le lasciava una sola conclusione logica. "Devo fare in modo che Langdon raggiunga l'ambasciata americana."

Sophie tornò a guardare dalla finestra la strada sottostante. Un salto da lassù e Langdon si sarebbe trovato con le gambe spezzate, se non peggio.

Comunque, aveva preso la sua decisione.

Robert Langdon doveva fuggire dal Louvre, che lo volesse o no.

17

«Che cosa vuol dire che non risponde?» Fache guardò Collet con incredulità. «Hai chiamato il suo cellulare, vero? So che l'ha con sé.»

Da alcuni minuti, il tenente cercava di mettersi in contatto con Sophie. «Forse ha le batterie scariche. O ha disinserito la suoneria.»

Fache aveva un'aria preoccupata da quando il direttore della Crittologia gli aveva parlato al telefono. Dopo avere riagganciato, si era rivolto a Collet e gli aveva chiesto di chiamargli l'agente Neveu. Il tenente non era riuscito a mettersi in contatto con lei e Fache camminava avanti e indietro come un leone in gabbia.

«Che cosa volevano quelli della Crittologia?» chiese infine Collet.

Il capitano si voltò verso di lui. «Volevano dirci che non hanno trovato alcun riferimento a diavoli draconiani e a santi azzoppati.»

«Tutto qui?»

«No, volevano anche dire che hanno riconosciuto i numeri come la sequenza di Fibonacci, ma che sospettavano fosse priva di significato.»

Collet non capiva. «Ma hanno già mandato l'agente Neveu a dircelo.»

Fache scosse la testa. «Non hanno mandato Neveu.»

«Come?»

«Secondo il direttore, quando gli abbiamo inviato il materiale, ha incaricato tutta la squadra di esaminare le immagini.

L'agente Neveu è arrivata, ha dato un'occhiata alle foto di Saunière e al codice e ha lasciato l'ufficio senza una parola. Il direttore ha detto di non avere fatto osservazioni per il suo comportamento perché l'agente era comprensibilmente sconvolta dalle foto.»

«Sconvolta? Non ha mai visto le foto di un morto?»

Fache rimase in silenzio per un istante. «Non lo sapevo, e pare che non lo sapesse neppure il direttore finché non gliel'ha detto un collega, ma pare che Sophie Neveu sia la nipote di Jacques Saunière.»

Collet era senza parole.

«Il direttore sostiene che Neveu non aveva mai fatto con lui il nome di Saunière; pensa che si sia comportata così perché non voleva trattamenti preferenziali a causa della fama del nonno.»

"Niente di strano che le immagini l'abbiano sconvolta." Collet riusciva a malapena a immaginare una così sfortunata coincidenza: chiamare una giovane donna a decifrare un codice scritto da un familiare assassinato. Comunque, il suo modo di agire era privo di senso. «Chiaramente ha riconosciuto i numeri di Fibonacci, perché è venuta qui a dircelo, ma non capisco perché sia uscita dall'ufficio senza rivelarlo ai colleghi.»

A Collet veniva in mente una sola spiegazione in grado di dare un senso all'accaduto: Saunière aveva scritto sul pavimento un codice numerico nella speranza che Fache coinvolgesse il dipartimento di Crittologia e di conseguenza la nipote. Quanto al resto del messaggio, che Saunière volesse comunicare qualcosa alla nipote? In tal caso, qual era il significato del messaggio? E qual era il ruolo di Langdon?

Prima che Collet potesse riflettere ulteriormente, il silenzio del museo venne spezzato da un allarme. Il suono proveniva dalla Grande Galleria.

«*Alarme!*» gridò l'agente collegato con il centro di sicurezza del Louvre. «*Grande Galerie! Toilettes Messieurs!*»

Fache si voltò di scatto verso Collet. «Dov'è Langdon?»

«Ancora nella toilette!» Collet indicò il punto rosso ammiccante sullo schermo del suo portatile. «Deve avere sfondato la finestra.» Il tenente sapeva che Langdon non sarebbe andato lontano. Anche se il regolamento antincendi di Parigi imponeva che le finestre degli edifici pubblici si potessero rompere in caso di incendio, lanciarsi da quell'altezza senza disporre di una scaletta di corda sarebbe stato un suicidio. Inoltre, da quella parte dell'ala Denon non c'erano alberi o erba che attutissero la caduta. Sotto quella particolare finestra correva una carreggiata dell'arteria trafficata che attraversava la Place du Carrousel e passava a poca distanza dalla parete esterna. «Mio Dio!» esclamò Collet, osservando lo schermo. «Langdon è salito sul davanzale!»

Ma Fache era già in azione. Aveva estratto dalla fondina sotto l'ascella il suo revolver Manurhin MR-93 ed era corso fuori dell'ufficio.

Collet continuò a guardare con incredulità lo schermo mentre la macchia rossa pulsante si spostava sul davanzale e poi faceva qualcosa di imprevedibile. Il puntino si mosse all'esterno dell'edificio. "Che fa?" si chiese. "Cammina sul cornicione o...?"

«*Jesu!*» Collet balzò in piedi mentre il puntino si allontanava dalla parete. Il segnale parve tremolare per un momento, poi il puntino si fermò bruscamente a circa tre metri dal perimetro dell'edificio.

Muovendo i comandi, Collet caricò la cartina stradale di Parigi e diede una nuova regolazione al sistema GPS. Ingrandendo l'immagine vedeva adesso l'esatta posizione del segnale.

Non si muoveva più.

Era immobile in mezzo alla Place du Carrousel.

Langdon si era gettato dalla finestra.

18

Fache si lanciò di corsa nella Grande Galleria mentre la radio di Collet gracchiava sul sottofondo del suono lontano dell'allarme.

«Si è gettato dalla finestra!» gridava Collet. «Ricevo il segnale dalla Place du Carrousel! All'esterno della finestra del bagno! E non si muove! Gesù, penso che Langdon si sia ucciso!»

Fache udiva le parole, ma erano prive di senso. Continuò a correre. La galleria era interminabile. Finalmente, quando passò accanto al corpo di Saunière, vide le bacheche alla fine dell'ala Denon. Laggiù il suono dell'allarme era più forte.

«Aspetti!» riprendeva Collet dalla radio. «Si muove. Mio Dio, è ancora vivo. Langdon si muove!»

Fache continuò a correre e a ogni passo imprecava contro la lunghezza della sala.

«Langdon si muove più in fretta!» gridava Collet. «Corre lungo la Place du Carrousel. Aspetti... corre più in fretta. Si muove troppo in fretta!»

Quando arrivò alle bacheche, Fache si infilò tra esse come un serpente, scorse la porta delle toilette e si precipitò all'interno.

Il walkie-talkie era a malapena udibile a causa del suono dell'allarme. «Deve essere su un'auto! Credo che sia su un'auto! Non può...»

Le parole di Collet vennero inghiottite dal suono dell'allarme quando finalmente il capitano piombò nella toilette maschile, con la pistola in pugno. Fece una smorfia a causa del suono acuto della sirena ed esaminò la scena. I box erano vuoti, ai lavandini non c'era nessuno. In fondo alla stanza, il vetro della finestra era rotto. Corse fino all'apertura e si affacciò. Langdon non si scorgeva da nessuna parte. Fache non riusciva a pensare che qualcuno potesse tentare un salto come quello. Se fosse saltato dalla finestra, si sarebbe ferito gravemente.

Alla fine l'allarme cessò di suonare e Fache poté di nuovo udire Collet che parlava dal walkie-talkie.

«... si muove a sud... ancora più in fretta... attraversa la Senna sul Pont du Carrousel!»

Fache si sporse a guardare in quella direzione. Il solo veicolo sul Pont du Carrousel era un enorme autoarticolato che si allontanava dal Louvre. Il cassone di carico era coperto da un telone di plastica che assomigliava a una gigantesca amaca. Fache fu scosso da un brivido di apprensione. Quel camion, fino a pochi momenti prima, probabilmente era fermo al semaforo sotto la finestra della toilette.

"Un rischio pazzesco" pensò Fache. Langdon non aveva modo di sapere che cosa contenesse l'autocarro sotto quel telone. E se avesse trasportato acciaio? O cemento? O magari immondizia? Un salto di una dozzina di metri? Follia pura.

«Il punto luminoso ha svoltato sul Quai Malaquais!» esclamò Collet. «Adesso sta svoltando a destra in Rue des Saints-Pères!»

E infatti l'autocarro che aveva attraversato il ponte rallentava e svoltava a destra in Rue des Saints-Pères. "Benissimo" pensò Fache. Con stupore lo vide scomparire dietro l'angolo. Collet stava già ordinando per radio agli agenti all'esterno di allontanarsi dal perimetro del Louvre e di inseguire Langdon con le loro auto; per tutto il tempo continuò a trasmettere la posizione del camion come in una sorta di resoconto sportivo minuto per minuto.

"È in trappola" si disse Fache. Entro pochi minuti i suoi uomini avrebbero circondato il camion. Langdon non sarebbe riuscito a scappare.

Infilò la pistola nella fondina e chiamò Collet. «Fa' venire la mia auto. Voglio essere presente quando effettueremo l'arresto.» Mentre percorreva in fretta la Grande Galleria, Fache si chiese se Langdon era sopravvissuto alla caduta.

Non che la cosa importasse.

"Langdon si è dato alla fuga. Colpevole come da accusa."

A soli quindici metri dalle toilette, Langdon e Sophie erano nascosti nell'oscurità della Grande Galleria, con la schiena premuta contro una delle bacheche che celavano i servizi agli occhi dei visitatori. Avevano fatto appena in tempo a nascondersi quando avevano visto arrivare Fache, che, pistola in pugno, era scomparso nelle toilette.

Gli ultimi sessanta secondi erano stati molto concitati. Langdon era ancora nella toilette e si rifiutava di fuggire da un delitto che non aveva commesso, quando Sophie si era messa a esaminare il vetro della finestra e i fili dell'allarme che correvano al suo interno. Poi aveva guardato in basso, come per misurare il salto.

«Con un po' di buona mira, lei può uscire di qui» gli disse.

"Mira?" Dubbioso, Langdon guardò anch'egli dalla finestra.

Lungo la strada stava arrivando un enorme autoarticolato, diretto verso il semaforo sotto di loro. Sull'enorme piano di carico era teso un telone di plastica blu, che copriva con molte pieghe la merce trasportata. Langdon si augurò che Sophie non pensasse a ciò che pareva avere in mente.

«Sophie, non posso certamente saltare...»

«Mi dia il localizzatore.»

Senza capire, Langdon si frugò in tasca per recuperare il dischetto di metallo. Sophie lo afferrò e si diresse al lavandino più vicino, prese un pezzo di sapone e, premendo con il pollice, spinse il dischetto al suo interno. Quando il dischetto fu inserito completamente, sigillò il foro in modo che il localizzatore non potesse uscire dal sapone.

Consegnò il sapone a Langdon, prese un grosso contenitore per i rifiuti e, servendosene a mo' di ariete, prima che Langdon potesse protestare, colpì il centro della finestra. Il vetro andò in mille pezzi.

L'allarme prese subito a suonare, a un volume spaventoso, sopra le loro teste.

«Mi dia il sapone!» gridò Sophie, a malapena udibile sopra il suono dell'allarme.

Langdon glielo consegnò.

Soppesando il sapone nella mano, la donna guardò dalla finestra l'autocarro fermo sotto di loro. Impossibile mancare il bersaglio: un grosso telone blu, a meno di tre metri dall'edificio. Poco prima che il verde scattasse, Sophie scagliò in direzione del camion il pezzo di sapone, che finì sul telone e scivolò sul pianale proprio mentre il semaforo passava al verde.

«Congratulazioni» disse Sophie, prendendo per il braccio Langdon e trascinandolo verso la porta. «Lei è appena fuggito dal Louvre.»

Lasciata la toilette, si infilarono nell'ombra proprio mentre Fache arrivava di corsa.

Ora che l'allarme aveva smesso di suonare, Langdon sentiva le sirene delle auto della polizia che si allontanavano dal Louvre. "Un esodo poliziesco." Anche Fache era corso via e la Grande Galleria era rimasta deserta.

«C'è un'uscita di emergenza a cinquanta metri da noi, nella Grande Galleria» disse Sophie. «Adesso che le guardie hanno lasciato il perimetro, possiamo andarcene.»

Langdon decise di non parlare più, per quella notte. Sophie Neveu era chiaramente molto più sveglia di lui.

19

La chiesa di Saint-Sulpice, si dice, ha la storia più eccentrica di tutti gli edifici di Parigi. Costruita sulle rovine di un antico tempio alla dea egizia Iside, la chiesa ha una pianta che corrisponde quasi al centimetro con quella di Notre Dame. In quella chiesa sono stati battezzati il marchese de Sade e Baudelaire e si è sposato Victor Hugo. L'attiguo seminario ha una ben documentata storia di credenze non ortodosse e un tempo era il luogo clandestino d'incontro di numerose società segrete.

Quella notte, la cavernosa navata di Saint-Sulpice era silenziosa come una tomba e il solo indizio di vita era il debole profumo d'incenso dell'ultima messa del pomeriggio. Silas aveva notato una leggera inquietudine nel comportamento di sorella Sandrine, quando l'aveva fatto entrare. La cosa non lo sorprendeva. Era abituato a vedere persone allarmate dal suo aspetto.

«Lei è americano» commentò la donna.

«Francese di nascita» rispose Silas. «Ho avuto la vocazione in Spagna e adesso studio negli Stati Uniti.»

Sorella Sandrine annuì. Era una donna minuta dall'espressione tranquilla. «E lei non ha mai visitato Saint-Sulpice?»

«Comprendo che questo è già quasi un peccato.»

«La chiesa è molto più bella di giorno.»

«Ne sono certo. Comunque, la ringrazio per avermi voluto fornire questa occasione di vederla di notte.»

«Me l'ha chiesto l'abate. Lei ovviamente ha amicizie potenti.»

"Non hai idea di quanto lo siano" pensò Silas.

Mentre seguiva sorella Sandrine lungo la navata centrale, Silas osservò con sorpresa l'austerità della chiesa. Diversamente da Notre Dame – con i suoi affreschi coloriti, le decorazioni dorate degli altari, il caldo legno – Saint-Sulpice era gelida e nuda e dava un'impressione di spoglia essenzialità che gli ricordava le ascetiche cattedrali spagnole. L'assenza di decorazioni faceva sembrare ancora più grande l'interno; Silas, quando sollevò lo sguardo verso la volta e le sue nervature, ebbe l'impressione di trovarsi all'interno di un'enorme barca rovesciata.

"Immagine molto felice" pensò. Tra poco, la barca della fratellanza sarebbe stata rovesciata per sempre.

Ansioso di mettersi al lavoro, Silas non vedeva l'ora che sorella Sandrine si allontanasse. Era una donna di bassa statura che Silas avrebbe potuto neutralizzare facilmente, ma aveva fatto il voto di non ricorrere alla violenza se non era assolutamente necessario. "È una religiosa e non è colpa sua se la fratellanza ha scelto la sua chiesa come nascondiglio per la chiave di volta. Non deve essere punita per i peccati altrui."

«Mi dispiace, sorella, che lei si sia dovuta alzare per colpa mia.»

«Non importa. Lei è a Parigi per poco tempo. Non poteva perdersi Saint-Sulpice. I suoi interessi per la chiesa sono più architettonici o storici?»

«In realtà, sorella, i miei interessi sono spirituali.»

La donna rise allegramente. «Non c'è bisogno di dirlo. Mi chiedevo solo da che punto volesse iniziare la visita.»

Lo sguardo di Silas era attirato dall'altare. «Non è necessario che lei mi accompagni. È stata fin troppo gentile con me. Posso orientarmi da solo all'interno della chiesa.»

«Nessun problema» rispose la donna. «Dopotutto, sono già sveglia.»

Silas si fermò. Ormai erano arrivati al primo banco e l'altare era a quindici metri da loro. Si voltò con tutta la sua mole verso la donna e si accorse che lo guardava con timore. «Se non le sembro troppo scortese, sorella, non sono abituato a entrare in una casa di Dio per fare una semplice visita. Le dispiace se resto da solo, per qualche tempo, a pregare, prima di guardarmi attorno?»

Sorella Sandrine ebbe un attimo di esitazione. «Oh, certo. La aspetterò in fondo alla chiesa.»

Silas le appoggiò sulla spalla una mano, morbida ma pesante, e la guardò dall'alto al basso. «Sorella, mi sento già colpevole per averla svegliata. Chiederle di rimanere sveglia sarebbe troppo. La prego, torni a riposare. Io rimarrò qualche minuto nella vostra chiesa, poi me ne andrò.»

La donna non sembrava del tutto convinta. «È sicuro di non sentirsi abbandonato?»

«Niente affatto. La preghiera è una gioia solitaria.»

«Come vuole lei, allora.»

Silas sollevò la mano dalla spalla della donna. «Dorma bene, sorella. Che la pace del Signore sia con lei.»

«E anche con lei.» Sorella Sandrine si diresse verso le scale. «Quando esce, si assicuri che la porta sia ben chiusa.»

«Certamente.» Silas la vide allontanarsi. Poi si voltò e si inginocchiò nel primo banco. Il cilicio gli punse la coscia. "Signore, offro a te il lavoro che sto per compiere..."

Nascosta nell'ombra, dietro la balconata del coro, sorella Sandrine osservava silenziosamente attraverso le colonne il monaco inginocchiato da solo nel primo banco, parecchi metri sotto di lei. Il terrore che le aveva improvvisamente serrato l'anima la costringeva a ricorrere a tutta la sua forza di volontà per non fuggire. Per un istante si chiese se quel misterioso visitatore non fosse il nemico di cui era stata avvertita e se quella notte non sarebbe stata costretta a eseguire gli ordini che le erano stati affidati molti anni prima. Decise di rimanere nascosta nell'oscurità per osservare tutte le sue mosse.

20

Langdon e Sophie lasciarono il loro nascondiglio e si avviarono in silenzio lungo la Grande Galleria in direzione dell'uscita di sicurezza.

Mentre camminavano, Langdon aveva l'impressione di dover risolvere un rompicapo di cui non aveva tutti gli elementi. Il nuovo aspetto di quel mistero era anche il più preoccupante: "Il capitano della polizia giudiziaria cerca di incastrarmi per omicidio". «Pensa che sia stato Fache» sussurrò a Sophie «a scrivere quel messaggio sul pavimento?»

Sophie non si degnò neppure di voltarsi. «Impossibile.»

Ma Langdon non ne era altrettanto certo. «Sembra davvero intenzionato a darmi la colpa. Forse ha pensato che scrivere il mio nome gli sarebbe stato utile.»

«La sequenza di Fibonacci? Il P.S.? Tutto il simbolismo su Leonardo e sulla dea? È stato certamente mio nonno.»

Langdon non poté che darle ragione. Il simbolismo di tutti quegli indizi era perfettamente coerente: il pentacolo, l'*Uomo vitruviano*, Leonardo, la dea, e anche la sequenza di Fibonacci. "Un insieme coerente di simboli" l'avrebbero definito gli studiosi di iconologia. Tutti inestricabilmente collegati tra loro.

«E la sua telefonata del pomeriggio» aggiunse Sophie. «Ha detto di dovermi rivelare qualcosa. Sono certa che la scritta accanto al suo corpo è stata il suo ultimo tentativo di comunicarmi qualcosa d'importante, un messaggio che lei poteva aiutarmi a capire.»

Langdon aggrottò la fronte. "*O, Draconian devil! Oh, lame saint!*" Avrebbe voluto trovare la spiegazione, sia per il bene di Sophie sia per il proprio. Le cose erano decisamente peggiorate da quando aveva letto quelle misteriose parole. Il suo finto salto dalla finestra del bagno non sarebbe certamente riuscito a guadagnargli l'amicizia di Fache. Dubitava che il capitano potesse vedere il lato umoristico di inseguire e alla fine arrestare una saponetta.

«Siamo vicino all'uscita» disse Sophie.

«Pensa che in qualche modo i numeri del messaggio di suo nonno possano aiutarci a comprendere il resto?» In passato, Langdon aveva lavorato su alcuni manoscritti di Bacone che contenevano cifrari epigrafici: alcune righe erano la chiave per decifrare quelle seguenti.

«È tutta la notte che penso a quei numeri. Somme, quozienti, prodotti... non sono approdata a niente. Dal punto di vista matematico, sono disposti a caso. Crittograficamente inutili.»

«Però fanno tutti parte della sequenza di Fibonacci. Non può essere una coincidenza.»

«Non lo è. I numeri di Fibonacci sono un altro segnale che mio nonno ha lasciato per farsi notare da me, come scrivere in inglese, o disporsi come la mia immagine preferita, o disegnarsi un pentacolo sullo stomaco. Tutto per richiamare la mia attenzione.»

«Il pentacolo ha qualche significato per lei?»

«Sì. Non gliel'ho ancora detto, ma il pentacolo era un simbolo speciale tra me e mio nonno quando ero ragazzina. Mi leggeva i tarocchi per divertimento e la carta che mi indicava apparteneva sempre al seme dei pentacoli. Sono certa che preparasse il mazzo, in ogni caso i pentacoli erano uno dei nostri motivi di divertimento.»

Langdon sentì un brivido. "Le leggeva i tarocchi?" Quel mazzo di carte, risalente al Medioevo, era così pieno di simbolismi eretici nascosti da spingere lo studioso a dedicarvi un intero capitolo del suo manoscritto. I ventidue "arcani maggiori" del gioco avevano nomi come "La papessa", "L'imperatrice" e "Le stelle". In origine, il tarocco era un sistema segreto per comunicare idee bandite dalla Chiesa. Oggi le potenzialità simboliche del tarocco erano sfruttate dai moderni indovini.

"Il seme dei tarocchi che indica la divinità femminile è quello di denari, ovvero di pentacoli" pensò Langdon. Se Saunière barava per divertirsi con la nipote, scegliere i pentacoli era doppiamente allusivo, per quei pochi che erano in grado di capirlo.

Erano giunti alla scala di sicurezza e Sophie aprì con cautela la porta. Nessun allarme suonò. Solo le porte che davano verso l'esterno erano collegate. Sophie precedette Langdon lungo una scala molto stretta e prese a scendere rapidamente.

«Suo nonno» disse Langdon, correndo dietro di lei «quando le parlava del pentacolo, le ha accennato al culto della dea o a qualche elemento contrario alla dottrina cattolica?»

Sophie scosse la testa. «Mi interessava maggiormente la matematica... la proporzione divina, *phi*, la sequenza di Fibonacci, quel genere di cose.»

Langdon la guardò con sorpresa. «Suo nonno le ha parlato del numero *phi*?»

«Certo. La proporzione divina.» Gli rivolse un mezzo sorriso. «Anzi, diceva per scherzo che io ero mezzo divina... sa, per le lettere del mio nome.»

Langdon rifletté per un momento, poi si lasciò sfuggire un gemito.

"S-o-phi-e."

Continuando a scendere, Langdon ripensò a *phi*. Cominciava a capire che gli indizi lasciati da Saunière erano ancora più coerenti tra loro di quanto non gli fosse parso in un primo momento. "Leonardo da Vinci... i numeri di Fibonacci... il pentacolo."

Incredibile, ma tutti questi elementi erano collegati tra loro da un unico concetto così importante per la storia dell'arte che Langdon spesso era costretto a fare numerose lezioni sull'argomento. "*Phi*."

All'improvviso gli parve di essere ritornato a Harvard, davanti ai suoi studenti del corso "Il simbolismo nell'arte", e di scrivere alla lavagna il suo numero preferito.

1,618

Langdon si era voltato verso la sua aula piena di studenti ansiosi. «Chi mi sa dire che numero è?»

Un diplomato in matematica, nelle ultime file, aveva alzato la mano. «Il numero *phi*.» Lo pronunciava "fi".

«Bene, Stettner» aveva commentato Langdon. «Signori, vi presento *phi*.»

«Da non confondere con *pi greco*» aveva commentato Stettner, sorridendo. «Come diciamo noi matematici, *phi* è di un'acca più interessante di *pi*.»

Langdon aveva riso, ma nessun altro aveva capito la battuta. Stettner era tornato a sedere, deluso.

«Questo numero *phi*» aveva continuato Langdon «uno virgola seicentodiciotto, è un numero molto importante per l'arte. Chi mi sa dire perché?»

Stettner aveva cercato di riabilitarsi. «Perché è bello?»

Tutti avevano riso.

«A dire il vero» aveva commentato Langdon «Stettner ha di nuovo ragione. In genere, *phi* è considerato il più bel numero dell'universo.»

Le risate erano cessate subito e Stettner aveva sorriso.

Mentre caricava il proiettore delle diapositive, Langdon aveva spiegato che il numero *phi* derivava dalla sequenza di Fibonacci, una progressione famosa non solo perché la somma di due termini adiacenti era uguale al termine successivo, ma perché il quoziente di due numeri adiacenti tendeva sorprendentemente al valore 1,618, *phi*!

Nonostante la bizzarra origine matematica di *phi*, aveva spiegato Langdon, il suo più sorprendente aspetto era il suo ruolo di mattone fondamentale della natura. Piante, animali e persino gli uomini avevano misure che rispettavano esattamente il rapporto tra *phi* e uno.

«L'onnipresenza di *phi* in natura» aveva detto Langdon mentre spegneva la luce «va chiaramente al di là delle coincidenze e perciò gli antichi pensavano che fosse stato stabilito dal Creatore dell'universo. I primi scienziati lo chiamarono la "proporzione divina".»

«Un momento» aveva detto una giovane donna seduta in prima fila. «Io sono diplomata in biologia e non ho mai visto questa divina proporzione in natura.»

«No?» Langdon aveva sorriso. «Non ha mai studiato il rapporto tra femmine e maschi in un alveare?»

«Certo. Le femmine sono sempre in numero superiore ai maschi.»

«Esatto. E sa che se in qualsiasi alveare si prende il numero delle femmine e lo si divide per quello dei maschi si ottiene sempre lo stesso numero?»

«Davvero?»

«Sì. Il numero *phi*.»

La ragazza era rimasta a bocca aperta. «Non è possibile!»

«Certo che lo è!» aveva ribattuto Langdon, sorridendo, e aveva proiettato la diapositiva di una conchiglia. «Riconosce questa?»

«È un *nautilus*» aveva detto la diplomata in biologia. «Un mollusco cefalopodo che pompa gas nelle camere della sua conchiglia per regolare la spinta di galleggiamento.»

«Esatto. E mi sa dire il rapporto tra il diametro di una spira e quello della successiva?»

La ragazza aveva guardato con aria incerta le curve concentriche della spirale del *nautilus*.

Langdon aveva annuito. «*Phi*. La proporzione divina, uno virgola seicentodiciotto a uno.»

La ragazza l'aveva guardato con aria stupita.

Langdon era passato alla successiva diapositiva, l'ingrandimento dei semi di un girasole. «I semi di girasole crescono secondo spirali opposte. Chi sa dire il rapporto tra una rotazione e la successiva?»

«Il numero *phi*?» avevano chiesto tutti.

«Tombola.» Langdon aveva continuato a proiettare altre diapositive, ma assai più in fretta: una pigna e la sua suddivisione secondo due serie di spirali, la disposizione delle foglie sui rami, i segmenti di alcuni insetti. Tutti rispettavano in modo stupefacente la proporzione divina.

«Incredibile!» aveva esclamato qualcuno.

«D'accordo» aveva commentato qualcun altro «ma cosa c'entra con l'arte?»

«Ah!» aveva esclamato Langdon. «Sono lieto che l'abbia chiesto.» Proiettò un'altra diapositiva: una pergamena ingiallita in cui si scorgeva il famoso nudo maschile di Leonardo da Vinci, l'*Uomo vitruviano*, così chiamato dal nome di Marco Vitruvio, il grande architetto romano che aveva tessuto le lodi della proporzione divina nel suo libro *De architectura*.

«Nessuno capiva meglio di Leonardo da Vinci la divina

struttura del corpo umano. Leonardo disseppelliva i corpi per misurare le proporzioni esatte della struttura ossea umana. Fu il primo a mostrare che il corpo umano è letteralmente costituito di elementi che stanno tra loro in rapporto di *phi*.»

Tutti l'avevano guardato con aria dubbiosa.

«Non mi credete?» li aveva sfidati Langdon. «La prossima volta che fate la doccia, portatevi un metro.»

Un paio di giocatori di football avevano riso di lui.

«Non soltanto voi scimmioni insicuri» aveva continuato Langdon. «Tutti. Maschi e femmine. Fate la prova. Misurate la vostra altezza e poi dividetela per la distanza da terra del vostro ombelico. Indovinate che numero si ottiene.»

«Non *phi*!» aveva detto uno degli "scimmioni".

«Proprio *phi*, invece» aveva risposto Langdon. «Uno virgola seicentodiciotto. Volete un altro esempio? Misurate la distanza dalla spalla alla punta delle dita e dividetela per la distanza dal gomito alla punta delle dita. Di nuovo *phi*. Altro esempio? Dal fianco al pavimento diviso per la distanza dal ginocchio al pavimento. Di nuovo *phi*. Le articolazioni delle dita, le sezioni della colonna vertebrale. Ancora *phi*. Amici miei, ciascuno di voi è un tributo ambulante alla proporzione divina!»

Nonostante l'oscurità, Langdon aveva percepito la loro sorpresa e aveva provato dentro di sé un calore familiare. Era il motivo per cui insegnava. «Come vedete, c'è un ordine sotto l'apparente caos del mondo. Quando gli antichi hanno scoperto *phi*, erano certi di avere trovato uno dei mattoni usati da Dio per la costruzione del mondo e avevano venerato la natura per questa sua caratteristica. E possiamo capirne la ragione. La mano di Dio è evidente nella natura e ancora oggi esistono religioni pagane che adorano la Madre Terra. Molti di noi celebrano la natura come i pagani, ma non lo sanno. Il Calendimaggio ne è un esempio perfetto, la festa della primavera, la terra che ritorna alla vita per darci i suoi frutti. La misteriosa magia della proporzione divina è stata scritta all'inizio dei tempi, l'uomo si limita a giocare secondo le regole della natura, e poiché l'arte è il tentativo umano di imitare la bellezza della mano del Creatore, questo semestre vedremo molti esempi di proporzione divina.»

Nel corso della mezz'ora successiva, Langdon aveva proiettato diapositive di opere d'arte di Michelangelo, Dürer, Leonardo e molti altri, che dimostravano il rigoroso – e intenzionale – rispetto della proporzione divina nella composizione. Langdon aveva mostrato il numero *phi* nelle dimensioni architettoniche del Partenone, nelle piramidi egizie, e persino nel palazzo newyorkese delle Nazioni Unite. Il numero *phi* compariva nella struttura delle sonate di Mozart, nella Quinta Sinfonia di Beethoven, oltre che nelle opere di Bartók, Debussy e Schubert. Il numero *phi*, aveva spiegato, era stato anche usato da Stradivari per calcolare la posizione esatta dei fori nella costruzione dei suoi famosi violini.

«In conclusione» aveva detto Langdon, avvicinandosi di nuovo alla lavagna «torniamo ai nostri simboli.» Aveva disegnato cinque linee che formavano una stella a cinque punte. «Questo simbolo è una delle immagini più potenti che vedrete nel nostro corso. Noto come pentacolo, è considerato divino e magico da molte culture. Qualcuno sa dirmi perché?»

Stettner, il diplomato in matematica, aveva alzato la mano. «Perché le sue linee si dividono in segmenti che rispettano la proporzione divina.»

Langdon gli aveva rivolto un cenno affermativo. «Ottimo. Certo, in un pentacolo tutti i rapporti tra i segmenti sono uguali a *phi*, e perciò questo simbolo è l'estrema espressione della proporzione divina. Per questa ragione la stella a cinque punte è sempre stata il simbolo della bellezza e della perfezione associate alla dea e al femminino sacro.»

Nell'aula, tutte le ragazze avevano sorriso.

«Ancora un'osservazione. Oggi abbiamo solamente sfiorato Leonardo, ma questo semestre lo incontreremo ancora molte volte. Leonardo era notoriamente devoto alle antiche tradizioni della dea. Domani vi mostrerò il suo affresco *L'Ultima Cena*, che è uno dei più stupefacenti tributi al femminino sacro che si possa incontrare.»

«Scherza?» aveva chiesto qualcuno. «Pensavo che *L'Ultima Cena* riguardasse Gesù!»

Langdon gli aveva strizzato l'occhio. «Ci sono simboli nascosti in luoghi che non riuscireste mai a immaginare.»

«Si sbrighi» gli sussurrò Sophie. «Che succede? Siamo quasi arrivati.»

Langdon si guardò attorno e si accorse di essersi fermato a metà della scala, paralizzato da un'improvvisa rivelazione. *"O, Draconian devil! Oh, lame saint!"*

Sophie lo fissava.

"Non può essere così semplice" pensava Langdon.

Ma, naturalmente, lo era.

Laggiù, nelle viscere del Louvre, con il pensiero di *phi* e di Leonardo, Robert Langdon aveva decifrato all'improvviso, senza volerlo, il codice di Saunière.

«*O, Draconian devil*» mormorò. «*Oh, lame saint*. È proprio il tipo di codice più semplice...!»

Sophie si era fermata a sua volta e lo guardava confusa. "Un codice?" Aveva riflettuto per tutta la notte su quelle parole e non aveva trovato codici, né semplici né complessi.

«L'ha detto lei» spiegò Langdon, con la voce piena di eccitazione. «I numeri di Fibonacci hanno significato solo se sono nel loro giusto ordine. Altrimenti sono solo nonsense matematici.»

Sophie non capiva che cosa volesse dire. "I numeri di Fibonacci?" Era certa che Saunière li avesse scritti soltanto per coinvolgere il dipartimento di Crittologia. "Hanno un altro scopo?" Prese di tasca la stampata del computer ed esaminò nuovamente il messaggio del nonno.

13-3-2-21-1-1-8-5
O, Draconian devil!
Oh, lame saint!

"Che significato possono avere questi numeri?"

«La sequenza di Fibonacci cambiata di ordine è un indizio» disse Langdon, facendosi dare il foglio. «I numeri suggeriscono come decifrare il resto del messaggio. Saunière ha scritto la sequenza non in ordine per dirci di applicare lo stesso concetto al testo. *"O, Draconian devil! Oh, lame saint!"* Queste righe non significano nulla. Sono semplicemente lettere scritte non nel loro giusto ordine.»

A Sophie occorse solo un istante per riflettere sul suggerimento di Langdon e le parve davvero semplice. «Lei pensa che questo messaggio sia... un anagramma?» Lo fissò.

Langdon notò lo scetticismo di Sophie e non poté darle torto. Pochi sapevano che gli anagrammi, oltre a essere un divertimento moderno, avevano una ricca storia di simbolismo sacro.

Gli insegnamenti mistici della kabbalah facevano un notevole uso di anagrammi: combinavano in altro modo le lettere delle parole ebraiche per ricavarne nuovi significati. Per tutto il Rinascimento, i sovrani francesi erano così convinti dei poteri magici degli anagrammi da nominare anagrammisti reali, i quali dovevano aiutarli a prendere le decisioni migliori analizzando le parole dei documenti importanti. I romani chiamavano lo studio degli anagrammi *ars magna*, la "grande arte".

Langdon incrociò lo sguardo con quello di Sophie. «Il significato del messaggio di suo nonno è sempre stato davanti ai nostri occhi, e lui ci ha lasciato abbondanti indizi per scoprirlo.»

Senza altre parole, prese una penna dal taschino e ricombinò le lettere di ciascuna riga.

O, Draconian devil!
Oh, lame saint!

era un perfetto anagramma di:

Leonardo da Vinci!
The Mona Lisa!

21

La *Monna Lisa*.

Per un istante, sulla scala di sicurezza del Louvre, Sophie scordò il desiderio di uscire.

La sorpresa che le aveva causato l'anagramma era pari solo alla vergogna per non essere riuscita a decifrare il messaggio. L'abitudine di Sophie alle analisi crittologiche complesse le aveva fatto trascurare i semplici giochi di parole, eppure sapeva che avrebbe dovuto accorgersene. Dopotutto conosceva bene gli anagrammi, soprattutto in inglese.

Quando era giovane, spesso il nonno si serviva di giochi anagrammatici per perfezionare l'ortografia inglese della nipote. Una volta aveva scritto la parola inglese *planets* e aveva detto a Sophie che servendosi di quelle stesse lettere si potevano formare altre novantadue parole inglesi di varie lunghezze. Sophie aveva passato tre giorni con un dizionario inglese finché non le aveva trovate tutte.

«Non riesco a immaginare» disse Langdon, osservando la scritta «come suo nonno abbia potuto creare un anagramma così complesso nei pochi minuti prima della morte.»

Sophie conosceva la spiegazione, e nel pensarci si sentì ancora più umiliata. "Avrei dovuto accorgermene!" Ricordò che il nonno – appassionato di giochi di parole come di arte – da giovane si divertiva a creare anagrammi dei titoli di opere d'arte famose. Anzi, uno di quegli anagrammi l'aveva messo nei guai quando Sophie era piccola. Intervistato da una rivista d'arte americana, Saunière aveva espresso la sua antipatia per il movimento cubista facendo notare che il capolavoro di Picasso, *Les*

Demoiselles d'Avignon era l'anagramma di *vile meaningless doodles*, "scarabocchi vili e privi di significato". Agli ammiratori di Picasso l'osservazione non era piaciuta affatto.

«Mio nonno ha probabilmente creato l'anagramma molto tempo fa» spiegò Sophie. "E questa notte è stato costretto a usarlo come codice improvvisato." La sua voce aveva chiamato dall'aldilà con agghiacciante precisione: "Leonardo da Vinci! *The Mona Lisa!*".

Perché con le sue ultime parole si fosse riferito al famoso dipinto, Sophie non avrebbe saputo dirlo, ma le veniva in mente una sola possibilità. Assai inquietante. "Quelle non sono le sue ultime parole."

Doveva recarsi dalla *Monna Lisa*? Suo nonno le aveva lasciato un messaggio laggiù? L'idea sembrava perfettamente plausibile. Dopotutto, il famoso dipinto era appeso nella Salle des Etats, una sala privata accessibile solo dalla Grande Galleria. In effetti, ricordò Sophie, la porta della sala era a soli venti metri dal punto dove era stato trovato il corpo del nonno.

"Potrebbe avere visitato la *Monna Lisa* prima di morire."

Sophie alzò lo sguardo sulla scala di emergenza e non riuscì a prendere una decisione. Sapeva che avrebbe dovuto allontanare subito Langdon dal museo, ma l'istinto le suggeriva il contrario. Ricordando la sua prima visita all'ala Denon, quando era ancora bambina, capì che se il nonno aveva inteso affidarle un segreto, pochi posti erano più adatti della sala della *Monna Lisa* di Leonardo.

«È poco più avanti» le aveva detto il nonno, tenendola per mano mentre attraversavano il museo vuoto, dopo l'orario di chiusura.

Sophie aveva sei anni. Si sentiva piccola e insignificante rispetto agli enormi soffitti e al pavimento che faceva venire le vertigini. Il museo vuoto la spaventava, anche se non intendeva farlo capire al nonno. Aveva stretto i denti e lasciato la sua mano.

«Davanti a noi c'è la Salle des Etats» aveva annunciato il nonno quando erano ormai vicini alla più famosa sala del Louvre.

Nonostante l'ovvia eccitazione del nonno, Sophie avrebbe

preferito essere a casa. Aveva già visto nei libri le fotografie della *Monna Lisa* e il quadro non le piaceva affatto. Non capiva perché facessero tanto chiasso per quel dipinto. «*C'est ennuyeux*» si era lamentata. È noioso.

«Boring» l'aveva corretta lui. «Il francese a scuola, l'inglese a casa.»

«*Le Louvre, c'est pas chez moi!*» aveva protestato lei. Il Louvre non è casa mia.

Per un istante, il nonno aveva riso. «Giusto. Allora parliamo inglese per divertimento.»

Sophie gli aveva messo il broncio, ma aveva continuato a camminare. Quando erano entrati nella Salle des Etats, aveva esaminato la stretta sala e aveva posato lo sguardo sul posto d'onore, al centro della parete, dove era appeso un solo ritratto, dietro una protezione di plexiglas. Il nonno si era fermato sulla soglia e le aveva indicato il quadro.

«Va' avanti, Sophie, non sono molte le persone che possano osservarla da soli.»

Inghiottendo per la tensione, Sophie aveva attraversato lentamente la sala. Dopo tutto quello che aveva sentito a proposito della *Monna Lisa*, aveva l'impressione di avvicinarsi a una regina. Quando era arrivata davanti alla lastra di plexiglas, aveva trattenuto il respiro e alzato lo sguardo per coglierla in un solo colpo d'occhio.

Non sapeva che cosa si era aspettata di provare, ma non aveva avvertito alcuna scossa, alcun senso di meraviglia: il famoso volto era uguale a quello dei libri. Era rimasta a guardarla in silenzio, per un tempo lunghissimo, in attesa che succedesse qualcosa.

«Allora, che cosa ne pensi?» le aveva sussurrato il nonno, che intanto si era portato dietro di lei. «È bellissima, vero?»

«È troppo piccola.»

Saunière aveva sorriso. «Anche tu sei piccola ma sei bellissima.»

"Io non sono bellissima" si era detta lei. Sophie odiava i suoi capelli rossi e le efelidi ed era più alta dei maschi della sua classe. Aveva nuovamente osservato la *Monna Lisa* e aveva scosso la testa. «È ancora peggio che nei libri. Ha la faccia... *brumeux*.» Nebbiosa.

«*Foggy*» l'aveva corretta il nonno.

«*Foggy*» aveva ripetuto Sophie, sapendo che la conversazione non sarebbe ripresa finché lei non avesse pronunciato la parola nuova..

«Quello è chiamato lo stile di pittura "sfumato"» le aveva spiegato il nonno «ed è molto difficile da eseguire. Leonardo da Vinci sapeva farlo meglio di chiunque altro.»

A Sophie, però, il quadro continuava a non piacere. «Ha l'aria di nascondere qualcosa... come i ragazzi, a scuola, quando hanno qualche segreto.»

Il nonno aveva riso. «Questo è uno dei motivi per cui è così famosa. Alla gente piace fare ipotesi sulla ragione del suo sorriso.»

«E tu sai perché sorride?»

«Può darsi.» Il nonno le aveva strizzato l'occhio. «Un giorno o l'altro ti racconterò tutto su quel sorriso.»

Sophie aveva battuto il piede in terra. «Ti ho detto che non mi piacciono i segreti!»

«Principessa» l'aveva ripresa sorridendo. «La vita è piena di segreti. Non puoi conoscerli tutti in una volta.»

«Io ritorno su» disse Sophie. Nel vano della scala, la sua voce sembrava priva di inflessione.

«Dalla *Monna Lisa*?» chiese Langdon, stupito. «Adesso?»

La donna rifletté sul rischio. «Io non sono indiziata. Devo capire che cosa intendeva dirmi mio nonno.»

«E l'ambasciata?»

Sophie provò un senso di colpa perché adesso doveva abbandonare Langdon dopo averlo reso un fuggitivo, ma non vedeva altre possibilità. Indicò una porta metallica alla fine delle scale. «Esca da quella porta e segua le scritte illuminate che indicano l'uscita. Mio nonno mi portava sempre qui. Le scritte portano a un'uscita di sicurezza che si apre solo verso l'esterno.» Consegnò a Langdon le chiavi della sua auto. «La mia auto è la Smart rossa nel parcheggio degli impiegati, direttamente davanti a noi. Sa come arrivare all'ambasciata?»

Langdon annuì e fissò le chiavi che la donna gli aveva consegnato.

«Ascolti» continuò Sophie, in tono meno duro. «Penso che

mio nonno mi abbia lasciato un messaggio vicino alla *Monna Lisa*, qualche indizio sul suo assassino. O sul pericolo che corro.» "O su quanto è successo alla mia famiglia." «Devo andare a vedere.»

«Ma se voleva spiegarle perché era in pericolo, per quale motivo non lo ha scritto sul pavimento? Perché questo complicato gioco di indovinelli?»

«Qualunque cosa cercasse di dirmi, non credo che volesse farlo sapere ad altri. Neppure alla polizia.» Chiaramente, Saunière aveva fatto tutto il possibile per inviare un messaggio segreto direttamente a lei. L'aveva scritto in codice, aveva aggiunto le sue iniziali segrete e le aveva detto di trovare Robert Langdon: un saggio consiglio, visto che l'americano aveva decifrato il suo codice. «Anche se può sembrare strano» disse Sophie «penso che volesse farmi arrivare alla *Monna Lisa* prima di chiunque altro.»

«Vengo anch'io.»

«No! Non sappiamo per quanto tempo la galleria rimarrà vuota. Lei deve allontanarsi.»

Langdon esitava, come se la sua curiosità accademica minacciasse di sopraffare il giudizio, riportandolo nelle mani di Fache.

«Vada, adesso» gli disse Sophie, con un sorriso. «Ci vediamo all'ambasciata, signor Langdon.»

Langdon la guardò con aria dispiaciuta. «Ci rivedremo laggiù, ma a una condizione» rispose in tono severo.

Lei lo guardò senza capire. «Di che cosa si tratta?»

«Che la smetta di chiamarmi signor Langdon.»

A Sophie parve di scorgergli sulle labbra l'accenno di un sorriso e gli sorrise a sua volta. «Buona fortuna, Robert.»

Quando arrivò al fondo della scala, Langdon venne investito dall'inconfondibile odore dell'olio di lino e della polvere di gesso. Davanti a lui, l'uscita era indicata da una scritta illuminata SORTIE/EXIT, accompagnata da una freccia che puntava lungo un corridoio.

Langdon lo imboccò.

A destra c'era un buio laboratorio di restauro dove si scorgeva un esercito di statue in varie fasi di lavorazione. A sinistra, una serie di stanze che sembravano le aule dei corsi d'arte di Harvard: file di cavalletti, quadri, tavolozze, regoli per prendere le misure. Una catena di montaggio per prodotti artistici.

Mentre percorreva il corridoio, Langdon si chiese se da un momento all'altro non fosse destinato a risvegliarsi nel suo letto di Cambridge. L'intera notte gli era parsa un sogno assurdo. "Sto per uscire dal Louvre... un fuggitivo."

Gli anagrammi di Saunière erano ancora nella sua mente. Si chiese che cosa avrebbe trovato Sophie nella sala della *Monna Lisa*... sempre che vi trovasse qualcosa. Lei era sicura che il nonno le avesse suggerito di andare a controllare nella sala del famoso dipinto. Ma anche se sembrava un'interpretazione plausibile, adesso gli pareva un paradosso.

"P.S. Trova Robert Langdon."

Saunière le aveva ordinato di cercarlo. Ma per quale motivo? Solo perché la aiutasse a risolvere un anagramma?

Gli pareva molto improbabile.

Dopotutto, Saunière non sapeva se Langdon fosse un esperto di anagrammi. "Non ci siamo mai incontrati." Inoltre, Sophie pensava che l'anagramma fosse rivolto a lei, era stata lei a riconoscere la sequenza di Fibonacci e sarebbe sicuramente riuscita a risolvere l'anagramma senza bisogno di Langdon.

"Saunière pensava che l'avrebbe risolto lei." Langdon ormai ne era certo, ma questo lasciava un vuoto nella logica del curatore.

"Perché ha indicato me?" si chiese, mentre continuava a percorrere il corridoio. "Perché nel suo ultimo messaggio, in punto di morte, Saunière ha voluto che la nipote, separata da lui da molti anni, cercasse me? Secondo Saunière, che cosa potevo conoscere?"

Improvvisamente, colpito da un pensiero, Langdon si fermò. Prese di tasca la stampata del computer e fissò l'ultima riga del messaggio.

"P.S. Trova Robert Langdon."

Fissò le due lettere.

"P.S."

In quell'istante, tutti i simboli di Saunière andarono al loro posto. Come uno scoppio di tuono, tutti i suoi studi di simbologia e di storia gli tornarono davanti agli occhi. All'improvviso, tutto ciò che aveva fatto Saunière veniva ad avere perfettamente senso.

Langdon cercò di trarre le conseguenze di quel filo di pensieri. Con la testa che gli girava, si voltò nella direzione da cui era giunto.

"C'è ancora tempo?" A quel punto, la cosa era priva di importanza.

Senza esitazioni, si lanciò di corsa verso le scale.

22

Inginocchiato nel primo banco, Silas fingeva di pregare mentre esaminava la pianta della chiesa. Saint-Sulpice, come gran parte delle chiese, aveva la forma di una gigantesca croce romana. La sua lunga sezione centrale – la navata – portava direttamente all'altare principale, dove era tagliata trasversalmente da una sezione più corta, nota come "transetto". Sull'incrocio di navata e transetto si alzava la grande cupola e quello era considerato il cuore della chiesa, il suo punto più sacro e pieno di misticismo.

"Non questa notte" pensò Silas. "Saint-Sulpice nasconde altri segreti, in un altro punto."

Si voltò verso il transetto sud e fissò l'area aperta al di là dei banchi, per cercare l'oggetto descritto dalle sue vittime.

"Eccola."

Incassata nel pavimento di granito grigio, una sottile striscia d'ottone luccicava in mezzo alla pietra, una linea dorata che tagliava il pavimento della chiesa. Sulla striscia erano tracciati segni regolari, come su una riga millimetrata. A Silas era stato detto che era uno gnomone, uno strumento astronomico pagano della famiglia delle meridiane. Turisti, scienziati, storici e pagani di tutto il mondo si recavano a Saint-Sulpice per vedere quella famosa linea.

"La Linea della Rosa."

Lentamente, Silas seguì la striscia d'ottone che correva sul pavimento e passava davanti a lui formando uno strano angolo, del tutto estraneo alla simmetria della chiesa. La linea attraversava l'altare, sfregiandone la bellezza, e tagliava in due parti la balaustra della comunione, percorreva l'intera larghezza della chiesa fino al transetto nord, dove raggiungeva la base di una struttura alquanto inconsueta.

Un colossale obelisco egizio.

Laggiù, la lucente Linea della Rosa si piegava di novanta gradi, in verticale, per salire sul fronte dell'obelisco; si alzava di dieci metri fino alla sua punta, a forma di piramide, e laggiù finalmente terminava.

"La Linea della Rosa" pensò Silas. "La fratellanza ha nascosto la chiave di volta sotto la Linea della Rosa."

Qualche ora prima, quando Silas aveva detto al Maestro che la pietra del Priorato era nascosta all'interno di Saint-Sulpice, il Maestro gli era parso dubbioso. Ma quando Silas aveva aggiunto che tutti i fratelli gli avevano fornito una collocazione precisa, che si riferiva a una striscia di ottone che attraversava Saint-Sulpice, il Maestro era rimasto senza fiato davanti alla rivelazione. «Ma tu parli della Linea della Rosa!»

Il Maestro aveva rapidamente informato Silas della famosa curiosità architettonica di Saint-Sulpice: una striscia d'ottone che tagliava la chiesa secondo un perfetto asse nord-sud. Era un'antica meridiana, un resto del tempio pagano che un tempo sorgeva in quel punto esatto. I raggi del sole, passando attraverso l'*oculus* della parete sud, ogni giorno percorrevano un tratto della linea e indicavano il passaggio del tempo da un solstizio all'altro.

La striscia nord-sud era nota come Linea della Rosa. Per secoli il simbolo della rosa era stato associato alle carte geografiche e a tutto ciò che guidava le anime nella giusta direzione. La Rosa dei Venti, disegnata su quasi tutte le carte, indicava i quattro punti cardinali e quelli intermedi, e quando era completa suggeriva le trentadue direzioni ossia i trentadue venti che soffiavano da quelle direzioni. Disegnate all'interno di un cerchio, quelle trentadue direzioni della bussola o dei venti assomigliavano a una rosa con trentadue petali. Ancora oggi il cerchio che nelle carte geografiche indica le direzioni è noto come Rosa dei Venti e il nord vi è segnato con una freccia o talvolta con il simbolo del giglio, il *fleur-de-lis*.

Su un mappamondo, una Linea della Rosa, chiamata anche meridiano, era ogni linea immaginaria tracciata dal polo Nord al polo Sud. Naturalmente c'era un numero infinito di Linee della Rosa perché in ogni punto della Terra passava un meridiano che lo congiungeva con i poli. Il problema, per gli antichi navigatori, era quale di quei meridiani fosse l'autentica Linea della Rosa, la longitudine zero, la linea a partire dalla quale si misuravano tutte le altre longitudini.

Oggi quella linea passa per Greenwich, in Inghilterra, ma non è sempre stato così.

Molto prima che fosse fissato Greenwich come meridiano zero, la longitudine zero del mondo passava per Parigi e la chiesa di Saint-Sulpice. La linea di ottone che attraversa la chiesa era un tributo al primo meridiano zero, e anche se Greenwich ha tolto a Parigi l'onore nel 1888, l'originale Linea della Rosa è ancora visibile oggi.

«E perciò la leggenda è vera» il Maestro aveva detto a Silas. «La chiave di volta del Priorato si dice giaccia "sotto il Segno della Rosa".»

Ancora inginocchiato nel banco, Silas si guardò attorno e tese l'orecchio per assicurarsi che non ci fosse nessuno. Per un momento pensò di avere udito un fruscio proveniente dalla balconata del coro. Si voltò e osservò per parecchi secondi. Niente.

"Sono solo."

Si alzò in piedi, si portò davanti all'altare e fece tre genuflessioni. Poi si voltò e seguì la striscia di ottone in direzione dell'obelisco.

In quel momento, all'aeroporto internazionale Leonardo da Vinci di Roma, la scossa delle ruote che toccavano la pista destò il vescovo Aringarosa dal sonno.

"Mi sono addormentato" pensò. Lo colpì il fatto di essere così tranquillo da poter dormire.

«Benvenuti a Roma» annunciò l'altoparlante dell'aereo.

Rizzandosi a sedere, Aringarosa sistemò la sua veste nera e si concesse un raro sorriso. Era lieto di avere fatto quel viaggio. "Sono stato sulla difensiva per troppo tempo." Quella notte, però, la situazione era cambiata. Solo cinque mesi prima, Aringarosa aveva temuto per il futuro della Fede. Adesso, come per volontà di Dio, la soluzione si era offerta da sola.

"La Divina Provvidenza."

Se a Parigi le cose fossero andate come si aspettava, presto Aringarosa si sarebbe trovato in possesso di qualcosa che lo avrebbe reso il più potente uomo della cristianità.

23

Sophie arrivò senza fiato alle grandi porte della Salle des Etats, la sala che conteneva la *Monna Lisa*. Prima di entrare, lanciò con riluttanza un'occhiata venti metri più avanti, dove giaceva il corpo del nonno, illuminato dal faretto.

Il rimorso la colpì con forza, all'improvviso, e con un grande sottofondo di colpa. Saunière l'aveva cercata infinite volte nel corso degli ultimi dieci anni, ma Sophie non si era lasciata commuovere, non aveva aperto le sue lettere e si era rifiutata di vederlo. "Mi aveva mentito! Aveva segreti spaventosi! Che cosa avrei dovuto fare?" E perciò l'aveva escluso dalla sua vita. Completamente.

Ma adesso il nonno era morto e le parlava dalla tomba.

"La *Monna Lisa*."

Spinse le porte ed entrò. Per un momento guardò dalla soglia la grande sala rettangolare, anch'essa illuminata dalla soffice luce rossa. Quella sala era uno dei rari cul-de-sac del museo, il cui solo ingresso era dalla galleria. Di fronte alla porta c'era un Botticelli di cinque metri. Sotto di esso, un immenso divano ottagonale serviva come luogo di osservazione per le migliaia di visitatori che volevano riposarsi per qualche minuto mentre ammiravano il bene più prezioso del Louvre.

Ancora prima di entrare, però, Sophie capì di avere dimenticato un particolare. "Una luce nera." Lanciò un'occhiata al corpo del nonno, circondato dagli strumenti della Scientifica. Se Saunière aveva scritto qualcosa nella sala della *Monna Lisa*, l'aveva certamente scritto con la penna invisibile.

Trasse un profondo respiro e corse verso la scena del delitto, bene illuminata. Incapace di guardare il nonno, fissò lo sguardo sulle attrezzature della Scientifica. Trovò una piccola penna a raggi ultravioletti e se la infilò in tasca, affrettandosi a fare ritorno nella Salle des Etats.

Giunta sulla soglia, però, udì un rumore di passi che venivano verso di lei dall'interno. "C'è qualcuno!" Una figura spettrale emerse improvvisamente dalla penombra. Sophie fece un passo indietro.

«Sei tu, finalmente!» sussurrò Langdon, fermandosi davanti a lei.

Il sollievo di Sophie fu solo momentaneo. «Robert, ti avevo detto di andare via! Se Fache...»

«Dov'eri?»

«Dovevo procurarmi una luce nera» rispose lei, mostrandogliela. «Se mio nonno ha lasciato un messaggio...»

«Sophie, ascolta» chiese, fissandola negli occhi. «Le lettere P.S. significano qualcos'altro per te? Qualunque cosa?»

Temendo che qualcuno potesse udire la loro voce, Sophie chiuse la porta a doppi battenti della Salle des Etats. «Te l'ho detto, sono le iniziali di Principessa Sofia.»

«Sì, ma le hai mai viste in qualche altro posto? Tuo nonno non ha mai usato la sigla "P.S." come monogramma, sulla carta da lettere o su qualche oggetto personale?»

La domanda la sorprese. "Come può saperlo?" Sophie aveva già visto le iniziali P.S. una volta, in una sorta di monogramma. Era la vigilia del suo nono compleanno e lei frugava in segreto in tutta la casa, per cercare regali di compleanno nascosti. Anche allora, non sopportava che qualcosa le venisse tenuto segreto. "Che cosa mi avrà comprato il nonno quest'anno?" Aveva frugato in armadi e cassettiere. "Mi avrà comprato la bambola che volevo? Dove può averla nascosta?"

Dopo avere esplorato l'intera casa senza avere trovato nulla, Sophie si era fatta coraggio ed era entrata nella camera da letto del nonno. Non aveva il permesso di entrare in quella stanza, ma il nonno era al piano di sotto e dormiva sulla poltrona.

"Darò solo un'occhiata in fretta!"

In punta di piedi, Sophie aveva raggiunto l'armadio e aveva guardato dietro i vestiti. Niente. Poi aveva guardato sotto il letto. Nulla. Era allora passata al comò e aveva aperto i cassetti, per poi esaminarne attentamente il contenuto. "Ci deve essere qualcosa per me!" Era arrivata all'ultimo cassetto senza trovare alcuna bambola. Delusa, l'aveva aperto e aveva spostato alcune vesti nere che non gli aveva mai visto indossare. Stava per richiuderlo, quando aveva colto uno scintillio dorato in fondo al cassetto. Sembrava una catena per l'orologio da taschino, ma il nonno non l'aveva mai portato. Il suo cuore aveva accelerato i battiti nel comprendere che cosa fosse.

"Una collana!"

Sophie aveva sollevato con attenzione la catena e, con sorpresa, aveva visto alla sua estremità una lucente chiave d'oro. Pesante e lucidata a specchio. Senza parole, l'aveva sollevata per osservarla. Era diversa da qualsiasi altra chiave. In genere erano piatte e avevano una serie di denti, ma quella aveva solo una colonna triangolare con piccoli segni scavati sull'intera asta. Al posto del consueto "anello", inoltre, c'era un'impugnatura a forma di croce, ma non era una croce normale. Era una croce con i bracci della stessa lunghezza, come il segno "più". Inciso nel centro della croce c'era uno strano simbolo: due lettere intrecciate e il disegno di un fiore. «P.S.» aveva sussurrato, leggendo le lettere. "Che cosa può essere?"

«Sophie?» l'aveva chiamata il nonno, dalla porta.

Sorpresa, si era girata e aveva lasciato cadere la chiave sul pavimento. Aveva abbassato gli occhi, troppo impaurita per guardare il nonno. «Cercavo... il mio regalo di compleanno» si era scusata. Aveva chinato la testa, consapevole di avere abusato della sua fiducia.

Per quella che le era parsa un'eternità, il nonno era rimasto a guardarla in silenzio dalla porta. Alla fine aveva tratto un profondo respiro. «Raccogli la chiave, Sophie.»

Lei l'aveva raccolta.

Il nonno si era avvicinato. «Sophie, tu devi rispettare le cose degli altri.» Senza collera, si era inginocchiato e aveva preso la chiave. «È una chiave molto speciale. Se tu l'avessi persa...»

Nell'udire la voce tranquilla del nonno, Sophie si era sentita ancora peggio. «Mi dispiace, *Grand-père*. Mi dispiace davvero.» E aveva aggiunto, dopo un istante: «Pensavo che fosse una collana per il mio compleanno».

Lui l'aveva fissata per parecchi secondi. «Te lo dirò ancora una volta, Sophie, perché è importante. Devi imparare a rispettare le cose private degli altri.»

«Sì, *Grand-père*.»

«Ne parleremo un'altra volta. Per ora, bisogna strappare le erbacce dal giardino.»

Sophie era corsa a compiere i suoi doveri.

L'indomani mattina, Sophie non aveva ricevuto un regalo di compleanno dal nonno. Non se l'era aspettato, dopo quello che aveva fatto. Ma il nonno non le aveva neppure fatto gli auguri. Quando era andata a dormire, quella sera, non si era mai sentita così abbattuta. Infilandosi sotto le coperte, però, aveva trovato un foglietto sul cuscino.

Sul foglietto era scritto un semplice indovinello. Ancora prima di risolverlo, le era tornato il sorriso. "So che cos'è!" Il nonno l'aveva già fatto il Natale precedente. "Una caccia al tesoro!"

Con ansia, aveva meditato sull'indovinello fino a risolverlo. La soluzione l'aveva inviata in un'altra parte della casa, dove aveva trovato un altro foglio e un altro indovinello. Aveva risolto anche quello e aveva raggiunto di corsa il terzo foglio e il terzo enigma. Aveva continuato a correre da una stanza all'altra finché era giunta a un messaggio che l'aveva fatta tornare alla sua camera da letto. Si era precipitata su per le scale e, nell'entrare nella sua stanza, si era bloccata bruscamente. In mezzo alla camera c'era una luccicante bicicletta rossa con un fiocchetto legato al manubrio. Sophie aveva lanciato un grido di eccitazione.

«So che avevi chiesto una bambola» le aveva detto il nonno, sorridendole dall'angolo «ma ho pensato che questa ti piacesse di più.»

L'indomani il nonno le aveva insegnato ad andare in bicicletta, correndo accanto a lei lungo il viale di casa. Quando Sophie si era avviata sul prato e aveva perso l'equilibrio, tutt'e due erano caduti sull'erba, rotolando e ridendo.

«*Grand-père*» gli aveva detto Sophie, abbracciandolo «mi dispiace per la chiave.»

«Lo so, cara, sei perdonata. Non posso rimanere a lungo in collera con te. Nonni e nipoti si perdonano sempre.»

Sophie sapeva che non avrebbe dovuto chiederlo, ma non era riuscita a trattenersi. «Che cosa apre? Non ho mai visto una chiave del genere. Era molto bella.»

Il nonno era rimasto in silenzio a lungo; Sophie sapeva che era incerto sulla risposta da darle. "Il nonno non mente mai." «Apre un cofanetto» aveva detto infine «dove sono conservati molti segreti.»

Sophie aveva fatto una smorfia. «Io odio i segreti!»

«Lo so, ma questi segreti sono importanti. E un giorno imparerai a dare loro l'importanza che gli do io.»

«Ho visto delle lettere, sulla chiave, e un fiore.»

«Sì, è il mio fiore preferito. È chiamato un *fleur-de-lis*. Ne abbiamo in giardino. Sono quelli bianchi, i gigli.»

«Li conosco! Sono anche i miei preferiti!»

«Allora farò un patto con te.» Il nonno aveva sollevato le sopracciglia come faceva sempre quando le proponeva una sfida. «Se manterrai il segreto sulla mia chiave e non ne parlerai con nessuno, né con me né con altri, un giorno la darò a te.»

Sophie non credeva alle proprie orecchie. «Me la darai?»

«Te lo prometto. Quando giungerà il momento, la chiave sarà tua. Sopra c'è il tuo nome.»

Sophie aveva aggrottato la fronte. «No, non c'è. C'era scritto "P.S."; io non mi chiamo P.S.!»

Il nonno aveva abbassato la voce e si era guardato attorno come per assicurarsi che nessuno ascoltasse. «D'accordo, Sophie, se proprio vuoi saperlo, "P.S." è un codice. Sono le tue iniziali segrete.»

Lei aveva sgranato gli occhi. «Io ho delle iniziali segrete?»

«Certo. Le nipotine hanno sempre iniziali segrete, e soltanto i nonni le conoscono.»

«P.S.?»

Lui le aveva fatto il solletico sotto il mento. «*Princesse Sophie.*»

La bambina aveva riso. «Io non sono una principessa!»

Il nonno le aveva strizzato l'occhio. «Per me lo sei.»

Da quel giorno in poi, non avevano mai più parlato della chiave. E lei era divenuta per il nonno la "Principessa Sophie".

Ora, nella Salle des Etats, Sophie rifletteva in silenzio e sentiva tutto il dolore della perdita.

«Le iniziali» aveva sussurrato Langdon, guardandola con espressione strana. «Le hai mai viste?»

Sophie ripensò alle parole del nonno. "Non ne parlerai con nessuno, né con me né con altri." Sapeva di essere in colpa per non averlo saputo perdonare e non voleva tradire di nuovo la sua fiducia. Però era stato Saunière a ordinarle di cercare Robert Langdon per farsi aiutare da lui. Sophie annuì. «Sì, una volta ho visto le iniziali P.S. Quando ero piccola.»

«Dove?»

Sophie ebbe un attimo di esitazione. «Su un oggetto molto importante per lui.»

Langdon la fissò negli occhi. «Sophie, questo è fondamentale. Le iniziali erano accompagnate da un simbolo? Un *fleur-de-lis*?»

Sophie fece un passo indietro per lo stupore. «Ma... come fai a saperlo?»

Langdon sospirò e abbassò la voce. «Ho il forte sospetto che tuo nonno appartenesse a una società segreta. Una fratellanza occulta, molto antica.»

Sophie sentì una stretta allo stomaco. Anche lei ne aveva il sospetto. Per dieci anni aveva cercato di dimenticare l'incidente che le aveva rivelato quell'orribile fatto, quando aveva assistito a qualcosa di inconcepibile. "Imperdonabile."

«Il giglio» continuò Langdon «insieme alle iniziali P.S. è lo stemma ufficiale della fratellanza. Il loro segno di riconoscimento.»

«Come lo sai?» Sophie temeva che Langdon le confidasse di appartenere anch'egli a quella fratellanza.

«Ho scritto su quella setta» spiegò lo studioso, con la voce tremante per l'eccitazione. «La simbologia delle società segrete è una delle mie specializzazioni. Il gruppo si chiama Priorato di Sion, *Prieuré de Sion*. Hanno sede in Francia e membri importanti in tutta Europa. In effetti, sono una delle più antiche sette segrete che esistano sulla terra.»

Sophie non ne aveva mai sentito parlare.

Langdon continuò in fretta la spiegazione. «Tra i suoi appartenenti, il Priorato vanta alcuni dei più importati uomini

135

di cultura che siano esistiti: personaggi come Botticelli, Newton, Victor Hugo.» Si interruppe, poi riprese, con la voce piena di zelo accademico: «E, naturalmente, Leonardo da Vinci».

Sophie lo fissò con stupore. «Leonardo da Vinci faceva parte di una società segreta?»

«Leonardo è stato a capo del Priorato tra il 1510 e il 1519 come Gran Maestro dell'associazione e questo può forse spiegare la grande passione di tuo nonno per la sua opera. Condividevano un legame storico di fratellanza e tutto questo si sposa perfettamente con i loro interessi per l'iconologia della dea, il paganesimo, le divinità femminili e con la loro avversione per la Chiesa. Il Priorato ha sempre avuto una venerazione per il femminino sacro, questo suo aspetto storico è documentatissimo.»

«Intendi dire che questo gruppo è una setta pagana che pratica il culto della dea?»

«Meglio dire che è l'autentica setta pagana che pratica il culto del principio femminile. Ma, cosa più importante, sono noti perché custodiscono un segreto importantissimo, che li ha resi estremamente potenti.»

Nonostante la profonda convinzione di Langdon, la prima reazione di Sophie fu di incredulità. "Una setta pagana segreta? Un tempo guidata da Leonardo da Vinci?" Sembrava assurdo. Eppure, ripensò a ciò che aveva visto dieci anni prima, la notte in cui aveva assistito a una scena che non riusciva ancora ad accettare... "Che possa essere la spiegazione?"

«L'identità dei membri viventi del Priorato è mantenuta rigorosamente segreta» continuò Langdon «ma le iniziali P.S. e il giglio che hai visto da bambina costituiscono una prova. Non possono essere legati ad altro che al Priorato.»

Sophie comprendeva che Langdon conosceva molto più di quanto non si fosse immaginata, relativamente a suo nonno. Quell'americano aveva chiaramente molte cose da insegnarle, ma non era il momento. «Non posso permettere che ti prendano, Robert. Abbiamo un mucchio di cose da discutere. Devi andare via!»

Langdon sentiva solo il mormorio della sua voce, ma non intendeva allontanarsi. Era perso in un altro luogo. Un luogo dove antichi segreti affioravano alla superficie. Un luogo dove storie dimenticate uscivano dall'ombra.

Lentamente, come se si muovesse sott'acqua, Langdon si voltò a guardare la *Monna Lisa*. "Il *fleur-de-lis*... il fiore di Lisa... la *Monna Lisa*."

E ogni cosa era intrecciata all'altra, come una silenziosa sinfonia che echeggiava i più profondi segreti del Priorato di Sion e di Leonardo da Vinci.

A qualche chilometro di distanza, sulla riva del fiume, a sudovest di Les Invalides, lo stupefatto autista di un autoarticolato, sorvegliato da alcuni agenti che puntavano le armi contro di lui, udì il capitano della polizia giudiziaria lanciare un gutturale grido di rabbia e gli vide scagliare nelle tumultuose acque della Senna un pezzo di sapone.

24

Silas misurò con lo sguardo l'obelisco di Saint-Sulpice, valutando l'altezza della massiccia colonna di pietra. Le mani gli
tremavano per l'eccitazione. Si guardò attorno, ancora una
volta, per accertarsi di essere solo. Poi si inginocchiò alla base
della struttura, non per reverenza ma per necessità.

"La pietra di volta è nascosta sotto la Linea della Rosa, alla
base dell'obelisco."

Tutti i membri della fratellanza gli avevano detto la stessa
cosa.

In ginocchio, Silas passò le mani sul pavimento di pietra.
Non c'erano fessure o altri segni che indicassero una lastra
mobile, ed egli cominciò a battere con le nocche sul pavimento. Seguendo la linea d'ottone in direzione dell'obelisco, batté
su ciascuna lastra vicina alla striscia di metallo. Infine, una di
esse suonò in modo diverso dalle altre.

"C'è una zona vuota sotto il pavimento!"

Silas sorrise. Le sue vittime avevano detto il vero.

Si alzò e cercò nella chiesa un oggetto con cui rompere la lastra di pietra.

In alto, nella balconata sopra Silas, sorella Sandrine soffocò
un ansimo. Le sue peggiori paure avevano appena ricevuto
conferma. Quel visitatore non era colui che sembrava. Il misterioso monaco dell'Opus Dei era entrato in Saint-Sulpice per
un altro scopo. Uno scopo segreto.

"Non sei il solo ad avere segreti" pensò.

Sorella Sandrine Bieil era qualcosa di più della custode

della chiesa. Era una sentinella. E quella notte gli ingranaggi di un'antica macchina si erano messi in moto. L'arrivo di quello straniero alla base dell'obelisco era un segnale della fratellanza.

"Un silenzioso grido d'allarme."

25

L'ambasciata americana a Parigi è un complesso sulla Avenue Gabriel, a nord degli Champs Elysées. Il comprensorio di dodicimila metri quadri è considerato terreno degli Stati Uniti e questo significa che tutti coloro che si trovano al suo interno sono soggetti alle stesse leggi e godono delle stesse protezioni di cui godrebbero se fossero negli Stati Uniti.

La centralinista notturna dell'ambasciata leggeva l'edizione internazionale del periodico "Time", quando squillò il telefono. «Ambasciata americana» rispose.

«Buonasera.» Era una voce maschile che parlava in inglese con un forte accento francese. «Ho bisogno del suo aiuto.» Nonostante la richiesta fosse stata rivolta con educazione, il tono sembrava rude e autoritario. «Mi hanno riferito che nel sistema automatico dell'ambasciata c'è un messaggio telefonico per me. Il mio nome è Langdon. Purtroppo non ricordo le tre cifre del mio numero d'accesso. Se potesse aiutarmi, le sarei molto grato.»

La centralinista esitò un istante a rispondere, confusa. «Mi dispiace, signore, il suo messaggio deve essere molto vecchio. Quel sistema è stato tolto due anni fa per motivi di sicurezza. Inoltre i codici d'accesso avevano cinque cifre. Chi le ha detto che abbiamo un messaggio per lei?»

«Voi non avete un sistema di registrazione automatico dei messaggi?»

«No, signore. Se c'è un messaggio per lei, è stato annotato su un foglio dal nostro servizio. Come ha detto che è il suo nome?»

Ma l'uomo aveva già riagganciato.

Sul Lungosenna, Bezu Fache era ancora più confuso. Aveva visto Langdon comporre un numero locale, poi un codice di tre cifre, e poi ascoltare un messaggio. "Ma se Langdon non ha telefonato all'ambasciata, chi diavolo ha chiamato?"

Solo in quel momento, mentre fissava il suo telefono cellulare, Fache si ricordò di avere già a disposizione la risposta. "Langdon ha usato il mio telefono."

Richiamò sul display il menu del cellulare ed esaminò l'elenco degli ultimi numeri digitati per trovare quello composto da Langdon.

Un numero parigino, seguito dal codice 4-5-4.

Compose il numero e attese di avere la comunicazione.

Alla fine gli rispose una voce di donna. «*Bonjour, vous êtes bien chez Sophie Neveu*» diceva la voce registrata. «*Je suis absente pour le moment, mais...*»

Col sangue che gli ribolliva, Fache compose i numeri 4-5-4.

26

Nonostante la sua enorme fama, la *Monna Lisa* era un semplice quadro di cinquantacinque per ottanta centimetri, più piccolo dei poster che la raffiguravano e che erano in vendita nel negozio di souvenir del Louvre. Era appesa sulla parete nordovest della Salle des Etats, dietro una lastra protettiva di plexiglas spessa cinque centimetri. Dipinta su una tavola di legno, la sua atmosfera eterea e nebulosa veniva attribuita alla padronanza dello stile "sfumato", nel quale le forme paiono evaporare l'una nell'altra.

Da quando aveva preso residenza al Louvre, la *Monna Lisa* era stata rubata due volte, l'ultima delle quali nel 1911, quando era scomparsa dalla *salle impénétrable* del Louvre, il Salon Carré. I parigini piangevano per la strada e scrivevano lettere ai giornali per supplicare il ladro di restituire il dipinto. Due anni più tardi, la *Monna Lisa* era stata ritrovata, nascosta nel doppio fondo di un baule, in un albergo di Firenze.

Langdon, dopo avere chiarito a Sophie che non aveva alcuna intenzione di allontanarsi, attraversò con lei la sala. La *Monna Lisa* era ancora a venti metri da loro quando Sophie accese la luce nera, proiettando la mezzaluna violetta sul pavimento e muovendo il raggio da sinistra a destra, come se dovesse rilevare la presenza di mine, per cercare tracce di inchiostro luminescente.

Camminando accanto a lei, Langdon sentiva già l'emozione che sempre si accompagnava ai suoi incontri con le grandi opere d'arte. Si sforzò di vedere al di là del fascio di luce proiettato dalla penna a filigrana tenuta da Sophie. A sinistra comparve il divano ottagonale, simile a un'isola nel mare vuoto del pavimento.

Langdon cominciò a scorgere il pannello di vetro scuro. Dietro di esso, sapeva, nei confini della sua cella privata, era appeso il più celebre dipinto del mondo.

Il fatto che la *Monna Lisa* fosse la più famosa opera d'arte del mondo non aveva niente a che vedere, come Langdon sapeva, con il suo sorriso enigmatico, né era dovuto alle misteriose interpretazioni che le avevano attribuito noti storici dell'arte e seguaci delle teorie del complotto. Semplicemente, la *Monna Lisa* era famosa perché Leonardo da Vinci la giudicava la sua opera migliore. Portava con sé il dipinto dovunque si recasse e, se gliene chiedevano la ragione, rispondeva che trovava difficile separarsi dalla sua più sublime espressione della bellezza femminile.

Tuttavia, molti esperti d'arte sospettavano che la devozione di Leonardo alla *Monna Lisa* non avesse niente a che fare con il suo valore artistico. In realtà, il quadro era un ritratto in stile "sfumato" abbastanza comune. La venerazione di Leonardo per quell'opera, sostenevano alcuni, derivava da cause più profonde: un messaggio nascosto nelle sue immagini. La *Monna Lisa* era, come avevano dimostrato esaurientemente gli storici dell'arte, una sorta di linguaggio cifrato per chi era in grado di intenderlo. Gran parte dei libri di storia dell'arte elencavano i doppi sensi e le allusioni contenuti nel quadro ma, anche se la cosa sarebbe parsa incredibile, il pubblico continuava a pensare che fosse il sorriso il suo più grande mistero.

"Nessun mistero" pensava ora Langdon, avvicinandosi al quadro che prendeva lentamente forma. "Nessun mistero."

Recentemente, Langdon aveva condiviso i segreti della *Monna Lisa* con un gruppo di persone alquanto improbabile: una dozzina di carcerati del penitenziario della Essex County. Il seminario tenuto da Langdon in quella prigione faceva parte di un programma esterno della Harvard mirante a elevare il livello di istruzione dei reclusi: "Cultura per i criminali", come l'avevano subito etichettato i colleghi di Langdon.

Nella biblioteca del penitenziario, Langdon aveva proiettato le sue diapositive e aveva fatto partecipi dei segreti della *Monna Lisa* i carcerati del suo gruppo, persone straordinariamente interessate, rudi ma intelligenti. «Potete notare» aveva detto, raggiungendo l'immagine della *Monna Lisa* proiettata sulla parete «come la scena dietro la faccia sia irregolare.» Aveva indicato la visibile differenza. «A sinistra, Leonardo ha dipinto la linea dell'orizzonte molto più bassa che a destra.»

«Si è sbagliato a dipingere?» aveva chiesto un carcerato.

Langdon aveva riso. «No. Difficile che Leonardo si sbagliasse. In realtà si tratta di una sorta di trucco. Abbassando lo sfondo sulla sinistra, Leonardo ha fatto in modo che la *Monna Lisa* sembrasse più grande da sinistra che da destra. Una sorta di messaggio per iniziati. Storicamente, ai concetti di maschile e femminile sono collegati i due lati: la sinistra è femminile e la destra maschile. E dato che Leonardo era un sostenitore del principio femminile, l'ha fatta sembrare più maestosa da sinistra che da destra.»

«Ho sentito dire che era un finocchio» aveva commentato un uomo di bassa statura, con il pizzetto.

Langdon aveva fatto una smorfia. «Di solito gli storici non la mettono in questo modo, ma sì, Leonardo era omosessuale.»

«È per questo che gli interessava quella faccenda femminile?»

«In realtà, Leonardo pensava all'equilibrio tra maschio e femmina. Pensava che un'anima umana non potesse essere illuminata a meno che non possedesse insieme elementi maschili e femminili.»

«Qualcosa come le donne con l'uccello?» aveva chiesto qualcuno.

La battuta aveva suscitato un coro di allegre risate. Langdon si era chiesto se non fosse il caso di fare una digressione etimologica sulla parola "ermafrodito" e i suoi legami con Ermete e Afrodite, ma qualcosa gli aveva detto che simili sottigliezze sarebbero andate perse con quel pubblico.

«Ehi, signor Langdon» lo aveva chiamato un uomo tutto muscoli. «È vero che la *Monna Lisa* è un ritratto di Leonardo vestito da donna?»

«È del tutto possibile» aveva spiegato Langdon. «Leonardo

era un burlone e analizzando al computer la *Monna Lisa* e i suoi autoritratti, si notano alcune strane coincidenze nelle loro facce. Qualunque fosse l'intenzione di Leonardo» aveva continuato «la sua Monna Lisa non è né maschio né femmina. Contiene un sottile messaggio di androginia. È una fusione dei due sessi.»

«È sicuro che non sia solo una maniera pallosa di Harvard per dire che Monna Lisa era una donna brutta?»

Langdon aveva riso. «Lei potrebbe avere ragione. Ma in realtà Leonardo ha lasciato un forte indizio per indicare che il quadro doveva rappresentare l'androgino. Qualcuno di voi conosce un dio egizio chiamato Amon?»

«Certo che lo conosco!» aveva esclamato l'uomo muscoloso. «Il dio della fertilità maschile!»

Langdon l'aveva guardato con stupore.

«C'è scritto su tutti i pacchetti dei preservativi Amon» aveva spiegato l'uomo, sogghignando. «Sul davanti c'è un tizio con la faccia da ariete e c'è scritto che è il dio egizio della fertilità.»

Langdon non aveva mai sentito parlare di quei profilattici, ma era lieto di apprendere che i fabbricanti avevano tradotto senza errori i geroglifici. «Ben detto. Amon è rappresentato come un uomo con le corna di ariete. E sapete qual è la controparte femminile di Amon? La dea egizia della fertilità?»

Nessuno aveva risposto.

«Iside» aveva spiegato Langdon, estraendo la penna per scrivere sulle diapositive. «Abbiamo dunque Amon, il dio maschile.» L'aveva scritto su una diapositiva vuota. «E la dea femminile, Iside o Isis, il cui antico pittogramma era un tempo chiamato "L'Isa".»

Aggiunse questo secondo nome e proiettò la nuova diapositiva.

AMON L'ISA

«Vi suggerisce qualcosa?» aveva domandato.

«*Monna Lisa*   accidenti» aveva esclamato qualcuno.

Langdon gli aveva rivolto un cenno d'assenso. «Signori, non solo la faccia di Monna Lisa ha un aspetto androgino, ma il suo nome è un anagramma della divina unione tra maschio e femmina. E quello, amici, è il piccolo segreto di Leonardo, e la ragione del sorriso saputo di Monna Lisa.»

«Mio nonno è stato qui» disse Sophie, inginocchiandosi a una decina di metri dalla *Monna Lisa*. Puntò la luce nera in direzione di una macchia sul pavimento.

A tutta prima, Langdon non riuscì a scorgere nulla. Poi, quando si inginocchiò davanti alla donna, vide una macchiolina luminescente. "Inchiostro?" All'improvviso si rammentò a che cosa servissero quelle luci. "Sangue." Sentì un brivido. Sophie aveva ragione. Jacques Saunière era passato dalla *Monna Lisa* prima di morire.

«Se è venuto qui, aveva un motivo» sussurrò Sophie, alzandosi. «So che ha lasciato un messaggio per me.» Percorse in fretta gli ultimi passi e illuminò il pavimento direttamente sotto il quadro, passando il raggio avanti e indietro.

«Qui non c'è niente!»

In quell'istante Langdon scorse un debole scintillio rosso scuro sul plexiglas davanti alla *Monna Lisa*. Prese il polso di Sophie e lo sollevò in modo che illuminasse la lastra.

Tutt'e due rimasero come pietrificati.

Sul plexiglas si leggevano sei parole dalla luminescenza rossastra, scritte direttamente sulla faccia della *Monna Lisa*.

27

Seduto alla scrivania di Saunière, il tenente Collet ascoltava con incredulità la telefonata del suo superiore. "Ho sentito bene le parole di Fache?" «Un pezzo di sapone? Ma come poteva sapere del localizzatore GPS?»

«Sophie Neveu» rispose Fache. «L'ha avvertito lei.»

«Cosa? E perché l'ha fatto?»

«Buona domanda, ma ho appena sentito una registrazione che lo conferma. È stata lei ad avvertirlo.»

Collet era senza parole. "Cos'è venuto in mente a Neveu?" Fache aveva la prova che Sophie aveva interferito con un'operazione della polizia? Sophie Neveu non sarebbe stata soltanto licenziata, sarebbe finita in prigione. «Ma, capitano, dov'è adesso Langdon?»

«È suonato qualche allarme?»

«No, signore.»

«E nessuno è uscito dalla grata della Grande Galleria?»

«No. Abbiano messo una guardia di sicurezza del Louvre a piantonarla. Come chiesto da lei.»

«Bene. Langdon deve essere ancora all'interno della galleria.»

«All'interno? Ma cosa fa?»

«La guardia del Louvre è armata?»

«Sì, signore. È una guardia scelta.»

«Mandalo dentro» ordinò Fache. «Occorrerà qualche tempo perché possiamo ritornare a sorvegliare il perimetro del museo e non voglio che Langdon esca.» Fache si interruppe. «E di' alla guardia che probabilmente l'agente Neveu è con lui.»

«Pensavo che l'agente Neveu fosse uscita.»

«L'hai vista uscire?»

«No, signore, ma...»

«Be', all'esterno nessuno dei nostri l'ha vista uscire. L'hanno soltanto vista entrare.»

Collet era stupito dalla temerarietà di Sophie Neveu. "È ancora all'interno dell'edificio."

«Occupatene tu» ordinò Fache. «Voglio Neveu e Langdon in manette, quando arriverò.»

Mentre l'autoarticolato si allontanava, il capitano Fache riunì i suoi uomini. Robert Langdon si era dimostrato una preda difficile, e adesso, con l'agente Neveu che lo aiutava, arrestarlo poteva essere più arduo del previsto.

Fache decise di non correre rischi.

Valutando le varie possibilità, ordinò a metà dei suoi uomini di tornare a presidiare il perimetro del Louvre. Gli altri, li mandò a sorvegliare il solo punto di Parigi dove Robert Langdon avrebbe potuto trovare rifugio.

28

All'interno della Salle des Etats, Langdon fissava con stupore le sei parole che luccicavano sul plexiglas. Il testo pareva sospeso nello spazio e proiettava un'ombra irregolare sul misterioso sorriso della *Monna Lisa*.

«Il Priorato» sussurrò Langdon. «Questo dimostra che tuo nonno era un membro della setta!»

Sophie lo guardò senza comprendere. «Tu hai capito che cosa significa questa frase?»

«È chiaro» rispose lo studioso. «È la proclamazione di uno dei fondamentali concetti del Priorato!»

Sophie guardò nuovamente il messaggio scritto davanti al viso della *Monna Lisa*.

SO DARK THE CON OF MAN

"Così nero l'inganno dell'uomo." «Sophie» disse Langdon «la tradizione del Priorato, il suo culto della dea, si basa sulla convinzione che alcuni uomini molto potenti, all'inizio della Chiesa cristiana, hanno "ingannato" il mondo diffondendo bugie che svilivano la donna e spostavano l'equilibrio a favore del maschio.»

Sophie non disse nulla e continuò a guardare le parole.

«Il Priorato crede che Costantino e i suoi successori maschi abbiano convertito il mondo dal paganesimo matriarcale al cristianesimo patriarcale organizzando una campagna di propaganda che demonizzava il femminino sacro, cancellando per sempre la dea dalla religione moderna.»

L'espressione di Sophie rimaneva dubbiosa. «Mio nonno mi

ha inviato qui per trovare questa scritta. Penso che volesse comunicarmi qualcosa di più di quel genere di informazioni.»

Langdon la capiva perfettamente. "Pensa che sia un altro codice." Che vi fosse o non vi fosse un significato nascosto, lo studioso non era in grado di dirlo immediatamente. La sua mente pensava ancora alle parole del messaggio. "Così nero l'inganno dell'uomo. Davvero nerissimo."

Nessuno poteva negare l'enorme bene fatto dalla Chiesa nel mondo sofferente di oggi, ma essa aveva alle spalle una lunga storia di inganni e di violenze. La sua brutale crociata per "rieducare" le religioni pagane e il culto della femminilità era durata per tre secoli e aveva impiegato metodi astuti e orribili.

L'Inquisizione cattolica aveva pubblicato il libro che era probabilmente l'opera più sporca di sangue della storia umana: il *Malleus maleficarum* – il martello delle streghe – aveva indottrinato il mondo sul "pericolo delle donne che pensano liberamente" e insegnato al clero come individuarle, torturarle e distruggerle. La categoria delle cosiddette "streghe" – definite così dalla Chiesa – comprendeva tutte le donne istruite, le sacerdotesse, le zingare, le amanti della natura, le erboriste e molte donne "legate in modo sospetto al mondo naturale". Anche le levatrici erano uccise per la loro pratica eretica di servirsi di conoscenze mediche per alleviare i dolori del parto, una sofferenza, proclamava la Chiesa, che era la giusta punizione di Dio perché Eva aveva voluto assaggiare il Frutto della Conoscenza, con il conseguente peccato originale. In trecento anni di caccia alle streghe, la Chiesa aveva bruciato sul rogo la sorprendente cifra di cinque milioni di donne.

La propaganda e lo spargimento di sangue avevano funzionato.

Il mondo d'oggi ne era la prova vivente.

La donna, un tempo celebrata come un'essenziale metà dell'illuminazione spirituale, era stata bandita dai templi del mondo. Non c'erano rabbini ortodossi di sesso femminile, né sacerdotesse cattoliche, né donne di religione – imam – islamiche. L'atto, un tempo sacro, dello *hieros gamos*, l'unione sessuale naturale tra uomo e donna, con cui ciascuno dei due acquisiva l'unità spirituale, era stato ridefinito come peccato. Gli uomini di fede, che un tempo avevano bisogno dell'unione sessuale con le loro equivalenti femminili per entrare in comunione con Dio, adesso temevano i loro naturali impulsi sessuali e li vedevano come opera del demonio, il quale operava in collaborazione con la sua complice preferita... la donna.

Neppure l'associazione tra il lato sinistro e il femminino era sfuggita alla diffamazione della Chiesa. In Francia e in Italia, *gauche* e sinistro avevano assunto una connotazione negativa, mentre i termini relativi alla destra assumevano un connotato di giustizia, correttezza e abilità. Ancora oggi, tutto ciò che è malvagio è considerato "sinistro".

I giorni della dea erano finiti. L'oscillazione aveva portato il pendolo dall'altra parte. La Madre Terra era divenuta un mondo di maschi, e gli dèi della distruzione e della guerra avevano prelevato il loro terribile tributo. Per due millenni l'Io maschile non era più stato frenato dalla sua controparte femminile. Il Priorato di Sion credeva che fosse stata questa eliminazione del femminino sacro nella vita moderna a causare quello che gli americani Hopi chiamavano *koyanisquatsi* – la vita priva di equilibrio – una situazione di instabilità contrassegnata da guerre alimentate dal testosterone, da una pletora di società misogine e da una crescente mancanza di rispetto per la Madre Terra.

«Robert!» lo chiamò Sophie, riportandolo a terra dalle sue fantasticherie. «Arriva qualcuno!»

Anch'egli udì i passi che si avvicinavano lungo la galleria.

«Da questa parte!» Sophie spense la luce nera e parve scomparire davanti agli occhi di Langdon.

Per un attimo, lo studioso ebbe l'impressione di essere diventato cieco. "Dov'è sparita?" Quando tornò a vedere, si accorse che Sophie correva verso il centro della sala e si nascondeva dietro il divano ottagonale. Stava per seguirla, ma una voce tonante lo bloccò.

«*Arrêtez!*» gli ordinò un uomo, dalla porta.

L'agente di sicurezza del Louvre entrò nella Salle des Etats puntando la pistola contro il petto di Langdon, che alzò meccanicamente le braccia.

«*Couchez-vous!*» ordinò la guardia. «A terra!»

In un attimo, Langdon si distese sul pavimento, a faccia in

giù. La guardia si avvicinò e, con i piedi, lo costrinse a divaricare le gambe.

«*Mauvaise idée*, Monsieur Langdon» disse la guardia, puntandogli la pistola contro la schiena. «*Mauvaise idée.*»

A faccia a terra sul pavimento di legno, con le braccia e le gambe allargate, Langdon non trovò affatto divertente l'ironia della sua posizione. "L'*Uomo vitruviano*" pensò. "A faccia in giù."

29

All'interno di Saint-Sulpice, Silas prelevò dall'altare un pesante candeliere di ferro e tornò verso l'obelisco. Quell'oggetto poteva funzionare bene per spezzare le pietre del pavimento. Però, osservando la grigia lastra di marmo che copriva il vano vuoto, comprese di non poterla rompere senza fare molto rumore.

Ferro contro marmo. Il suono avrebbe continuato a echeggiare sulla volta della navata.

La monaca l'avrebbe udito? Ormai doveva essersi addormentata. Anche così, Silas preferiva non correre rischi. Si guardò attorno, alla ricerca di qualche pezzo di tela in cui avvolgere la punta del candeliere, ma scorse solo la tovaglia di lino dell'altare, che però non intendeva profanare. "La mia tonaca." Sapendo di essere solo nella grande chiesa, sciolse la cintura e si sfilò l'abito. Nel toglierlo, sentì un improvviso dolore perché la lana si era incollata alle ferite ancora fresche sulla sua schiena.

Rimasto nudo, a parte la fascia che portava attorno ai fianchi, Silas avvolse la sua tonaca attorno all'estremità del candeliere. Poi la calò con forza sul centro della lastra. Un tonfo attutito, la lastra non si ruppe. Calò di nuovo la sbarra di ferro, un altro tonfo sordo, ma questa volta accompagnato da uno scricchiolio. Al terzo colpo, la lastra finalmente si ruppe e i pezzi caddero in un foro sotto il pavimento.

"Un nascondiglio!"

Recuperò in fretta i frammenti caduti e guardò nel foro. Con il cuore che gli accelerava i battiti, frugò all'interno.

All'inizio non trovò nulla. Le sue dita incontrarono soltanto roccia, poi, controllando al di sotto della Linea della Rosa, incontrò una spessa tavoletta di pietra. L'afferrò e la sollevò; quando l'ebbe posata sul pavimento, vide che era una lastra rozzamente tagliata, con incise alcune lettere. Per un attimo si sentì un moderno Mosè.

Lesse la scritta e provò una forte sorpresa. Aveva pensato che la chiave di volta fosse una mappa o una serie di istruzioni, eventualmente in codice. Invece portava la più semplice delle iscrizioni: "Giobbe 38, 11".

"Un versetto della Bibbia?" Silas era stupefatto della diabolica semplicità di quella scritta. Il luogo segreto da loro cercato era rivelato da un versetto della Bibbia? La fratellanza non si fermava davanti a nulla, pur di deridere i giusti!

"*Giobbe*, capitolo 38, versetto 11."

Silas non conosceva certamente a memoria quel versetto, ma sapeva che il *Libro di Giobbe* parlava di un uomo la cui fede in Dio superava numerose prove. "Giusto" pensò, faticando a frenare l'eccitazione.

Guardando dietro di sé, scorse la lucente Linea della Rosa e sorrise. Sull'altare, sopra un leggio dorato, c'era un'enorme Bibbia rilegata in cuoio.

Dal suo nascondiglio sopra di lui, sorella Sandrine tremava. Qualche istante prima, era pronta a fuggire per eseguire i suoi ordini, quando l'uomo sotto di lei si era improvvisamente tolto la tonaca. Nello scorgere la sua pelle bianca come il marmo, la donna era stata sopraffatta da uno stupore misto a orrore. Sulla schiena si scorgevano i segni di frustate, rossi come il sangue. Anche da quella distanza vedeva che le ferite erano recenti.

"Quest'uomo è stato frustato senza pietà!"

Scorse anche il cilicio attorno alla sua coscia, il sangue che scorreva dalle ferite. "Che razza di Dio può chiedere di tormentare così il proprio corpo?" Sorella Sandrine sapeva che i rituali dell'Opus Dei le sarebbero sempre risultati incomprensibili. Ma i rituali non erano la sua principale preoccupazione, in quel momento. "L'Opus Dei cerca la chiave di volta." Non riusciva a immaginare come ne fossero venuti a conoscenza, ma sapeva di non avere il tempo di chiederselo.

Il monaco insanguinato si stava tranquillamente infilando la tonaca e, con in mano la sua preda, si dirigeva all'altare, verso la Bibbia.

Nel massimo silenzio, sorella Sandrine lasciò la balconata e corse nelle sue stanze. Si inginocchiò accanto al letto e vi frugò sotto per recuperare la busta nascosta in quel luogo molti anni prima.

Quando la aprì, trovò quattro numeri telefonici di Parigi.

Con mani tremanti, cominciò a comporre il primo numero.

Intanto, nella chiesa, Silas posò sull'altare la tavoletta di pietra e aprì la Bibbia rilegata in cuoio. Con le dita sudate per l'emozione, prese a sfogliare le pagine. Trovò l'Antico Testamento, trovò il *Libro di Giobbe*. Giunse al capitolo 38 e fece correre il dito lungo i versetti, ansioso di leggere le parole da lui cercate.

"Mi mostreranno la strada!"

Giunto al versetto undicesimo, lesse il testo. Erano soltanto sei parole. Confuso, le rilesse, con l'impressione di qualcosa di tremendamente sbagliato. Il versetto diceva semplicemente:

FIN QUI GIUNGERAI E NON OLTRE.

30

La guardia di sicurezza del Louvre, Claude Grouard, ribolliva di collera mentre, davanti alla *Monna Lisa*, osservava il suo prigioniero disteso sul pavimento. "Questo bastardo ha ucciso Jacques Saunière!" Saunière era sempre stato come un padre per Grouard e i suoi colleghi.

Non avrebbe desiderato altro che premere il grilletto e piantare una pallottola nella testa di Robert Langdon. Come guardia scelta, era uno dei pochi agenti della sicurezza interna autorizzati a portare un'arma. Si disse però che uccidere Langdon sarebbe stato un atto di generosità, rispetto a quello che avrebbe sofferto per mano di Bezu Fache e del sistema carcerario francese.

Prese dalla cintura il walkie-talkie e tentò di collegarsi con gli altri agenti per avere rinforzi, ma gli giunsero solo scariche. I sistemi di sicurezza di quella sala interferivano sempre con le radio delle guardie. "Devo avvicinarmi alla porta." Continuando a prendere di mira Langdon, cominciò a indietreggiare lentamente. Dopo tre passi, però, scorse qualcosa che lo spinse immediatamente a fermarsi. "Che diavolo è?"

Un incomprensibile miraggio si stava materializzando nel centro della sala. Una sagoma umana. C'era qualcun altro? Una donna si muoveva lentamente nella penombra, diretta verso la parete più lontana. Davanti a lei oscillava da sinistra a destra una macchia di luce violacea, come se lei cercasse qualcosa sul pavimento, servendosi di una lampada a luce colorata.

«*Qui est là?*» chiese Grouard, che per la seconda volta nell'ultimo mezzo minuto si sentiva il cuore in gola. All'improvviso non sapeva più dove dirigersi o dove puntare la pistola.

«Squadra della Scientifica» rispose con calma la donna, continuando a esplorare con la luce il pavimento.

"La polizia scientifica." Grouard sudava. "Credevo che gli agenti fossero già andati via!" Riconobbe la luce: una lampadina agli ultravioletti, una di quelle usate dalla Scientifica, ma non riusciva a capire perché cercassero indizi in quella sala. «*Votre nom!*» esclamò Grouard. L'istinto gli diceva che c'era qualcosa di storto. «*Répondez!*»

«*C'est moi*» rispose con tranquillità la donna. «Sophie Neveu.»

Il nome era vagamente noto alla guardia. Sophie Neveu era la nipote di Saunière, no? Veniva spesso nel museo quando era bambina, ma da allora erano passati anni. "Non può essere lei!" E anche se era Sophie Neveu, non c'era ragione di fidarsi di lei; Grouard sapeva la dolorosa storia del litigio tra lei e il nonno.

«Lei mi conosce» continuò la donna. «E non è stato Robert Langdon a uccidere mio nonno. Mi creda.»

Grouard non intendeva accettare quell'affermazione in base alla pura fede. "Mi serve aiuto!" Accese di nuovo il walkie-talkie ma dall'altoparlante gli giunsero di nuovo solo scariche. La porta era ancora lontana da lui. Grouard riprese a indietreggiare lentamente, continuando a puntare la pistola contro l'uomo disteso sul pavimento. Mentre indietreggiava, vide che la donna alzava la lampada ultravioletta ed esaminava il quadro appeso esattamente di fronte alla *Monna Lisa*.

Grouard rimase senza fiato nel ricordare che quadro fosse. "Che cosa intende fare, in nome di Dio?"

Dall'altra parte della sala, Sophie Neveu sentiva la fronte coprirsi di un gelido sudore. Langdon era ancora disteso a terra. "Resisti, Robert. Ci siamo quasi." Sapendo che la guardia non avrebbe sparato a nessuno dei due, Sophie tornò a occuparsi della sua ricerca, esaminando l'intera area accanto a un capolavoro in particolare, un altro Leonardo. Ma la luce ultravioletta non rivelò nulla di straordinario, né sul pavimento, né sulla parete e neppure sulla tela.

"Eppure ci deve essere qualcosa!"

Sophie era certa di avere decifrato correttamente le istruzioni del nonno.

"Che altro potrebbe indicare?"

Il capolavoro da lei esaminato era alto un metro e mezzo. La strana scena ritratta da Leonardo comprendeva la Vergine Maria in una posa anomala, seduta con il Bambino Gesù, Giovanni il Battista e l'angelo Uriel su una rischiosa sporgenza di rocce. Quando Sophie era bambina, nessuna visita alla *Monna Lisa* era completa senza che il nonno la portasse a vedere quel secondo quadro. "Nonno, sono qui! Ma non capisco!"

Dietro di lei, la guardia tentava di nuovo di mettersi in contatto con i colleghi.

"Rifletti!" Ripensò al messaggio della *Monna Lisa*, scritto sul plexiglas protettivo. Il quadro di fronte a lei non aveva un vetro su cui scrivere un messaggio e Sophie sapeva che il nonno non avrebbe mai profanato quel capolavoro scrivendo sul quadro. "Almeno, non sul davanti." Osservò i lunghi cavi che scendevano dal soffitto per reggere la tela.

Afferrò l'angolo della cornice e la allontanò dalla parete. Il quadro era grande e la cornice si curvò. Poi la donna infilò la testa e le spalle dietro la tela e sollevò la luce nera per controllare se ci fosse qualche scritta.

Le bastarono pochi secondi per capire di essersi sbagliata. Dietro la tela non c'erano scritte. Nessuna parola in rosso, ma solo le irregolarità della tela e...

"Un momento!"

Lo sguardo di Sophie si fermò su uno strano luccichio che proveniva da un angolo tra la cornice e la tela. Un piccolo oggetto, dal quale pendeva una catena d'oro, era infilato in quel punto.

Con grande stupore di Sophie, la catena era fissata a una chiave dorata che lei conosceva bene. La larga impugnatura era a forma di croce e portava uno stemma che lei non aveva più visto da quando aveva nove anni. Un *fleur-de-lis* con le iniziali P.S.

In quell'istante, Sophie sentì lo spirito del nonno sussurrarle all'orecchio che, una volta giunto il momento, la chiave sarebbe stata sua. Con un nodo alla gola, comprese che, anche in punto di morte, aveva mantenuto la promessa. La chiave apriva una cassetta, le aveva detto, in cui lui teneva molti segreti.

Comprese anche che tutti i giochi di parole di quella notte portavano a quella chiave. Il nonno l'aveva con sé quando era stato ucciso e, non volendo che cadesse nelle mani della polizia, l'aveva nascosta dietro il quadro. Poi aveva allestito un'ingegnosa caccia al tesoro per assicurarsi che soltanto Sophie la trovasse.

«*Au secours!*» gridava la guardia.

Sophie prese la chiave e se la infilò in tasca, insieme alla luce ultravioletta. Sporgendo la testa da dietro la tela, vide che la guardia cercava ancora disperatamente di chiamare i colleghi. Indietreggiava verso l'ingresso della sala e puntava ancora la pistola contro Langdon.

«*Au secours!*» ripeté, parlando al walkie-talkie.

Scariche.

"Non riesce a trasmettere" comprese Sophie, ricordando che i turisti rimanevano immancabilmente delusi quando provavano a usare i cellulari per vantarsi con gli amici di essere davanti alla *Monna Lisa*. I cavi dei sistemi di sorveglianza fermavano le onde radio, a meno che non si uscisse nella galleria. La guardia indietreggiava più in fretta, Sophie capì di dover agire immediatamente.

Alzò gli occhi sul quadro davanti a lei e comprese che Leonardo da Vinci poteva aiutarla anche questa volta.

"Ancora pochi metri" pensò Grouard, continuando a tenere di mira Langdon.

«*Arrêtez! Ou je la détruis!*» gridò la donna.

Grouard guardò in quella direzione e rimase a bocca aperta. «*Mon dieu, non!*»

Nella penombra, al chiarore delle luci di sicurezza, vide che la donna aveva staccato il quadro e l'aveva appoggiato a terra davanti a sé. Alto un metro e mezzo, il dipinto nascondeva quasi tutto il suo corpo. Il primo pensiero di Grouard fu quello di chiedersi perché non fosse scattato l'allarme, ma naturalmente i sensori non erano stati ancora riattivati. "Che cosa vuole fare?"

Quando lo capì, il suo sangue si raggelò.

La tela aveva uno strano rigonfiamento nel centro, in corrispondenza del ginocchio della donna: le fragili figure della Vergine Maria, del Bambin Gesù e di Giovanni il Battista erano già distorte.

«*Non!*» gridò Grouard, impietrito dall'orrore all'idea di un danno al preziosissimo Leonardo da Vinci. La donna era intenzionata a sfondare la tela! «*Non!*»

Puntò la pistola contro di lei, ma comprese immediatamente quanto fosse vuota quella minaccia. Il dipinto era soltanto una fragile tela, ma era assolutamente impenetrabile. Una corazza da sei milioni di euro. "Non posso sparare contro un Leonardo da Vinci!"

«Posi la pistola e la radio» gli disse con calma la donna «altrimenti sfondo questa tela. Credo che lei sappia che cosa ne avrebbe pensato mio nonno.»

A Grouard girava la testa. «No... la supplico. È la *Vergine delle rocce*!» Posò la pistola e la radio e alzò le braccia al di sopra della testa.

«Grazie» gli disse Sophie. «Adesso faccia come le dico e tutto si risolverà nel migliore dei modi.»

Qualche istante più tardi, con ancora il cuore in gola, Langdon correva insieme a Sophie lungo la scala di emergenza. Nessuno dei due aveva parlato da quando avevano lasciato nella Salle des Etats la guardia del Louvre. La pistola della guardia era adesso in mano a Langdon che non vedeva l'ora di liberarsene. L'arma era un oggetto pesante e pericolosamente lontano da tutte le sue abitudini.

Si chiedeva se Sophie si rendesse conto di quanto fosse prezioso il quadro che aveva minacciato di distruggere. La sua scelta sembrava curiosamente in accordo con il resto della nottata. Il Leonardo da lei afferrato, come la *Monna Lisa*, era noto tra gli studiosi dell'arte per la quantità di simbolismi pagani contenuti. «Hai scelto un ostaggio molto prezioso» le disse mentre scendevano.

«La *Vergine delle rocce*» rispose Sophie. «Ma non l'ho scelto io, l'ha scelto mio nonno. Mi ha lasciato una cosa, dietro il quadro.»

Langdon la guardò con stupore. «Cosa? Ma come hai fatto a sapere che era proprio quello il quadro?»

«*So dark the con of man*, ovvero *Madonna of the Rocks*, il titolo del dipinto in inglese.» Sophie gli sorrise trionfalmente. «Due anagrammi me li sono lasciati scappare, ma non il terzo!»

31

«Sono morti!» balbettava sorella Sandrine, telefonando dalla sua camera nella chiesa di Saint-Sulpice. Le aveva risposto una segreteria telefonica. «Risponda, la prego. Sono morti tutti!»

I primi tre numeri telefonici della lista avevano dato risultati terribili: una vedova in preda a una crisi isterica, un agente investigativo che lavorava ancora sulla scena di un delitto, nonostante l'ora tarda, e un sacerdote di poche parole venuto a consolare una famiglia disperata. Tutt'e tre le persone con cui avrebbe dovuto mettersi in contatto erano morte. E adesso, quando aveva composto il quarto e ultimo numero – il numero che avrebbe dovuto chiamare soltanto se non fosse riuscita a entrare in contatto con i primi tre – le rispondeva una segreteria telefonica. La registrazione non dava alcun nome ma chiedeva soltanto di lasciare un messaggio.

«La lastra è stata spezzata!» gemette, mentre la segreteria registrava. «Gli altri tre sono morti!»

Sorella Sandrine non conosceva l'identità dei quattro uomini da lei protetti, ma sapeva di doversi servire dei numeri telefonici nascosti sotto il suo letto in un solo caso, ben preciso.

"Se la lastra dovesse mai essere spezzata" le aveva detto il messaggero senza volto "significherebbe che è stata scoperta l'identità dei gradi più alti, che uno di noi è stato minacciato di morte ed è stato costretto a dire una disperata bugia. Allora dovrà telefonare a quei numeri. Avvertire gli altri. Non deluda la nostra fiducia."

Era un allarme muto, perfetto nella sua semplicità. Il piano l'aveva stupita, la prima volta che l'aveva udito. Se l'identità di uno dei fratelli veniva scoperta, poteva dire una bugia che avrebbe messo in moto un meccanismo capace di avvertire gli altri. Quella notte, però, pareva che ne fosse stata scoperta più di una.

«Risponda, la supplico» sussurrò in preda al terrore. «Perché non risponde?»

«Posi il telefono» le ordinò una voce profonda, dalla porta.

Voltandosi terrorizzata, scorse il gigantesco monaco. Aveva ancora in mano il pesante candeliere. Tremante, posò il telefono sulla forcella.

«Sono morti» disse il monaco. «Tutt'e quattro. E mi hanno preso in giro. Mi dica dov'è la chiave di volta.»

«Non lo so!» rispose sorella Sandrine, ed era vero. «Quel segreto è custodito da altri.» "Da altri che adesso sono morti!"

L'uomo venne avanti. La sua mano si serrò ancora più saldamente sull'asta del candeliere di ferro. «Lei è una suora della Chiesa, eppure è al servizio di quelli?»

«Gesù ci ha lasciato un solo, vero messaggio» rispose sorella Sandrine, in tono di sfida «ma non riesco a vedere quel messaggio nell'Opus Dei.»

Un'improvvisa esplosione di collera dilagò dietro gli occhi del monaco. Colpì con ferocia, servendosi del candeliere come di una mazza. Sorella Sandrine cadde a terra; il suo ultimo pensiero fu di un'enorme, irrimediabile disperazione. "Sono morti tutt'e quattro. La nostra grande verità è persa per sempre."

32

L'allarme della sicurezza, all'estremità occidentale dell'ala Denon, mise in volo tutti i piccioni dei vicini giardini delle Tuileries. Quando Langdon e Sophie uscirono di corsa dal Louvre diretti verso l'auto di Sophie, già si sentivano in lontananza le sirene della polizia.

«Eccola» disse Sophie, indicando un'auto a due posti, senza il cofano anteriore, parcheggiata nella piazza.

"Scherza?" Il veicolo era la più microscopica auto che Langdon avesse visto.

«È una Smart» spiegò lei. «Cento chilometri con un litro.»

Langdon fece appena in tempo a sedersi accanto al guidatore, che Sophie avviò l'auto e la lanciò sopra un'aiuola spartitraffico coperta di ghiaia. Lui dovette tenersi al cruscotto mentre il veicolo imboccava un marciapiede e tornava poi in carreggiata, con un salto, nella piccola rotatoria del Carrousel du Louvre.

Per un istante, Sophie parve tentata di tagliare attraverso la rotonda passando sull'erba, per fare più in fretta.

«No!» gridò Langdon, che sapeva come quelle aiuole servissero a mascherare il pericoloso foro nel centro – la *Pyramide Inversée* – il lucernario a forma di piramide capovolta da lui visto in precedenza, quando aveva percorso l'atrio insieme a Fache. Era abbastanza grande da inghiottire la loro Smart in un solo boccone. Fortunatamente, Sophie decise di seguire una rotta più convenzionale, svoltò a destra e girò attorno alla rotonda fino a imboccare la carreggiata nord, in direzione di Rue de Rivoli.

Dietro di loro, le sirene bitonali della polizia erano sempre più forti e si scorgevano già i lampeggianti nello specchietto retrovisore. Il motore della Smart gemette indignato quando Sophie accelerò per allontanarsi dal Louvre. Cinquanta metri davanti a loro, il semaforo all'intersezione con Rue de Rivoli divenne rosso. Sophie imprecò e non rallentò.

Langdon sentì contrarsi tutti i suoi muscoli. «Sophie?»

Rallentando leggermente all'incrocio, Sophie lampeggiò con i fari e guardò rapidamente da entrambi i lati prima di schiacciare nuovamente l'acceleratore e svoltare a sinistra in Rue de Rivoli. Dopo mezzo chilometro, girò attorno a un'altra grande rotonda e, poco più tardi, si ritrovarono nell'ampio viale degli Champs Elysées.

Quando l'ebbero imboccato, Langdon si girò sul sedile e cercò di guardare che cosa succedesse dietro di loro, in direzione del Louvre. La polizia non li inseguiva. Tutte le luci azzurre lampeggianti si erano riunite al museo.

Il suo cuore, finalmente, rallentava i battiti. Tornò a guardare davanti a sé. «È stata un'esperienza interessante.»

Sophie non gli badò. Continuava a fissare la strada dinanzi a loro, la lunga strada degli Champs Elysées, i tre chilometri di eleganti vetrine che spesso venivano chiamati la Quinta Strada di Parigi. L'ambasciata era a poco più di un chilometro di distanza. Langdon si accomodò meglio.

"So dark the con of man."

Era ancora impressionato dalla rapidità con cui Sophie aveva risolto l'enigma.

"Madonna of the Rocks."

Sophie aveva anche accennato al fatto che il nonno le aveva lasciato qualcosa dietro il quadro. "Un ultimo messaggio?" Langdon non poteva fare a meno di stupirsi per l'abilità di Saunière nel predisporre quel nascondiglio: la *Vergine delle rocce* era in perfetta armonia con il resto del simbolismo incontrato durante quella notte. Saunière, a quanto pareva, aveva ribadito a ogni tappa il suo amore per il lato cupo e ironico di Leonardo da Vinci.

Il quadro della *Vergine delle rocce* era stato originariamente commissionato a Leonardo da un'organizzazione chiamata la Confraternita dell'Immacolata Concezione, che voleva un quadro da esporre al di sopra dell'altare, in una loro chiesa milanese, come parte centrale di un trittico. Le monache avevano fornito a Leonardo le dimensioni e il tema del quadro: la Vergine Maria, Giovanni il Battista bambino, Uriel e il Bambin Gesù che si riparavano in una caverna. Anche se Leonardo fece come gli era stato richiesto, quando consegnò il lavoro le monache rimasero inorridite. Aveva riempito il quadro di particolari poco ortodossi se non allarmanti.

Il quadro mostrava una Vergine Maria vestita d'azzurro che sedeva con il braccio attorno a un bambino, presumibilmente Gesù. Davanti a lei c'era Uriel, anch'egli con un bambino piccolo, presumibilmente il Battista. Stranamente, però, invece della scena abituale in cui Gesù dava la benedizione al Battista, era il Giovanni bambino a benedire Gesù, e Gesù si sottometteva alla sua autorità! Inoltre, cosa ancor più preoccupante, Maria levava una mano al di sopra della testa del Battista con un gesto decisamente minaccioso: le dita sembravano gli artigli di un'aquila, come se stringesse una testa invisibile. E infine l'immagine più chiara e allarmante: sotto le dita ripiegate di Maria, Uriel faceva un gesto come per tagliare la gola della testa invisibile tenuta dalla mano-artiglio di Maria.

Gli studenti di Langdon apprendevano poi con divertimento come Leonardo avesse infine tranquillizzato la confraternita dipingendo loro una seconda, "annacquata" versione della *Vergine delle rocce* in cui tutti i personaggi erano disposti in modo più ortodosso. La seconda versione era adesso alla National Gallery di Londra, ma Langdon preferiva l'originale del Louvre, molto più interessante.

Mentre l'auto proseguiva lungo gli Champs Elysées, Langdon chiese a Sophie: «Il dipinto... cosa c'era dietro?».

Senza staccare gli occhi dalla strada, la donna rispose: «Te lo mostrerò quando saremo al sicuro all'interno dell'ambasciata».

«Me lo mostrerai?» chiese Langdon, sorpreso. «Ti ha lasciato un oggetto?»

Sophie fece un cenno d'assenso. «Decorato con un giglio e le iniziali P.S.»

Langdon non riuscì a credere alle proprie orecchie.

"Ce l'abbiamo fatta" pensò Sophie, mentre svoltava a destra ed entrava nel quartiere alberato che ospitava le delegazioni diplomatiche. L'ambasciata era poco distante e la donna riprese a respirare normalmente.

Mentre guidava, continuava però a pensare alla chiave che aveva in tasca e al giorno in cui l'aveva vista molti anni prima, all'impugnatura in oro a croce, alla sua forma triangolare, alle incisioni: il fiore sulla croce e le lettere P.S.

Anche se da anni non pensava a quella chiave, il suo lavoro per la polizia le aveva insegnato molte cose sulla sicurezza e ora la sua forma particolare non le pareva affatto strana. "Una matrice variabile, incisa al laser. Impossibile da duplicare." Invece di dentini che muovevano cilindri, i segni incisi dal laser sulla superficie della chiave venivano esaminati da un occhio elettronico. Se i piccoli esagoni incisi sulla superficie erano nella posizione e alla distanza giuste, la serratura si apriva.

Sophie non riusciva a immaginare che cosa aprisse quella chiave, ma pensava che Robert sarebbe riuscito a scoprirlo. Dopotutto, aveva descritto l'incisione che contrassegnava la chiave senza neppure averla vista. L'impugnatura a forma di croce faceva pensare che la chiave appartenesse a qualche organizzazione di tipo cristiano, ma Sophie non conosceva chiese che usassero chiavi laser a matrice variabile.

"Del resto, il nonno non era cristiano..."

Sophie ne aveva avuto la prova dieci anni prima. Ironicamente, era stata un'altra chiave, molto più normale, a rivelarle la vera natura di Saunière.

In un tiepido pomeriggio di primavera era atterrata all'aeroporto Charles de Gaulle e aveva preso un taxi fino a casa. "Il nonno sarà molto sorpreso di vedermi" si era detta. Aveva terminato il corso in Inghilterra qualche giorno prima del previsto ed era partita immediatamente, desiderosa di rivederlo e di parlargli dei metodi crittografici che aveva studiato.

Quando era arrivata alla loro casa parigina, però, il nonno non c'era. Un po' delusa, aveva pensato che, non sapendo del suo arrivo, fosse rimasto a lavorare al Louvre. "Ma è sabato pomeriggio" si era poi ricordata. Durante il fine settimana, Saunière non lavorava, ma andava...

Con un sorriso, era scesa in garage. Certo, la macchina

non c'era. Era sabato. Jacques Saunière odiava guidare in città e usava l'auto per raggiungere una sola destinazione: il castello in Normandia, a nord di Parigi. Dopo avere trascorso mesi nella congestione di Londra, anche Sophie era ansiosa di ritrovarsi in mezzo alla natura per iniziare subito la vacanza.

Era ancora chiaro e lei aveva deciso di partire immediatamente per fargli un'improvvisata. Si era fatta prestare l'auto da un'amica e si era diretta a nord, per attraversare le colline deserte, illuminate dalla luna, nei pressi di Creully. Era arrivata verso le dieci e aveva imboccato la strada privata che portava al rifugio del nonno. Il viale d'accesso era lungo un paio di chilometri e solo dopo averne percorso un buon tratto si riusciva a scorgere, in mezzo agli alberi, l'antico castello di pietra circondato dal bosco, sul fianco di una collina.

Sophie si aspettava che il nonno dormisse; aveva invece visto con emozione che tutte le luci della casa erano accese. Il piacere si era trasformato in sorpresa quando era arrivata e aveva trovato il cortile pieno di automobili parcheggiate: Mercedes, BMW, Audi e una Rolls-Royce.

Sophie le aveva fissate per un momento ed era scoppiata a ridere. "Mio nonno, il famoso recluso!" Jacques Saunière, a quanto pareva, era meno isolato di quanto gli piacesse fingere. Chiaramente aveva organizzato un ricevimento mentre Sophie era lontano, a scuola, e a giudicare dalle automobili dovevano essere presenti parecchie autorità parigine.

Ansiosa di fare la sorpresa al nonno, era corsa alla porta principale, per poi scoprire che era chiusa. Aveva bussato, nessuno le aveva risposto. Perplessa aveva fatto il giro della casa e aveva provato alla porta di servizio, chiusa anche quella. Nessuna risposta.

Confusa, si era fermata per qualche istante ad ascoltare. Ma il solo suono da lei udito era il gemito del vento della Normandia che scivolava lungo la valle.

Niente musica.

Niente voci.

Niente di niente.

Nel silenzio del bosco, Sophie era corsa dietro l'angolo della casa per salire su una catasta di legna da ardere e aveva guardato all'interno, dalla finestra del soggiorno. Ciò che aveva visto non aveva alcun senso. «Non c'è nessuno!»

L'intero piano terreno era deserto.

"Dov'è finita tutta la gente?"

Col cuore in tumulto, Sophie era corsa alla legnaia e aveva prelevato la chiave che il nonno teneva nascosta sotto la cassa delle fascine più piccole. Poi si era precipitata alla porta d'ingresso e l'aveva aperta. Non appena era entrata, la spia dell'antifurto si era messa a lampeggiare: un avvertimento che entro dieci secondi occorreva comporre il giusto numero prima che gli allarmi scattassero.

"Tiene inserito l'allarme durante un ricevimento?"

Aveva digitato in fretta il codice richiesto e disattivato il sistema.

Una volta all'interno, aveva scoperto che l'intera casa era disabitata, anche al piano di sopra. Quando era ridiscesa nel soggiorno, aveva continuato a chiedersi che cosa fosse successo.

Solo allora Sophie aveva udito il suono.

Voci attutite, che parevano giungere dal basso. Sophie non riusciva a capire. Si era inginocchiata a terra e aveva appoggiato l'orecchio al pavimento. Sì, il suono veniva chiaramente dal basso. Le voci sembravano cantare... una sorta di canto religioso. Si era spaventata. Il suono in sé era strano, ma ancor più strano era il fatto che quella casa non aveva cantina.

O, se l'aveva, Sophie non l'aveva mai vista.

Aveva esaminato più attentamente il soggiorno e il suo sguardo si era soffermato sull'unico oggetto che, in tutta la casa, le pareva fuori posto: uno degli arredi antichi più amati dal nonno, un ampio arazzo Aubusson. Di solito era appeso vicino al caminetto, ma quella sera era stato spostato lungo il suo bastone di ottone, lasciando libera la parete retrostante.

Avvicinandosi alla parete rivestita di legno, Sophie aveva sentito che il canto diventava più forte. Con esitazione aveva appoggiato l'orecchio al pannello. Le voci si udivano ancora più chiaramente. Erano numerose persone che cantavano una sorta di inno, anche se Sophie non riusciva a capire le parole.

"Lo spazio dietro il pannello è vuoto!"

Tastando il bordo del pannello, aveva trovato un incavo in cui infilare la mano. Invisibile dall'esterno. "Una porta scorrevole." Con il cuore che accelerava i battiti, aveva infilato le dita nella scanalatura e aveva tirato. Con assoluta precisione e senza alcun rumore, il pesante pannello era scivolato di lato. Dall'apertura era giunto l'eco del canto.

Sophie era entrata e si era trovata su una scala a chiocciola, rozzamente intagliata nella pietra. Frequentava quella casa fin da quando era bambina e non aveva mai sospettato l'esistenza di quella scala!

A mano a mano che scendeva, l'aria era divenuta più fredda. Le voci più chiare. Aveva cominciato a distinguere voci di uomini e di donne. La scala le impediva di vedere davanti a sé, ma ormai riusciva a distinguere l'ultimo scalino e, più avanti, un breve tratto di pavimento di pietra rischiarato dalla luce irregolare delle torce.

Trattenendo il respiro, era scesa di qualche altro scalino e si era chinata per vedere. Per capire ciò che aveva davanti a sé, aveva impiegato parecchi secondi.

La stanza era una sorta di grotta, una sala dalle pareti non levigate, che pareva ricavata dal granito della collina. L'unica illuminazione proveniva dalle torce infilate in anelli alle pareti. Alla loro luce, una trentina di persone formava un cerchio nel centro della stanza.

"Sto sognando" si era detta Sophie. "È tutto un sogno. Che altro potrebbe essere?"

Nella stanza, tutti portavano una maschera. Le donne indossavano vesti bianche e scarpe dorate. Avevano la maschera bianca e tenevano in mano una sfera d'oro. Gli uomini indossavano lunghe tuniche nere e portavano maschere dello stesso colore. Parevano i pezzi di un gigantesco gioco di scacchi. Tutti coloro che facevano parte del cerchio si dondolavano avanti e indietro e cantavano in tono reverente, rivolti verso qualcosa sul pavimento dinanzi a loro. Qualcosa che Sophie non riusciva a vedere.

Il canto diveniva più veloce. E più forte. Tutti i partecipanti avevano fatto un passo verso l'interno e si erano inginocchiati. Sophie era finalmente riuscita a vedere ciò che c'era al centro del cerchio e, mentre indietreggiava inorridita, l'immagine le si incideva per sempre nella memoria. Colta da nausea, Sophie si era girata e, appoggiandosi alla parete, era risalita.

Aveva chiuso la porta dietro di sé ed era fuggita dalla casa deserta, per poi tornare a Parigi piangente e stordita. Quella notte, con la vita spezzata dalla delusione e dal tradimento, aveva raccolto le sue proprietà e se n'era andata da casa. Sul tavolo aveva lasciato un biglietto:

SONO STATA LÀ. NON CERCARMI MAI PIÙ.

Sopra il foglio aveva posato la chiave che aveva prelevato nella legnaia del castello.

«Sophie!» la interruppe bruscamente Langdon. «Ferma! Ferma!»

Allontanata bruscamente dai ricordi, Sophie inchiodò all'improvviso e, con uno stridore di gomme, fermò l'auto. «Cos'è successo?»

Langdon le indicò la strada davanti a loro.

Quando le vide, Sophie si sentì gelare il sangue. A cento metri da loro, l'incrocio era bloccato da un paio di auto della polizia, parcheggiate di traverso, il cui scopo era ovvio. "Hanno bloccato Avenue Gabriel!"

Langdon scosse la testa. «A quanto pare, l'ambasciata è irraggiungibile questa notte.»

Lungo la strada, due agenti fermi accanto alle vetture fissavano ora nella loro direzione, incuriositi dall'auto che aveva frenato bruscamente e spento i fari.

"Bene, Sophie, torna indietro lentamente."

Ingranata la retromarcia, la donna fece fare una conversione all'auto e ripartì nella direzione inversa. Mentre si allontanava, udì stridere le gomme delle auto della polizia, poi si levò il suono delle sirene.

Con un'imprecazione, Sophie premette sull'acceleratore.

33

La Smart di Sophie attraversò di corsa il quartiere diplomatico, passando davanti ad ambasciate e consolati e infine lanciandosi lungo una via laterale e svoltando a destra nel traffico degli Champs Elysées.

Langdon si teneva al sedile e guardava dal finestrino posteriore, alla ricerca di qualche segno della polizia. Rimpiangeva di avere scelto la fuga. "Non l'hai scelta tu" si rammentò. Sophie aveva preso la decisione per lui quando aveva gettato fuori della finestra il localizzatore GPS. Ora, mentre si allontanavano dall'ambasciata e si nascondevano in mezzo al traffico, Langdon sentiva diminuire le possibilità che gli rimanevano. Anche se Sophie pareva essere riuscita a "seminare" la polizia, almeno per il momento, Langdon non pensava che la loro fortuna potesse durare per molto.

Mentre guidava, Sophie si frugò in tasca. Prelevò un piccolo oggetto di metallo e glielo consegnò. «Robert, da' un'occhiata a questo. Mio nonno l'ha nascosto dietro la *Vergine delle rocce*.»

Con un brivido di curiosità, Langdon prese l'oggetto e lo esaminò. Era pesante e a forma di croce. La sua prima impressione fu di avere in mano un *pieu funebre*, una versione in miniatura di una croce destinata a essere piantata su una tomba. Poi notò che l'asticciola che usciva dalla croce era a forma di prisma triangolare. Era anche segnata da centinaia di minuscoli esagoni finemente lavorati e distribuiti apparentemente a caso.

«È una chiave laser» gli spiegò Sophie. «Quegli esagoni sono letti da un occhio elettronico.»

"Una chiave?" Langdon non aveva mai visto nulla del genere.

«Guarda dall'altra parte» disse Sophie, cambiando corsia e infilandosi in una via laterale.

Quando voltò la chiave, Langdon rimase a bocca aperta. Incisi nel centro della croce c'erano un giglio stilizzato e le iniziali P.S.! «Sophie» le disse «è il sigillo di cui ti ho parlato! Lo stemma ufficiale del Priorato di Sion.»

Lei annuì. «Come ti ho detto, avevo visto quella chiave molto tempo fa. Lui mi aveva ordinato di non parlarne con nessuno.»

Langdon fissava ancora la chiave. Il suo simbolismo millenario e la lavorazione high-tech costituivano una strana fusione di antico e di moderno.

«Mi ha detto che la chiave apriva una cassetta dove conservava molti segreti.»

Con un brivido, Langdon tentò di immaginare che tipo di segreti potesse conservare un uomo come Saunière. Non aveva idea di che cosa se ne facesse, un'antica fratellanza, di una chiave così futuristica. Il Priorato esisteva al solo scopo di proteggere un segreto. Un segreto di enorme potere. "Che questa chiave abbia qualcosa a che fare con esso?" L'idea gli faceva girare la testa. «Sai che cosa apre?»

Sophie lo guardò con espressione delusa. «Speravo che lo sapessi tu.»

Langdon non disse nulla; continuò a esaminare l'impugnatura della chiave.

«Sembra un oggetto cristiano» suggerì Sophie.

Langdon non ne era molto sicuro. Non era la tradizionale croce cristiana con il lungo braccio verticale, ma una croce quadrata – con quattro bracci di uguale lunghezza – che precedeva di quindici secoli il cristianesimo. Quel tipo di croce non aveva nessuno dei connotati cristiani della crocifissione, associati alla croce latina, inventata dai romani come strumento di supplizio. Langdon si stupiva sempre nel constatare quanto fossero pochi i cristiani che, guardando il "crocifisso", pensavano alla violenta storia di quel simbolo. «Sophie» disse infine «posso soltanto commentare che la croce con tutti i bracci uguali è considerata una croce "pacifica". Gli elementi

173

orizzontali e verticali, con il loro equilibrio, simboleggiano la naturale unione di uomo e donna, in accordo con la filosofia del Priorato.»

Lei lo guardò con aria stanca. «Non ne hai idea, vero?»

Langdon aggrottò la fronte. «Neppure una.»

«Va bene, dobbiamo toglierci dalla strada.» Controllò lo specchietto retrovisore. «Ci occorre un posto sicuro per scoprire che cosa apre questa chiave.»

Langdon pensò con rimpianto alla sua comoda stanza del Ritz. Naturalmente, quella era da escludere. «Che ne dici dell'Università americana di Parigi?»

«Troppo ovvia. Fache manderà a controllare.»

«Tu hai certamente delle amicizie. Vivi qui.»

«Fache controllerà i tabulati delle mie telefonate e delle e-mail, e parlerà con i miei compagni di lavoro. I miei contatti sono ormai "bruciati" ed è inutile cercare un albergo, perché occorre presentare i documenti.»

Langdon pensò che forse avrebbe fatto meglio a lasciarsi arrestare da Fache al Louvre. «Telefoniamo all'ambasciata. Posso spiegare la situazione e far venire qualcuno a prenderci.»

«A prenderci?» Sophie lo guardò come se fosse pazzo. «Robert, tu sogni. La tua ambasciata non ha giurisdizione all'esterno della sua area. Mandare qualcuno a prenderci verrebbe considerato come favoreggiamento di un ricercato dal governo francese. È impossibile. Se entri nell'ambasciata e chiedi asilo temporaneo, è una cosa, ma domandare loro di agire contro la polizia francese...» Scosse la testa. «Se provi a telefonare alla tua ambasciata, ti diranno di evitare di peggiorare la tua situazione e di costituirti. Poi prometteranno di utilizzare i canali diplomatici per assicurarti un giusto processo.» Lanciò un'occhiata agli eleganti negozi degli Champs Elysées. «Quanti soldi hai?»

Langdon controllò nel portafogli. «Un centinaio di dollari, qualche euro. Perché?»

«Carte di credito?»

«Naturalmente.»

Sophie accelerò e lo studioso capì che aveva un piano. Davanti a loro, alla fine degli Champs Elysées, si innalzava l'Arc de Triomphe – l'omaggio, alto cinquanta metri, reso da Napoleone alla propria potenza militare – circondato dalla più grande rotonda francese, un mastodonte a nove corsie.

Avvicinandosi alla rotonda, Sophie tenne d'occhio lo specchietto retrovisore. «Per il momento ci hanno perso di vista» disse «ma se resteremo su questa macchina, non dureremo cinque minuti.»

"Allora, rubiamone un'altra" ironizzò Langdon, tra sé. "Ormai siamo criminali." «Che cosa intendi fare?»

Sophie avviò l'auto sulla rotonda. «Fidati di me.»

Langdon non rispose. La fiducia non gli aveva fatto fare molta strada, quella notte. Tirò indietro la manica e controllò l'orologio, un orologio di Topolino autentico, da collezione, che i genitori gli avevano regalato per il decimo compleanno. Anche se il suo aspetto destava sorpresa, Langdon non aveva mai posseduto un altro orologio; i cartoni animati di Disney erano stati il suo primo incontro con la magia della figura e del colore e adesso Topolino gli serviva come promemoria per mantenersi giovane di spirito. Al momento, però, le braccia di Topolino formavano uno strano angolo, corrispondente a un'ora altrettanto strana.

Le due e cinquantuno.

«Orologio interessante» commentò Sophie, inserendosi in una delle corsie della rotonda.

«È una storia lunga» rispose lo studioso, abbassando la manica.

«Ne sono convinta.» Gli sorrise e si diresse a nord allontanandosi dal centro cittadino. Riuscì ad attraversare due incroci prima che venisse il rosso e al terzo incrocio svoltò a destra nel Boulevard Malesherbes. Avevano lasciato le strade eleganti, alberate, del quartiere diplomatico ed erano entrati in una zona industriale meno illuminata. Quando Sophie svoltò a sinistra, Langdon comprese quale fosse la loro meta.

Gare Saint-Lazare.

Davanti a loro, la stazione ferroviaria dal tetto di vetro assomigliava al goffo incrocio tra una serra e un hangar. Le stazioni ferroviarie francesi non dormivano mai. Anche a quell'ora, una mezza dozzina di taxi era ferma accanto all'ingresso principale. Ai chioschi si vendevano panini e acqua minerale, mentre ragazzi con lo zaino e l'aria insonnolita uscivano dalla stazione strofinandosi gli occhi e si guardavano attorno come per ricordare in che città fossero finiti. Più avanti, un paio di agenti della polizia cittadina fornivano indicazioni ad alcuni turisti che avevano perso la strada.

Sophie fermò la Smart dietro la fila di taxi e parcheggiò in una zona di divieto nonostante il parcheggio dall'altro lato della strada fosse quasi vuoto. Prima che Langdon potesse farglielo notare, la donna era già scesa dall'auto, era corsa al taxi più vicino e parlava all'autista. Mentre scendeva a sua volta, Langdon vide che Sophie gli dava un fascio di banconote. L'uomo annuì e, con stupore dello studioso, si allontanò senza di loro.

«Che cosa è successo?» chiese Langdon, raggiungendo Sophie sul marciapiede, mentre il taxi si allontanava.

Sophie si stava già avviando verso l'ingresso della stazione. «Vieni. Dobbiamo prendere due biglietti per il primo treno che si allontana da Parigi.»

Lui la seguì senza parlare. Quella che era iniziata come una breve corsa dal Louvre all'ambasciata americana era ormai divenuta una fuga da Parigi. A Langdon la cosa piaceva sempre meno.

34

L'autista che attendeva il vescovo Aringarosa all'aeroporto romano lo accompagnò a una piccola berlina Fiat, nera e poco appariscente. Aringarosa ricordava l'epoca in cui le auto del Vaticano erano grosse vetture di lusso con placche e bandierine che portavano lo stemma della Santa Sede. "Quell'epoca è finita." Oggi le auto del Vaticano erano meno lussuose e non portavano insegne. La spiegazione era che questo serviva a ridurre i costi per aiutare maggiormente le diocesi, ma Aringarosa pensava che fosse una misura di sicurezza. Il mondo era pazzo e in molte parti dell'Europa annunciare il proprio amore per Gesù Cristo equivaleva a proporsi come bersaglio del tiro a segno.

Sollevando la veste nera, Aringarosa si accomodò nel sedile posteriore e si preparò al lungo viaggio fino a Castel Gandolfo. Lo stesso viaggio di cinque mesi prima.

"Il mio ultimo viaggio a Roma" sospirò. "La notte più lunga della mia vita."

Cinque mesi prima, il Vaticano aveva telefonato ad Aringarosa per chiedere la sua immediata presenza a Roma. Non gli avevano dato spiegazioni. "Il biglietto è all'aeroporto." La Santa Sede si sforzava sempre di darsi un velo di mistero, anche agli occhi del clero di grado più alto.

La misteriosa convocazione, aveva pensato Aringarosa, era probabilmente legata al desiderio del papa e degli alti prelati vaticani di sfruttare l'ultimo successo dell'Opus Dei, l'inaugurazione del loro quartier generale nazionale di New York. La rivista "Architectural Digest" aveva definito il palazzo dell'Opus Dei "un faro luminoso del cattolicesimo, integrato in modo sublime nel paesaggio moderno", e ultimamente il Vaticano pareva subire l'attrazione di tutto ciò che comprendesse la parola "moderno".

Il vescovo non aveva avuto altra scelta che accettare l'invito, anche se con riluttanza. Non certo un ammiratore della politica dell'attuale pontefice, Aringarosa, come gran parte del clero conservatore, aveva osservato con grande preoccupazione il suo primo anno di attività. Di tendenze molto più liberali di qualsiasi suo predecessore, Sua Santità era stato eletto al pontificato in uno dei più controversi e anomali conclavi della storia vaticana. E dopo l'elezione, invece di accogliere con umiltà la sua inattesa salita al potere, il Santo Padre non aveva perso tempo a esercitare tutto il potere di cui disponeva la più alta carica della cristianità. Approfittando del preoccupante sostegno della parte più riformista del Collegio dei cardinali, il papa aveva proclamato che la sua missione era di "ringiovanire la dottrina del Vaticano e aggiornare il cristianesimo per portarlo nel terzo millennio".

Tradotto in parole povere – Aringarosa temeva – significava che quell'uomo era così arrogante da pensare di potere riscrivere la legge di Dio e conquistare il cuore di quanti ritenevano le esigenze del vero cristianesimo ormai inadatte al mondo moderno.

Aringarosa aveva impiegato tutto il suo ascendente politico – notevole, se si considerava l'alto numero di appartenenti all'Opus Dei e le sostanze di cui disponeva l'organizzazione – per convincere il papa e i suoi consiglieri che alleggerire le leggi della Chiesa non era solo mancanza di fede e viltà, ma costituiva anche un suicidio politico. Aveva ricordato loro che il precedente stemperamento delle leggi della Chiesa – l'insuccesso del Vaticano II – aveva lasciato un'eredità devastante: non solo il numero dei praticanti era sceso ai minimi storici, ma le donazioni si erano prosciugate e non c'era un numero di sacerdoti sufficiente a mantenere aperti tutti i luoghi di culto.

"Alla gente occorrono struttura e direzione da parte della Chiesa" aveva insistito Aringarosa "non vezzeggiamenti e indulgenza!"

Quella notte, mesi prima, quando la Fiat aveva lasciato l'aeroporto, Aringarosa aveva visto con sorpresa che non si dirigeva al Vaticano ma a est, lungo una strada di montagna. «Dove andiamo?» aveva chiesto all'autista.

«Nei Colli Albani» gli aveva risposto l'uomo. «Il suo appuntamento è a Castel Gandolfo.»

"La residenza estiva del papa?" Aringarosa non c'era mai stato e non sentiva il desiderio di vederla. Oltre a essere la residenza estiva dei papi, la cittadina del sedicesimo secolo ospitava la Specola Vaticana, uno dei più progrediti osservatori astronomici europei. Ad Aringarosa non era mai piaciuto il desiderio del Vaticano – un desiderio ormai storico – di ficcare il naso nella scienza. Che bisogno c'era di fondere scienza e fede? Una persona che credesse in Dio non poteva certo praticare la scienza in modo completamente obiettivo. E la fede non aveva bisogno di conferme da parte della scienza.

"Comunque, eccoci arrivati" aveva pensato mentre dall'auto si cominciava a scorgere Castel Gandolfo, sullo sfondo del cielo di novembre coperto di stelle. Dalla strada, sembrava un enorme mostro di pietra che si preparava a un balzo suicida. Appollaiato sull'orlo di un precipizio, il castello si affacciava sulla culla della storia italiana, la valle dove gli Orazi e i Curiazi avevano combattuto, all'alba della storia di Roma.

Anche come semplice profilo, il castello era una vista indimenticabile: un impressionante esempio di architettura difensiva, a vari piani, che rispecchiava la forza della sua posizione scenografica sul ciglio di un precipizio. Con dolore, aveva notato come il Vaticano avesse rovinato l'edificio costruendo in cima al tetto due grosse cupole d'alluminio per i telescopi, cosicché l'edificio, un tempo serio, sembrava adesso un orgoglioso guerriero con un paio di cappellini da party.

Quando Aringarosa era sceso dall'auto, un giovane gesuita era corso ad accoglierlo. «Eminenza, benvenuto. Sono padre Mangano, un astronomo dell'osservatorio.»

"Contento tu..." Aringarosa aveva mormorato qualche parola di saluto e lo aveva seguito nell'atrio del castello, un ampio spazio arredato con una sgraziata mescolanza di arte rinascimentale e immagini astronomiche. Seguendo il suo accompagnatore lungo una larga scala di travertino, Aringarosa aveva letto insegne che guidavano alle sale d'incontro, a quelle per le conferenze scientifiche, ai servizi di informazione per i turisti, e si era stupito di come il Vaticano fosse incapace di fornire coerenti, rigide linee guida per la crescita spirituale, ma in qualche modo trovasse ancora il tempo di tenere lezioni d'astrofisica ai turisti.

«Mi spieghi» aveva chiesto al giovane sacerdote «da quand'è che la coda ha cominciato a scuotere il cane?»

Il sacerdote l'aveva guardato in modo strano. «Eminenza?»

Aringarosa aveva lasciato perdere; non era il momento di lanciarsi in quella particolare offensiva. "Il Vaticano è impazzito." Come un genitore svogliato che trovava più facile cedere alle richieste di un bambino viziato anziché opporsi con fermezza e insegnargli i valori della vita, la Chiesa continuava ad addolcirsi e a cambiare se stessa per adeguarsi a una cultura impazzita.

Il corridoio del piano superiore era largo, riccamente arredato e portava in un'unica direzione: una porta a doppio battente di quercia, enorme, con una targa d'ottone: BIBLIOTECA ASTRONOMICA.

Aringarosa aveva sentito parlare di quel luogo, la biblioteca d'astronomia del Vaticano, che si diceva contenesse più di venticinquemila volumi, comprese rare opere di Copernico, Galileo, Keplero e Newton. A quanto si diceva, era anche il luogo dove i più alti esponenti della Curia organizzavano i loro incontri privati, incontri che preferivano non tenere all'interno delle pareti del Vaticano.

Nel percorrere il corridoio, il vescovo Aringarosa non immaginava di dovere ricevere una notizia sconvolgente, né la mortale catena di avvenimenti che si sarebbe messa in moto. Solo un'ora più tardi, quando era uscito dall'incontro, con ancora la testa che gli girava, aveva compreso pienamente le conseguenze. "Tra sei mesi!" aveva pensato. "Ci protegga Dio!"

Adesso, seduto nella Fiat, il vescovo Aringarosa si accorse di avere stretto i pugni al solo pensiero di quel primo incontro. Aprì le mani e, traendo un lungo respiro, cercò di rilassare i muscoli.

"È tutto a posto" si disse, mentre la Fiat si arrampicava sui monti. Però si augurava che il suo cellulare suonasse. "Perché il Maestro non mi ha chiamato? Silas dovrebbe essersi procurato la chiave di volta, ormai."

Per calmarsi, il vescovo fissò l'ametista che portava al dito. Poi, passando il polpastrello sui diamanti e sulla mitra e il bastone vescovile incisi sull'anello, pensò che era il simbolo di un potere assai inferiore a quello che presto sarebbe stato suo.

35

L'interno della Gare Saint-Lazare assomigliava a ogni altra stazione ferroviaria europea, una caverna spalancata, contenente campioni di un'umanità leggermente sospetta: individui senza fissa dimora che mostravano cartelli scritti sul cartone ondulato, gruppi di studenti dagli occhi annebbiati che dormivano appoggiati allo zaino o ascoltavano i riproduttori portatili di MP3, portabagagli in divisa blu che fumavano sigarette.

Sophie studiò l'enorme tabellone delle partenze. Le scritte bianche e nere cambiavano per aggiornare le informazioni. Terminato l'aggiornamento, Langdon osservò l'elenco dei treni. La prima riga diceva: LILLE – RAPIDE – 3 : 06.

«Peccato che non parta prima» disse Sophie «ma Lille va bene.»

"Prima?" Langdon controllò l'orologio. Le due e cinquantanove. Il treno partiva di lì a sette minuti e dovevano ancora acquistare il biglietto.

Sophie portò Langdon alla biglietteria e disse: «Compra due biglietti e paga con la carta di credito».

«Pensavo che le carte di credito si potessero rintracciare...»

«Esattamente.»

Langdon decise di smettere di cercare di interpretare il pensiero di Sophie. Estrasse dal portafogli la Visa e prese due biglietti per Lille. Glieli consegnò.

Lei si diresse verso i binari, mentre l'altoparlante trasmetteva alcune note e poi l'annuncio che il treno per Lille era in partenza. Erano all'altezza del binario sedici e in lontananza, sul binario tre, il treno per Lille era pronto a partire, ma Sophie prese Langdon per il braccio e lo condusse nella direzione opposta. Attraversarono un atrio secondario, davanti a un caffè aperto tutta la notte, e alla fine, passando da un'uscita laterale, si trovarono in una via tranquilla, a ovest della stazione.

Un taxi attendeva davanti all'uscita. L'autista scorse Sophie e accese le luci.

Sophie si accomodò sul sedile posteriore e Langdon montò dopo di lei.

Mentre il taxi si allontanava dalla stazione, la donna prese i due biglietti per Lille e li fece a pezzi.

Langdon sospirò. "Settanta dollari ben spesi."

Solo qualche minuto dopo, quando il taxi viaggiava tranquillamente lungo Rue de Clichy, Langdon si concesse di pensare di essere realmente riuscito a fuggire. Dal finestrino scorgeva sulla destra Montmartre e la bellissima cupola del Sacré-Cœur. L'immagine venne cancellata dal lampeggiante delle auto della polizia che giungevano nella direzione opposta.

Langdon e Sophie si abbassarono finché le sirene non si furono allontanate.

Sophie aveva detto all'autista di imboccare quella via, e dalla sua espressione assorta Langdon capì che studiava la loro prossima mossa.

Langdon esaminò nuovamente la chiave a forma di croce, l'accostò al finestrino, la esaminò con attenzione portandosela vicino agli occhi. Sperava di trovare qualche marchio di fabbrica, ma alla luce dei lampioni stradali non scorse alcun segno, tranne lo stemma del Priorato. «Non ha senso» disse infine.

«Che cosa?»

«Che tuo nonno abbia fatto tanta fatica per farti avere una chiave senza dirti come usarla.»

«Sono d'accordo.»

«Sei sicura che non abbia scritto altro, dietro il quadro?»

«Ho esaminato l'intera area. Non c'era altro. Solo questa chiave, nascosta tra la tela e la cornice. Ho visto lo stemma, mi sono infilata la chiave in tasca poi siamo andati via.»

Langdon aggrottò la fronte ed esaminò l'estremità dell'asta

triangolare. Niente. Socchiuse gli occhi ed esaminò il bordo dell'impugnatura. Niente nemmeno lì. «Questa chiave deve essere stata pulita molto recentemente.»

«Perché?»

«Ha odore di alcol.»

Sophie si voltò verso di lui. «Come hai detto?»

«Ha l'odore degli oggetti puliti con un detergente chimico.» Langdon annusò attentamente la chiave. «Dall'altra parte è più forte.» La girò. «Sì, sa proprio di alcol, come se l'avessero pulita con un detergente o se...» Si interruppe.

«Che cosa hai detto?»

Langdon inclinò la chiave in modo da esporla alla luce e osservò il braccio orizzontale della croce. In qualche punto pareva luccicare, come se fosse bagnato... «Hai osservato la parte posteriore della chiave, prima di metterla in tasca?»

«No. Ero di fretta.»

Langdon si voltò verso di lei. «Hai ancora la lampada a luce nera?»

Sophie prese dalla tasca la penna a filigrana. Langdon l'accese e illuminò la parte posteriore della chiave.

Immediatamente, la chiave si illuminò. C'era una scritta. Tracciata in fretta, ma leggibile.

«Be'» disse Langdon, con un sorriso. «Penso che abbiamo capito da dove veniva l'odore di alcol.»

Sophie fissò con stupore le lettere scritte in rosso.

24 RUE HAXO

"Un indirizzo! Mio nonno ha lasciato un indirizzo!"

«Dove si trova?» chiese Langdon.

Sophie non ne aveva idea. Si sporse in avanti e chiese al taxista: «*Connaissez-vous la Rue Haxo?*».

L'autista rifletté per un istante, poi annuì. Disse a Sophie che era vicino allo stadio del tennis, nella periferia occidentale di Parigi. Lei gli chiese di portarli laggiù immediatamente.

«La via più breve è attraverso il Bois de Boulogne» le disse l'autista. «Va bene?»

Sophie aggrottò la fronte. Aveva in mente percorsi meno scandalosi, ma quella notte non voleva fare la schizzinosa. «Va bene.» "Possiamo dare una scossa al turista americano."

Sophie guardò nuovamente la chiave e si chiese che cosa avrebbero trovato al 24 di Rue Haxo. "Una chiesa? Il quartier generale del Priorato?"

Le ritornò in mente il rito segreto a cui aveva assistito dieci anni prima, nella camera sotterranea, e trasse un profondo sospiro. «Robert, ho diverse cose da dirti.» Lo fissò negli occhi. «Ma prima devi raccontarmi tutto quello che sai del Priorato di Sion.»

36

All'esterno della Salle des Etats, Bezu Fache stentava a frenare la collera mentre la guardia scelta Grouard spiegava come Sophie e Langdon l'avessero disarmato. "Perché non hai sparato contro quel maledetto quadro?"

«Capitano?» Il tenente Collet veniva verso di loro dallo studio di Saunière. «Capitano. È arrivata appena adesso la comunicazione. Hanno trovato l'auto dell'agente Neveu.»

«È riuscita a raggiungere l'ambasciata?»

«No, una stazione ferroviaria. Hanno preso due biglietti. Il treno è appena partito.»

Fache congedò Grouard e portò Collet accanto alla finestra. «Qual è la destinazione?» gli chiese a bassa voce.

«Lille.»

«Probabilmente un depistaggio.» Rifletté per un istante. «Comunque, avvertite la prossima stazione, fate fermare il treno e controllate, nel caso l'abbiano preso davvero. Lasciate l'auto dov'è e mettete di guardia un paio di agenti in borghese, nel caso cerchino di riprenderla. Mandate qualcuno a controllare le strade vicino alla stazione nel caso siano fuggiti a piedi. Qualche autobus parte dalla stazione?»

«Non a quest'ora, signore. Solo i taxi.»

«Bene, interrogate gli autisti. Chiedete se hanno visto qualcosa. Poi passate la descrizione alle compagnie di taxi. Io chiamo l'Interpol.»

Collet lo guardò con sorpresa. «Vuole mettere questa cosa a conoscenza di tutti?»

A Fache non piaceva quella dimostrazione di incapacità e

l'imbarazzo che ne seguiva, ma non vedeva alternative. "Chiudere la rete in fretta, e chiuderla stretta."

La prima ora era cruciale. La prima ora dopo la fuga, tutti i ricercati avevano bisogno delle stesse cose. "Trasporti. Rifugio. Denaro." La Santa Trinità. L'Interpol era in grado di farli sparire in un batter d'occhio, tutt'e tre. Trasmettendo per fax foto di Langdon e Sophie alle autorità di viaggio parigine, agli alberghi e alle banche, l'Interpol non lasciava loro opzioni. Nessun modo per lasciare la città, nessun luogo dove nascondersi e nessuna possibilità di ritirare denaro senza essere riconosciuti. Di solito i fuggiaschi venivano presi dal panico e facevano qualcosa di stupido. Rubavano un'auto. Rapinavano un negozio. Usavano per disperazione una carta di credito. E l'errore indicava immediatamente alle autorità la loro posizione.

«Solo Langdon, vero?» disse Collet. «Non denunciamo Sophie Neveu. È un nostro agente.»

«È naturale che denunciamo anche lei!» ribatté Fache. «A che cosa serve denunciare Langdon se c'è lei a fare il lavoro sporco? Voglio controllare tutto il dossier della Neveu, amici, familiari, contatti personali, tutte le persone a cui potrebbe rivolgersi per cercare aiuto. Non so che cosa pensa di poter fare, ma di sicuro le costerà molto più del posto di lavoro!»

«Devo stare al telefono o sul campo?»

«Sul campo. Va' alla stazione e coordina la squadra. Lascio a te le redini, ma non fare nessuna mossa senza metterti in contatto con me.»

«Sì, signore.» Collet si allontanò.

Rimasto solo, Fache serrò i pugni per la collera. Sotto di lui, la piramide di vetro rifletteva la luce delle fontane. "Mi sono sfuggiti dalle mani." Si impose di calmarsi.

Persino un agente addestrato avrebbe incontrato difficoltà a resistere alla pressione che l'Interpol stava per esercitare.

"Una donna crittologa e un professore?" Non sarebbero sopravvissuti fino all'alba.

37

Il parco fittamente alberato noto come il Bois de Boulogne aveva molti soprannomi, ma i parigini che lo conoscevano bene lo chiamavano il "Giardino delle delizie". Il soprannome, anche se sembrava un complimento, non lo era affatto. Chiunque avesse visto l'inquietante quadro di Bosch così intitolato capiva la battuta; il quadro, come la foresta, era cupo e contorto, il purgatorio di deviati e feticisti. La notte, le strade tortuose del parco erano piene di centinaia di corpi in vendita, delizie terrene per soddisfare i più segreti desideri di una persona, maschio, femmina e tutte le gradazioni intermedie.

Mentre Langdon raccoglieva i pensieri per spiegare a Sophie la storia del Priorato di Sion, il loro taxi superò i primi alberi del parco e si diresse verso ovest sulla strada lastricata. Lo studioso ebbe qualche difficoltà a concentrarsi, quando un campione degli abitatori notturni del parco uscì dall'ombra per mostrare le proprie mercanzie alla luce dei fari. Prima, due ragazzine in topless lanciarono occhiate fiammeggianti all'auto. Poco più avanti, un uomo dalla pelle nera e ben oliata, che indossava solo un perizoma, voltò loro la schiena per flettere i glutei a beneficio dei passanti. Accanto a lui, una donna bionda e appariscente sollevò la minigonna per rivelare che non era affatto una donna.

"Che il Cielo mi aiuti!" Langdon tornò a fissare l'interno della macchina e trasse un profondo respiro.

«Parlami del Priorato» gli ripeté Sophie.

Langdon annuì, incapace di immaginare uno scenario meno adatto per la leggenda che si preparava a raccontare. Si chiese da dove iniziare. La storia della fratellanza copriva più di un millennio: una stupefacente cronaca di segreti, ricatti, tradimenti e brutali torture per mano di un papa ostile. «Il Priorato di Sion» incominciò «fu fondato a Gerusalemme nel 1099 da un re francese chiamato Goffredo di Buglione, immediatamente dopo la conquista della città.»

Sophie annuì, senza staccare gli occhi da lui.

«Si diceva che re Goffredo fosse il depositario di un importantissimo segreto, un segreto conservato dalla sua famiglia fin dai tempi di Cristo. Temendo che il segreto potesse andare perso alla sua morte, fondò una fratellanza occulta, il Priorato di Sion, e la incaricò di proteggere il segreto passandolo tacitamente da una generazione all'altra. Nel corso degli anni in cui ebbe sede a Gerusalemme, il Priorato aveva appreso di alcuni documenti segreti sepolti sotto le rovine del tempio di Erode, che era stato costruito sulle vestigie del tempio di Salomone. Quei documenti, pensava il Priorato, rafforzavano il grande segreto di Goffredo e avevano una natura così esplosiva che la Chiesa non si sarebbe fermata davanti a nulla, pur di impadronirsene.»

Sophie lo guardò con espressione dubbiosa.

«Il Priorato giurò che, indipendentemente dal tempo necessario, quei documenti dovevano essere recuperati dalle rovine del tempio e protetti per sempre, in modo che la verità non morisse mai. Per recuperare i documenti dalle rovine, il Priorato creò un proprio braccio militare, un gruppo di nove cavalieri chiamato l'Ordine dei Poveri Cavalieri di Cristo e del Tempio di Salomone.» Langdon fece una pausa. «Più noto come i templari.»

Sophie sollevò la testa, sorpresa.

Langdon aveva tenuto abbastanza conferenze sui templari per sapere che li conoscevano tutti, almeno di nome. Per gli studiosi, la storia dei templari era un mondo precario, dove fatti, leggende e disinformazione errano così intrecciati che ritrovare la verità era quasi impossibile. Oggigiorno, Langdon esitava a nominarli nelle sue conferenze, perché quel nome portava sempre a un mucchio di domande su varie teorie basate sul concetto di complotto.

Sophie lo guardò con preoccupazione. «Intendi dire che i

189

templari sono stati fondati dal Priorato di Sion per recuperare una raccolta di documenti segreti? Pensavo che fossero stati creati per proteggere i luoghi santi.»

«Un equivoco comune. L'idea di proteggere i pellegrini era la scusa scelta dai templari per compiere la loro missione. Il loro vero scopo in Terrasanta consisteva nel recuperare i documenti dalle rovine del tempio.»

«E li hanno trovati?»

Langdon sorrise. «Nessuno lo sa con certezza, ma c'è un particolare su cui tutti gli studiosi concordano: i cavalieri hanno di certo scoperto qualcosa fra le rovine, e questa scoperta li ha resi ricchi e potenti al di là di ogni immaginazione.»

Langdon le fece in fretta il riassunto della storia dei templari comunemente accettata dagli storici, spiegandole che i cavalieri erano in Terrasanta durante la seconda crociata e avevano detto a re Baldovino II di essere laggiù per proteggere i pellegrini cristiani durante il cammino. Anche se non ricevevano pagamento e facevano voto di povertà, i cavalieri avevano detto al re di avere bisogno di un rifugio e gli avevano chiesto il permesso di stabilire la loro residenza nelle stalle sotto le rovine del tempio. Re Baldovino aveva accolto la richiesta dei cavalieri, che erano andati ad abitare, in condizioni misere, all'interno del tempio distrutto.

Quella strana scelta, spiegò Langdon, non era affatto casuale. I cavalieri pensavano che i documenti cercati dal Priorato fossero sepolti in profondità sotto le rovine, e in particolare sotto il sancta sanctorum, la sacra camera dove si pensava risiedesse la presenza di Dio, letteralmente il centro della fede ebraica. Per quasi un decennio i nove cavalieri erano vissuti nelle rovine e avevano scavato in totale segretezza nella roccia.

Sophie lo fissò. «E tu dici che hanno scoperto qualcosa?»

«Certo» rispose Langdon, spiegando come avessero impiegato nove anni, ma avessero finalmente trovato quello che cercavano. Avevano poi portato via il tesoro ed erano tornati in Europa, dove in breve erano diventati potentissimi.

Nessuno sapeva se i cavalieri avessero ricattato la Chiesa o se fosse stata questa a cercare di comprare il loro silenzio, ma il papa Innocenzo II aveva immediatamente emanato una bolla papale senza precedenti, che attribuiva ai templari un potere illimitato e li dichiarava "una legge in se stessi", un esercito autonomo, sottratto a qualsiasi interferenza di re e di prelati, di religione e di politica.

Con la carta bianca fornita loro dalla Chiesa, i templari si erano ingranditi con rapidità stupefacente, sia come numero, sia come forza politica, accumulando grandi proprietà in una decina di nazioni. Avevano cominciato a prestare denaro ai sovrani in bancarotta e a farsi pagare interessi, fondando così il moderno sistema bancario e accrescendo ancora di più la loro ricchezza e la loro influenza.

Verso il 1300, la bolla papale aveva permesso ai templari di ottenere un tale potere che il papa Clemente V aveva deciso di prendere provvedimenti. Operando di concerto con il re di Francia Filippo IV, il papa aveva studiato un'ingegnosa operazione lampo per eliminare i templari e impadronirsi del loro tesoro, impossessandosi così del segreto che minacciava la Chiesa. Con un'operazione militare degna della CIA, il papa Clemente aveva inviato ordini segreti sigillati che dovevano essere aperti contemporaneamente dai suoi soldati in tutta Europa il venerdì 13 ottobre del 1307.

All'alba del giorno 13, i documenti vennero aperti e il loro stupefacente contenuto fu rivelato. La lettera di Clemente diceva che Dio gli era apparso in una visione e l'aveva avvertito che i templari erano eretici, colpevoli di adorare il diavolo, di omosessualità, vilipendio della croce, sodomia e altri comportamenti blasfemi. Il papa Clemente era stato incaricato da Dio di ripulire la terra catturando tutti i templari e facendogli confessare con la tortura i loro crimini contro Dio. Quel giorno innumerevoli cavalieri erano stati catturati, torturati spietatamente e infine bruciati come eretici. L'eco della tragedia rimane tuttora nella cultura moderna: ancora oggi il venerdì 13 è considerato di cattivo augurio.

Sophie aveva l'espressione confusa. «I templari sono stati cancellati? Pensavo che gruppi di templari esistessero ancora ai giorni nostri.»

«Certo, sotto vari nomi. Nonostante le false accuse di Clemente e i suoi sforzi per cancellarli, i cavalieri avevano alleati potenti, e alcuni riuscirono a sfuggire alle epurazioni della Chiesa. Il grande archivio di documenti dei templari, che a quanto pare costituiva la fonte del loro potere, era il vero obiettivo di Clemente, ma gli era sfuggito tra le dita. I documenti erano da tempo affidati all'artefice segreto dei templari, il Priorato di Sion, la cui segretezza li aveva tenuti al sicuro, lontano dal massacro della Chiesa. Mentre la Chiesa colpiva i templari, il Priorato aveva portato via, di notte, i documenti, trasferendoli da una comunità templare parigina a una nave ancorata a La Rochelle.»

«E dove sono finiti?»

Langdon si strinse nelle spalle. «Questa risposta è nota solo al Priorato di Sion. Dato che ancora oggi si cercano i documenti e si specula sul loro nascondiglio, si pensa che siano stati spostati parecchie volte. Attualmente si ritiene probabile che siano in qualche parte dell'Inghilterra.»

Sophie lo guardò con inquietudine.

«Per mille anni» continuò Langdon «si sono raccontate leggende su questo mistero. I documenti, il loro potere e il segreto che contengono sono noti con un nome unico, "Sangreal". Sono state scritte centinaia di libri sull'argomento e pochi misteri hanno appassionato gli storici come il Sangreal.»

«Il Sangreal? Il termine ha qualcosa a che vedere con la parola francese *sang* o con quella spagnola *sangre*, ossia con il sangue?»

Langdon annuì. Il sangue era l'ossatura del Sangreal, ma non come probabilmente immaginava Sophie. «In un certo senso, sì. La leggenda è complicata, ma la cosa importante da ricordare è che il Priorato custodisce il segreto e, a quanto si dice, attende il momento giusto per rivelare la verità.»

«Ma che verità? Quale segreto può essere così potente?»

Langdon trasse un profondo sospiro e alzò lo sguardo sul ventre molle di Parigi che si nascondeva tra gli alberi. «Sophie, la parola "Sangreal" è molto antica. Col tempo è diventata un termine assai simile, ma più moderno.» Fece una pausa. «Quando ti dirò il suo nome moderno, comprenderai di sapere molte cose su di esso. Anzi, non c'è persona che non conosca la storia del Sangreal.»

Lei scosse la testa. «Io non l'ho mai sentita.»

«Certo che l'hai sentita» le sorrise Langdon. «Però sei abituata a chiamarlo con il nome di "Santo Graal".»

Sul sedile posteriore del taxi, Sophie guardò con sospetto Langdon. "Che stia scherzando?" «Hai detto il Santo Graal?»

Langdon annuì con espressione seria. «Santo Graal deriva da Sangreal, che finì per essere diviso in due parole, San Greal.»

"Il Santo Graal." Sophie era sorpresa di non averlo capito subito. In ogni caso, però, l'affermazione di Langdon le pareva priva di senso. «Pensavo che il Santo Graal fosse una "coppa". Invece mi hai detto che il Sangreal è una raccolta di documenti legati a un importante segreto.»

«Sì, ma i documenti sono solo una parte del tesoro del Graal. Sono sepolti con il Graal e ne rivelano il vero significato. Quei documenti hanno dato ai templari un grande potere perché le loro pagine rivelavano la vera natura del Graal.»

"La vera natura del Graal." Sophie si sentiva ancora più smarrita. Il Santo Graal, a quanto aveva sempre saputo, era la coppa da cui Gesù aveva bevuto durante l'Ultima Cena e in cui Giuseppe di Arimatea, più tardi, aveva raccolto il suo sangue sparso nella crocifissione. «Il Santo Graal è la coppa di Cristo» disse. «La cosa non potrebbe essere più semplice.»

«Sophie» le disse Langdon, a bassa voce e piegandosi verso di lei «secondo il Priorato di Sion, il Santo Graal non è affatto una coppa. Dicono che la leggenda del Graal – quella del calice – è in realtà un'ingegnosa allegoria. Ossia, la storia del Graal usa il calice come metafora di qualcos'altro, molto più potente.» Si interruppe. «Qualcosa che si accorda perfettamente a tutto ciò che tuo nonno ha cercato di dirci questa notte, compresi i riferimenti simbolici al femminino sacro.»

Ancora dubbiosa, Sophie capì dal sorriso paziente di Langdon che lo studioso comprendeva perfettamente le ragioni della sua confusione. Comunque, la sua espressione era di assoluta sincerità. «Ma se il Santo Graal non è una coppa» chiese lei «allora che cos'è?»

Langdon si aspettava già quella domanda, ma non sapeva in che modo risponderle. Se lui non avesse inserito la spiegazione nel suo contesto storico, Sophie avrebbe reagito con un'espressione stupita, la stessa che Langdon aveva visto sulla faccia del suo editor, qualche mese prima, quando gli aveva passato il manoscritto su cui lavorava da tempo.

«Che cosa sostiene il tuo manoscritto?» gli aveva chiesto incredulo, mentre erano insieme a pranzo. Il vino gli era andato di traverso. «Non parlerai sul serio.»

«Talmente sul serio da aver passato un anno a fare ricerche.»

Jonas Faukman, uno dei più importanti editor di New York, si era tirato nervosamente la barba. Nella sua lunga carriera aveva sentito molte idee strampalate, ma quella le batteva tutte. «Robert» gli aveva detto «cerca di capirmi. Il tuo lavoro mi piace e abbiamo sempre fatto grandi cose insieme. Ma se pubblico un'idea come questa, per mesi ci saranno dimostrazioni di protesta davanti al mio ufficio. Inoltre, rovinerà la tua reputazione. Sei uno storico di Harvard, per l'amor di Dio, non uno scrittore scandalistico popolare che cerca di guadagnare qualche dollaro faticando poco. Dove pensi di trovare qualche prova credibile per sostenere una teoria come questa?»

Con un sorriso, Langdon aveva preso di tasca un foglio e lo aveva passato a Faukman. Era una bibliografia di una cinquantina di titoli: libri di noti storici, alcuni contemporanei, altri vecchi di secoli, molti erano testi adottati nei corsi universitari. Tutti i titoli suggerivano la premessa che Langdon aveva appena esposto a Faukman.

Mentre leggeva l'elenco, l'editor aveva l'espressione di un uomo che avesse improvvisamente scoperto che la terra è piatta. «Conosco alcuni di questi autori. Sono... storici di fama!»

Langdon aveva sorriso. «Come vedi, Jonas, non è soltanto la mia teoria. Se ne parla da molto tempo. Io mi sono limitato a svilupparla un poco. Nessun libro ha esaminato la leggenda del Santo Graal dal punto di vista dei simboli. Le prove iconografiche che porto a sostegno della teoria sono, be', straordinariamente convincenti.»

Faukman stava ancora leggendo l'elenco. «Mio Dio, uno dei libri è stato scritto da sir Leigh Teabing, uno storico reale britannico.»

«Teabing ha trascorso gran parte della sua vita a studiare il Santo Graal. Mi sono visto con lui. Anzi, devo a lui gran parte della mia ispirazione. Lui ne è convinto, Jonas, come del resto tutti gli altri della lista.»

«Vorresti dire che tutti questi storici credono realmente che...» Faukman aveva inghiottito a vuoto, incapace di pronunciare le parole.

Langdon aveva sorriso di nuovo. «Il Santo Graal è probabilmente il tesoro più ricercato in tutta la storia umana. Dal Graal sono nate leggende, guerre e studi che hanno impegnato vite intere. Ha senso pensare che sia semplicemente una coppa? Se lo fosse, altre reliquie dovrebbero suscitare un interesse analogo: la corona di spine, la vera croce della crocifissione, ma così non è. In tutto il corso della storia, il Santo Graal ha sempre occupato un posto speciale» aveva concluso Langdon. «Adesso sai perché.»

Faukman aveva continuato a scuotere la testa. «Ma con tutti quei libri sull'argomento, perché la teoria non è conosciuta?»

«Questi libri non possono cancellare secoli di storia, specialmente se quella storia è sostenuta dal più grande best seller di tutti i tempi.»

Faukman aveva sgranato gli occhi. «Non dirmi che Harry Potter parla del Santo Graal.»

«Parlavo della Bibbia.»

Faukman aveva fatto una smorfia. «Dovevo aspettarmelo.»

«*Laissez-le!*» Il grido di Sophie echeggiò all'interno del taxi. «Mettilo giù!»

Langdon trasalì nel vedere che Sophie si sporgeva in avanti e gridava all'autista. Notò che l'uomo aveva preso il microfono della radio e stava parlando.

Sophie si girò e infilò la mano nella tasca della giacca di Langdon.

Prima che lui capisse che cos'era successo, l'agente aveva impugnato la pistola e la premeva contro la testa dell'autista, che lasciò immediatamente cadere il microfono e alzò la

«Sophie!» esclamò Langdon. «Che diavolo...»

«*Arrêtez!*» ordinò Sophie all'autista.

Tremando, l'uomo obbedì. Fermò l'auto e la parcheggiò sul ciglio della strada.

Solo allora Langdon udì la voce metallica della centralinista della compagnia dei taxi che giungeva dal cruscotto: «... *qui s'appelle Agent Sophie Neveu...*» un crepitio «... *et un américain, Robert Langdon...*».

Langdon rimase di sasso. "Ci hanno già trovato?"

«*Descendez*» ordinò Sophie.

Tremante e con le braccia alzate, l'autista uscì dal taxi e si allontanò di alcuni passi.

Sophie abbassò il finestrino e puntò la pistola contro l'autista. «Robert» gli ordinò «prendi il volante. Guida tu.»

Langdon non intendeva discutere con una donna che impugnava una pistola. Scese dall'auto e si sedete al posto del guidatore. L'autista imprecava, con ancora le braccia sopra la testa.

«Robert» disse Sophie, dal sedile posteriore «penso che tu abbia visto abbastanza della nostra foresta magica.»

Langdon annuì. "Più che abbastanza."

«Bene. Andiamo via da qui.»

Langdon osservò i comandi dell'auto e venne colto dai dubbi. "Oh, accidenti." Cercò la frizione e la leva del cambio. «Sophie? Forse è meglio che tu...»

«Parti!» gridò lei.

All'esterno, parecchi inquilini del Bois si avvicinavano per vedere che cosa stesse succedendo. Una donna stava chiamando col cellulare. Langdon premette il pedale della frizione e ingranò quella che sperava fosse la prima. Poi premette l'acceleratore per alzare il numero di giri. Infine staccò il piede dalla frizione. Le ruote fischiarono e il taxi balzò in avanti, ondeggiando selvaggiamente. I curiosi si affrettarono a correre via. La donna col cellulare si tuffò in mezzo agli alberi, evitando per poco di essere travolta.

«*Doucement!*» disse Sophie, mentre l'auto sobbalzava lungo la strada. «Che cosa fai?»

«Ho cercato di dirtelo» rispose lui, in mezzo allo stridore del cambio. «La mia auto ha il cambio automatico!»

39

Anche se la sua severa stanza nella casa di Rue La Bruyère aveva già visto molta sofferenza, Silas non credeva di essere mai stato così angosciato come in quel momento. "Sono stato ingannato. Tutto è perduto."

Silas era stato ingannato.

I fratelli avevano mentito, avevano scelto la morte invece di rivelare il loro vero segreto. Silas non aveva la forza di telefonare al Maestro. Non solo aveva ucciso le sole quattro persone che conoscevano il nascondiglio della chiave di volta, aveva anche ammazzato una monaca all'interno di Saint-Sulpice. "Quella donna lavorava contro Dio! Ha disprezzato il lavoro dell'Opus Dei!"

Un delitto d'impulso, ma la morte della suora complicava tutto. Era stato il vescovo Aringarosa a telefonare per far entrare Silas in Saint-Sulpice; che cosa avrebbe pensato l'abate, una volta scoperto che la monaca era morta? Anche se Silas l'aveva rimessa a letto, la ferita alla testa era troppo evidente. Silas aveva sistemato alla meglio la lastra di pietra spezzata, ma il danno era ovvio. Avrebbero capito che qualcuno era stato laggiù. Silas aveva pensato di nascondersi nell'edificio dell'Opus Dei una volta terminato il suo compito. "Il vescovo Aringarosa mi proteggerà." Silas non immaginava una beatitudine superiore a quella di una vita di meditazione e preghiera nelle profondità del quartier generale newyorkese dell'Opus Dei. Non avrebbe mai più messo piede all'esterno. Tutto ciò che gli occorreva si trovava dentro quel rifugio. "Nessuno sentirà la mia mancanza." Purtroppo, sapeva Silas, un uomo importante come il vescovo Aringarosa non poteva sparire altrettanto facilmente.

"Ho danneggiato il vescovo." Silas fissò il pavimento e si chiese se non fosse il caso di togliersi la vita. Dopotutto era stato Aringarosa a ridargliela, in quella piccola chiesa spagnola, dove gli aveva insegnato e gli aveva dato uno scopo.

«Amico mio» gli aveva detto Aringarosa «tu sei nato albino. Non lasciarti umiliare dagli altri per questo. Non capisci come ti rende speciale? Sai che lo stesso Noè era albino?»

«Noè dell'Arca?» Silas non l'aveva mai saputo.

Aringarosa gli aveva sorriso. «Proprio lui. Noè dell'Arca. Un albino. Come te, aveva la pelle bianca degli angeli. Rifletti. Noè ha salvato tutte le creature della terra. Tu sei destinato a grandi cose, Silas. il Signore ti ha liberato per un motivo. Hai capito la tua vocazione. Il Signore ha bisogno del tuo aiuto per compiere il Suo lavoro.»

Col tempo, Silas aveva imparato a considerarsi sotto una nuova luce. "Sono puro. Bianco. Bellissimo. Come un angelo."

Al momento, nella sua stanza della sede parigina dell'Opus Dei, sentiva solo la voce di suo padre, che gli sussurrava dal passato. *"Tu es un désastre. Un spectre."*

Inginocchiato sul pavimento di legno, Silas pregò per ottenere il perdono. Poi si sfilò la tonaca e prese nuovamente in mano la disciplina.

40

Lottando con il cambio, Langdon riuscì a portare l'auto fino all'estremità opposta del Bois de Boulogne e il motore si bloccò soltanto due volte.

Purtroppo, l'umorismo della situazione era rovinato dall'altoparlante del taxi che continuava a cercare di mettersi in contatto con l'autista. «*Voiture cinq-six-trois. Où êtes-vous? Répondez!*»

Arrivato all'uscita del parco, rinunciò al suo orgoglio maschile e fermò la macchina. «È meglio che guidi tu.»

Con aria più sollevata, Sophie prese il suo posto al volante. Pochi istanti più tardi, l'auto correva tranquillamente lungo l'Allée de Longchamp e si era lasciata alle spalle il "Giardino delle delizie".

«Dov'è Rue Haxo?» chiese Langdon, guardando con preoccupazione il tachimetro, che segnava cento chilometri l'ora.

Sophie non staccò gli occhi dalla strada. «L'autista ha detto che era accanto al Roland Garros. Conosco la zona.»

Langdon riprese dalla tasca la chiave e la soppesò sulla palma. Sentiva che era un oggetto di grandissima importanza, forse la chiave della sua libertà.

In precedenza, quando aveva parlato a Sophie dei cavalieri templari, Langdon aveva compreso che la chiave, oltre a portarne lo stemma, aveva un altro legame con il Priorato di Sion. La croce a bracci uguali era il simbolo dell'equilibrio e dell'armonia, ma anche quello dei templari. Tutti conoscevano l'immagine dei templari che indossavano una sopravveste bianca con una croce rossa dai bracci uguali. Certo, questi si allargavano all'estremità a formare una croce patente, ma erano di lunghezza uguale.

"Una croce quadrata, come quella della chiave."

Al pensiero di quello che avrebbero potuto trovare, Langdon diede libero corso all'immaginazione. "Il Santo Graal." Per poco non scoppiò a ridere all'assurdità dell'idea. Si riteneva che il Graal fosse in Inghilterra, sepolto in una camera segreta, sotto una delle chiese dei templari, dove era nascosto fin dal 1500.

"L'epoca del Gran Maestro Leonardo da Vinci."

Il Priorato, per tenere al sicuro i suoi importanti documenti, nei primi secoli era stato costretto a cambiargli posto molte volte. Gli storici ora sospettavano che fossero stati trasferiti almeno sei volte dopo il loro arrivo da Gerusalemme. L'ultimo "avvistamento" del Graal era avvenuto nel 1447, quando numerosi testimoni avevano descritto un incendio che per poco non aveva distrutto i documenti, i quali però erano stati salvati in quattro grossi bauli, ciascuno dei quali aveva richiesto sei uomini per il suo trasporto. Da quel giorno in poi, nessuno aveva più affermato di avere visto il Graal, a parte qualche voce occasionale che sosteneva fosse sepolto in Gran Bretagna, la terra di re Artù e dei cavalieri della Tavola Rotonda.

Dovunque si trovasse, rimanevano due fatti importanti. "Leonardo sapeva dove era nascosto il Graal durante la sua vita e probabilmente, da allora, il nascondiglio non era cambiato."

Per quella ragione, gli appassionati del mistero del Graal studiavano ancora le opere e i diari di Leonardo da Vinci nella speranza di trovare qualche indizio che rivelasse l'attuale collocazione del Graal. Alcuni dicevano che le montagne che facevano da sfondo alla *Vergine delle rocce* corrispondevano alla topografia di alcuni monti della Scozia, pieni di caverne. Altri sostenevano che l'irregolare disposizione dei discepoli nell'Ultima Cena fosse una sorta di codice. Altri ancora dicevano che l'esame ai raggi X della *Monna Lisa* rivelava che in originale il personaggio ritratto portava una collana con l'immagine in lapislazzuli di Iside, un particolare che poi Leonardo aveva coperto. Langdon non aveva mai visto alcuna traccia del pendente e non riusciva a immaginare come potesse rivelare dove fosse nascosto il Santo Graal, ma gli appassionati dell'argomento ne discutevano *ad nauseam* nelle pagine di Internet.

"L'idea del complotto ha comunque una forte attrattiva."

E quei complotti erano sempre nuovi. Il più recente era legato alla sorprendente scoperta che la famosa *Adorazione dei Magi* nascondeva un segreto sotto i suoi strati di colore. Era stato uno scienziato italiano, Maurizio Seracini, a rivelare la strana verità, che il "New York Times Magazine" aveva presentato in un articolo intitolato *Il Leonardo occultato*.

Seracini aveva rivelato senza possibilità di dubbio che lo schizzo preparatorio dell'*Adorazione dei Magi* era veramente opera di Leonardo, ma il dipinto era di un'altra mano. Qualche anonimo pittore aveva colorato lo schizzo seguendo le sue indicazioni di colore, anni dopo la morte di Leonardo. Assai più preoccupante, però, era ciò che stava sotto il dipinto dell'impostore. Le fotografie agli infrarossi e ai raggi X suggerivano che l'anonimo pittore, mentre riempiva gli spazi delineati da Leonardo, si era allontanato in modo sospetto dalla traccia, in deroga alle vere intenzioni dell'artista. La natura dello schizzo originale, qualunque essa fosse, non era stata comunicata. Tuttavia, i funzionari della Galleria degli Uffizi di Firenze, imbarazzati, avevano immediatamente trasferito il quadro in un magazzino dall'altra parte della strada. Al posto dell'*Adorazione*, i visitatori trovavano ora un cartello menzognero, che, senza accennare a scuse, diceva: QUEST'OPERA È ATTUALMENTE SOTTOPOSTA A ESAMI DIAGNOSTICI IN PREPARAZIONE DEL RESTAURO.

Nel bizzarro sottobosco dei moderni cercatori del Graal, Leonardo da Vinci rimaneva il grande enigma. La sua arte sembrava scoppiare dalla voglia di raccontare un segreto, che però era sempre rimasto nascosto, forse sotto uno strato di pittura, forse in piena vista, in codice. Magari non esisteva affatto e gli indizi tentatori, lasciati con tanta abbondanza da Leonardo, erano solo una promessa vuota, con lo scopo di frustrare i curiosi e di portare un sorriso sul volto della sua Monna Lisa.

«È possibile» chiese Sophie, richiamando l'attenzione di Langdon «che la chiave apra il nascondiglio del Santo Graal?»

La risata di Langdon suonò un po' forzata, anche alle sue stesse orecchie. «Non riesco a immaginarlo. Inoltre, si pensa che il Graal sia nascosto in qualche parte dell'Inghilterra, non in Francia.» Le riferì rapidamente la storia.

«Ma il Graal sembra la sola conclusione razionale» insistette lei. «Abbiamo una chiave estremamente sicura, con impresso lo stemma del Priorato di Sion, una fratellanza che, come mi hai spiegato adesso, sta a guardia del Santo Graal.»

Langdon sapeva che l'osservazione era logica, ma non riusciva ad accettarla. Si diceva che il Priorato avesse promesso di riportare il Graal in Francia per dargli una sede definitiva, ma non c'era alcuna testimonianza storica che potesse provarlo. Anche se il Priorato fosse riuscito a riportare il Graal in Francia, l'indirizzo 24 Rue Haxo nei pressi dei campi da tennis non sembrava una sede abbastanza nobile. «Sophie, non vedo come questa chiave possa avere a che fare con il Graal.»

«Perché il Graal dovrebbe essere in Inghilterra?»

«Non solo per quello. La collocazione del Graal è uno dei segreti meglio custoditi della storia. I membri del Priorato aspettano per decenni, dimostrando la loro affidabilità, prima di essere elevati ai gradi più alti della fratellanza e quindi di conoscere il nascondiglio del Graal. Quel segreto è protetto da un intricato sistema di informazioni a compartimenti stagni e anche se gli appartenenti al Priorato sono molto numerosi, in ogni momento solo quattro di loro sanno dove sia nascosto il Graal: il Gran Maestro e i suoi tre *sénéchaux*. La probabilità che tuo nonno fosse uno di loro è molto esile.»

"Mio nonno era uno di loro" pensò Sophie, premendo sull'acceleratore. Aveva ancora nella memoria un'immagine che confermava fuor d'ogni dubbio la posizione del nonno all'interno della fratellanza.

«E anche se tuo nonno fosse appartenuto ai gradi più alti, non avrebbe avuto il permesso di rivelare qualcosa a una persona che non faceva parte della fratellanza. È inconcepibile che ti facesse entrare in quella ristretta cerchia.»

"Ci sono già stata" si disse Sophie, pensando al rituale a cui aveva assistito nel sotterraneo. Si chiese se fosse il momento di dire a Langdon ciò che aveva visto quella notte, nel castello in Normandia. Da dieci anni, la vergogna le impediva di rivelarlo a chiunque. Al solo pensiero rabbrividiva ancora. In lontananza si udì una sirena e la donna sentì all'improvviso tutta la stanchezza di quella notte.

«Eccolo!» esclamò Langdon, scorgendo davanti a loro il grande complesso del Roland Garros.

Sophie allungò il collo per leggere i nomi delle strade. Dopo alcuni tentativi trovarono l'incrocio con Rue Haxo e seguirono la direzione dei numeri decrescenti. Presto si trovarono in mezzo a una zona industriale, tra due file di fabbriche.

"Il numero 24" si ripeteva Langdon, che, anche se non intendeva ammetterlo, cercava la facciata di una chiesa. "Non essere ridicolo. Una chiesa dei templari in questa zona?"

«Eccolo» esclamò Sophie, indicandogli l'edificio.

Langdon guardò nella direzione che lei gli mostrava.

Era un edificio moderno, un tozzo fortino con una grande insegna al neon che rappresentava una croce a bracci uguali. Sotto la croce c'erano le parole: BANCA DEPOSITO DI ZURIGO.

Langdon si rallegrò con se stesso per non avere parlato a Sophie della sua speranza di trovare una chiesa dei templari. Il rischio professionale degli studiosi di simbologia era la tendenza a cogliere significati nascosti anche quando non ce n'erano. In quel caso, Langdon si era completamente dimenticato del fatto che la pacifica croce quadrata era stata adottata come simbolo dalla neutrale Svizzera.

Almeno quel mistero era stato risolto.

La chiave trovata da Sophie apriva una cassetta di sicurezza in una banca deposito svizzera.

41

All'esterno di Castel Gandolfo, un soffio di aria fresca che scendeva verso la valle colpì il vescovo Aringarosa quando scese dalla Fiat. "Avrei dovuto indossare qualcosa di più pesante" pensò, imponendosi di non rabbrividire. Quella notte non poteva dare un'impressione di debolezza o di paura.

Il castello era buio, a eccezione delle finestre più alte, che erano minacciosamente accese. "La biblioteca" pensò Aringarosa. "Sono svegli e mi aspettano." Abbassò la testa per proteggersi dal vento e proseguì senza degnare di un'occhiata le cupole dell'osservatorio.

Il sacerdote venuto ad accoglierlo alla porta aveva l'aria insonnolita. Era lo stesso gesuita che l'aveva accolto cinque mesi prima, anche se quella notte sembrava assai meno ospitale. «Eravamo preoccupati per lei, Eminenza» disse il sacerdote.

Guardò l'orologio con aria più seccata che preoccupata.

«Le mie scuse. Le linee aeree sono imprevedibili, oggigiorno.»

Il sacerdote mormorò qualche parola che Aringarosa non riuscì a capire e poi disse: «La aspettano di sopra. L'accompagno».

La biblioteca era un'ampia sala quadrata con pannelli di legno scuro dal pavimento al soffitto. Su tutti i lati, altissime scaffalature straboccavano di volumi. Il pavimento era di marmo color ambra con disegni di basalto nero, come a ricordare che un tempo quell'edificio era un palazzo.

«Benvenuto, vescovo» lo salutò un uomo, dall'altra parte della sala.

Aringarosa cercò di vedere chi avesse parlato, ma l'illuminazione era straordinariamente fievole, molto più bassa che in occasione della sua prima visita, quando tutte le luci erano accese. "La notte del brusco risveglio." Oggi quegli uomini sedevano nell'ombra, come se in qualche modo si vergognassero di quanto stava per accadere.

Aringarosa entrò lentamente, in modo quasi regale. Vedeva la sagoma di tre uomini seduti a un lungo tavolo, in fondo alla sala. Il profilo della persona al centro era subito riconoscibile: l'obeso segretario vaticano, che gestiva tutte le questioni legali all'interno della Santa Sede. Gli altri erano due importanti cardinali italiani.

Aringarosa si diresse verso i tre. «Le mie scuse per l'ora, ma abitiamo in fusi orari diversi. Dovete essere stanchi.»

«Niente affatto» rispose il segretario, con le braccia incrociate sull'enorme ventre. «Siamo lieti che lei sia venuto fin qui. Il minimo che potessimo fare era rimanere svegli per accoglierla. Possiamo offrirle un caffè o un altro rinfresco?»

«Preferirei che non fingessimo di essere qui per una visita di cortesia. Devo prendere un altro aeroplano. Parliamo di affari?»

«Certo» rispose il segretario. «Lei ha agito più in fretta di quanto non immaginassimo.»

«Davvero?»

«Ha ancora un mese a disposizione.»

«Mi avete esposto le vostre preoccupazioni cinque mesi fa» replicò Aringarosa. «Perché attendere?»

«Vero. Siamo lieti della sua efficienza.»

Lo sguardo di Aringarosa corse a una grossa cartella nera, posata in fondo al tavolo. «È quanto avevo chiesto?»

«Sì.» Il segretario non pareva a proprio agio. «Anche se, devo ammettere, la richiesta ci ha preoccupato. Sembra alquanto...»

«... pericoloso» terminò per lui uno dei cardinali. «È certo che non la si possa accreditare su qualche conto bancario? La cifra è enorme.»

"La libertà è costosa." «Non mi preoccupo per la mia sicurezza. Dio è con me.»

Questa volta, l'uomo lo guardò con aria francamente dubbiosa.

«I fondi sono esattamente come richiesto?»

Il segretario annuì. «Titoli di credito della Banca Vaticana, ad alto valore nominale. Negoziabili come contanti in ogni parte del mondo.»

Aringarosa si avvicinò alla cartella e l'aprì. All'interno c'erano due grossi fasci di certificati al portatore, con lo stemma vaticano.

Il segretario lo guardò con apprensione. «Devo dire, vescovo, che saremmo meno preoccupati se quei fondi fossero in contanti.»

"Una simile quantità di contanti non riuscirei neppure ad alzarla" pensò Aringarosa, chiudendo la cartella. «Questi certificati sono come contanti. L'avete detto un attimo fa.»

I cardinali si scambiarono un'occhiata, con inquietudine, e infine uno disse: «Sì, ma da quei certificati si può risalire direttamente alla Banca Vaticana».

Aringarosa sorrise tra sé. Era esattamente il motivo per cui il Maestro gli aveva suggerito di farsi dare il pagamento in titoli del Vaticano. Era una forma di assicurazione. "Siamo tutti compromessi, adesso." «È una transazione perfettamente regolare» replicò Aringarosa. «L'Opus Dei è una prelatura personale della Città del Vaticano e Sua Santità può distribuire il suo denaro come gli sembra più conveniente. Non è stata infranta nessuna legge.»

«Vero, però...» Il segretario si spostò in avanti e la sedia cigolò sotto il peso. «Non sappiamo come lei intenda usare questi fondi, e se si trattasse di qualcosa di illegale...»

«Visto ciò che mi chiedete» replicò Aringarosa «il modo in cui utilizzerò questo denaro non vi riguarda.»

Scese un lungo silenzio.

"Sanno che ho ragione" pensò Aringarosa. «Adesso, immagino che abbiate un foglio da farmi firmare.»

Tutti trasalirono a quelle parole e si affrettarono a passargli il foglio, come se non vedessero l'ora che se ne andasse.

Aringarosa lo guardò. Portava il sigillo papale. «È uguale alla copia che mi avete inviato?»

«Esattamente.»

Aringarosa si sorprese del distacco con cui firmava il documento. Gli altri tre prelati, però, parvero trarre un respiro di sollievo.

«Grazie, vescovo» disse il segretario. «Il servizio da lei reso alla Chiesa non sarà mai dimenticato.»

Aringarosa prelevò la cartella; il suo peso era una promessa e dava un senso di autorità. I quattro uomini si scambiarono un'occhiata, come se avessero ancora qualcosa in sospeso, ma a quanto pareva si erano detti tutto. Aringarosa si voltò e si diresse alla porta.

«Vescovo?» lo chiamò uno dei cardinali, quando era ormai vicino alla porta.

Aringarosa si voltò. «Sì?»

«Dove intende andare, dopo averci lasciati?»

Era una domanda più spirituale che geografica, ma Aringarosa non aveva intenzione di parlare di argomenti morali a quell'ora della notte. «Parigi» rispose, e uscì dalla biblioteca.

42

La Banca deposito di Zurigo era una *Geldschrank* – ossia un servizio di cassette di sicurezza – aperta ventiquattr'ore su ventiquattro, che offriva l'intero moderno ventaglio di servizi anonimi, nella migliore tradizione dei conti numerati svizzeri. Aveva agenzie a Zurigo, Kuala Lumpur, New York e Parigi, e negli ultimi anni aveva ampliato la propria gamma di prestazioni, in modo da offrire servizi computerizzati, attivati mediante un codice e senza l'intervento del personale.

Ma la parte predominante delle sue operazioni era la più antica e la più semplice: il servizio di cassette di sicurezza anonime. I clienti desiderosi di mettere in cassaforte qualsiasi bene, dai certificati azionari ai quadri di valore, potevano depositarli anonimamente, mediante una serie di dispositivi high-tech che assicuravano la massima privacy, e poi ritirarli in qualsiasi momento, sempre nell'anonimato totale.

Quando Sophie fermò il taxi davanti all'ingresso, Langdon diede un'occhiata alla severa architettura dell'edificio e capì che in quella banca di Zurigo non c'era molto posto per l'umorismo. La costruzione era un rettangolo senza finestre che pareva fatto di acciaio opaco. Un enorme mattone metallico, interrotto soltanto da una croce equilatera di tubi al neon, alta cinque metri, che ne illuminava la facciata.

La fama di riservatezza dei banchieri svizzeri era divenuta una delle più apprezzate merci di esportazione della nazione. Istituti come quello erano stati pesantemente criticati nella comunità dell'arte, perché fornivano ai ladri un luogo perfetto in cui nascondere la refurtiva, se necessario per anni, finché le acque non si fossero calmate. Dato che i depositi erano protetti dalle leggi sulla privacy e non potevano essere ispezionati dalla polizia – e inoltre erano collegati a conti numerati e non a nomi di persone – i ladri potevano dormire tranquilli, sapendo che la refurtiva era al sicuro e che non poteva condurre la polizia fino a loro.

Si trovavano davanti a un grosso cancello all'imboccatura di una rampa di cemento che portava sotto l'edificio. Una telecamera, in alto, era puntata su di loro e Langdon ebbe subito l'impressione che, diversamente da quelle del Louvre, fosse funzionante.

Sophie abbassò il finestrino e guardò la colonna accanto al posto del guidatore. Su un display a cristalli liquidi si leggeva una scritta in varie lingue.

INSERIRE LA CHIAVE

La donna prese la chiave laser e tornò a controllare il display. Sotto lo schermo c'era una feritoia triangolare.

«Qualcosa mi dice che sia della stessa misura» commentò Langdon.

Sophie allineò la chiave con il foro e la inserì fino all'impugnatura. A quanto pareva non c'era bisogno di girarla. Immediatamente, il cancello cominciò ad aprirsi. Sophie tolse il piede dal freno e lasciò scendere l'auto fino a un secondo cancello. Dietro di loro, il primo si chiuse, intrappolandoli come una nave tra due dighe.

Langdon provò un senso di claustrofobia. "Speriamo che il secondo cancello funzioni come il primo."

Il secondo display era uguale al precedente.

INSERIRE LA CHIAVE

Anche questo cancello si aprì subito, quando Sophie infilò la chiave. Qualche istante più tardi svoltavano lungo la rampa per entrare nel ventre dell'edificio.

Il garage era piccolo e buio, con il posto per una decina di auto. In fondo, Langdon scorse l'ingresso: un lungo tappeto rosso correva sul pavimento di cemento, invitando i visitatori a raggiungere un'enorme porta che pareva forgiata in un unico blocco di metallo.

"E poi si parla di messaggi ambigui" pensò Langdon. "Venite dentro, ma rimanete fuori."

Sophie posteggiò il taxi in un parcheggio vicino alla porta e spense il motore. «Meglio lasciare qui la pistola.»

"Con piacere" pensò Langdon. Infilò l'arma sotto il sedile.

Sophie e Langdon si avviarono verso la lastra d'acciaio. Non c'era maniglia, ma sulla parete era visibile un altro foro triangolare. Questa volta senza istruzioni.

«Per tenere lontano chi non impara in fretta» commentò lo studioso.

Sophie rise nervosamente. «Andiamo.» Infilò la chiave nel foro e la porta si aprì verso l'interno, con un leggero ronzio. Scambiandosi un'occhiata, Langdon e Sophie entrarono. La porta si chiuse alle loro spalle, con un tonfo.

L'atrio della Banca deposito di Zurigo era il più imponente che Langdon avesse visto. Mentre la maggior parte delle banche si accontentava di marmo e granito lucidi, quella aveva scelto lastre di metallo e rivetti.

"Chi è il loro architetto?" Langdon si chiese. "Le Acciaierie Associate?"

Sophie pareva altrettanto intimidita mentre esaminava la stanza.

Il metallo grigio era dappertutto: pavimento, pareti, scrivanie, porte, anche le sedie sembravano fuse nell'acciaio. L'effetto, però, era impressionante. Il messaggio era chiaro: "Siete entrati in una cassaforte".

Un uomo massiccio, dietro il banco, alzò gli occhi. Spense il piccolo televisore che stava guardando e rivolse loro un sorriso. Nonostante l'enorme muscolatura e la pistola che portava alla cintura, li accolse con una cortesia tutta svizzera. «*Bonsoir*» disse, e aggiunse in inglese: «Come posso aiutarvi?».

Il saluto in due lingue era l'ultima trovata di coloro che dovevano trattare con il pubblico. Non dava niente per scontato e permetteva all'ospite di rispondere nella lingua da lui preferita.

Sophie non parlò. Si limitò a posare la chiave sul banco.

L'uomo la guardò e immediatamente rizzò la schiena. «Certo. L'ascensore è in fondo al corridoio. Avverto che state arrivando.»

Sophie annuì e riprese la chiave. «Che piano?»

L'uomo la fissò in modo strano. «La chiave fornisce le istruzioni all'ascensore.»

Lei gli sorrise. «Ah, certo.»

La guardia osservò i due nuovi venuti raggiungere l'ascensore, infilare la chiave, entrare nell'ascensore e sparire. Non appena le porte si furono chiuse, prese il telefono. Non per avvertire del loro arrivo: non ce n'era bisogno. Un addetto alle cassette di sicurezza era già stato avvertito automaticamente quando la chiave era stata infilata nel comando del primo cancello.

Invece, la guardia chiamò il direttore notturno della banca. Mentre il telefono squillava in attesa di avere la comunicazione, lui accese nuovamente il televisore e lo fissò. Il notiziario che stava guardando era quasi finito, ma la cosa non aveva importanza. Diede un'altra occhiata ai due volti mostrati sullo schermo.

Il direttore rispose. «*Oui?*»

«Abbiamo un problema.»

«Che cosa succede?» chiese il direttore.

«La polizia cerca due persone.»

«E allora?»

«Tutt'e due sono appena entrate nella banca.»

Il direttore imprecò. «Va bene. Chiamo Monsieur Vernet immediatamente.»

La guardia interruppe la comunicazione e fece una seconda telefonata, questa volta all'Interpol.

Con stupore di Langdon, l'ascensore scendeva invece di salire. Non aveva idea della profondità a cui erano andati sotto la Banca deposito di Zurigo prima che la porta finalmente si riaprisse. Non gli importava. Era lieto di uscire dall'ascensore.

Con grande efficienza, un impiegato li stava già aspettando. Era di mezza età, aveva un'aria gioviale e indossava un vestito grigio che lo faceva sembrare leggermente incongruo. Un banchiere del passato in un mondo high-tech.

«*Bonsoir*» li salutò. «Volete essere così gentili da seguirmi, *s'il vous plaît?*» Senza aspettare la risposta, girò sui tacchi e si avviò lungo un corridoio di metallo.

Langdon e Sophie lo seguirono attraverso una serie di corridoi, e scorsero alcune stanze contenenti grossi computer.

«*Voici*» disse il loro accompagnatore, aprendo una porta d'acciaio. «Siamo arrivati.»

Langdon e Sophie si trovarono in un mondo completamente diverso. La piccola stanza davanti a loro sembrava la camera di un hotel di lusso. Metallo e rivetti erano scomparsi, sostituiti da tappeti orientali, mobili in legno scuro, sedie con cuscini. Sul tavolo in mezzo alla stanza c'erano due bicchieri di cristallo e una bottiglia di acqua minerale appena aperta, con le bolle che salivano lungo il collo. Accanto alla bottiglia si scorgeva una caffettiera fumante.

"Un tempismo perfetto" pensò Langdon. "In questo, nessuno batte gli svizzeri."

L'uomo rivolse loro un sorriso. «Ho l'impressione che questa sia la vostra prima visita.»

Sophie esitò per un istante, poi gli rivolse un cenno affermativo.

«Niente di strano. Le chiavi vengono spesso ricevute in eredità, e la prima volta si hanno sempre dei dubbi sul protocollo.» Indicò il tavolo con le bevande. «Questa stanza è vostra finché ne avrete bisogno.»

«Ha detto che le chiavi vengono ereditate?» chiese Sophie.

«Certo. La vostra chiave è come un conto bancario numerato, che spesso viene passato da una generazione all'altra. Per i nostri conti oro, il periodo minimo di affitto della cassetta è cinquant'anni, pagati in anticipo. Perciò vediamo molti passaggi tra familiari.»

Langdon lo fissò. «Ha detto cinquant'anni?»

«È il minimo» rispose l'uomo. «Naturalmente, si può affittare per periodi molto più lunghi ma, se non si prendono accordi diversi, nel caso una cassetta non ci venga reclamata per cinquant'anni, il suo contenuto viene automaticamente distrutto. Vi devo spiegare come accedere alla vostra cassetta?»

Sophie annuì. «Certo. Grazie.»

Con un gesto del braccio, l'uomo indicò l'intera sala. «Questa è la vostra sala privata. Quando sarò uscito, potrete passare tutto il tempo che vi occorre per controllare il contenuto della vostra cassetta, che viene consegnata... laggiù.» Li condusse accanto alla parete opposta, dove un nastro trasportatore entrava e usciva dalla stanza formando un semicerchio, simile al sistema per il recupero dei bagagli all'aeroporto. «Inserite la chiave in questa fenditura...» Indicò uno schermo davanti al nastro. Sotto c'erano un tastierino numerico e il solito foro triangolare. «Quando il computer vi dà la conferma, dopo avere riconosciuto il codice della vostra chiave, inserite il numero di conto e la vostra cassetta viene prelevata automaticamente dal sotterraneo e portata nella stanza. Quando avete finito, rimettete la cassetta sul convogliatore, inserite di nuovo la chiave e il processo si inverte. Dato che tutto è automatico, la vostra privacy è assicurata, anche rispetto al personale della banca. Se vi serve qualcosa, premete il bottone di chiamata sul tavolo.»

Sophie stava per rivolgergli una domanda quando squillò un telefono, sul tavolo accanto all'acqua minerale e al caffè.

L'uomo fece la faccia sorpresa. «Scusate» disse sollevando la cornetta. «*Oui?*» rispose. A mano a mano che ascoltava, la sua fronte si aggrottava sempre più. «*Oui... oui... d'accord.*» Riagganciò e rivolse loro un sorriso tirato. «Scusate, devo lasciarvi. Accomodatevi.» Si avviò in fretta verso la porta.

«Scusi» lo chiamò Sophie. «Mi può spiegare una cosa, prima di andare? Ha detto che dobbiamo digitare un numero di conto?»

L'uomo si fermò accanto alla porta. Era impallidito. «Certo. Come in molte banche, i nostri conti sono numerici e non nominativi. Voi avete una chiave e un numero personale noto soltanto a voi. La chiave è solo metà della vostra identificazione, il numero di conto è l'altra metà. Altrimenti, se perdeste la chiave, chiunque potrebbe usarla.»

Sophie ebbe un attimo di esitazione. «E se ho ricevuto in eredità solo la chiave, senza il numero di conto?»

L'uomo li guardò come per dire: "Allora questo non è il vostro posto, ovviamente". Rivolse loro un sorriso. «Manderò qualcuno ad aiutarvi. Arriverà subito.» Quando uscì dalla stanza, si chiuse la porta alle spalle e fece scattare la serratura, chiudendoli all'interno.

Dall'altra parte della città, alla Gare Saint-Lazare, Collet aveva appena dato gli ordini ai suoi uomini quando squillò il telefono.

Era Fache. «L'Interpol ha una pista» disse il capitano. «Lascia perdere il treno. Langdon e Neveu sono appena entrati nella sede parigina della Banca deposito di Zurigo, 24 Rue Haxo. Voglio che andiate laggiù immediatamente.»

«Qualche informazione sul messaggio che Saunière ha cercato di lasciare all'agente Neveu e a Robert Langdon?»

Fache gli rispose in tono gelido. «Se li arresterai, tenente Collet, potrò chiederglielo personalmente.»

Collet non insistette. «Al 24 di Rue Haxo? Andiamo subito, capitano.» Spense il telefono e chiamò i suoi uomini.

43

André Vernet, presidente della filiale parigina della Banca deposito di Zurigo, abitava in un elegante appartamento sopra la banca. Nonostante la lussuosa sistemazione, aveva sempre sognato di possedere una casa nell'Île Saint-Louis, dove avrebbe potuto frequentare le persone veramente raffinate, anziché in quel quartiere, dove incontrava soltanto i ricchi cafoni.

"Quando andrò in pensione" Vernet si diceva "mi riempirò la cantina di rari bordeaux, abbellirò il mio salone con un Fragonard e magari anche un Boucher, e passerò la giornata a cercare mobili antichi e libri rari nel Quartiere Latino."

Quella notte, Vernet era sveglio soltanto da sei minuti e mezzo. Tuttavia, mentre percorreva il corridoio sotterraneo della banca, sembrava appena uscito dal sarto e dal parrucchiere. Impeccabilmente vestito di un completo di seta, si spruzzò in bocca un deodorante per l'alito e si raddrizzò la cravatta mentre camminava. Abituato a svegliarsi a tutte le ore per occuparsi dei clienti internazionali provenienti da altri fusi orari, Vernet aveva le abitudini dei Masai, la tribù africana famosa per la sua capacità di passare in pochi secondi dal sonno profondo a uno stato di piena lucidità, pronto per la battaglia.

"Pronto per la battaglia" pensò Vernet, con il timore che il paragone fosse particolarmente azzeccato, quella notte. L'arrivo di un cliente con la chiave d'oro richiedeva sempre un supplemento di attenzione, ma l'arrivo di un cliente dalla chiave d'oro ricercato dalla polizia era una questione molto delicata. La banca aveva già abbastanza guai con la legge per i diritti alla privacy dei clienti e non aveva certo bisogno della prova che alcuni di loro fossero dei criminali.

"Cinque minuti" si disse Vernet. "Queste persone devono essere fuori della mia banca prima che la polizia arrivi."

Se avesse fatto in fretta, il disastro poteva essere evitato. Vernet avrebbe detto alla polizia che i due ricercati erano entrati nella sua banca come riferito ma, non essendo clienti e non avendo un numero di conto, erano stati allontanati. Purtroppo, il maledetto guardiano aveva telefonato all'Interpol. A quanto pareva, la riservatezza non era compresa nel vocabolario di una guardia da quindici euro l'ora.

Giunto alla porta, trasse un profondo respiro per calmarsi. Poi, sforzandosi di sorridere, la aprì ed entrò nella stanza come un soffio di brezza.

«Buonasera» disse, guardando i clienti. «Sono André Vernet. Come posso esservi...» Il resto della frase gli rimase bloccato in gola. La donna che si trovò di fronte era l'ultima persona al mondo che si sarebbe aspettato di vedere.

«Scusi, ma ci conosciamo?» chiese Sophie. Non si ricordava del banchiere, ma l'uomo aveva l'espressione di chi ha appena visto uno spettro.

«No...» farfugliò il presidente della banca. «Non... credo. I nostri servizi sono anonimi.» Esalò il fiato e si sforzò di sorridere. «Il mio assistente dice che avete una chiave ma non il numero di conto? Posso chiedere come avete ottenuto la chiave?»

«Me l'ha affidata mio nonno» rispose Sophie, guardando con attenzione l'uomo, che sembrava sempre più agitato.

«Davvero? Suo nonno le ha dato la chiave ma non il numero?»

«Penso che non ne abbia avuto il tempo» rispose Sophie. «È stato assassinato questa notte.»

L'uomo fece un passo indietro, inorridito. «Jacques Saunière è morto?» chiese, con voce tremante. «Ma... come?»

Questa volta fu Sophie a fare un passo indietro per la sorpresa. «Lei *conosceva* mio nonno?»

André Vernet era altrettanto scosso; dovette appoggiarsi al tavolo. «Io e Jacques eravamo cari amici. Quando è successo?»

«Poche ore fa, nella galleria del Louvre.»

Vernet dovette sedersi su una poltroncina. «Devo rivolgervi una domanda importante.» Guardò Langdon e poi Sophie. «Uno di voi ha qualcosa a che fare con la sua morte?»

«No!» esclamò Sophie. «Assolutamente no!»

Vernet aggrottò la fronte e rifletté, con aria cupa. «L'Interpol ha diffuso le vostre fotografie. Siete ricercati per omicidio. Ecco perché vi ho riconosciuto.»

Sophie abbassò la testa. "Fache ha già trasmesso i nostri dati all'Interpol?" Il capitano doveva avere dei motivi personali che Sophie non conosceva. In poche parole spiegò a Vernet chi era Langdon e ciò che era successo all'interno del Louvre.

Vernet la guardò con stupore. «E mentre moriva, suo nonno le ha lasciato un messaggio in cui le diceva di cercare il signor Langdon?»

«Sì, e questa chiave.» Sophie la posò sul tavolo davanti a Vernet, con il sigillo del Priorato in basso.

Vernet guardò la chiave ma non la toccò. «Ha lasciato solo la chiave? Nient'altro? Un foglio di carta?»

Sophie aveva dovuto agire in fretta, ma era certa di non avere trovato altro, dietro la *Vergine delle rocce*. «No. Solo la chiave.»

Vernet sospirò. «Purtroppo, ogni chiave è elettronicamente accoppiata a un numero di dieci cifre che serve da controllo. Senza quel numero, la sua chiave è inutile.»

"Dieci cifre." Con riluttanza, Sophie calcolò le probabilità. "Dieci miliardi di alternative possibili." Anche con i grossi calcolatori del dipartimento avrebbero impiegato settimane a trovarlo. «Certo, adesso che sa come stanno le cose, potrà aiutarci.»

«Sono desolato, ma davvero non posso fare nulla. I clienti comunicano il numero scelto per mezzo di un terminale sicuro, e questo significa che i numeri sono noti soltanto al cliente e al computer. È un modo per assicurare l'anonimato e la sicurezza dei nostri dipendenti.»

Sophie capiva. Anche i supermercati adottavano quel sistema. "Gli impiegati non hanno le chiavi per arire la cassaforte." La banca non voleva correre il rischio che qualcuno rubasse una chiave e poi prendesse in ostaggio un impiegato per farsi dare il numero di conto. Si sedette accanto a Langdon, guardò prima la chiave e poi Vernet. «Ha idea di quello che mio nonno conservava nella vostra banca?»

«Assolutamente no. Del resto, questo è implicito nella natura di una banca deposito come la nostra.»

«Signor Vernet» insistette lei «abbiamo poco tempo. Le devo rivolgere qualche domanda.» Prese la chiave d'oro e la girò, osservando l'espressione dell'uomo quando comparve il simbolo del Priorato di Sion. «Questo simbolo significa qualcosa per lei?»

Vernet guardò il giglio e le lettere senza tradire alcuna reazione. «No, ma molti nostri clienti incidono lo stemma della ditta o le loro iniziali sulle chiavi.»

Sophie sospirò, continuando a guardarlo con attenzione. «Questo stemma è il simbolo di una società segreta che ha nome Priorato di Sion.»

Anche questa volta, Vernet non mostrò alcuna reazione. «Non ne so nulla. Suo nonno era un amico, ma parlavamo soprattutto di affari.» L'uomo si aggiustò la cravatta; adesso dava visibili segni di nervosismo.

«Signor Vernet» insistette Sophie, in tono fermo. «Mio nonno mi ha telefonato ieri pomeriggio e mi ha detto che eravamo in grave pericolo. Ha detto che doveva darmi un oggetto. Mi ha fatto avere una chiave della vostra banca. Adesso è morto. Qualunque indizio che lei possa darci ci sarà di grande aiuto.»

Vernet cominciava a sudare per il nervosismo. «Dobbiamo uscire dall'edificio. Temo che presto arriverà la polizia. Il mio guardiano si è sentito in dovere di avvertire l'Interpol.»

Sophie se l'aspettava. Fece un ultimo tentativo. «Mio nonno ha detto di dovermi dire la verità sulla mia famiglia. Questo significa qualcosa per lei?»

«Mademoiselle, la sua famiglia è morta in un incidente d'auto quando lei era piccola. Mi dispiace. So che suo nonno l'amava molto. Mi ha detto spesse volte di essere addolorato dal fatto che vi foste persi di vista.»

Sophie non seppe che cosa rispondere.

Langdon chiese: «Il contenuto di questo conto ha qualcosa a che fare con il Sangreal?».

Vernet gli rivolse un'occhiata strana. «Non ho idea di che cosa sia.» In quel momento, il cellulare squillò ed egli se lo portò all'orecchio. «*Oui?*» Ascoltò per un attimo, con aria sorpresa e preoccupata. «*La police? Si rapidement?*» Imprecò, diede qualche rapido ordine in francese e disse che sarebbe arrivato entro un minuto.

Spense il telefono e si rivolse a Sophie. «La polizia si è mossa più in fretta del solito. È già in arrivo.»

Sophie non aveva intenzione di allontanarsi a mani vuote. «Dica che siamo già andati via. Se vogliono perquisire la banca, chieda un mandato. Così guadagnerà tempo.»

«Senta» rispose Vernet «Jacques era un amico e la mia banca non vuole questo genere di pubblicità. Per queste due ragioni, non ho intenzione di permettere un arresto nei miei locali. Datemi un minuto e vedrò come portarvi fuori della banca. Più di questo non posso fare.» Si alzò e corse alla porta. «Rimanete qui. Prendo alcuni accordi e torno.»

«Ma la cassetta di sicurezza?» chiese Sophie. «Non possiamo andare via senza aprirla.»

«Non posso farci nulla» rispose Vernet, mentre si avvicinava alla porta. «Mi dispiace.»

Sophie lo guardò uscire, chiedendosi se il numero del conto non fosse sepolto in una delle lettere che il nonno le aveva inviato nel corso degli anni e che lei non aveva aperto.

Langdon si alzò bruscamente; Sophie gli scorse uno strano luccichio nello sguardo.

«Robert, perché sorridi?»

«Tuo nonno era un genio.»

«Come?»

«Dieci cifre?»

Sophie non capì che cosa intendesse dire.

«Il numero di conto» spiegò lui, con il suo solito mezzo sorriso. «Sono certo che, dopotutto, ce lo abbia lasciato.»

«Dove?»

Langdon prese la stampata della foto scattata sulla scena del delitto e la distese sul tavolo. A Sophie bastò leggere la prima riga per sapere che lo studioso aveva ragione.

13-3-2-21-1-1-8-5
O, Draconian devil!
Oh, lame saint!
P.S. Trova Robert Langdon

44

«Dieci cifre» ripeté Sophie. Tutti i suoi istinti di crittologa fremevano, mentre studiava la scritta.

13-3-2-21-1-1-8-5

"Il nonno ha scritto il numero del conto sul pavimento del Louvre!"

Quando Sophie aveva visto la sequenza di Fibonacci con l'ordine dei numeri cambiato, aveva pensato che avesse unicamente lo scopo di far intervenire il dipartimento di Crittologia per fare accorrere lei. Più tardi aveva capito che i numeri suggerivano anche la chiave per interpretare le righe successive: "una sequenza non in ordine, un anagramma numerico". Ora, con profondo stupore, comprendeva che i numeri avevano un significato ancora più importante.

Quasi certamente erano il codice numerico che permetteva di aprire la misteriosa cassetta di sicurezza di Jacques Saunière.

«Era il maestro del doppio senso» commentò Sophie, rivolgendosi a Langdon. «Amava tutto ciò che aveva parecchi livelli di significato. Un rompicapo all'interno di un altro rompicapo.»

Langdon si stava già avvicinando allo schermo vicino al nastro trasportatore. Sophie prese il foglio e lo seguì.

Sotto lo schermo si scorgeva un tastierino numerico simile a quello dei terminali delle casse automatiche. Sullo schermo c'era unicamente lo stemma della banca, la croce. Accanto al tastierino numerico si apriva il solito foro triangolare. Sophie vi infilò la chiave.

Lo schermo cambiò immediatamente.

NUMERO DI CONTO:

– – – – – – – – – –

Il cursore prese a lampeggiare sul primo spazio, in attesa che venissero digitati i numeri.

"Dieci cifre." Sophie lesse i numeri e Langdon li batté sul tastierino.

NUMERO DI CONTO:
1332211185

Dopo che lo studioso ebbe battuto l'ultimo numero, sullo schermo apparve una scritta in varie lingue:

ATTENZIONE:
PRIMA DI PREMERE IL TASTO "ESEGUI", SIETE PREGATI
DI CONTROLLARE L'ACCURATEZZA DEL VOSTRO NUMERO DI CONTO.
PER LA VOSTRA SICUREZZA, SE IL COMPUTER NON DOVESSE
RICONOSCERE IL VOSTRO NUMERO DI CONTO, QUESTO SISTEMA
VERRÀ AUTOMATICAMENTE BLOCCATO.

«Un dispositivo per bloccare il funzionamento» commentò Sophie, aggrottando la fronte. «Pare che abbiamo a disposizione un solo tentativo.» Le normali casse automatiche delle banche concedevano agli utenti tre tentativi prima di confiscare la carta di credito. Ma quella, ovviamente, non era una cassa automatica.

«Il numero sembra giusto» confermò Langdon, leggendo la scritta e controllandola sulla stampata. Indicò il tasto "esegui". «Premilo.»

Sophie tese la mano verso il tasto, ma si fermò a mezza strada, colpita da un nuovo pensiero.

«Dài» la incitò Langdon. «Vernet arriverà tra poco.»

«No.» La donna abbassò la mano. «Questo numero non è giusto.»

«Certo che lo è! Sono dieci cifre. Che altro vuoi che sia?»

«È troppo casuale.»

"Troppo casuale?" Langdon non era d'accordo. Si consigliava sempre di scegliere una serie di numeri a caso, in modo che nessuno potesse indovinarli. Anche in quella banca, certamente, lo consigliavano!

Sophie cancellò le cifre e guardò Langdon con aria di grande sicurezza. «Sarebbe una coincidenza troppo grande se un numero casuale fosse una trasposizione della sequenza di Fibonacci.»

Langdon non poté che darle ragione. Qualche ora prima, Sophie aveva dimostrato come quei numeri fossero una ricombinazione della sequenza di Fibonacci. Ma perché scegliere una ricombinazione, invece di un numero davvero casuale?

Sophie batté un altro numero, a memoria. «Inoltre» disse «con la sua passione per i simboli e i giochi matematici, mi pare logico che scegliesse un numero che aveva significato per lui, facile da ricordare.» Terminò di digitare le cifre e gli sorrise. «Un numero che sembra casuale, ma non lo è.»

Langdon guardò lo schermo.

NUMERO DI CONTO:
1123581321

A Langdon occorse un istante per riconoscerlo, ma capì che aveva ragione.

"La sequenza di Fibonacci. 1-1-2-3-5-8-13-21."

Quando la sequenza era scritta senza staccare i numeri, era virtualmente irriconoscibile. "Facile da ricordare, ma apparentemente casuale." Un numero di dieci cifre che Saunière non poteva certo dimenticare e che, come le altre scritte sul pavimento del Louvre, era stato "anagrammato" fino a perdere qualsiasi significato; ma per poterlo utilizzare occorreva risolvere l'anagramma.

Sophie premette il tasto "esegui".

Non successe niente.

Almeno, niente che si potesse vedere da quella stanza.

Nello stesso momento, sotto di loro, nell'ampio sotterraneo della banca, un braccio robotico si mosse. Scivolando su un sistema di scorrimento a due assi fissato al soffitto, il braccio si diresse alle coordinate precise che il computer gli aveva trasmesso. Sul pavimento della cripta, centinaia di identiche casse di plastica erano allineate in modo da formare un enorme reticolo... come file di bare in una camera mortuaria sotterranea.

Fermandosi sul punto esatto cercato, il braccio si abbassò e il suo occhio elettronico controllò il codice a barre posto sulla scatola. Poi, con la precisione dei computer, afferrò l'impugnatura e sollevò verticalmente la cassetta. Entrò in azione un altro motore elettrico e il braccio trasportò la cassetta fino al fondo della camera sotterranea e si fermò sopra un nastro trasportatore. Lentamente si abbassò, posò la cassetta e si sollevò.

Quando il braccio lasciò la cassetta, il nastro trasportatore si mosse.

Nella sala riservata ai clienti, Sophie e Langdon trassero un sospiro di sollievo nel vedere che il nastro trasportatore si era messo in movimento. Fermi accanto a esso, si sentivano come viaggiatori all'aeroporto, in attesa della consegna di una valigia di cui ignoravano il contenuto.

Dove il nastro entrava nella stanza c'erano due portelli scorrevoli, alti e larghi più di un metro. Quello di destra si alzò per lasciare passare una grossa cassa di plastica, nera e assai più grande di una normale valigia. Pareva una di quelle gabbie che si impiegano per trasportare sugli aerei cani e gatti, ma non c'erano le aperture per l'aria.

La cassetta si fermò davanti a loro.

Langdon e Sophie la fissarono perplessi.

Come tutto il resto di quella banca, il contenitore sembrava un comune prodotto industriale. I ganci per la chiusura erano metallici, in alto c'era un codice a barre, il manico era di plastica spessa. Sembrava una grossa scatola per attrezzi.

Senza perdere tempo, Sophie aprì le due chiusure davanti a lei. Poi rivolse un'occhiata a Langdon. Insieme sollevarono il coperchio e lo lasciarono ricadere all'indietro.

Tutt'e due fecero un passo avanti e scrutarono all'interno del contenitore.

A una prima occhiata, Sophie pensò che la scatola fosse vuota. Poi scorse un oggetto, in fondo al contenitore, un solo oggetto.

Un cofanetto di legno lucidato, grosso come una scatola da scarpe e con le cerniere e la chiusura dorate. Il legno aveva un colore rosso cupo e una grana molto fine. Palissandro, comprese Sophie. Il preferito di suo nonno. Sul coperchio si scorgeva un bellissimo intarsio raffigurante una rosa. Rivolse un'occhiata interrogativa a Langdon, poi si chinò a prendere il cofanetto.

"Mio Dio, com'è pesante!"

Con grande attenzione, la portò sul tavolo; poi, insieme a Langdon, fissò la piccola cassa del tesoro che Saunière aveva fatto trovare loro.

Lo studioso osservava con stupore l'intarsio raffigurante una rosa a cinque petali. Aveva già visto molte volte quel tipo di fiore. «La rosa a cinque petali» sussurrò «è un simbolo del Priorato. Rappresenta il Santo Graal.»

Sophie lo guardò. Langdon capì perfettamente che cosa pensasse; anche a lui era venuto lo stesso pensiero. La dimensione del cofanetto, il peso, il simbolo del Priorato parevano portare a una sola conclusione. "La Coppa di Cristo è in questa cassetta di legno." Langdon tornò a ripetersi che era impossibile.

«La dimensione» sussurrò Sophie «è quella giusta per contenere... una coppa.»

"Il Graal non può essere una coppa."

Sophie tirò la cassetta verso di sé, per aprirla. Nel muoverla, però, udì qualcosa di inatteso. Dal cofanetto le giunse uno strano gorgoglio.

Langdon trasse bruscamente il fiato. "C'è del liquido, all'interno?"

Sophie era altrettanto confusa. «Hai sentito...?»

Langdon annuì, perplesso. «Un liquido.»

Sophie aprì con cautela la chiusura e sollevò il coperchio.

L'oggetto contenuto all'interno era diverso da qualunque altro che Langdon avesse mai visto. Una cosa, però, fu immediatamente chiara a tutt'e due. Non poteva assolutamente essere la Coppa di Cristo.

45

«La polizia ha bloccato la strada» disse André Vernet, entrando nella sala. «Portarvi fuori non sarà facile.» Solo quando chiuse la porta dietro di sé, l'uomo vide la grossa cassa di plastica sul nastro trasportatore e si fermò bruscamente. "Mio Dio! Sono riusciti a trovare il numero di conto di Saunière?"

Sophie e Langdon erano accanto al tavolo ed esaminavano quello che sembrava un grosso scrigno per gioielli. Sophie chiuse immediatamente il coperchio e sollevò la testa. «Abbiamo scoperto di avere anche il numero» spiegò.

Vernet era rimasto senza parole. Quella novità cambiava tutto. Staccò rispettosamente gli occhi dal cofanetto e cercò di pensare alla sua prossima mossa. "Devo farli uscire dalla mia banca!" Ma con la polizia che bloccava gli accessi, Vernet vedeva solo un modo per farlo. «Mademoiselle Neveu, se riuscissi a farvi uscire dalla banca, portereste l'oggetto con voi o lo rimettereste nel deposito prima di uscire?»

Sophie guardò prima Langdon e poi Vernet. «Dobbiamo portarlo via con noi.»

Vernet annuì. «Molto bene, allora, qualunque sia l'oggetto, suggerisco che lo nascondiate mentre passiamo per il corridoio. Lo avvolga nella giacca. Preferirei che nessuno lo vedesse.»

Mentre Langdon si toglieva la giacca, Vernet raggiunse il nastro trasportatore, chiuse la cassa, ormai vuota, e batté alcuni semplici comandi. Il nastro si mise in moto per riportare il contenitore nel sotterraneo. L'uomo sfilò la chiave e la porse a Sophie.

«Da questa parte, per favore. In fretta.»

Quando arrivarono nella zona di carico e scarico, Vernet vedeva già le luci della polizia riflettersi sulle pareti del garage sotterraneo. Aggottò la fronte. Probabilmente, avevano bloccato la rampa. "Penso davvero di farcela?" Cominciava a sudare.

Indicò a Langdon e Sophie un furgone corazzato. Il trasporto di valori era un altro servizio offerto dalla sua banca.

«Montate nel compartimento di carico» disse, aprendo le porte posteriori e indicando il vano d'acciaio. «Torno subito.»

Mentre Sophie e Langdon salivano, Vernet attraversò il garage per entrare nell'ufficio del controllore; prelevò le chiavi del furgone e si infilò una giacca e un cappello da autista, lasciando nell'ufficio la cravatta e la giacca. Prima di indossare la divisa, però, prese una fondina e se la sistemò sotto l'ascella. Mentre usciva, aggguantò una pistola, vi inserì un caricatore e la ripose nella fondina. Quando fu di nuovo al furgone, Vernet si calò il berretto sugli occhi e guardò Sophie e Langdon che erano in piedi all'interno del vano di carico.

«Questa vi servirà» disse Vernet, accendendo la lampada del vano. «Ed è meglio che vi sediate. Non dite una sola parola mentre usciamo.»

Sophie e Langdon si sedettero sul pavimento di metallo. Langdon teneva tra le braccia la cassetta, avvolta nella giacca. Vernet chiuse le porte massicce, poi si mise al volante e avviò il motore.

Mentre il furgone corazzato saliva lentamente la rampa, Vernet sentiva il sudore raccogliersi sotto il berretto da autista. Le auto della polizia erano assai più numerose di quanto si fosse aspettato.

Imboccata la rampa, il cancello interno si aprì per lasciar passare il furgone. Vernet proseguì e attese che il cancello dietro di lui si chiudesse prima di andare oltre e attivare il successivo sensore. Il cancello più esterno si spalancò per permettergli di uscire.

"A parte l'auto della polizia che blocca la cima della rampa." Vernet si asciugò la fronte e proseguì.

Un agente uscì dall'auto e gli fece segno di fermarsi a pochi metri dal blocco. Quattro auto erano parcheggiate sulla strada.

Vernet si fermò, abbassò ancora di più il berretto e cercò di assumere l'aria più popolare che gli era permessa dalla sua cultura raffinata. Senza lasciare il volante, aprì la portiera e guardò l'agente, che aveva alzato la testa verso di lui e lo osservava con aria severa. «*Qu'est-ce qui se passe?*» chiese in tono sgarbato. Che succede?

«*Je suis Jérôme Collet*» rispose l'agente. «*Lieutenant, Police judiciaire.*» Indicò il vano di carico. «*Qu'est-ce qu'il y a là-dedans?*» Cosa c'è là dentro.

«E come faccio a saperlo?» rispose Vernet, in francese sgrammaticato. «Io sono solo un autista.»

Collet non fece commenti su questa osservazione. «Cerchiamo due criminali.»

Vernet rise. «Allora è proprio il posto giusto. Qualcuno dei bastardi a cui porto la roba devono essere dei criminali, visto i soldi che hanno.»

L'agente gli mostrò la foto, presa dal passaporto, di Robert Langdon. «Quest'uomo è entrato nella vostra banca, poco fa?»

Vernet fece spallucce. «Non lo chieda a me. Io non vado al di là del garage. Non ci lasciano andare dove ci sono i clienti. Deve chiedere al sorvegliante, all'ingresso.»

«La banca vuole un mandato per lasciarci entrare.»

Vernet fece una smorfia. «Eh, la direzione... Non mi faccia parlare.»

«Apra il furgone, per favore.» Collet indicò il vano di carico.

Vernet lo guardò e rise. «Aprire il furgone? Perché, lei crede che io abbia le chiavi? Crede che si fidino di me? Dovrebbe vedere che schifo di stipendio mi danno.»

L'agente lo guardò con evidente scetticismo. «Vuol farmi credere di non avere le chiavi del suo furgone?»

Vernet scosse la testa. «Non quelle del carico. Solo quella dell'accensione. Questi furgoni vengono chiusi dal sorvegliante, nell'area di carico e scarico. Poi aspettano mentre qualcuno porta le chiavi al destinatario. Quando il destinatario telefona per confermarci di averle ricevute, allora noi partiamo, non un momento prima. Non ci fanno mai sapere che cosa trasportiamo.»

«E questo furgone quando è stato chiuso?»

«Ore fa. Devo portarlo fino a Saint-Thurial, questa notte. Le chiavi sono già là.»

L'agente non fece commenti. Si limitò a scrutarlo come se volesse leggergli nel cervello.

Una goccia di sudore minacciava di scivolare lungo il naso di Vernet. «Le dispiace?» disse, indicando l'auto che gli bloccava la strada e approfittandone per asciugarsi con la manica. «Non ho molto tempo.»

«Tutti gli autisti qui hanno il Rolex?» chiese l'agente, indicando il suo polso.

Vernet abbassò lo sguardo e vide luccicare il cinturino del suo orologio – assurdamente costoso – sotto la manica. "*Merde*." «Questa patacca? L'ho comprata per venti euro da un taiwanese col banchetto a Saint Germain des Près. Per quaranta glielo vendo.»

L'agente lo guardò ancora per qualche istante e infine fece un passo indietro. «No, grazie. Buon viaggio.»

Vernet tornò a respirare soltanto quando il furgone fu a una cinquantina di metri dalle auto della polizia. Ma adesso aveva un altro problema. Il suo carico. "Dove li porto?"

46

Silas giaceva a faccia in giù sulla sua brandina e lasciava che il sangue delle ferite sulla schiena si asciugasse all'aria. Dopo la seconda sessione di disciplina della notte si sentiva debole e gli girava la testa. Non si era tolto il cilicio e il sangue gli scorreva all'interno della coscia. Tuttavia, non si sentiva ancora pronto a sfilarsi la fascia. "Ho tradito la fiducia della Chiesa. Peggio ancora, ho tradito la fiducia del vescovo."

Quella notte doveva essere la salvezza del vescovo Aringarosa. Cinque mesi prima, il vescovo era tornato da una riunione all'Osservatorio Vaticano, dove aveva appreso una notizia che l'aveva profondamente cambiato. Dopo avere trascorso alcune settimane nella più profonda depressione, Aringarosa aveva finalmente condiviso la notizia con Silas.

«Ma è impossibile!» aveva esclamato l'albino.

«È vero» aveva risposto Aringarosa. «Inconcepibile, ma vero. Tra soli sei mesi.»

Le parole del vescovo avevano terrorizzato Silas. Aveva pregato perché fossero liberati da quel pericolo e, anche in quei giorni di dolore, la sua fede in Dio e nella *Via* non aveva mai vacillato. C'era voluto ancora un mese perché le nubi si schiudessero miracolosamente e la luce di una possibilità riprendesse a brillare.

"La Divina Provvidenza" aveva detto Aringarosa. Per la prima volta, il vescovo aveva ripreso le speranze. «Silas» aveva sussurrato «Dio ci dona la possibilità di proteggere la *Via*. La nostra battaglia, come tutte le battaglie, richiederà sacrifici. Sei disposto a essere un soldato di Dio?»

Silas era caduto in ginocchio davanti al vescovo Aringarosa – l'uomo che gli aveva dato una nuova vita – e aveva detto: «Io sono un agnello del Signore. Conducimi come il pastore dove il tuo cuore ti ordina».

Quando Aringarosa gli aveva descritto l'occasione che gli si era presentata, Silas aveva capito che poteva essere solo opera della mano di Dio. "Un evento miracoloso!" Il vescovo aveva messo Silas in contatto con l'uomo che gli aveva proposto il piano e che si faceva chiamare il Maestro. Anche se il Maestro e Silas non si erano mai incontrati di persona, ogni volta che si erano parlati al telefono Silas era stato colto da un reverenziale timore davanti alla profondità della sua fede e all'ampiezza del suo potere. Il Maestro sembrava un uomo che conoscesse tutto, un uomo con occhi e orecchi in ogni luogo. Come raccogliesse le sue informazioni, Silas lo ignorava, ma Aringarosa aveva un'enorme fiducia nel Maestro e aveva detto a Silas: «Fa' come il Maestro ti comanda e la vittoria sarà nostra».

"La vittoria sarà nostra." Silas guardò il pavimento spoglio e pensò a come la vittoria fosse sfuggita loro di mano. Il Maestro era stato ingannato. La chiave di volta era risultata un vicolo cieco. E con quell'inganno era morta ogni speranza.

Silas avrebbe voluto chiamare il vescovo per avvertirlo, ma il Maestro aveva vietato ogni comunicazione tra loro. "Per la nostra salvezza."

Alla fine, quando riuscì a vincere i timori che gli impedivano di agire, Silas si alzò e andò a frugare nella tonaca, che giaceva sul pavimento. Recuperò dalla tasca il telefono cellulare. La testa china per la vergogna, compose il numero. «Maestro» sussurrò «tutto è perduto.» Poi riferì fedelmente come fosse stato ingannato.

«Perdi le speranze troppo in fretta» rispose il Maestro. «Ho appena ricevuto alcune notizie, inattese e benvenute. Il segreto sopravvive. Jacques Saunière è riuscito a passare l'informazione prima di morire. Ti chiamerò presto. Il nostro lavoro di questa notte non è ancora terminato.»

47

Viaggiare nel vano scarsamente illuminato del furgone corazzato era come essere trasportati all'interno di una cella di isolamento. Langdon lottava contro l'ansia che lo prendeva quando si trovava in spazi ristretti. "Vernet ha detto che ci avrebbe portato fuori città, a una distanza sicura. Ma dove? E a che distanza?"

Cambiò posizione perché dopo essere rimasto per troppo tempo seduto, a gambe incrociate, aveva perso sensibilità agli arti inferiori. Continuava a tenere in mano lo strano tesoro che avevano recuperato dalla banca.

«Penso che siamo arrivati all'autostrada» sussurrò Sophie.

Anche Langdon lo aveva notato. Il furgone, dopo un'estenuante pausa in cima alla rampa, era ripartito e per un paio di minuti aveva continuato a svoltare un po' a destra e un po' a sinistra, e adesso accelerava a tutta velocità. Sotto di loro, le ruote a prova di proiettile correvano su una carreggiata liscia. Tornando a interessarsi del cofanetto di palissandro che stringeva, Langdon posò sul pavimento il fagotto, aprì la giacca e lo estrasse, tirandolo verso di sé. Sophie si spostò per andare a sedersi accanto a lui. Langdon ebbe l'impressione che fossero due bambini seduti a esaminare un regalo natalizio.

In contrasto con il colore intenso del cofanetto, la rosa intarsiata era di un legno chiaro, probabilmente frassino, che sembrava ancor più chiaro alla scarsa luce della lampada. "Una rosa." Su quel simbolo erano stati costruiti eserciti e religioni, oltre a società segrete, come i Rosacroce: i cavalieri della rosa e della croce.

«Dài» disse Sophie. «Aprila.»

Langdon trasse un profondo respiro. Lanciò ancora un'occhiata di ammirazione al perfetto lavoro di ebanisteria, poi aprì il fermaglio e sollevò il coperchio per osservare l'oggetto che vi era contenuto.

Langdon aveva fatto alcune ipotesi su ciò che poteva trovarsi dentro il cofanetto, ma chiaramente erano tutte sbagliate. L'interno era foderato di seta rossa e conteneva un oggetto che Langdon non aveva mai visto.

Era un cilindro, grosso approssimativamente come una custodia per palle da tennis, fatto di marmo bianco, lucido, e di ottone. Non era un tutto unico, ma sembrava composto di vari pezzi. Cinque dischi di marmo, alti un paio di centimetri, erano montati entro una precisa gabbia di ottone. Pareva un caleidoscopio con parecchie sezioni rotanti. Le estremità erano costituite da due cilindri di marmo che impedivano di vedere all'interno. Dato che aveva sentito muoversi un liquido, Langdon si corresse: i "dischi" erano probabilmente anelli e l'interno era cavo.

Per strano che fosse l'aspetto del cilindro, furono però le incisioni sulla circonferenza degli anelli ad attirare l'attenzione dello studioso. Su ciascuno dei cinque anelli era inciso lo stesso improbabile gruppo di lettere: l'intero alfabeto. A Langdon ritornò in mente un giocattolo della sua infanzia: alcuni dischi con l'alfabeto stampigliato sulla circonferenza, che ruotavano attorno allo stesso asse; spostando i dischi si potevano comporre parole diverse.

«Straordinario, vero?» gli sussurrò Sophie.

Langdon sollevò la testa. «Non saprei dire. Che cos'è?»

La donna sorrise. «Mio nonno li fabbricava come hobby. Sono stati inventati da Leonardo da Vinci.»

Nonostante la scarsa luce, Sophie vide l'espressione sorpresa di Langdon.

«Leonardo?» mormorò l'uomo, guardando di nuovo il cilindro.

«Sì. Si chiama "cryptex". Secondo mio nonno, il progetto è contenuto in uno dei diari segreti di Leonardo.»

«A cosa serve?»

Dopo ciò che era successo nelle ore precedenti, Sophie sape-

233

va che la risposta poteva avere molte implicazioni interessanti. «È una cassaforte» rispose. «Per nascondere informazioni segrete.»

Langdon rimase a bocca aperta.

Sophie spiegò che uno degli hobby preferiti del nonno consisteva nel ricreare modelli delle invenzioni di Leonardo. Jacques Saunière era un abile artigiano che trascorreva ore nel suo laboratorio per lavorare il legno e il metallo, e amava imitare i maestri dell'arte: Fabergé, i migliori artigiani del cloisonné e il meno artistico, ma assai più pratico, Leonardo da Vinci.

Bastava dare un'occhiata ai diari di Leonardo per capire perché il maestro era altrettanto celebre per il suo genio quanto per la mancanza di seguaci. Leonardo aveva disegnato i progetti di centinaia di invenzioni che non aveva mai costruito. Uno dei passatempi di Saunière consisteva nel dare vita alle più oscure invenzioni leonardesche: orologi, pompe idrauliche, cryptex e persino il modello mobile di un cavaliere francese medievale, che faceva bella mostra di sé sulla scrivania del suo ufficio. Disegnati da Leonardo nel 1495, durante i suoi primi studi sull'anatomia e sul movimento, i meccanismi interni del cavaliere avevano accurate articolazioni e muscoli: era in grado di sedere, muovere le braccia e la testa, grazie al collo flessibile, e aprire e chiudere la mascella, anatomicamente perfetta. Quel cavaliere in armatura, secondo Sophie, era il più bell'oggetto costruito dal nonno, almeno finché non aveva visto il cryptex contenuto nel cofanetto.

«Me ne ha regalato uno quando ero piccola» disse Sophie. «Ma non ne ho mai visto uno così grosso e ben decorato.»

Langdon non staccava gli occhi dall'oggetto. «Non ho mai sentito parlare di "cryptex".»

Sophie non ne era affatto sorpresa. Oltre a non essere mai state costruite, gran parte delle invenzioni di Leonardo non erano neppure state studiate e non avevano un nome. Probabilmente il termine "cryptex" era stato inventato da suo nonno, ed era adatto a indicare quello strumento che si serviva della crittografia per proteggere le informazioni scritte sul foglio o *codex* contenuto al suo interno.

Come Sophie sapeva, Leonardo era stato un pioniere della

crittografia, anche se raramente gliene veniva dato credito. All'università, gli insegnanti di Sophie, mentre spiegavano i moderni metodi di codifica mediante il computer per la sicurezza dei dati, lodavano i crittografi moderni come Zimmerman e Schneier, ma non ricordavano che Leonardo aveva inventato, secoli addietro, una delle prime forme rudimentali di codifica con chiave pubblica. Era stato il nonno, naturalmente, a dirlo a Sophie.

Mentre il furgone percorreva l'autostrada, Sophie spiegò a Langdon che il cryptex era la risposta di Leonardo al problema di assicurare la segretezza dei messaggi inviati a persone lontane. In quell'epoca, chi intendeva mandare in privato un'informazione a una persona di un'altra città aveva soltanto la possibilità di scriverla e poi affidare la lettera a un messaggero fidato. Purtroppo, se il messaggero sospettava che la lettera contenesse informazioni importanti, poteva guadagnare molto di più vendendo la lettera a qualche avversario che consegnandola come pattuito.

Molte grandi menti della storia avevano inventato soluzioni crittografiche per il problema della protezione dei dati. Giulio Cesare aveva ideato un sistema di scrittura chiamato "cifrario cesareo"; Maria di Scozia aveva creato un codice di sostituzione di cui si serviva per inviare dalla prigione messaggi confidenziali; e il brillante scienziato arabo Abu Yusuf Ismail al-Kindi proteggeva i suoi segreti con un ingegnoso cifrario di sostituzione polialfabetico.

Leonardo, invece, aveva lasciato da parte la matematica e la crittografia per cercare una soluzione meccanica, il cryptex. Un contenitore trasportabile che serviva a proteggere lettere, disegni, carte geografiche e così via. Una volta chiusa l'informazione nel cryptex, solo chi conosceva la parola segreta poteva recuperarla.

«Ci occorre una parola segreta» disse Sophie, indicando gli anelli con le lettere dell'alfabeto. «Un cryptex funziona come un lucchetto a combinazione. Se allinei i dischetti nel modo giusto, il lucchetto si apre. Questo cryptex ha cinque anelli alfabetici. Quando sono nella posizione giusta, le scanalature all'interno si allineano e l'intero cilindro si apre.»

«E all'interno?»

«Quando il cilindro si apre, hai accesso a un compartimento cavo centrale, che può contenere un rotolo di carta su cui è scritta l'informazione che vuoi mantenere segreta.»

Langdon la guardò con incredulità. «E dici che tuo nonno ne costruiva per te quando eri bambina?»

«Qualcuno più piccolo, sì. Un paio di volte, per il mio compleanno. Mi ha dato un cryptex accompagnato da un indovinello. La soluzione dell'indovinello era la combinazione del cryptex e quando lo risolvevo potevo aprirlo e trovare un biglietto.»

«Un mucchio di lavoro per un biglietto.»

«No, il biglietto conteneva un altro indovinello o qualche ulteriore indizio. Mio nonno amava organizzare complesse cacce al tesoro in tutta la nostra casa, una catena di indovinelli che alla fine mi portava a trovare il mio vero regalo di compleanno. Ciascuna di quelle cacce al tesoro era un esame del mio carattere e della mia intelligenza, per assicurarsi che mi meritassi il dono. E gli indovinelli non erano mai semplici.»

Langdon continuò a guardare il cilindro, con espressione scettica. «Ma perché non limitarsi ad aprirlo? O a romperlo? Il metallo non sembra molto robusto, e il marmo è una roccia tenera.»

Sophie sorrise. «Leonardo era troppo intelligente. Ha disegnato il cryptex in modo che, se si cerca di forzarlo, l'informazione si autodistrugge. Guarda.» Sollevò con attenzione il cilindro. «Le informazioni da inserire devono prima essere scritte su un foglio di papiro.»

«Non di pergamena?»

Sophie scosse la testa. «Papiro. So che la pergamena era più resistente e più comune, all'epoca, ma doveva essere papiro. Più sottile era, meglio era.»

«D'accordo.»

«Prima di essere inserito nel vano del cryptex, il papiro veniva arrotolato attorno a una delicata fiala di vetro.» Girò il cryptex e si sentì gorgogliare il liquido all'interno. «Una fiala piena di un liquido.»

«Che liquido?»

Sophie sorrise. «Aceto.»

Langdon rifletté un istante, poi annuì. «Astuto.»

"Aceto e papiro" pensò Sophie. Se qualcuno avesse tentato di forzare il cryptex, la fiala si sarebbe spezzata e l'aceto avrebbe dissolto rapidamente il papiro. Il messaggio segreto, una volta estratto, sarebbe risultato un mucchietto di fibre di papiro macerate, impossibile a leggersi. «Come vedi» disse «il solo modo per recuperare l'informazione è quello di conoscere la parola in codice di cinque lettere. E con cinque anelli, ciascuno con ventiquattro lettere, le combinazioni sono ventiquattro alla quinta potenza.» Eseguì rapidamente il calcolo. «Approssimativamente, otto milioni di possibilità.»

«Se lo dici tu» commentò Langdon, il quale aveva per la testa otto milioni di domande. «Secondo te, che informazione contiene?»

«Di qualunque informazione si tratti, mio nonno, ovviamente, voleva tenerla segreta.» Si interruppe per chiudere il coperchio e osservò la rosa a cinque petali intarsiata su di esso. Un pensiero l'aveva colpita. «Hai detto che la rosa è un simbolo del Graal?»

«Esatto. Nel simbolismo del Priorato, la rosa e il Graal sono sinonimi.»

Sophie aggrottò la fronte. «Strano, perché mio nonno mi ha sempre detto che la rosa significa "segretezza". A casa, metteva una rosa sulla porta del suo studio quando telefonava e non voleva essere disturbato. Mi invitava a imitare questa sua abitudine.» "Cara" le diceva il nonno "piuttosto di chiudere la porta a chiave, possiamo appendere una rosa, il fiore dei segreti, alla nostra porta quando abbiamo bisogno di privacy. In questo modo impariamo a rispettarci e a fidarci l'uno dell'altra. Appendere una rosa è una vecchia abitudine dei romani."

«Sub rosa» disse Langdon. «I romani appendevano una rosa al di sopra dei loro luoghi d'incontro per indicare che quanto si diceva era confidenziale. I presenti sapevano che tutto ciò che veniva detto "sotto la rosa" – ossia, in latino, sub rosa – doveva rimanere segreto.»

Langdon spiegò in fretta che i significati di segretezza collegati alla rosa non erano il solo motivo che aveva indotto il Priorato a usarla come simbolo del Graal. La Rosa rugosa, una delle più antiche specie di rosa, aveva cinque petali e una simmetria pentagonale, esattamente come la traiettoria di Venere, e questo l'associava, come simbolo, alla femminilità. Inoltre, la rosa aveva un legame con i concetti di "giusta direzione" e "seguire la rotta". La Rosa dei Venti aiutava i marinai nella navigazione, come le Linee della Rosa, i meridiani della longitudine sulle carte geografiche. Per tutti questi motivi, la rosa era un simbolo che si collegava al Graal su vari livelli: segretezza, femminilità e guida, ossia il calice femminile e l'astro guida che conducevano alla segreta verità.

Terminata la spiegazione, Langdon aggrottò improvvisamente la fronte.

«Robert? Tutto a posto?»

Lo studioso fissava il cofanetto di palissandro come se non riuscisse a staccare gli occhi da esso. «*Sub... rosa*» mormorò, ancora stupito. «Non può essere...»

«Che cosa?»

Langdon sollevò lentamente gli occhi. «Sotto il segno della Rosa» sussurrò. «Questo cryptex... credo di sapere cos'è.»

48

Langdon stentava a credere alla propria supposizione, ma, considerato chi aveva dato loro quel cilindro di pietra, in che modo glielo aveva consegnato e la rosa intarsiata sul coperchio, lo studioso poteva giungere a una sola conclusione. "Nel cofanetto c'è la chiave di volta del Priorato."

La leggenda era chiara: "La chiave di volta è una pietra con iscrizioni che giace sotto il segno della Rosa".

«Robert?» Sophie lo stava osservando. «Che succede?»

A Langdon occorse ancora un istante per raccogliere i pensieri. «Tuo nonno ti ha mai parlato della *clef de voûte*?»

«La chiave di volta?» chiese Sophie, senza capire.

«Sì, la chiave di un soffitto a volta. Ogni arco di pietra ha bisogno di una pietra centrale, a forma di cuneo, che serve a bloccare insieme le altre pietre dell'arco e a scaricare su di esse le spinte. In senso architettonico, questa pietra è la "chiave" della volta. È anche chiamata pietra di volta.» La fissò per osservare le sue reazioni.

Sophie si strinse nelle spalle e guardò il cryptex. «Ma questo ovviamente non è una pietra a forma di cuneo.»

Langdon non sapeva da dove iniziare. Le chiavi di volta, come tecnica per costruire archi di pietra, erano rimaste per molto tempo un segreto delle antiche confraternite di muratori. La conoscenza che permetteva di costruire un soffitto a volta faceva parte dei segreti che avevano reso ricchi i muratori, ed era gelosamente custodita. Alle chiavi di volta era sempre stata legata una tradizione di segretezza. Eppure, il cilindro di pietra contenuto nel cofanetto era, ovviamente, qualcosa di diverso. La chiave di volta del Priorato – se quel cilindro lo era davvero – non era affatto come Langdon se l'era immaginata.

«La chiave di volta del Priorato non è la mia specialità» ammise. «Il mio interesse per il Santo Graal riguarda soprattutto i simboli, perciò tendo a ignorare la quantità di leggende che si occupano di come trovarlo.»

Sophie inarcò le sopracciglia. «Trovare il Santo Graal?»

Langdon le rivolse un cenno d'assenso, leggermente a disagio, e scelse attentamente le parole. «Sophie, secondo le leggende sul Priorato, la chiave di volta è una mappa in codice... una mappa che rivela il nascondiglio del Santo Graal.»

Sophie impallidì. «E tu credi che sia questa?»

Langdon non sapeva che cosa dire. Anche a lui sembrava incredibile, eppure la chiave di volta era la sola conclusione logica che riuscisse a trovare. "Una pietra con iscrizioni che giace sotto il segno della Rosa."

L'idea che il cryptex fosse stato disegnato da Leonardo da Vinci – un ex Gran Maestro del Priorato di Sion – era un'ulteriore indicazione che si trattava davvero della chiave di volta del Priorato. "Un disegno di un ex Gran Maestro, realizzato secoli più tardi da un altro membro del Priorato." Il legame era troppo tangibile per non prenderlo in considerazione.

Negli ultimi dieci anni, gli storici avevano cercato la chiave di volta nelle chiese francesi. I cercatori del Graal, abituati ai misteri e alle ambiguità di significato del Priorato, erano giunti alla conclusione che fosse davvero una chiave di volta architettonica, una pietra su cui era scolpita un'iscrizione, e che quella pietra fosse inserita in uno degli archi di una chiesa. "Sotto il segno della Rosa." E in architettura non mancavano le rose, decorative e strutturali. Naturalmente, erano comuni anche i *cinquefoils*, i fiori decorativi a cinque petali che spesso si scorgevano in cima agli archi, sopra la chiave di volta. Un simile nascondiglio sembrava diabolicamente semplice. La mappa del Santo Graal era scolpita su un arco di qualche chiesa dimenticata, e si faceva beffe di coloro che passavano sotto di essa e ne ignoravano l'esistenza.

«Questo cryptex non può essere la chiave di volta» obiettò Sophie. «Non è abbastanza vecchio. Sono certa che l'ha fabbri-

240

cato mio nonno. Non può essere citato in qualche antica leggenda sul Graal.»

«In realtà» rispose Langdon, con un brivido di eccitazione «si pensa che la chiave di volta sia stata creata dal Priorato negli ultimi vent'anni.»

Sophie lo guardò con incredulità. «Ma se questo cryptex rivela il nascondiglio del Santo Graal, perché mio nonno l'ha dato proprio a me? Non ho idea di come aprirlo o di che cosa farne. Non so neppure che cosa sia, il Santo Graal!»

Langdon comprese con un certo stupore che Sophie aveva ragione. Non aveva ancora avuto la possibilità di spiegarle la vera natura del Santo Graal. Quella storia doveva aspettare. Al momento era necessario pensare alla chiave di volta. "Se il cilindro lo è veramente."

Accompagnato dal ronzio delle ruote sotto di loro, Langdon spiegò rapidamente a Sophie tutto ciò che sapeva a proposito della chiave di volta. A quanto si diceva, per secoli, il principale segreto del Priorato – il nascondiglio del Santo Graal – non era mai stato scritto. Per maggiore sicurezza, veniva trasmesso verbalmente a ciascun nuovo *sénéchal*, durante una cerimonia clandestina. Tuttavia, nell'ultimo secolo, si era cominciato a sussurrare che la politica del Priorato era cambiata, forse per le nuove possibilità di spionaggio elettronico; in ogni caso, il Priorato aveva promesso di non *parlare* più della località dove era nascosto.

«Ma allora come potevano trasmettersi il segreto?» chiese Sophie.

«È a questo punto che entra in gioco la chiave di volta» spiegò Langdon. «Quando uno dei quattro membri più importanti moriva, gli altri tre sceglievano dai ranghi inferiori il nuovo candidato al grado di *sénéchal*. Invece di *dire* al nuovo *sénéchal* dove era nascosto il Graal, gli assegnavano una prova da superare, attraverso la quale potesse dimostrare di essere degno.»

Sophie parve colpita da queste parole e Langdon ricordò all'improvviso che il nonno organizzava per lei le cacce al tesoro, delle *preuves de mérite*. A quanto si sapeva, la chiave di volta era un concetto analogo. Del resto, quel tipo di prove era estremamente comune nelle società segrete. Le più note erano quelle della massoneria, associazione in cui si saliva di grado mostrando di saper mantenere i segreti, osservando i rituali e sottoponendosi a varie "prove di merito" nel corso degli anni. I compiti diventavano progressivamente sempre più difficili finché il candidato non giungeva al trentaduesimo grado.

«Perciò la chiave di volta è una *preuve de mérite*» disse Sophie. «Se un aspirante *sénéchal* del Priorato riesce ad aprirla, si dimostra degno dell'informazione che contiene.»

Langdon annuì. «Dimenticavo che hai già esperienza di quel tipo di prove.»

«Non solo con mio nonno. In crittologia si chiama "linguaggio auto-autorizzante". Ossia, se sei così intelligente da riuscire a leggerlo, hai il permesso di conoscere quello che c'è scritto.»

Langdon ebbe un attimo di esitazione. «Sophie, ti rendi conto che se questa è davvero la chiave di volta, il fatto che l'avesse tuo nonno significa che lui occupava una posizione eccezionalmente autorevole nel Priorato di Sion. Doveva essere uno dei quattro membri di grado più elevato.»

Sophie sospirò. «Sono certa che lui aveva un grado eccezionalmente elevato in una società segreta. Posso pensare che fosse il Priorato.»

Langdon rimase a bocca aperta. «Sapevi che faceva parte di una società segreta?»

«Dieci anni fa ho assistito ad alcune cose che non avrei dovuto vedere. Da allora non ci siamo più parlati.» Fece una pausa. «Mio nonno non era solo uno dei membri di grado più elevato; credo fosse quello di grado più alto.»

Langdon non riusciva a credere all'affermazione di Sophie. «Gran Maestro? Ma... non avresti potuto saperlo in alcun modo!»

«Preferisco non parlarne.» Sophie distolse lo sguardo, con espressione addolorata ma decisa.

Langdon non aveva parole. "Jacques Saunière? Gran Maestro?" Nonostante le stupefacenti conseguenze, se fosse stato vero, Langdon aveva l'impressione che tutto ciò avesse perfettamente senso. Dopotutto, i Gran Maestri precedenti erano figure famose e apprezzate con propensione per l'arte. La prova era stata scoperta anni prima nella Bibliothèque Nationale di Parigi, nelle carte note come *Les Dossier Secrets*, i dossier segreti.

Tutti gli storici del Priorato e tutti gli appassionati del Graal li avevano letti. Catalogati al numero 4°-lm^1-249, la loro autenticità era stata stabilita da molti esperti; confermavano in modo incontrovertibile quello che gli storici sospettavano da molto tempo, ossia che tra i Gran Maestri del Priorato fossero compresi Leonardo, Botticelli, Newton, Victor Hugo e, più recentemente, Jean Cocteau, il famoso artista parigino

"Perché non Jacques Saunière?"

A destare l'incredulità di Langdon c'era però il fatto che lui avrebbe dovuto incontrare Saunière la notte precedente. "Il Gran Maestro del Priorato voleva incontrarmi. Perché? Per fare due chiacchiere sull'arte?" Gli pareva improbabile. Dopotutto, se le sue intuizioni erano giuste, il Gran Maestro del Priorato di Sion aveva poi passato alla nipote la leggendaria chiave di volta e nello stesso tempo le aveva ordinato di cercare Robert Langdon.

"Inconcepibile!"

Non riusciva a immaginare alcuna circostanza che potesse spingere Saunière a comportarsi in quel modo. Anche se temeva per la propria vita, c'erano tre *sénéchaux* che condividevano il segreto e che così garantivano la sicurezza del Priorato. Perché correre l'enorme rischio di dare la chiave di volta alla nipote, considerato anche il fatto che non si parlavano da dieci anni? E perché coinvolgere Langdon, che era un completo sconosciuto?

"Probabilmente, ignoro ancora qualche pezzo di questo enigma" pensò.

A quanto pareva, la risposta avrebbe dovuto aspettare. Improvvisamente, il motore rallentò i giri e tutt'e due alzarono di scatto la testa. Si udì rumore di ghiaia sotto le ruote. "Perché si ferma già?" si chiese Langdon. Vernet aveva promesso di portarli lontano dalla città, in modo che fossero al sicuro. Il furgone avanzò ancora per un breve tratto a passo d'uomo, su un terreno accidentato. Sophie rivolse a Langdon un'occhiata preoccupata e si affrettò ad abbassare il coperchio della custodia e a chiudere il fermaglio. Langdon si infilò la giacca.

Il furgone si fermò, con il motore in folle, e qualche istante più tardi si udì scorrere il chiavistello. Quando le porte posteriori si spalancarono, Langdon vide con sorpresa che erano parcheggiati in una zona alberata, a una buona distanza dalla strada.

Vernet comparve davanti all'apertura, con il volto teso e una pistola puntata contro di loro. «Mi dispiace» disse «ma vi assicuro di non avere altra scelta.»

49

André Vernet sembrava a disagio con una pistola in pugno ma i suoi occhi brillavano di decisione; Langdon preferì non metterla alla prova.

«Temo di dovere insistere» disse Vernet, puntando la pistola contro i due, nel vano del furgone. «Posate il cofanetto.»

Sophie se lo strinse al petto. «Ha detto che lei e mio nonno eravate amici.»

«Ho il dovere di proteggere i beni di suo nonno» rispose Vernet. «Ed è esattamente quello che sto facendo. Ora posi il cofanetto.»

«Mio nonno l'ha affidato a me!» protestò Sophie.

«Faccia come dico» ordinò Vernet, sollevando la pistola.

Sophie lo posò ai propri piedi.

Langdon vide ora la pistola puntare nella sua direzione.

«Signor Langdon» disse Vernet. «Adesso lei mi consegnerà quel cofanetto. E sappia che glielo chiedo perché a lei non esiterei a sparare.»

Langdon lo guardò con incredulità. «Perché fa così?»

«Perché crede che lo faccia?» replicò Vernet. Il suo inglese dal forte accento era carico di tensione. «Per proteggere i beni del mio cliente.»

«Siamo *noi* i suoi clienti, adesso» ribatté Sophie.

Vernet ora la fissò gelidamente. Una strana trasformazione. «Mademoiselle Neveu. Non so come vi siate procurati la chiave e il codice, ma mi sembra ovvio che ci sia qualcosa di irregolare. Se fossi stato al corrente dell'enormità dei vostri delitti, non vi avrei aiutati a uscire dalla banca.»

«Gliel'ho detto» protestò Sophie. «Non abbiamo niente a che fare con la morte di mio nonno!»

Vernet fissò Langdon. «La radio dice che siete ricercati non solo per l'omicidio di Jacques Saunière, ma anche per avere ucciso altre tre persone.»

«Come?» Langdon aveva l'impressione di essere stato colpito da un fulmine. "Altri tre omicidi?" La coincidenza tra i numeri lo colpì ancora più del fatto di essere il principale indiziato. Pareva troppo improbabile per essere una coincidenza. "I tre *sénéchaux*?" Langdon abbassò lo sguardo sul cofanetto di palissandro. "Se i siniscalchi sono stati assassinati, Saunière non aveva scelta. Doveva trasferire la chiave di volta a qualcuno."

«La polizia potrà accertarlo quando vi consegnerò agli agenti» disse Vernet. «La mia banca è già troppo compromessa.»

Sophie lo guardò con ira. «Lei non ha nessuna intenzione di consegnarci alla polizia, altrimenti ci avrebbe riportato alla banca. Invece ci ha condotto qui e ora ci minaccia con una pistola...»

«Suo nonno si è rivolto a me per un solo motivo: perché le sue proprietà fossero al sicuro e rimanessero segrete. Qualunque cosa contenga quel cofanetto, non voglio che diventi un elemento di prova in un'indagine della polizia. Signor Langdon, me lo porti.»

Sophie scosse la testa. «Non darglielo.»

Echeggiò uno sparo e il proiettile colpì le lastre di metallo sopra lo studioso. Il rimbombo scosse il vano mentre il bossolo tintinnava sul fondo del furgone.

"Maledizione!" Langdon si immobilizzò.

Adesso Vernet parlò con maggiore sicurezza. «Signor Langdon, prenda il cofanetto.»

Langdon lo sollevò.

«Adesso me lo porti.» Vernet puntava l'arma contro di lui, con il braccio teso; si era avvicinato al furgone, fin quasi a sfiorare il paraurti posteriore, e la mano che impugnava la pistola era all'interno del vano.

Tenendo il cofanetto, Langdon attraversò il furgone in direzione dell'apertura. "Devo fare qualcosa!" pensava. "Non posso consegnargli la chiave di volta del Priorato!" Mentre si avvicinava, si accorse di essere in posizione elevata rispetto a Vernet e si chiese se non potesse approfittarne. La pistola era all'altezza delle sue ginocchia. "Un calcio ben assestato?" Purtroppo, mentre lo studioso avanzava, l'uomo parve accorgersi del pericolo e fece qualche passo indietro. Si fermò a un paio di metri di distanza. Fuori portata.

Vernet ordinò: «Lo posi accanto all'uscita»

Non potendo fare altro, Langdon si inginocchiò e appoggiò il cofanetto sul bordo del vano di carico, accanto a una delle porte aperte.

«Adesso si alzi.»

Mentre si alzava, Langdon notò il bossolo vuoto accanto al battente, che era lavorato con la precisione dello sportello di una cassaforte.

«Si alzi e si allontani dal cofanetto.»

Langdon esitò ancora un istante, per osservare il bordo del metallo dove la porta si chiudeva. Poi si alzò ma, nel farlo, riuscì a spingere il bossolo sulla sottile striscia di acciaio, abbassata di qualche centimetro rispetto al ripiano, dove batteva il fondo della porta. Fece un passo indietro.

«Ritorni in fondo e si volti dall'altra parte.»

Langdon obbedì.

Vernet sentiva il cuore accelerare i battiti. Tenendo puntata la pistola con la mano destra, cercò di prendere con la sinistra il cofanetto di legno, ma si rese conto che era troppo pesante. "Devo prenderlo con due mani." Alzando gli occhi sui prigionieri, calcolò il rischio. Tutt'e due erano a qualche metro da lui, in fondo al vano di carico, voltati dall'altra parte. Decise di rischiare e, posata la pistola sul paraurti, sollevò il cofanetto e lo posò in terra, poi afferrò di nuovo la pistola. I due prigionieri non si erano mossi.

"Perfetto." Ora gli bastava chiudere le porte e sbarrarle. Lasciando momentaneamente in terra il cofanetto, afferrò i due battenti di metallo e li chiuse, poi spinse il chiavistello per bloccarli. Il cilindro di metallo si mosse di alcuni centimetri e poi si fermò perché non trovava il foro. "Che succede?" Vernet spinse con più forza, ma il chiavistello non si mosse. Non era bene allineato. "La porta non è chiusa!" Preso da un panico improvviso, Vernet diede una spinta alla porta, che però non si mosse. "C'è qualcosa che la blocca!" Fece un passo indietro, con l'intenzione di dare una spallata, ma la porta venne proiettata esplosivamente verso l'esterno, colpì Vernet sulla faccia e lo fece cadere a terra, con il naso spezzato e dolorante. La pistola gli scivolò via quando si portò istintivamente le mani al volto e sentì il sangue caldo colargli dal naso.

Robert Langdon cadde a terra vicino a lui e Vernet cercò di alzarsi, ma non riusciva a vedere. I suoi occhi erano annebbiati e lo sforzo di tirarsi su lo fece ricadere indietro. Sophie Neveu gridò qualche parola che il presidente della banca non riuscì a capire. Pochi istanti più tardi, Vernet fu colpito da una nuvola di polvere e di gas di scarico. Udì rumore di ruote sulla ghiaia e si rizzò a sedere appena in tempo per vedere che il furgone sbagliava a prendere una curva. Con uno schianto, il paraurti anteriore finì contro un albero. Il motore ruggì e l'albero si piegò, ma a cedere fu poi il paraurti, che da quella parte si staccò dalla carrozzeria. Il furgone corazzato si allontanò, con il paraurti che strisciava sul terreno. Quando raggiunse il tratto di strada asfaltato, la notte si illuminò di una pioggia di scintille, che seguivano il veicolo come una scia.

Vernet abbassò gli occhi sul punto del terreno dove, fino a poco prima, era fermo il furgone. Anche alla debole luce lunare, riuscì a vedere che non c'era più niente.

Il cofanetto di legno era sparito.

50

Dopo essersi allontanata da Castel Gandolfo, la berlina Fiat priva di insegne scese dai Colli Albani diretta alla valle sottostante. Il vescovo Aringarosa, seduto nel sedile posteriore, sorrideva al peso della cartella piena di titoli al portatore che gli gravava sulle ginocchia e si chiedeva quanto mancava al momento in cui avrebbe potuto fare lo scambio con il Maestro.

"Venti milioni di euro." Quella somma avrebbe procurato ad Aringarosa un potere infinitamente più prezioso.

Mentre l'auto si dirigeva verso l'aeroporto, Aringarosa tornò a chiedersi perché il Maestro non si fosse messo in contatto con lui. Trasse di tasca il cellulare e controllò il segnale. Estremamente debole.

«Il funzionamento dei cellulari è molto irregolare quassù» disse l'autista, guardandolo nello specchietto retrovisore. «Tra cinque minuti saremo fuori da questa zona e il servizio migliorerà.»

«Grazie.» Aringarosa provò un'improvvisa preoccupazione. "Qui non funzionano i cellulari?" Forse il Maestro cercava di mettersi in contatto con lui da quando era salito in macchina. Forse qualcosa era andato terribilmente storto.

In fretta, Aringarosa controllò i messaggi in segreteria telefonica. Non ce n'erano. Poi comprese che il Maestro non avrebbe mai lasciato un messaggio; era un uomo che prestava enorme attenzione alle sue comunicazioni. Nessuno capiva meglio del Maestro il pericolo di parlare apertamente nel mondo moderno. Lo spionaggio elettronico era una delle fonti che gli avevano permesso di raccogliere la sua stupefacente quantità di informazioni segrete.

"Per questo motivo adotta tante precauzioni."

Purtroppo, i cauti protocolli del Maestro includevano il rifiuto di fornire ad Aringarosa un numero per chiamarlo. "Sarò solo io a mettermi in contatto" gli aveva detto il Maestro. "Perciò tenga sempre con sé il cellulare." E adesso, comprendendo che questo non funzionava perfettamente, temeva quello che il Maestro avrebbe potuto pensare.

"Immaginerà che qualcosa sia andato storto. O che non sono riuscito a farmi dare i titoli." Il vescovo cominciò a sudare. "O, peggio ancora... che io abbia preso i soldi e sia fuggito!"

51

Anche a una tranquilla andatura di sessanta chilometri l'ora, il paraurti strisciava con un forte stridore sulla stradina di campagna deserta, spargendo scintille fino al parabrezza.

"Dobbiamo toglierci dalla strada" pensò Langdon.

Riusciva a malapena a vedere dove erano diretti. L'unico faro funzionante si era spostato e proiettava il suo fascio di luce sugli alberi di fianco alla carreggiata. A quanto pareva, la "corazza" del furgone corazzato riguardava solo il compartimento di carico e non la parte frontale.

Seduta accanto a lui, Sophie fissava il cofanetto di legno che teneva sulle ginocchia.

«Tutto a posto?» le chiese Langdon.

Sophie era scossa. «Tu gli credi?»

«Per quel che riguarda gli altri omicidi? Certo. Dà una risposta a un mucchio di interrogativi: la disperazione che ha spinto tuo nonno ad affidarti la chiave di volta e l'accanimento con cui Fache mi dà la caccia.»

«No, mi riferivo a quello che ha detto sul suo desiderio di proteggere la banca.»

Langdon la guardò. «Invece di...?»

«Tenere la pietra per sé.»

Langdon non aveva preso in considerazione quella possibilità. «Come poteva conoscere il contenuto della cassetta di sicurezza?»

«Era depositata nella sua banca. Conosceva mio nonno. Forse sa qualcosa e potrebbe avere deciso di volere il Graal per sé.»

Langdon scosse la testa. Vernet non gli pareva il tipo. «Da quel che ho visto, ci sono due motivi che spingono la gente a cercare il Graal. O sono ingenui e credono di trovare la perduta Coppa di Cristo...»

«Oppure?»

«Oppure sanno la verità e la sentono come una minaccia. Molti gruppi, nel corso della storia, hanno cercato di distruggere il Graal.»

Nel silenzio che scese tra loro, il rumore del paraurti che strideva sull'asfalto parve ancora più forte. Avevano percorso alcuni chilometri e Langdon, guardando la pioggia di scintille, si chiese se non fosse pericolosa. In ogni caso, se avessero incrociato un'altra auto, avrebbero certamente richiamato l'attenzione. Langdon si decise a fermare il veicolo. «Vedo se riesco a sistemare il paraurti.»

Accostò il veicolo al ciglio della strada. Finalmente, lo stridore cessò.

Mentre raggiungeva la parte anteriore, Langdon si sentiva stranamente all'erta. Fissare per la seconda volta in quella notte la canna di una pistola l'aveva svegliato del tutto. Respirò profondamente l'aria notturna e cercò di orientarsi. Oltre alla gravità di essere ricercato, Langdon cominciava a sentire il peso della responsabilità, la possibilità che lui e Sophie avessero davvero in mano un messaggio cifrato che portava a uno dei più antichi misteri del mondo.

Come se quel peso non fosse sufficiente, Langdon ora capiva che ogni possibilità di restituire la chiave di volta al Priorato era ormai scomparsa. La notizia degli altri omicidi aveva una grave implicazione. "Si sono infiltrati nel Priorato. La fratellanza non è più sicura." Anche se Langdon avesse saputo come trovare un membro del Priorato, era probabile che chiunque si fosse presentato a prendere la chiave di volta fosse il loro nemico. Per il momento, dunque, sembrava che la pietra dovesse restare nelle mani di Sophie e di Langdon, che lo volessero o no.

Il danno causato dall'urto contro l'albero era peggiore di quanto Langdon si immaginasse. Il faro sinistro non c'era più e quello destro pendeva dalla carrozzeria. Langdon cercò di metterlo al suo posto, ma quello tornò a cadere. L'unico fatto positivo era che il paraurti era quasi del tutto staccato. Langdon gli diede un forte colpo col piede e, a giudicare dal risultato, pensò di poterlo staccare del tutto.

Mentre colpiva il pezzo di metallo contorto, ricordò una precedente conversazione con Sophie. "Mio nonno mi ha lasciato un messaggio telefonico" gli aveva raccontato la donna. "Mi ha detto che doveva dirmi la verità sulla mia famiglia." Sul momento non aveva dato importanza a quelle parole, ma adesso, sapendo che vi era coinvolto il Priorato di Sion, gli parve di scorgere una stupefacente nuova possibilità.

Il paraurti si ruppe improvvisamente, con un colpo secco. Langdon si fermò per riprendere fiato. Se non altro, il furgone avrebbe smesso di schizzare scintille come una girandola del Quattro di Luglio. Afferrò il pezzo di metallo e lo trascinò oltre il ciglio della strada, chiedendosi quale potesse essere la loro prossima mossa. Non avevano idea di come aprire il cryptex o del motivo per cui Saunière l'avesse affidato a loro. Purtroppo, quella notte la loro sopravvivenza sembrava affidata a quelle risposte.

"Ci occorre aiuto" concluse. "Aiuto professionale."

Nel mondo del Santo Graal e del Priorato di Sion, questo significava una persona sola. Il difficile, naturalmente, sarebbe stato convincere Sophie.

All'interno del furgone, mentre aspettava che Langdon ritornasse, Sophie sentiva il peso della cassetta sulle ginocchia e provava un forte fastidio. "Perché mio nonno l'ha dato proprio a me?" Non aveva la minima idea di che cosa farne.

"Rifletti, Sophie! Usa la testa. Il nonno cerca di dirti qualcosa!"

Aprì il cofanetto e guardò gli anelli con le lettere. "Un esame di merito." Sentiva all'opera la mano del nonno. "La chiave di volta è una mappa che può essere seguita solo dai meritevoli." Le pareva di sentire parlare il nonno.

Sollevando dal cofanetto il cryptex, Sophie fece correre le dita sui caratteri. Cinque lettere. Ruotò gli anelli a uno a uno. Il meccanismo si muoveva con precisione. Allineò tra le due frecce d'ottone della gabbia del cryptex – poste alle due estremità del cilindro – le lettere da lei scelte. Ora si leggeva la parola di cinque lettere che Sophie giudicava ovvia.

G-R-A-A-L

Delicatamente, afferrò le due estremità e tirò, aumentando lentamente la forza. Il cryptex non si mosse. Sentì l'aceto gorgogliare e smise subito di tirare. Provò una seconda parola.

V-I-N-C-I

Anche questa volta, il cryptex non si aprì.

V-O-L-T-A

Niente. Il cryptex non si sbloccò.

Aggrottando la fronte, tornò a infilarlo nel cofanetto di legno e chiuse il coperchio. Guardando dal finestrino, vide Langdon e si rallegrò della sua presenza. "Trova Robert Langdon." La ragione per cui il nonno le aveva chiesto di cercarlo adesso era ovvia. Sophie non era in grado di capire le intenzioni del nonno, e di conseguenza le aveva assegnato Langdon come guida. Un tutore che provvedesse alla sua istruzione. Purtroppo per lui, Langdon si era trovato a essere ben più di un tutore, quella notte. Era divenuto il bersaglio di Bezu Fache e di qualche forza sconosciuta che voleva impadronirsi del Santo Graal.

"Qualunque cosa sia il Graal."

Sophie non poté fare a meno di chiedersi se era una scoperta per cui valesse la pena di rischiare la vita.

Quando il furgone ripartì, Langdon notò con piacere che viaggiava assai meglio di prima. «Sai come arrivare a Versailles?» chiese alla donna.

Sophie lo guardò senza capire. «Vuoi fare il turista?»

«No, ho un'idea. Conosco uno storico delle religioni che abita nei pressi di Versailles. Non ricordo esattamente dove, ma possiamo cercare. Sono stato da lui alcune volte. Si chiama Leigh Teabing. È un ex storico reale britannico.»

«E abita a Parigi?»

«La passione di Teabing è il Graal. Quando si è cominciato a parlare della chiave di volta del Priorato, quindici anni fa, si è trasferito in Francia per studiare le chiese nella speranza di trovarla. Ha scritto alcuni libri sulla chiave di volta e il Graal. Può aiutarci a scoprire come aprire il cryptex e come usare l'informazione.»

Sophie lo guardò con diffidenza. «Puoi fidarti di lui?»

«Fidarmi di cosa? Che non mi rubi l'informazione?»

«E che non ci denunci alla polizia.»

«Non intendo dirgli che siamo ricercati. Spero che ci ospiti finché la cosa non sarà risolta.»

«Robert, hai pensato che tutti i televisori della Francia, probabilmente, si preparano a trasmettere le nostre foto? Bezu Fache usa sempre i media a proprio vantaggio. Ci renderà impossibile muoverci senza essere riconosciuti.»

"Terribile" pensò Langdon. "Il mio debutto alla tivù francese sarà nel programma *I principali ricercati dalla polizia*". Se non altro, la cosa avrebbe fatto piacere a Jonas Faukman; ogni volta che usciva una notizia su Langdon, le vendite dei suoi libri aumentavano.

«Quest'uomo è veramente un buon amico?» chiese Sophie.

Langdon dubitava che Teabing guardasse la televisione, specialmente a quell'ora di notte, ma la domanda era giusta. Il suo istinto, comunque, gli diceva che Teabing era degno di fiducia, un rifugio ideale. Considerate le circostanze, si sarebbe fatto in quattro per aiutarli. Non solo doveva un favore a Langdon, ma era un cercatore del Graal e Sophie riteneva che il nonno fosse il Gran Maestro del Priorato di Sion. Se Teabing l'avesse saputo, si sarebbe messo a salivare come i cani di Pavlov all'idea di aiutarli a risolvere il loro problema.

«Teabing potrebbe essere un forte alleato» disse Langdon. "Dipende da quanto sei disposta a raccontargli."

«Probabilmente, Fache avrà offerto un premio in denaro.»

Langdon rise. «Credimi, il denaro è l'ultima cosa di cui abbia bisogno.» Le ricchezze di Leigh Teabing erano pari a quelle di parecchie piccole nazioni. Discendente del primo duca di Lancaster, Teabing aveva ottenuto il denaro alla vecchia maniera, ossia ereditandolo. La sua casa nei dintorni di Parigi era un palazzo del diciassettesimo secolo con due laghi privati.

Langdon aveva conosciuto Teabing alcuni anni prima, grazie alla British Broadcasting Corporation. Teabing si era rivolto alla BBC per proporre un documentario in cui avrebbe esposto la storia esplosiva del Santo Graal al pubblico non specialistico della televisione. I produttori della BBC avevano visto con favore la premessa scandalistica del programma di Teabing, le sue ricerche e le sue credenziali, ma temevano che un servizio così sensazionale potesse nuocere alla loro fama di giornalismo di qualità. Dietro suggerimento dello stesso Teabing, la BBC aveva superato i timori ricorrendo a tre brevi testimonial di alcuni storici di fama internazionale in grado di sostenere con le proprie ricerche le stupefacenti rivelazioni sul segreto del Graal.

Uno dei prescelti era Langdon.

La BBC lo aveva portato in volo fino alla casa parigina di Teabing per le riprese. Seduto nel ricco salotto dello storico inglese, davanti alle telecamere, Langdon aveva raccontato la storia dei suoi studi sull'argomento, dall'iniziale scetticismo sulla teoria alternativa sul Graal a come gli anni di ricerca l'avessero persuaso che quella teoria era vera. Alla fine aveva anche accennato ad alcune delle sue analisi sui collegamenti simbolici che confermavano quelle affermazioni controverse.

Quando era stato trasmesso in Inghilterra, il programma, nonostante la sua ricca documentazione e la notorietà di coloro che vi avevano preso parte, aveva irritato il sentimento popolare cristiano e aveva suscitato immediatamente un coro di proteste. Non era mai stato trasmesso negli Stati Uniti, ma se ne era parlato anche al di là dell'Atlantico. Poco più tardi, infatti, Langdon aveva ricevuto una cartolina da un vecchio amico, il vescovo cattolico di Filadelfia. La cartolina diceva solo, parafrasando Cesare: *"Tu quoque*, Robert?".

«Robert» lo interrogò Sophie «sei sicuro che possiamo fidarci di quell'uomo?»

«Assolutamente. Siamo colleghi, non ha bisogno di soldi, e per caso ho scoperto quanto odia le autorità francesi. Il governo francese gli impone tasse assurde perché ha comprato un edificio storico. Non avrà nessuna fretta di collaborare con Fache.»

Sophie guardò fuori del finestrino, in direzione della strada buia. «Se andiamo da lui, quanto intendi rivelargli?»

Langdon non pareva preoccuparsi di quel particolare. «Credimi, Leigh Teabing conosce il Priorato di Sion e il Santo Graal più di chiunque altro.»

Sophie lo guardò con incredulità. «Più di mio nonno?»

«Intendevo dire più di chiunque *non* appartenga alla fratellanza.»

«Come puoi essere certo che Teabing non vi appartenga?»

«Teabing ha cercato per tutta la vita di far conoscere la verità sul Santo Graal. Il Priorato giura di mantenere nascosta la sua natura.»

«Mi sembra un po' un conflitto di interessi.»

Langdon capiva le sue preoccupazioni. Saunière aveva dato il cryptex direttamente a Sophie, e lei, anche se non sapeva che cosa contenesse e come utilizzarlo, esitava a coinvolgere uno sconosciuto. Considerando l'informazione che poteva esservi contenuta, probabilmente il suo istinto aveva ragione. «Non è necessario parlare subito a Teabing della chiave di volta. E neanche dopo. La sua casa ci fornirà un rifugio dove nasconderci e pensare, e forse, quando gli parleremo del Graal, potresti scoprire perché tuo nonno ha affidato a te questo cofanetto.»

«Affidato a noi» gli ricordò Sophie.

Langdon non poté fare a meno di provare un senso d'orgoglio; si chiese di nuovo perché Saunière avesse coinvolto anche lui.

«Sai più o meno dove abita il signor Teabing?» chiese Sophie.

«La sua tenuta è chiamata Château Villette.»

Sophie lo guardò con aria incredula. «*Quel* Château Villette?»

«Sì.»

«Hai ottimi amici.»

«Conosci il posto?»

«Sono passata di lì. È nel distretto dei castelli, a venti minuti da noi.»

Langdon aggrottò la fronte. «Così lontano?»

«Sì, e questo ti darà il tempo di spiegarmi che cos'è realmente il Santo Graal.»

Langdon rifletté per qualche istante. «Te lo dirò a casa di Teabing. Io e lui siamo specializzati in parti diverse della leggenda, perciò tra tutt'e due possiamo raccontarti l'intera storia.» Sorrise. «Inoltre, per Teabing il Graal è tutta la vita: ascoltare la storia del Santo Graal da Leigh Teabing è come farsi spiegare la teoria della relatività da Einstein.»

«Speriamo che a Leigh non diano fastidio i visitatori notturni.»

«Per la precisione è *sir* Leigh.» Langdon aveva fatto quell'errore una sola volta. «Teabing è davvero uno strano personaggio. La regina gli ha dato il cavalierato anni fa, quando è uscita una sua dettagliata storia della Casa di York.»

Sophie lo guardò. «Scherzi? Andiamo a trovare un *cavaliere*?»

Langdon le rivolse un sorriso. «Siamo alla ricerca del Graal, Sophie. Chi ci può aiutare meglio di un cavaliere?»

L'estesa tenuta di Château Villette – più di settanta ettari – era situata a nordovest di Parigi, a venticinque minuti d'auto dalla città, nelle vicinanze di Versailles. Costruita da François Mansart nel 1668 per il conte di Aufflay, era uno dei più significativi castelli storici parigini. Con i suoi due laghi e i giardini disegnati da Le Nôtre, Château Villette era un piccolo castello, più che una villa. Era anche noto come "la Petite Versailles".

Langdon fermò il furgone davanti al viale d'accesso, che era lungo un chilometro e mezzo. Da dietro l'imponente cancello si scorgeva in lontananza la residenza di sir Leigh Teabing, in mezzo a un prato. L'avviso sul cartello era in inglese: PROPRIETÀ PRIVATA. VIETATO L'INGRESSO.

Come per proclamare che la sua casa era un'isola inglese in terra di Francia, Teabing aveva non solo scritto il cartello in inglese, ma aveva installato il citofono sulla parte destra, che in tutta Europa, fuorché in Inghilterra, era la parte del passeggero.

Sophie lanciò una strana occhiata al citofono. «E se arriva qualcuno senza passeggero?»

«Lascia perdere.» Langdon conosceva già come la pensasse lo storico. «Preferisce le abitudini di casa sua.»

Sophie abbassò il finestrino. «Robert, sarebbe meglio che parlassi tu.»

Langdon si allungò e si sporse dal finestrino di Sophie per premere il pulsante. Mentre lo faceva, inalò il seducente profumo della donna e si accorse di quanto fossero vicini. Attese in quella posizione, un po' a disagio, mentre dal piccolo altoparlante giungeva uno squillo di telefono.

Alla fine si sentì uno scatto e una voce irritata chiese in francese: «Château Villette. Chi è?».

«Sono Robert Langdon» rispose lo studioso, pressoché sdraiato sulle ginocchia di Sophie. «Un amico di sir Leigh Teabing. Ho bisogno del suo aiuto.»

«Il signore dorme. Come dormivo io. Che vuole da lui?»

«È una cosa privata. Una cosa di grande interesse per lui.»

«Allora sono certo che avrà il piacere di riceverla domattina.» Langdon cercò di sollevarsi. «È importantissimo.»

«Lo è anche il sonno di sir Leigh. Se lei è un amico come dice, allora sa che non sta bene.»

Sir Leigh Teabing aveva contratto la polio da bambino e adesso portava sostegni ortopedici alle gambe e camminava con le stampelle, ma Langdon l'aveva trovato così vivace e pieno di brio, durante la sua ultima visita, da non considerarlo affatto un invalido. «Per favore, può dirgli che ho scoperto nuove informazioni sul Graal? Informazioni che non possono attendere fino al mattino.»

Una lunga pausa.

Langdon e Sophie attesero, mentre il motore, in folle, girava con un rumore che, nel silenzio della notte, sembrava fortissimo.

Passò almeno un minuto. Alla fine, qualcuno parlò. «Mio buon amico, ho il sospetto che tu sia ancora regolato sul fuso orario di Harvard.» La voce era allegra e brillante.

Langdon sorrise nel riconoscere il forte accento britannico dello storico. «Leigh, le mie scuse per averti svegliato a quest'ora oscena.»

«Il mio maggiordomo mi dice che non solo sei a Parigi, ma che gli hai parlato del Graal.»

«Ho pensato che potesse convincerti ad alzarti.»

«E così è stato.»

«C'è qualche possibilità che il tuo cancello si apra per un vecchio amico?»

«Chi cerca la verità è più di un amico. È un fratello.»

Langdon, che era abituato alle recite di Teabing, si girò verso Sophie e la guardò come per dire: "Ti ho avvertito che è un tipo strano".

«Certo che aprirò il cancello» proclamò Teabing «ma prima

devo avere la conferma che il tuo cuore è puro. Una prova del tuo onore. Dovrai rispondere a tre domande.»

Langdon si lasciò sfuggire un gemito e sussurrò a Sophie: «Abbi pazienza; è fatto a modo suo».

«La tua prima domanda» disse Teabing, in tono solenne. «Che cosa vuoi che ti serva, caffè o tè?»

Langdon sapeva che Teabing considerava il caffè una bassa abitudine americana. «Tè» rispose. «Earl Grey.»

«Eccellente. Seconda domanda. Latte o zucchero?»

Langdon esitò.

«Latte» gli sussurrò Sophie. «Gli inglesi mettono il latte, mi pare.»

«Latte» rispose Langdon.

Silenzio.

«Zucchero?»

Teabing non rispose.

"Un momento!" Langdon ora ricordava la bevanda aspra che gli era stata servita nel corso della sua ultima visita e capì che la domanda era un trucco. «Limone!» esclamò. «Earl Grey col limone!»

«Proprio così.» Teabing pareva divertito. «E infine devo rivolgerti la più importante delle domande.» Si interruppe e riprese a parlare in tono ancora più solenne. «In che anno una barca di Harvard ha superato per l'ultima volta un equipaggio di Oxford a Henley?»

Langdon non ne aveva idea, ma pensò che Teabing avesse un solo motivo per rivolgergli quella domanda. «Certo una simile assurdità non si è mai verificata.»

Il cancello si aprì. «Il tuo cuore è sincero, amico mio. Puoi entrare.»

53

«Monsieur Vernet!» Il direttore notturno della Banca deposito di Zurigo pareva sollevato nell'udire al telefono la voce del suo presidente. «Dov'era andato, signore? Qui c'è la polizia, tutti aspettano lei!»

«Ho un piccolo problema» rispose il presidente, con aria afflitta. «Ho immediatamente bisogno del suo aiuto.»

"Hai ben più di un piccolo problema" pensò il direttore. La polizia aveva circondato la banca e minacciava di far accorrere il capitano stesso, con il mandato di perquisizione richiesto. «Come posso aiutarla, signore?»

«Il furgone corazzato numero tre. Devo trovarlo.»

Perplesso, il direttore controllò l'elenco delle consegne. «È qui. Nel garage di carico e scarico.»

«In realtà, no. È stato rubato dai due individui ricercati dalla polizia.»

«Cosa? Come hanno fatto a uscire?»

«Non posso dilungarmi sui particolari per telefono, ma è una situazione che potrebbe risultare estremamente sgradevole per la banca.»

«Che cosa devo fare, signore?»

«Vorrei che attivasse il localizzatore d'emergenza del furgone.»

Il direttore lanciò un'occhiata al quadro di controllo in fondo alla stanza. Come la maggior parte dei furgoni portavalori, i loro veicoli erano dotati di un localizzatore che si poteva attivare con un segnale radio, direttamente dalla banca, indipendentemente dalla distanza. L'aveva usato una sola volta, dopo che ne era stato rubato uno, e il funzionamento era stato perfetto: il sistema aveva localizzato il furgone e aveva direttamente trasmesso alle autorità la posizione. Quella notte, però, aveva l'impressione che il suo presidente desiderasse una maggiore riservatezza. «Signore, come lei sa, se attiviamo il sistema, le autorità verranno immediatamente informate del nostro problema.»

Vernet rifletté per alcuni istanti. «Sì, lo so, ma lo attivi lo stesso. Il furgone numero tre. Io resto in linea. Mi occorre la posizione di quel veicolo non appena lei la riceverà.»

«Subito, signore.»

Trenta secondi più tardi, a quaranta chilometri di distanza, nel suo nascondiglio sotto lo chassis del furgone corazzato, un minuscolo localizzatore entrò in funzione.

54

Mentre percorrevano il viale fiancheggiato di pioppi che portava alla casa, Sophie sentiva già rilassarsi i muscoli. Era un sollievo lasciare la strada e lei non riusciva a immaginare un posto più sicuro che quella tenuta privata, circondata da un alto muro, appartenente a un inglese di natura allegra.

Imboccarono l'ultimo tratto circolare del viale e alla loro destra comparve Château Villette. Alto tre piani e lungo almeno sessanta metri, l'edificio aveva la facciata di pietra grigia e grezza, illuminata da fari esterni, che faceva uno strano contrasto con i giardini immacolati e i laghetti immobili.

All'interno, le luci si stavano accendendo.

Invece di fermare il furgone davanti all'ingresso principale, Langdon si diresse verso un parcheggio nascosto in mezzo agli alberi. «Meglio non rischiare di essere visti dalla strada» disse. «O indurre Leigh a chiedersi perché siamo arrivati con un furgone corazzato, e per di più con la carrozzeria danneggiata.»

Sophie annuì. «Che ne facciamo del cryptex? Forse è meglio non lasciarlo qui, ma se Leigh lo vedrà, vorrà certamente sapere che cos'è.»

«Non preoccuparti» rispose lui, togliendosi la giacca dopo essere sceso dal veicolo. La avvolse attorno al cofanetto e tenne il fagotto tra le braccia come se fosse un bambino in fasce.

Sophie lo guardò con espressione dubbiosa. «Idea brillante» ironizzò.

«Teabing non viene mai alla porta, preferisce fare un ingresso teatrale. Troverò qualche punto dove nasconderlo prima che arrivi.» Si interruppe. «Meglio che ti avverta ancora. Sir Leigh ha un senso dello humour che la gente trova un po' strano.»

Sophie non si preoccupò. Dubitava che, dopo le esperienze di quella notte, qualcosa potesse sembrarle strano.

Il vialetto che portava all'ingresso era lastricato di ciottoli artisticamente disposti. La porta era di quercia e ciliegio, con un batacchio di bronzo grosso come un ananasso. Prima che Sophie potesse afferrarlo, la porta si aprì verso l'interno.

Un maggiordomo alto, magro ed elegante li attendeva e intanto si sistemava la cravatta e la giacca nera che, evidentemente, si era appena infilato. Aveva una cinquantina d'anni, l'aspetto raffinato e l'espressione austera. Chiaramente, la loro presenza non gli era affatto gradita. «Sir Leigh scenderà immediatamente» spiegò, con un forte accento francese. «Si sta vestendo. Preferisce non accogliere gli ospiti in camicia da notte. Posso avere la sua giacca?» Guardò con fastidio il fagotto che Langdon teneva tra le braccia.

«No, grazie, va bene così.»

«Naturalmente. Da questa parte, prego.»

Il maggiordomo li accompagnò lungo l'ingresso marmoreo fino a un salotto squisitamente arredato e illuminato da lampade vittoriane coperte dal paralume. All'interno l'aria aveva un bouquet antico, quasi regale, in cui si mescolavano aromi di tabacco da pipa, foglie di tè, sherry e l'odore di terra delle architetture di pietra. Sulla parete in fondo, in mezzo a due luccicanti armature in maglia d'acciaio, c'era un caminetto rustico abbastanza largo per arrostirvi un bue. Il maggiordomo si diresse verso di esso, si inginocchiò e accostò un fiammifero a un mucchio di sterpi coperti di legna da ardere, già preparato in precedenza. Il fuoco si accese in pochi istanti.

L'uomo si alzò, raddrizzandosi la giacca. «Sua Signoria vi invita a mettervi a vostro agio.» Detto questo, si allontanò, lasciando soli Langdon e Sophie.

La donna si chiese su quale pezzo d'antiquariato dovesse sedere, il divano rinascimentale in velluto, la rustica sedia a dondolo con le zampe d'aquila o una delle due panche di pietra che parevano sottratte a qualche tempio bizantino?

Langdon tolse il cryptex dalla giacca, si diresse verso il divano e vi fece scivolare sotto il cofanetto, fuori vista. Poi scosse la giacca e tornò a infilarsela, sistemò il colletto e, con un sorriso a Sophie, si sedette direttamente sopra il loro tesoro nascosto.

"Allora, vada per il divano" si disse Sophie, e si accomodò vicino a lui.

Mentre guardava il focolare e il calore arrivava fino a lei, la donna pensò che al nonno sarebbe piaciuta quella stanza. I pannelli di legno scuro erano coperti di quadri di antichi maestri: riconobbe un Poussin, uno dei pittori preferiti da Saunière. Sulla mensola del caminetto un busto in alabastro di Iside sorvegliava la stanza.

Sotto la dea egizia, all'interno del caminetto, due gargouille di pietra facevano da alari, e la loro bocca spalancata rivelava la gola minacciosamente vuota. Quei demoni delle cattedrali gotiche avevano sempre terrorizzato Sophie quando era bambina, finché il nonno non le aveva fatto vincere la paura portandola in cima alla cattedrale di Notre Dame durante un temporale. «Principessa, guarda quelle stupide creature» le aveva detto, indicando i doccioni di scarico a forma di gargouille, con un getto d'acqua che usciva dalla bocca. «Senti quel buffo rumore che viene dalla loro gola?» Sophie gli aveva rivolto un cenno affermativo; era stata costretta a sorridere nell'udire il suono dell'acqua che gorgogliava attraverso la loro gola. «Fanno i *gargarismi*» le aveva detto il nonno. «*Si gargarizzano!* Ed è per questo che gli hanno dato un nome idiota come gargouille.» Sophie non ne aveva mai più avuto paura.

Quel caro ricordo le fece provare una grande tristezza e la dura realtà, la morte del nonno, l'afferrò di nuovo. "Il nonno è morto." Pensò al cryptex sotto il divano e si chiese se Leigh Teabing avesse idea di come aprirlo. "O se sia meglio non chiederglielo nemmeno." Con le sue ultime parole, il nonno le aveva detto di cercare Robert Langdon. Non aveva accennato a coinvolgere altri. "Avevamo bisogno di un nascondiglio" si disse, e decise di affidarsi al giudizio di Robert.

«Sir Robert!» esclamò qualcuno dietro di loro. «Vedo che viaggi con una damigella.»

Langdon si alzò e anche Sophie balzò in piedi. La voce

giungeva dall'alto di una scala circolare che portava al piano superiore. In cima, nel buio, si scorgeva solo una sagoma che si muoveva.

«Buonasera» lo salutò Langdon. «Sir Leigh, ti presento Sophie Neveu.»

«Onorato.» Teabing giunse alla zona illuminata.

«Grazie per averci fatto entrare» gli disse Sophie, che ora notava le stampelle. Teabing scendeva lentamente, uno scalino la volta. «Comprendo che è molto tardi.»

«È talmente tardi, mia cara, da essere addirittura presto.» Rise. «*Vous n'êtes pas américaine?*»

Sophie scosse la testa. «*Parisienne.*»

«Il suo inglese è superbo.»

«Grazie. Ho studiato alla Royal Holloway.»

«Ecco la spiegazione, dunque.» Teabing, scendendo la scala, era arrivato in una zona buia. «Forse Robert le ha detto che insegnavo poco più avanti, a Oxford.» Rivolse a Langdon un'occhiata diabolica. «Naturalmente, per maggiore sicurezza, ho anche chiesto a Harvard se mi volevano assumere.»

Quando il loro ospite arrivò in fondo alla scala, Sophie pensò che non aveva per niente l'aspetto di un cavaliere: non più di sir Elton John. Corpulento e con la faccia rubiconda, sir Leigh Teabing aveva capelli rossi ricciuti e occhi castani pieni di allegria che, quando parlava, parevano scintillare. Indossava un paio di calzoni plissettati e un'ampia camicia di seta sotto una giacca scozzese. Nonostante i sostegni ortopedici di alluminio, camminava ben ritto, con una dignità e una fermezza che parevano il frutto di una nobiltà ereditaria più che di uno sforzo intenzionale.

Teabing li raggiunse e tese la mano a Langdon. «Robert, hai perso peso.»

Langdon sorrise. «E tu ne hai acquistato.»

Teabing rise divertito e si batté la mano sulla pancia. «*Touché.* Ultimamente, i miei unici piaceri carnali sembrano quelli culinari.» Rivolgendosi poi a Sophie, le prese delicatamente la mano, chinò la testa, le sfiorò con le labbra le dita e abbassò gli occhi. «M'lady.»

Lei lanciò un'occhiata a Langdon, chiedendosi se era tornata indietro nel tempo o se era finita in un manicomio.

Il maggiordomo che aveva aperto loro la porta arrivò in quel momento, con il vassoio del tè. Lo posò sul tavolo davanti al caminetto.

«Rémy Legaludec» spiegò Teabing. «Il mio maggiordomo.»

L'uomo rivolse loro un inchino, rigidamente, e scomparve di nuovo.

«Rémy è *Lyonnais*» sussurrò Teabing, come se fosse una brutta malattia «ma cucina passabilmente.»

Langdon lo guardò, divertito. «Pensavo che preferissi personale inglese.»

«Buon Dio, no! Non augurerei un cuoco inglese a nessuno, tolti gli agenti delle tasse francesi, naturalmente.» Guardò Sophie. «*Pardonnez-moi*, Mademoiselle Neveu. Le assicuro che la mia avversione per la Francia si estende solo ai politici e al gioco del calcio. Il vostro governo mi deruba e la vostra squadra di football ci ha recentemente umiliato.»

Sophie gli sorrise.

Teabing la guardò per un attimo, poi si rivolse a Langdon. «È successo qualcosa. Tutt'e due mi sembrate un po' scossi.»

Langdon annuì. «Abbiamo avuto una notte movimentata, Leigh.»

«Senza dubbio. Arrivi sulla soglia di casa mia senza avvertire, nel bel mezzo della notte, parlando del Graal. Dimmi, si tratta davvero del Graal o l'hai citato semplicemente perché sai che è il solo argomento capace di farmi alzare nel cuore della notte?»

"L'uno e l'altro" si disse Sophie, pensando al cryptex nascosto sotto il divano.

«Leigh» disse Langdon «prima vorremmo parlare con te del Priorato di Sion.»

Le folte sopracciglia di Teabing si inarcarono per la sorpresa. «I custodi. Perciò si tratta davvero del Graal. Hai detto che avevi informazioni? Qualcosa di nuovo, Robert?»

«Può darsi. Non ne siamo del tutto certi. Potremmo chiarirci le idee se prima riuscissimo ad avere da te alcune informazioni.»

Teabing agitò il dito indice. «Sempre l'astuto americano. Una cosa in cambio dell'altra. Benissimo, sono a vostra disposizione. Cosa posso dirvi?»

Langdon sospirò. «Speravo che fossi così gentile da spiegare alla signorina Neveu la vera natura del Santo Graal.»

Teabing lo guardò con stupore. «Non lo sa?»

Langdon scosse la testa.

Il sorriso che comparve sul volto di Teabing era quasi osceno. «Robert, mi hai portato una *vergine*?»

Langdon si affrettò a spiegare a Sophie: «"Vergine" è il termine impiegato dagli appassionati del Graal per definire chi non ne conosce la vera storia».

Teabing si rivolse con ansia alla donna. «Ma fino a che punto la conosce, mia cara?»

Sophie accennò in fretta a quanto Langdon le aveva spiegato: il Priorato, i templari, i documenti del Sangreal e il Santo Graal che non era una coppa ma qualcosa di molto più potente.

«Ed è *tutto*?» Teabing rivolse a Langdon un'occhiata scandalizzata. «Robert, ti credevo un gentiluomo. L'hai privata del piacere della conclusione!»

«Certo, ma pensavo che tra tutt'e due...» Non continuò perché non voleva prestarsi ai doppi sensi dello storico.

Ma Teabing aveva già puntato su Sophie lo sguardo scintillante. «Lei è una vergine del Graal, mia cara. E, si fidi di me, non si scorderà mai della sua prima volta!»

55

Seduta sul divano accanto a Langdon, Sophie bevve il tè e mangiò una focaccina imburrata, e presto sentì i benefici effetti del liquido caldo e del cibo. Sir Leigh Teabing sorrideva e camminava avanti e indietro davanti al focolare.

«Il Santo Graal» disse, come se recitasse un sermone. «La gente mi chiede sempre *dove* si trova. Temo sia una domanda a cui non saprò mai rispondere.» Si voltò verso Sophie. «Invece, la domanda importante è: "Che cos'è il Santo Graal?".»

Sophie sentì una crescente aria di eccitazione accademica scendere su tutt'e due i suoi compagni.

«Per capire pienamente il Graal» proseguì Teabing «dobbiamo prima capire la Bibbia. Quant'è approfondita la sua conoscenza del Nuovo Testamento?»

Sophie si strinse nelle spalle. «Molto scarsa; in realtà sono stata allevata da un uomo che adorava Leonardo da Vinci.»

Teabing parve sorpreso e insieme compiaciuto. «Un animo illuminato. Benissimo! Allora lei saprà che Leonardo era uno dei custodi del segreto del Graal. E ha nascosto indizi nella sua arte.»

«Robert me l'ha detto, certo.»

«E quel che pensava Leonardo del Nuovo Testamento?»

«Non ne ho idea.»

Con un sorriso, Teabing indicò la libreria dall'altra parte della sala. «Robert, mi faresti la cortesia? Nello scaffale più basso. *La storia di Leonardo.*»

Langdon raggiunse la libreria, trovò il grosso libro d'arte e lo posò sul tavolo davanti a loro. Voltando il libro perché

Sophie potesse leggere, Teabing sollevò la copertina e indicò una serie di citazioni riportate nei risguardi. «Dagli appunti polemici e dalle riflessioni di Leonardo da Vinci» disse Teabing, indicando in particolare una citazione. «Penso che la troverà illuminante.»

Sophie lesse le parole.

Molti fanno mercato delle illusioni e dei falsi miracoli,
così ingannando le stupide moltitudini.

LEONARDO DA VINCI

«Ed eccone un'altra» proseguì Teabing, indicando una seconda frase.

L'ignoranza ci acceca e ci trae in inganno.
O miseri mortali, aprite gli occhi!

LEONARDO DA VINCI

Sophie sentì un leggero brivido. «Leonardo parla della Bibbia?»

Teabing annuì. «I sentimenti di Leonardo nei riguardi della Bibbia nascono direttamente dal Santo Graal. In effetti Leonardo ha dipinto il vero Graal, che adesso le mostrerò, ma prima dobbiamo parlare della Bibbia.» Teabing sorrise. «E tutto quel che lei deve sapere sulla Bibbia può essere riassunto con le parole del grande dottore canonico Martyn Percy.» Si schiarì la gola e declamò: «"La Bibbia non ci è arrivata per fax dal Cielo"».

«Scusi?»

«La Bibbia è un prodotto dell'uomo, mia cara, non di Dio. La Bibbia non è caduta magicamente dalle nuvole. L'uomo l'ha creata come memoria storica di tempi tumultuosi ed è passata attraverso innumerevoli traduzioni, aggiunte e revisioni. Nella storia non c'è mai stata una versione finale del libro.»

«D'accordo.»

«Gesù Cristo è una figura storica di enorme influenza, forse il leader più enigmatico e seguito che il mondo abbia conosciuto. Come Messia delle profezie, Gesù ha abbattuto re, ispirato moltitudini e fondato nuove filosofie. Come discendente dei re Davide e Salomone, aveva diritto a rivendicare il trono di re dei giudei. Com'è comprensibile, la sua vita è stata scritta da migliaia di suoi seguaci in tutte le terre.» Teabing si interruppe per bere il tè, poi posò la tazza sulla mensola. «Più di *ottanta* vangeli sono stati presi in considerazione per il Nuovo Testamento, tra cui quelli di Matteo, Marco, Luca e Giovanni.»

«Chi ha scelto quali vangeli includere?» chiese Sophie.

«Aha!» esclamò Teabing con entusiasmo. «Ecco la fondamentale ironia del cristianesimo! La Bibbia, come noi la conosciamo oggi, è stata collazionata dall'imperatore romano *pagano* Costantino il Grande.»

«Pensavo che Costantino fosse cristiano» commentò Sophie.

«Niente affatto» rispose Teabing, con un'alzata di spalle. «È stato un pagano per tutta la vita ed è stato battezzato sul letto di morte, quando era troppo debole per opporsi. All'epoca di Costantino, la religione ufficiale romana era il culto del Sole: il culto del *Sol Invictus*, il Sole invincibile, e Costantino era il suo sacerdote più alto. Purtroppo per lui, Roma era allora agitata da un crescente tumulto religioso. Tre secoli dopo la crocifissione di Gesù Cristo, i suoi seguaci si erano moltiplicati in modo esponenziale. Cristiani e pagani cominciavano a litigare e il conflitto saliva a tali proporzioni da minacciare di spaccare Roma. Costantino allora pensò di prendere provvedimenti. Nell'anno 325 decise di unificare Roma sotto una sola religione, il cristianesimo.»

Sophie era sorpresa. «Perché un imperatore pagano avrebbe dovuto scegliere come religione ufficiale il cristianesimo?»

Teabing rise. «Costantino era anche un ottimo uomo d'affari. Vedendo che il cristianesimo era in ascesa, si è semplicemente limitato a puntare sul cavallo favorito. Gli storici si meravigliano tuttora per il modo brillante con cui ha convertito al cristianesimo i pagani adoratori del Sole. Fondendo con la tradizione cristiana ancora in fase di sviluppo i simboli, le date e i rituali pagani, ha creato una sorta di religione ibrida che risultava accettabile a tutt'e due.»

«Trasmutazione» intervenne Langdon. «Le sopravvivenze della religione pagana nella simbologia cristiana sono innegabili. I dischi solari egizi divennero le aureole dei santi cristiani. Le immagini di Iside che allatta il figlio Horus, divinamente concepito, divennero il modello per le immagini della Vergine

Maria che allatta Gesù Bambino. E virtualmente tutti gli elementi del rito cattolico – la mitra, l'altare, gli inni e la comunione, ossia l'atto di "mangiare Dio" – sono stati presi direttamente dalle precedenti religioni misteriche pagane.»

Teabing gemette. «Mai permettere a un esperto di simbologia di cominciare a parlare delle icone cristiane. Nel cristianesimo non c'è nulla di originale. Il dio precristiano Mitra – chiamato "Figlio di Dio" e "Luce del mondo" – era nato il 25 dicembre; quando morì, fu sepolto in una tomba nella roccia e poi risorse tre giorni più tardi. Tra l'altro, il 25 dicembre è anche il compleanno di Osiride, Adone e Dioniso. Al neonato Krishna sono stati offerti oro, incenso e mirra. Anche il giorno di festa dei cristiani è stato rubato ai pagani.»

«Come sarebbe a dire?»

«In origine» spiegò Langdon «il cristianesimo rispettava la festa ebraica del sabato, ma Costantino l'ha spostata per farla coincidere con il giorno che i pagani dedicavano al Sole.» Si interruppe e sorrise. «Oggi la gente va in chiesa la domenica senza neppure immaginare che lo fanno per rendere omaggio al dio del Sole: del resto, in inglese la domenica, *Sunday*, è letteralmente *Sun Day*, giorno del Sole.»

Sophie si sentiva girare la testa. «E tutto questo si collega al Graal?»

«Indubbiamente» rispose Teabing. «Mi segua. Durante questa fusione delle religioni, Costantino sentì il bisogno di rafforzare la nuova tradizione cristiana, e perciò convocò una famosa riunione ecumenica nota come concilio di Nicea.»

Sophie ne aveva sentito parlare soltanto perché vi era stato scritto il *Credo*, che era chiamato anche "Credo niceno".

«A quella riunione» continuò Teabing «si discussero molti aspetti del cristianesimo, che furono decisi attraverso un voto: la data della Pasqua, il ruolo dei vescovi, l'amministrazione dei sacramenti e, naturalmente, la divinità di Gesù.»

«Non capisco. La sua divinità?»

«Mia cara» spiegò Teabing «fino a quel momento storico, Gesù era visto dai suoi seguaci come un profeta mortale: un uomo grande e potente, ma pur sempre un uomo. Un mortale.»

«Non il Figlio di Dio?»

«No» disse Teabing. «Lo statuto di Gesù come "Figlio di

Dio" è stato ufficialmente proposto e votato dal concilio di Nicea.»

«Un attimo. Lei mi dice che la divinità di Gesù è stata il risultato di un *voto*?»

«E per di più un voto con una maggioranza assai ristretta» aggiunse Teabing. «Comunque, stabilire la divinità di Cristo fu un passo cruciale per l'ulteriore unificazione tra l'Impero romano e il nuovo potere con sede nel Vaticano. Appoggiando ufficialmente Gesù come Figlio di Dio, Costantino lo ha trasformato in una divinità che esiste al di fuori del mondo, un'entità il cui potere non si può contraddire. Questo non solo impediva ulteriori sfide del paganesimo al cristianesimo, ma adesso i seguaci di Cristo potevano salvarsi solo attraverso la via che era stata stabilita come sacra: la Chiesa cattolica romana.»

Sophie lanciò un'occhiata a Langdon, che però le rivolse un cenno d'assenso.

«Fu tutta una questione di potere» proseguì Teabing. «Cristo come Messia era indispensabile al funzionamento della Chiesa e dello Stato. Molti studiosi affermano che questa prima Chiesa ha letteralmente *rubato* Gesù ai suoi seguaci originali, sottraendogli il suo messaggio umano e avvolgendolo in un impenetrabile manto di divinità, e l'hanno usato per aumentare il loro potere. Ho scritto vari libri sull'argomento.»

«E penso che i devoti cristiani le mandino tutti i giorni qualche lettera di insulti» commentò lei.

«E perché mai?» replicò Teabing. «La grande maggioranza dei cristiani istruiti conosce la storia della sua fede. Gesù è stato davvero un uomo grande e potente. Le subdole manovre politiche di Costantino non toccano la maestà della vita di Cristo. Nessuno dice che Cristo fosse una mistificazione, o nega che abbia camminato sulla terra e ispirato milioni di uomini verso una vita migliore. Noi diciamo solo che Costantino ha approfittato dell'influenza e dell'importanza raggiunta da Cristo e, così facendo, ha dato al cristianesimo il volto che noi oggi conosciamo.»

Sophie guardò il libro d'arte davanti a lei, ansiosa di proseguire per vedere il quadro del Santo Graal dipinto da Leonardo.

«Il collegamento è questo» continuò lo storico, parlando più in fretta. «Dato che, quando Costantino aveva innalzato la condizione di Gesù, erano passati quasi quattro secoli dalla morte di Gesù stesso, esistevano migliaia di documenti che parlavano della sua vita di uomo *mortale*. Per riscrivere i libri di storia, Costantino sapeva di dover fare un colpo di mano. Dalla sua decisione nacque il momento più importante della storia cristiana.» Teabing si interruppe e guardò Sophie. «Costantino commissionò e finanziò una nuova Bibbia, che escludeva i vangeli in cui si parlava dei tratti *umani* di Cristo e infiorava i vangeli che ne esaltavano gli aspetti divini. I vecchi vangeli vennero messi al bando, sequestrati e bruciati.»

«Ti faccio notare un aspetto interessante» intervenne Langdon. «Chi sceglieva i vangeli proibiti invece della versione di Costantino era definito eretico. L'origine del termine "eretico" risale a quel momento della storia. La parola latina *haereticus* deriva da "scelta". Coloro che sceglievano la storia originale di Cristo furono i primi eretici del mondo.»

«Fortunatamente per gli storici» disse Teabing «alcuni dei vangeli che Costantino cercò di cancellare riuscirono a sopravvivere. I Rotoli del Mar Morto furono trovati verso il 1950 in una caverna nei pressi di Qumran, nel deserto della Giudea. E abbiamo anche i Rotoli copti scoperti nel 1945 a Nag Hammadi. Oltre a raccontare la vera storia del Graal, questi documenti parlano del ministero di Cristo in termini profondamente umani. Naturalmente, il Vaticano, per non smentire la sua tradizione di disinformazione, ha cercato di impedire la diffusione di questi testi. Come ci si poteva aspettare. I rotoli evidenziano i falsi e le divergenze storiche, confermando così che la Bibbia moderna è stata scelta e corretta da uomini che seguivano un ordine del giorno politico, per promuovere la divinità dell'uomo Gesù Cristo e usare la sua influenza per consolidare la base del proprio potere.»

«Però» osservò Langdon «bisogna anche dire che se la Chiesa moderna vuole sopprimere quei documenti è perché è convinta della tradizionale visione di Cristo. Nel Vaticano ci sono molti uomini di profonda fede religiosa, certi che questi documenti siano testimonianze false.»

Teabing rise e si sedette di fronte a Sophie. «Come vede, il nostro professore ha il cuore più tenero del mio, per quanto riguarda Roma. Comunque, ha ragione quando dice che il clero moderno pensa che quei documenti siano false testimonianze da attribuire ai suoi nemici dell'epoca. E la cosa è comprensibile. Da secoli la Bibbia di Costantino è la loro verità. Nessuno è più indottrinato dell'indottrinatore.»

«Quel che intende dire» osservò Langdon «è che adoriamo gli dèi dei nostri padri.»

«Quel che intendo dire» ribatté Teabing «è che quasi tutto ciò che i nostri padri ci hanno insegnato a proposito di Cristo è *falso*. Esattamente come le storie del Santo Graal.»

Sophie guardò di nuovo la citazione di Leonardo davanti a lei. "L'ignoranza ci acceca e ci trae in inganno. O miseri mortali, aprite gli occhi!"

Teabing aprì il libro e sfogliò alcune pagine. «Infine, prima che le mostri il dipinto del Santo Graal, vorrei che desse una rapida occhiata a questo.» Le mostrò un'illustrazione che copriva una doppia pagina. «Penso che lei riconosca questo affresco.»

"Scherza, spero." Davanti a Sophie c'era il più famoso affresco di tutti i tempi – *L'Ultima Cena* – la leggendaria opera di Leonardo da Vinci sulla parete di Santa Maria delle Grazie a Milano. L'affresco ritraeva Gesù e i discepoli nel momento in cui Gesù annunciava che uno di loro l'avrebbe tradito. «Lo conosco, certo.»

«Allora forse mi concederà di fare con lei un piccolo gioco? Chiuda gli occhi, per favore.»

Leggermente dubbiosa, Sophie li chiuse.

«Dove siede Gesù?» chiese Teabing.

«Al centro.»

«Bene. E che cibo lui e i suoi discepoli spezzano e mangiano?»

«Pane.» "Ovvio."

«Eccellente. E che cosa bevono?»

«Vino. Bevono vino.»

«Perfetto. E ora un'ultima domanda. Quanti bicchieri da vino ci sono sul tavolo?»

Sophie indugiò prima di rispondere; sapeva che era la domanda trabocchetto. "E al termine della cena Gesù prese la coppa del vino e la condivise con i suoi discepoli." «Un'unica coppa» rispose. «Il Calice.» "La Coppa di Cristo. Il Santo Graal." «Gesù passò tra i discepoli un solo calice di vino, come fanno i cristiani di oggi durante la Comunione.»

Teabing sospirò. «Apra gli occhi.»

Sophie obbedì e vide che Teabing sorrideva. Quando guardò l'affresco, notò con stupore che tutti, al tavolo, avevano un bicchiere di vino, Cristo compreso. Tredici bicchieri. Inoltre, i bicchieri erano piccoli, senza stelo e di vetro. Non c'erano calici nell'affresco, nessun Graal.

A Teabing brillavano gli occhi. «Un po' strano, non le pare, visto che sia la Bibbia sia le solite leggende sul Graal celebrano questo momento come quello della comparsa del Santo Graal. Stranamente, Leonardo pare essersi dimenticato di dipingere la Coppa di Cristo.»

«Certo gli studiosi devono averlo notato.»

«Si stupirebbe nel sapere quante anomalie Leonardo ha incluso in questo quadro, che gli studiosi non vedono o fingono di non vedere. Questo affresco è in realtà la chiave del mistero del Santo Graal. In esso, Leonardo dice tutto apertamente.»

Sophie esaminò con attenzione l'affresco. «E ci dice che cosa realmente è il Graal?»

«Non *che cosa* è» sussurrò Teabing. «Ma piuttosto *chi* è. Il Santo Graal non è una cosa. In realtà è... una *persona*.»

56

Sophie fissò per un lungo istante Teabing e poi si voltò verso Langdon. «Il Santo Graal è una persona?»

Langdon annuì. «Una donna, in effetti.» Dall'espressione di Sophie capì che lei non li seguiva più. Ricordò di avere avuto una reazione analoga la prima volta che l'aveva appreso. Solo dopo avere esaminato la simbologia del Graal, il suo collegamento con l'elemento femminile gli era divenuto chiaro.

Evidentemente anche Teabing aveva avuto lo stesso pensiero. «Robert, forse è il momento in cui deve intervenire l'esperto di simboli.» Raggiunse un tavolino, cercò un foglio di carta e lo portò a Langdon.

Lo studioso prese dal taschino una penna. «Sophie, conosci gli attuali simboli che indicano maschio e femmina?» Disegnò il comune simbolo maschile ♂. Poi aggiunse quello femminile: ♀.

«Certo» rispose lei.

«Questi» spiegò Langdon «non sono i simboli originali di maschio e femmina. Molti pensano erroneamente che il simbolo maschile rappresenti uno scudo e una lancia e che quello femminile rappresenti uno specchio che riflette la bellezza. In realtà, quei segni sono i vecchi simboli astrologici del pianeta dio Marte e del pianeta dea Venere. Il simbolo originale è molto più semplice.» Langdon disegnò un terzo segno.

«Questo simbolo è l'icona originale di "maschio"» spiegò. «Un fallo rudimentale.»

«C'era da aspettarselo» commentò Sophie.

«Proprio così» aggiunse Teabing.

Langdon proseguì. «Questa icona è nota come la "lama", e rappresenta aggressività e virilità. In effetti, questo simbolo fallico è usato ancora oggi nelle uniformi militari per indicare il grado.»

«Davvero» rise Teabing. «Più falli hai, più alto è il tuo grado. I ragazzi non si smentiscono.»

Langdon fece una smorfia. «Proseguendo, il simbolo femminile, come si può immaginare, è il suo opposto.» Disegnò un altro simbolo. «Questo è chiamato il "calice".»

Sophie alzò la testa, sorpresa.

Langdon capì che la donna aveva già fatto il collegamento. «Il calice» proseguì «rappresenta una tazza o un contenitore e, cosa ancora più importante, ha la forma del ventre femminile. Il simbolo comunica l'idea di femminilità, fertilità.» Alzò gli occhi per incrociare lo sguardo di Sophie. «La leggenda ci dice che il Santo Graal è un calice, una coppa. Ma la descrizione del Graal come "calice" è in realtà un'allegoria per proteggere la vera natura del Santo Graal, ossia, la leggenda usa il calice come metafora di una cosa molto più importante.»

«Una donna» disse Sophie.

«Esattamente.» Langdon sorrise. «Il Graal è letteralmente l'antico simbolo della femminilità e il *Santo* Graal rappresenta il femminino sacro e la dea. Che naturalmente abbiamo perso, perché sono stati eliminati dalla Chiesa. Il potere della donna e la sua capacità di dare vita erano fortemente sacri, un tempo, ma costituivano una minaccia per l'ascesa di una Chiesa a predominio maschile; di conseguenza il femminino sacro è stato demonizzato ed etichettato come impuro. È stato l'uomo, non Dio, a creare il concetto di "peccato originale", secondo cui Eva ha assaggiato la mela e procurato la caduta della razza umana. La donna, che un tempo era la sacra generatrice di vita, adesso era diventata il nemico.»

«Devo aggiungere» intervenne Teabing «che questo concetto di donna come portatrice di vita era il fondamento dell'antica religione. Il parto era qualcosa di misterioso e potente. Purtroppo, la filosofia cristiana ha deciso di appropriarsi del potere di creazione femminile ignorando la verità biologica e facendo dell'*uomo* il Creatore. La Genesi ci dice che Eva è stata creata da una costola di Adamo. La donna divenne una derivazione dell'uomo. E una derivazione peccaminosa. Per la dea, la Genesi fu l'inizio della fine.»

«Il Graal» riprese Langdon «simboleggia la dea perduta. Quando è giunto il cristianesimo, le vecchie religioni pagane non si sono lasciate uccidere facilmente. Le leggende dei cavalieri alla ricerca del Graal perduto erano in realtà storie di ricerche proibite per ritrovare il femminino sacro perduto. I cavalieri che affermavano di "cercare il calice" parlavano in codice per proteggersi da una Chiesa che aveva soggiogato le donne, bandito la dea, bruciato i non credenti e proibito il rispetto pagano per il femminino sacro.»

Sophie scosse la testa. «Scusa, ma quando avete detto che il Santo Graal era una persona, ho pensato che fosse una persona reale.»

«E infatti lo è» rispose Langdon.

«E non una persona qualunque» aggiunse Teabing, alzandosi in piedi per l'eccitazione. «Una donna che portava in sé un segreto così potente che, se fosse stato rivelato, avrebbe potuto distruggere le fondamenta del cristianesimo!»

Sophie pareva sopraffatta da quelle rivelazioni. «E questa donna è storicamente nota?»

«Certo.» Teabing prese le grucce e indicò il fondo della sala. «Se ci recheremo nel mio studio, amici, sarò onorato di mostrarvi il quadro di Leonardo che la ritrae.»

Due stanze più in là, nella cucina, il maggiordomo Rémy Legaludec ascoltava in silenzio la televisione. Il notiziario trasmetteva le foto di un uomo e di una donna... le stesse due persone a cui Rémy aveva appena servito il tè.

57

Fermo al blocco stradale all'esterno della Banca deposito di Zurigo, il tenente Collet si chiese perché a Fache occorresse tanto tempo per arrivare con il mandato di perquisizione. I banchieri gli nascondevano ovviamente qualcosa. Dicevano che Langdon e Neveu erano arrivati ed erano stati allontanati dalla banca perché non avevano il numero di riconoscimento del conto. "Allora, perché non ci lasciano entrare a controllare?"

Alla fine il cellulare di Collet suonò.

Era la centrale operativa del Louvre. «Abbiamo ottenuto il mandato?» chiese Collet.

«Lascia perdere la banca, tenente» gli disse l'agente. «Abbiamo appena avuto una segnalazione. Sappiamo esattamente dove Langdon e Neveu sono nascosti.»

Collet si appoggiò pesantemente al cofano della sua auto. «Scherzi.»

«Ho un indirizzo dei sobborghi. Un posto nelle vicinanze di Versailles.»

«Il capitano Fache lo sa?»

«Non ancora. È indaffarato con un'importante telefonata.»

«Vado. Fatemi chiamare non appena si libera.» Prese nota dell'indirizzo e si infilò nell'auto. Mentre si allontanava dalla banca, si accorse di essersi dimenticato di chiedere *chi* avesse avvertito la polizia del luogo dove si trovava Langdon. Non che avesse importanza. Collet aveva la possibilità di cancellare gli errori della nottata. Stava per eseguire il più importante arresto della sua carriera.

Chiamò alla radio le cinque auto che lo accompagnavano. «Niente sirene, ragazzi. Langdon non deve sapere che stiamo arrivando.»

A quaranta chilometri di distanza, una Audi nera si fermò nell'ombra sul ciglio di una strada di campagna, ai margini di un campo. Silas uscì e guardò al di là delle sbarre della cancellata che circondava la vasta tenuta davanti a sé. Osservò il lungo pendio illuminato dalla luna e il castello in lontananza. Le luci al piano terreno erano accese. "Strano, a quest'ora" pensò sorridendo. L'informazione che il Maestro gli aveva fornito era accurata, come sempre. "Non lascerò quella casa senza la chiave di volta" si ripromise. "Non tradirò più la fiducia del vescovo e del Maestro."

Controllato il caricatore della Heckler & Koch da tredici colpi, Silas la infilò tra le sbarre e la gettò dall'altra parte. Poi si afferrò alla cima della cancellata e si sollevò fino a quell'altezza, la scavalcò e si lasciò cadere. Ignorando la fitta di dolore procuratagli dal cilicio, recuperò la pistola e cominciò il lungo cammino sul pendio erboso.

58

Lo "studio" di Teabing era diverso da qualsiasi altro che Sophie avesse visto. Sei o sette volte più largo di qualunque ufficio, il *cabinet de travail* del cavaliere assomigliava a uno sgraziato ibrido di laboratorio scientifico, biblioteca archivio e mercato delle pulci al coperto. Illuminato da tre grandi lampadari, il pavimento apparentemente illimitato era coperto di arcipelaghi di tavoli di lavoro, sepolti sotto libri, disegni, oggetti e una sorprendente quantità di apparecchiature elettroniche: computer, proiettori, microscopi, fotocopiatrici e scanner piani.

«Ho convertito in studio la sala da ballo» disse Teabing, con aria un po' colpevole, mentre entrava nella stanza. «Non ho molte occasioni per danzare.»

Sophie aveva l'impressione che l'intera notte fosse diventata una specie di avventura "ai confini della realtà", dove nulla era quello che ci si aspettava. «E tutto questo le serve per il suo lavoro?»

«Apprendere la verità è diventato l'amore della mia vita» spiegò Teabing. «E il Sangreal è la mia amante preferita.»

"Il Santo Graal è una donna" pensò Sophie. Aveva in testa un mucchio di idee che erano legate tra loro ma che parevano prive di senso. «Ha detto di avere un ritratto della donna che lei afferma essere il Santo Graal?»

«Sì, ma non sono io ad affermarlo. È stato Cristo stesso a fare quell'affermazione.»

«E qual è il ritratto?» chiese la donna, osservando le pareti.

«Mmm...» Teabing fece finta di essersene dimenticato. «Il

Santo Graal. Il Sangreal. Il Calice.» Poi si girò all'improvviso e indicò la parete in fondo alla sala. Vi era appesa una riproduzione, lunga due metri e mezzo, dell'*Ultima Cena*. La stessa immagine che Sophie aveva osservato poco prima, nel libro. «Eccola!»

Sophie era sicura che le fosse sfuggito qualcosa. «È la stessa immagine che abbiamo appena visto.»

Lui le strizzò l'occhio. «Lo so, ma con l'ingrandimento è molto più emozionante, non le pare?»

Sophie si rivolse a Langdon per avere un aiuto. «Mi sento persa.»

Langdon sorrise. «In effetti, il Santo Graal compare davvero nell'*Ultima Cena*. Leonardo l'ha messo in un posto molto visibile.»

«Un momento» disse Sophie. «Mi ha detto che il Santo Graal è una donna. *L'Ultima Cena* è un affresco con tredici uomini.»

«Lo è davvero?» Teabing inarcò le sopracciglia. «Dia un'occhiata da vicino.»

Perplessa, Sophie si avvicinò alla riproduzione ed esaminò le tredici figure, Gesù Cristo al centro, sei apostoli alla sua sinistra, sei alla destra. «Sono tutti uomini» confermò.

«Oh?» fece Teabing. «E quello seduto al posto d'onore, alla destra del Signore?»

Sophie esaminò la figura alla destra di Gesù. A mano a mano che studiava la sua faccia e il suo corpo era sempre più stupita. La persona raffigurata aveva lunghi capelli rossi, delicate mani giunte e il seno appena accennato. Era, senza dubbio... femmina. «Ma è una donna!» esclamò.

Teabing rideva. «Sorpresa, sorpresa. Mi creda, non si tratta di un errore. Leonardo era abilissimo nel ritrarre le differenze tra i sessi.»

Sophie non riusciva a staccare gli occhi dalla donna accanto a Cristo. *"L'Ultima Cena* dovrebbe raffigurare tredici uomini. Chi è questa donna?"* Anche se aveva visto quella classica immagine molte volte, non aveva mai notato l'incongruenza.

«Nessuno se ne accorge mai» disse Teabing. «I nostri preconcetti su quella scena sono talmente forti che la nostra mente cancella l'incongruenza e ci fa vedere quello che non è.»

«Il fenomeno è noto come "scotoma"» aggiunse Langdon. «Il cervello a volte lo fa, quando i simboli sono molto potenti.»

«Un'altra ragione che può averle impedito di capire che è una figura femminile» disse Teabing «è che molte delle foto riprodotte nei libri d'arte sono state scattate prima del 1954, quando i particolari erano ancora nascosti sotto uno strato di sporco e sotto vari restauri male eseguiti nel diciottesimo secolo. Oggi finalmente l'affresco è stato riportato a come in origine l'ha dipinto Leonardo.» Indicò la riproduzione. «*Et voilà!*»

Sophie si avvicinò ancora di più all'immagine. La donna alla destra di Gesù era giovane e aveva l'aspetto pio, un viso dall'espressione piena di discrezione, bellissimi capelli rossi e mani tranquillamente giunte. "Questa è la donna che da sola poteva far crollare la Chiesa?" «Chi è?» chiese.

«Quella donna, mia cara» rispose Teabing «è Maria Maddalena.»

Sophie si voltò verso di lui. «La meretrice?»

Teabing trasse un breve sospiro, come se la parola l'avesse offeso personalmente. «Maddalena non era niente del genere. Questo sgradevole malinteso deriva dalla campagna diffamatoria lanciata dalla Chiesa delle origini. La Chiesa doveva diffamare Maria Maddalena per nascondere il suo pericoloso segreto: il suo ruolo di Santo Graal.»

«Il suo ruolo?»

«Come ho detto» spiegò Teabing «la Chiesa delle origini doveva convincere il mondo che il profeta mortale Gesù era un essere *divino*. Di conseguenza, ogni vangelo che descriveva gli aspetti *terreni* della vita di Gesù doveva essere omesso dalla Bibbia. Purtroppo per quei vecchi correttori, un tema terreno particolarmente preoccupante continuava a presentarsi nei vangeli. Maria Maddalena.» Fece una breve pausa. «O, più in particolare, il suo matrimonio con Gesù Cristo.»

«Scusi?» Lo sguardo di Sophie corse a Langdon e di nuovo a Teabing.

«È un particolare storicamente documentato» disse Teabing «e Leonardo ne era certo al corrente. *L'Ultima Cena* grida praticamente a tutti che Gesù e Maria Maddalena erano una coppia di sposi.»

Sophie tornò a guardare l'affresco.

«Osservi come i vestiti di Gesù e Maddalena sono immagini speculari l'uno dell'altro.» Teabing indicò le due figure centrali.

Sophie era come ipnotizzata. Certo, i colori delle loro vesti erano invertiti. Gesù aveva una veste rossa e un mantello azzurro; Maria Maddalena una veste azzurra e un mantello rosso. "Yin e Yang."

«Avventurandoci poi in considerazioni più bizzarre» disse Teabing «osservi come Gesù e la sua sposa sembrano uniti in corrispondenza del fianco e si allontanano l'uno dall'altra per creare uno spazio vuoto ben delineato tra loro.»

Senza bisogno che Teabing le indicasse il contorno, Sophie vide chiaramente, nel punto focale dell'affresco, il segno "femminile": $\bigvee$

Era lo stesso simbolo che Langdon aveva disegnato per indicare il Graal, il calice e il ventre femminile.

«E infine» disse Teabing «se osserviamo Gesù e Maddalena come elementi compositivi e non come persone, vediamo balzare fuori un'altra forma. Una lettera dell'alfabeto.»

Sophie la vide immediatamente. Dire che la lettera balzava fuori era una minimizzazione. D'un tratto, Sophie riuscì a vedere solo quella. In centro all'affresco c'era l'inconfondibile profilo di una enorme, precisa lettera "M".

«Un po' troppo perfetta per essere una coincidenza, non le pare?» chiese Teabing.

Sophie era stupita. «Perché l'ha messa?»

Teabing si strinse nelle spalle. «I teorici dei complotti le diranno che sta per "matrimonio" o per "Maria Maddalena". A essere onesti, nessuno lo sa con certezza. Si sa solo che quella lettera non è un errore. Innumerevoli opere legate al Graal contengono la lettera nascosta "M", o come filigrana, o sotto la vernice, o come composizione. La "M" più appariscente è quella sull'altare di Nostra Signora di Parigi a Londra, che è stata disegnata da un ex Gran Maestro del Priorato, Jean Cocteau.»

Sophie rifletté sull'informazione. «Ammetto che queste "M" nascoste sono interessanti, ma non credo che costituiscano la prova del matrimonio tra Gesù e Maria Maddalena.»

«No, no» disse Teabing, avvicinandosi a un tavolo carico di libri. «Come ho detto, il matrimonio di Gesù e Maria Maddalena è storicamente documentato.» Frugò in mezzo ai volumi. «Inoltre, Gesù come uomo sposato ha infinitamente più senso che come scapolo.»

«Perché?» chiese Sophie.

«Perché Gesù era ebreo» rispose Langdon, mentre Teabing era indaffarato con i suoi libri «e il costume dell'epoca imponeva virtualmente a un ebreo di essere sposato. Secondo i costumi ebraici, il celibato era condannato e ogni padre aveva l'obbligo di trovare per il figlio una moglie adatta. Se Gesù non fosse stato sposato, almeno uno dei vangeli della Bibbia avrebbe accennato alla cosa e avrebbe fornito una spiegazione di quella innaturale condizione di celibato.»

Teabing finalmente trovò un enorme libro e lo tirò verso di sé. L'edizione, rilegata in cuoio, era grossa come un atlante. La copertina diceva: *I vangeli gnostici*. Teabing lo aprì e Langdon e Sophie si avvicinarono. Il libro conteneva fotografie di brani ingranditi di antichi documenti: pezzi di papiro con il testo scritto a mano. Sophie non riconobbe la lingua, ma sulla pagina di fronte c'era la traduzione.

«Queste sono fotocopie dei Rotoli di Nag Hammadi e del Mar Morto, a cui ho accennato prima» spiegò Teabing. «I più antichi documenti cristiani. Purtroppo non concordano molto con i vangeli della Bibbia.» Sfogliando le pagine verso la metà del libro, Teabing indicò un brano. «Il Vangelo di Filippo è sempre un ottimo punto per iniziare.»

Sophie lesse:

E la compagna del Salvatore è Maria Maddalena. Cristo la amava più di tutti gli altri discepoli e soleva spesso baciarla sulla bocca. Gi altri discepoli ne furono offesi ed espressero disapprovazione. Gli dissero: «Perché la ami più di tutti noi?».

Queste parole sorpresero Sophie, ma non le parvero decisive. «Non parla di matrimonio.

«*Au contraire.*» Teabing sorrise e le indicò la prima riga. «Come ogni esperto di aramaico potrà spiegarle, la parola "compagna", all'epoca, significava letteralmente "moglie".»

Langdon confermò con un cenno della testa.

Sophie lesse di nuovo la prima riga. "E la compagna del Salvatore è Maria Maddalena."

Teabing sfogliò di nuovo il libro e indicò vari altri brani che, con una certa sorpresa di Sophie, indicavano che tra Maria Maddalena e Gesù c'era un affettuoso rapporto. Nel leggere quei testi, a Sophie tornò in mente un prete incollerito che aveva picchiato alla porta del nonno quando lei era alle superiori.

«È questa la casa di Jacques Saunière?» aveva chiesto il prete, guardando con ira la giovane Sophie, che gli aveva aperto. «Devo parlargli dell'articolo che ha scritto.» Il prete agitava un giornale.

Sophie era andata a chiamare il nonno e i due erano scomparsi nello studio e avevano chiuso la porta. "Il nonno ha scritto qualcosa sul giornale?" Sophie era corsa immediatamente in cucina e aveva sfogliato il giornale del mattino. Aveva visto il nome del nonno su un articolo in seconda pagina. Sophie non aveva capito tutto quello che diceva, ma pareva che il governo francese, a causa delle pressioni della Chiesa, avesse vietato un film americano intitolato *L'ultima tentazione di Cristo*, che parlava di Gesù che faceva l'amore con una certa Maria Maddalena. L'articolo del nonno diceva che la Chiesa era arrogante e che era sbagliato proibirlo.

"Non c'è da stupirsi che il prete sia così infuriato" aveva pensato Sophie.

«È pornografia! Sacrilegio!» gridava il prete, uscendo dallo studio e avviandosi a grandi passi verso l'atrio. «Come può appoggiare una cosa simile? Quel Martin Scorsese è un bestemmiatore e la Chiesa non gli concederà alcun pulpito in Francia!» Uscendo, il prete aveva sbattuto violentemente la porta.

Quando il nonno era entrato in cucina, aveva visto Sophie con il giornale e aveva aggrottato la fronte. «Hai fatto in fretta.»

Sophie aveva chiesto: «Tu pensi che Gesù Cristo avesse la fidanzata?».

«No, cara, io ho detto che la Chiesa non dovrebbe avere il permesso di dirci che cosa possiamo e non possiamo pensare.»

«Ma Gesù l'aveva, la fidanzata?»

Il nonno era rimasto in silenzio per alcuni istanti. «Sarebbe stato tanto grave, se anche l'avesse avuta?»

Sophie ci aveva riflettuto e poi aveva alzato le spalle. «A me non avrebbe dato nessun fastidio.»

Sir Leigh Teabing stava ancora parlando. «Non la annoierò con gli infiniti riferimenti all'unione tra Gesù e Maria Maddalena. È stata esplorata fino alla nausea dagli storici moderni. Vorrei però farle notare almeno questi.» Indicò un altro brano. «È dal Vangelo di Maria Maddalena.»

Sophie non aveva mai saputo che esistesse un vangelo simile. Lesse il testo.

E Pietro disse: «Il Salvatore ha davvero parlato con una donna senza che noi lo sapessimo? Dobbiamo tutti girarci dall'altra parte e ascoltare lei? Ha preferito lei a noi?».

E Levi rispose: «Pietro, tu sei sempre stato facile alla collera. Ora ti vedo lottare contro la donna come un avversario. Se il Salvatore l'ha resa meritevole, chi sei invero tu per rifiutarla? Certo, il Salvatore la conosce bene. Per questo ha amato lei più di noi».

«La donna di cui parlano» spiegò Teabing «è Maria Maddalena. Pietro è geloso di lei.»

«Perché Gesù preferiva Maria?»

«Non solo per questo. C'era in gioco ben più dell'affetto. A questo punto dei vangeli, Gesù sospetta che presto sarà arrestato e crocifisso. Perciò dà istruzioni a Maria Maddalena su come guidare la Chiesa dopo la sua morte. Di conseguenza, Pietro manifestò la sua contrarietà a rimanere in secondo piano dietro una donna. Ho l'impressione che Pietro fosse alquanto sessista.»

Sophie cercava di seguire le sue parole. «Ma è *san* Pietro, la pietra su cui Gesù fondò la sua Chiesa.»

«Proprio lui, tranne un particolare. Secondo questi vangeli non modificati, non era Pietro la persona che Cristo incaricò di fondare la sua Chiesa. Incaricò Maria Maddalena.»

Sophie gli rivolse un'occhiata interrogativa. «Intende dire che la Chiesa cristiana doveva essere guidata da una donna?»

«Questo era il progetto di Gesù, che fu il primo dei femministi. Voleva che il futuro della sua Chiesa fosse nelle mani di Maria Maddalena.»

«E Pietro aveva qualche difficoltà ad accettarlo» disse Langdon, indicando *L'Ultima Cena*. «Questo è Pietro. Vedi che Leonardo sapeva come la pensasse a proposito di Maria Maddalena?»

Anche ora, Sophie rimase senza parole. Nell'affresco, Pietro era piegato minacciosamente verso la donna e la sua mano simile a una lama faceva il gesto di tagliarle il collo. Lo stesso gesto di minaccia che si poteva vedere nella *Vergine delle rocce*!

«E anche qui» continuò Langdon, indicando il gruppo degli apostoli vicino a Pietro. «Un po' allarmante, non ti pare?»

Sophie osservò con maggiore attenzione e vide emergere una mano dal gruppo degli apostoli. «Quella mano non stringe un pugnale?»

«Sì. Cosa ancora più strana, se conti le braccia, vedi che la mano non appartiene a nessuno in particolare. È priva di corpo. Anonima.»

Sophie era sempre più confusa. «Mi dispiace, ma non capisco come tutto questo possa fare di Maria Maddalena il Santo Graal.»

«Aha!» esclamò di nuovo Teabing. «Proprio qui sta il punto!» Riprese a frugare tra i libri sul tavolo finché non trovò una grossa carta che distese davanti a lei. Era una complessa genealogia. «Pochi sanno che Maria Maddalena, oltre a essere il braccio destro di Cristo, era già di per sé una donna con un grande potere.»

Sophie lesse il titolo dell'albero genealogico.

TRIBÙ DI BENIAMINO

«Qui c'è Maria Maddalena» disse Teabing, indicando un punto nella parte alta della genealogia.

Sophie chiese, stupita: «Apparteneva alla Casa di Beniamino?».

«Certo» rispose Teabing. «Maria Maddalena era di famiglia reale.»

«Ma ero convinta che Maria Maddalena fosse povera.»

Teabing scosse la testa. «Maddalena fu presentata come una prostituta per nascondere i suoi importanti legami familiari.»

Sophie lanciò un'occhiata a Langdon, che anche questa volta le indirizzò un cenno d'assenso. La donna si rivolse a Teabing. «Che importanza poteva avere, per la Chiesa delle origini, il fatto che Maria Maddalena fosse di sangue reale?»

L'inglese sorrise. «Mia cara, non era il sangue reale di Maria Maddalena a preoccupare la Chiesa, quanto piuttosto il suo legame con Cristo, anch'egli di sangue reale. Come lei sa, il

Vangelo di Matteo ci dice che Gesù apparteneva alla Casa di Davide. Era un discendente di re Salomone, il re dei giudei. Sposandosi con una donna dell'importante Casa di Beniamino, Gesù fondeva due discendenze reali, creava una potente unione politica che avrebbe avuto il diritto di avanzare legittime rivendicazioni sul trono e ricostituire una dinastia di re, come al tempo di Salomone.»

Sophie capì che stava arrivando al punto cruciale.

Teabing era emozionato, ora. «La leggenda del Santo Graal riguarda il sangue reale. Quando la leggenda parla del "calice che conteneva il sangue di Cristo" parla in realtà di Maria Maddalena, il ventre femminile che portava in sé la discendenza reale di Gesù.»

Le parole parvero attraversare l'intera sala ed echeggiare indietro prima che Sophie le valutasse appieno. "Maria Maddalena portava in sé la discendenza reale di Gesù Cristo?" «Ma Cristo come poteva avere una discendenza reale, a meno che...?» Guardò Langdon.

Lo studioso le sorrise. «A meno che non avessero un figlio.»

Sophie era come pietrificata.

«Assistiamo qui» dichiarò Teabing «alla più grande opera di insabbiamento della storia. Non soltanto Gesù era marito, ma anche padre. Mia cara, Maria Maddalena era il Santo Vaso, il Calice contenente il sangue reale di Gesù Cristo. Era il ventre che portava la discendenza, la vite da cui è nato il frutto sacro!»

Sophie sentì rizzarsi i capelli. «Ma come si è potuto nascondere per tanti secoli un segreto così importante?»

«Buon Dio!» esclamò Teabing. «È stato tutt'altro che un segreto! La discendenza reale di Gesù Cristo è la fonte della leggenda più duratura che esista, il Santo Graal. La storia di Maria Maddalena è stata gridata dai tetti, per secoli, in tutte le lingue e in ogni genere di metafora. Si incontra la sua storia dappertutto, una volta aperti gli occhi.»

«E i documenti del Sangreal?» chiese Sophie. «Dovrebbero contenere la prova che Gesù ha avuto una discendenza reale?»

«Certo.»

«Perciò, l'intera leggenda del Santo Graal riguarda la discendenza reale?»

«Proprio alla lettera» confermò Teabing. «Dalla parola *Sangreal* deriva *San Greal*, ovvero Santo Graal. Ma nella sua forma più antica, *Sangreal* derivava da due parole diverse.» Teabing le scrisse su un foglio di carta e lo passò a Sophie.

Lei lesse ciò che lo storico inglese aveva scritto.

SANG REAL

Immediatamente, Sophie comprese tutto.

Sang Real significava, alla lettera, "Sangue Reale".

59

Il portiere del quartier generale dell'Opus Dei di Lexington Avenue, a New York, sollevò la cornetta e riconobbe con sorpresa la voce del vescovo Aringarosa. «Buonasera, Eminenza.»

«C'è qualche messaggio per me?» chiese il vescovo, con la voce stranamente ansiosa.

«Sì, Eminenza. Sono lieto di sentirla. Non sono riuscito a mettermi in contatto con lei. Ho ricevuto una comunicazione urgente circa mezz'ora fa.»

«Sì?» Il vescovo pareva più sollevato, nell'apprenderlo. «Ha lasciato il nome?»

«No, solo un numero.» Il portiere glielo diede.

«Prefisso trentatré? È dalla Francia, giusto?»

«Sì, Eminenza. Parigi. Chi ha chiamato ha detto che era importantissimo e che lei doveva richiamare immediatamente.»

«Grazie, aspettavo quella telefonata.» Aringarosa interruppe la comunicazione.

Mentre abbassava il ricevitore, il portiere si chiese perché il collegamento fosse così disturbato. Secondo i suoi programmi, il vescovo doveva essere a New York, ma dalla comunicazione sembrava che fosse a mezzo mondo di distanza. Si strinse nelle spalle. Da qualche mese, il vescovo Aringarosa si comportava in modo strano.

"Evidentemente, il mio cellulare non riceveva" pensava Aringarosa mentre la Fiat imboccava l'uscita per l'aeroporto di Ciampino. "Il Maestro ha cercato di telefonarmi." Nonostante la preoccupazione per non avere potuto rispondere alla chiamata, era incoraggiato dal fatto che il Maestro si sentisse abbastanza al sicuro da chiamare direttamente il quartier generale dell'Opus Dei.

"Le cose devono essere andate bene, a Parigi."

Mentre componeva il numero, provò una forte eccitazione al pensiero che presto sarebbe stato a Parigi. "Atterrerò laggiù prima dell'alba." Aringarosa aveva già un aerotaxi che lo attendeva per il breve volo fino alla Francia. I voli commerciali non erano più consigliabili a quell'ora, soprattutto se si teneva presente il contenuto della cartella.

Dall'altra parte della comunicazione, il telefono cominciò a squillare.

Rispose una voce femminile. «*Direction centrale Police judiciaire.*»

Aringarosa esitò per un istante. Non se lo aspettava. «Ah, certo... mi è stato chiesto di chiamare questo numero.»

«*Qui êtes-vous?*» chiese la donna. «Il suo nome?»

Aringarosa non sapeva se riferirlo. "La polizia francese?"

«Il suo nome, signore?» insistette la donna.

«Vescovo Manuel Aringarosa.»

«*Un moment.*» Uno scatto, poi una musichetta.

Dopo una lunga attesa gli rispose un uomo, in tono burbero e preoccupato. «Eminenza, sono lieto di essere finalmente riuscito a mettermi in contatto con lei. Noi due abbiamo parecchie cose da discutere.»

60

"Sangreal... Sang Real... San Greal... Sangue Reale... Santo Graal."

Tutti erano collegati tra loro.

"Il Santo Graal è Maria Maddalena, la madre della dinastia regale di Gesù Cristo." Sophie era disorientata e fissava Robert Langdon. Quanti più pezzi Langdon e Teabing posavano sul tavolo quella notte, tanto più imprevedibile diveniva quel rompicapo.

«Come vede, mia cara» disse Teabing, zoppicando verso uno scaffale «Leonardo non è il solo che abbia cercato di dire al mondo la verità sul Santo Graal. I discendenti di sangue reale di Gesù Cristo sono stati esaurientemente descritti da decine di storici.» Passò il dito su una lunga fila di libri.

Sophie si chinò a leggere i titoli.

La rivelazione dei templari. Guardiani segreti della vera identità di Cristo.

La donna dalla giara di alabastro. Maria Maddalena e il Santo Graal.

La Dea nei vangeli. La rivendicazione del femminino sacro.

«E questo è forse il libro maggiormente conosciuto» disse Teabing, prendendo dallo scaffale un volume rilegato e porgendolo alla donna.

Sulla copertina, molto consumata dalle ripetute consultazioni, c'era scritto: "*Il Santo Graal. Il grande successo internazionale*".

Sophie alzò la testa. «Un successo internazionale? Non ne ho mai sentito parlare.»

«Era troppo giovane. Questo libro ha suscitato un vespaio quando è uscito originariamente nel 1982. A parer mio, i tre autori si concedono qualche salto un po' temerario nella loro analisi, ma la premessa è valida e va detto a loro credito che hanno finalmente portato a conoscenza del grande pubblico l'idea della discendenza di Cristo.»

«E qual è stata la reazione della Chiesa, quando è uscito il libro?»

«Si è sentita insultata, naturalmente. Ma c'era da aspettarselo. Dopotutto, è un segreto che la Chiesa ha cercato di nascondere dal quarto secolo. È anche una delle ragioni per cui sono state fatte le Crociate. Per trovare e distruggere informazioni. La minaccia posta da Maria Maddalena agli uomini della Chiesa delle origini aveva il potere di distruggerli. Non solo era la donna a cui Cristo aveva affidato il compito di fondare la Chiesa, ma era anche la prova fisica che la divinità proclamata a Nicea aveva lasciato una discendenza mortale. La Chiesa, per difendersi dal potere di Maria Maddalena, l'ha etichettata come prostituta e ha cancellato le prove del suo matrimonio con Gesù Cristo, allontanando così ogni possibile affermazione che Cristo avesse dei discendenti ancora in vita e che fosse un profeta mortale.»

Sophie lanciò un'occhiata a Langdon, che annuì.

«Sophie, le testimonianze storiche a sostegno di questa tesi sono incontrovertibili» le disse.

«Ammetto che sono affermazioni forti» disse Teabing «ma deve capire che la Chiesa aveva motivi importantissimi per nascondere questi fatti. Non sarebbe mai sopravvissuta, se si fosse saputo che Gesù Cristo aveva lasciato discendenti. Un figlio di Gesù avrebbe cancellato l'importante concetto della divinità di Cristo e perciò della Chiesa, che si proclamava la sola entità capace di avvicinare l'umanità alla divinità e farle ottenere l'ingresso nel regno dei Cieli.»

«La rosa a cinque petali» disse Sophie, indicando improvvisamente il dorso di uno dei libri di Teabing. "Lo stesso disegno della rosa intarsiata sul cofanetto."

Teabing guardò Langdon e sorrise. «Ha davvero un buon occhio.» Si rivolse a Sophie. «È il simbolo che il Priorato assegna al Graal. Maria Maddalena. Poiché il suo nome era proibito dalla Chiesa, Maria Maddalena divenne nota sotto vari pseudonimi: il Calice, il Santo Graal e la Rosa.» Fece una pausa. «La Rosa è legata al pentacolo di Venere e alla Rosa della Bussola e dei Venti che servono come guida. Tra l'altro, la parola che indica la rosa è identica in inglese, in francese, in tedesco e in molte altre lingue: *rose*.»

«E *rose*» aggiunse Langdon «è anche l'anagramma di Eros, il dio greco dell'amore sessuale.»

Sophie lo guardò con sorpresa mentre Teabing proseguiva.

«La rosa è sempre stata il principale simbolo della sessualità femminile. Nei culti primitivi della dea, i cinque petali rappresentano le cinque tappe della vita femminile: nascita, mestruazione, maternità, menopausa e morte. Nei tempi moderni il legame tra il fiore della rosa e la femminilità è considerato in modo più visivo.» Lanciò un'occhiata a Langdon. «Forse potrebbe spiegarcelo l'esperto di simboli?»

Langdon esitò, un attimo di troppo.

«Oh, Santo Cielo!» sbuffò Teabing. «Voi americani fate sempre i santarellini.» Guardò Sophie. «Quello che Robert non sa come dire è il fatto che il fiore, quando è sbocciato, assomiglia ai genitali femminili, il bocciolo sublime da cui tutta l'umanità giunge al mondo. E se ha mai avuto occasione di vedere un dipinto di Georgia O'Keeffe, capirà esattamene che cosa intendo.»

«Il punto importante» intervenne Langdon, indicando lo scaffale «è che tutti questi libri confermano la stessa rivendicazione storica.»

«Che Gesù lasciò dei discendenti» disse Sophie, ancora incerta.

«Sì» continuò Teabing. «E che Maria Maddalena era l'utero che ha generato la sua discendenza reale. Il Priorato di Sion ancora oggi venera Maria Maddalena come la Dea, il Santo Graal, la Rosa e la Divina Madre.»

A Sophie tornò in mente il rituale a cui aveva assistito nella stanza sotterranea.

«Secondo il Priorato» proseguì Teabing «Maria Maddalena era incinta all'epoca della crocifissione. Per proteggere il figlio che doveva ancora nascere, non ebbe altra scelta che lasciare la Terrasanta. Con l'aiuto di Giuseppe di Arimatea, zio di Gesù e suo fedelissimo, Maria Maddalena raggiunse segretamente la Francia, allora nota come Gallia, dove trovò un rifugio sicuro nella comunità ebraica. E fu in Francia che diede alla luce una figlia a cui venne dato il nome di Sarah.»

Sophie alzò la testa. «Conoscono anche il nome della figlia?»

«Molto di più. La vita di Maddalena e di Sarah è stata accuratamente descritta dai loro protettori ebrei. Ricordi che la figlia di Maddalena apparteneva alla dinastia dei re dei giudei, Davide e Salomone. Per questa ragione, gli ebrei della Francia consideravano Maddalena come una principessa sacra e la onoravano come progenitrice della dinastia reale. Innumerevoli studiosi di quell'epoca hanno fatto la cronaca dei giorni di Maria Maddalena in Francia, compresa la nascita di Sarah e il successivo albero genealogico.»

Sophie era stupefatta. «Esiste un *albero genealogico* di Gesù Cristo?»

«Certo. E si dice che sia uno dei più importanti documenti del Sangreal. Una completa genealogia dei primi discendenti di Cristo.»

«Ma a che serve una genealogia dei discendenti di Cristo?» chiese Sophie. «Non è una prova. Nessuno storico potrebbe stabilirne l'autenticità.»

Teabing rise. «Non più dell'autenticità della Bibbia.»

«Ossia?»

«Ossia, la storia è sempre scritta dai vincitori. Quando due culture si scontrano, chi perde viene cancellato e il vincitore scrive i libri di storia, libri che sostengono la sua causa e condannano quella del nemico sconfitto. Come ha detto una volta Napoleone: "Che cos'è la storia, se non una favola su cui ci si è messi d'accordo?".» Sorrise. «Ma per la sua stessa natura, la storia è sempre un racconto da una sola prospettiva.»

Sophie non l'aveva mai vista in quel modo.

«I documenti del Sangreal raccontano semplicemente l'altra parte della storia di Cristo. Alla fine, quale versione credere diventa una questione di fede e di ricerca personale, ma almeno l'informazione è sopravvissuta. I documenti del Sangreal sono costituiti da decine di migliaia di pagine. I testimoni che hanno potuto vedere il tesoro del Sangreal dicono che occupava quattro enormi bauli. Si dice che in quelle casse ci siano i *Documenti puristi*, migliaia di pagine di documenti risalenti a prima di Costantino, scritti dai primi seguaci di Gesù, in cui gli viene reso omaggio come maestro e profeta assolutamente umano. Inoltre si dice faccia parte del tesoro il leggendario *Documento Q*, un manoscritto la cui esistenza è ammessa persino dal Vaticano. A quanto si dice, è un libro con gli insegnamenti di Gesù, forse scritto da lui stesso.»

«Scritto da Cristo?»

«Certo» rispose Teabing. «Perché Gesù non avrebbe dovuto tenere un diario della sua predicazione? Gran parte delle persone lo faceva, in quegli anni. Un altro documento esplosivo che dovrebbe essere nel tesoro è un manoscritto chiamato *Il diario di Maddalena*; è la descrizione, per mano della stessa Maria Maddalena, della sua vita con Cristo, della crocifissione e del soggiorno in Francia.»

Sophie rifletté per alcuni istanti. «E quelle quattro casse di documenti sono il tesoro che i templari hanno trovato sotto il tempio di Salomone?»

«Esatto. I documenti che li hanno resi così potenti. I documenti che hanno dato origine a tante ricerche del Graal nel corso della storia.»

«Ma lei mi ha detto che il Santo Graal era Maria Maddalena. Se quella gente cercava i documenti, perché chiamarla ricerca del Graal?»

Teabing la guardò e la sua espressione si addolcì. «Perché il nascondiglio del Santo Graal comprende un sarcofago.»

All'esterno dalla casa, il vento prese a soffiare rumorosamente tra gli alberi.

Teabing parlò più tranquillamente, ora. «La ricerca del Santo Graal è letteralmente la ricerca del luogo dove inginocchiarsi davanti alle ossa di Maria Maddalena. Un viaggio per pregare ai piedi della regina cancellata dalla storia.»

Sophie lo guardò con meraviglia. «Il nascondiglio del Santo Graal è in realtà una *tomba*?»

Negli occhi castani di Teabing passò come una nuvola. «Sì. Una tomba contenente il corpo di Maria Maddalena e i documenti che raccontano la vera storia della sua vita. Nella sua essenza, la ricerca del Graal è sempre stata la ricerca della Maddalena, la regina tradita, sepolta insieme alle prove dei diritti dei suoi discendenti.»

Sophie aspettò che Teabing si riprendesse. Molte cose che riguardavano suo nonno, però, erano ancora prive di senso. «I membri del Priorato» disse infine «per tutto questo tempo si sono assunti il compito di proteggere i documenti del Sangreal e la tomba di Maria Maddalena?»

«Sì, ma la fratellanza aveva un altro dovere, altrettanto importante: proteggere i *discendenti* stessi. I discendenti di Cristo erano sempre in pericolo. La Chiesa delle origini temeva che se si fosse permesso alla discendenza di crescere, il segreto di Gesù e Maria Maddalena sarebbe infine affiorato e avrebbe sfidato la dottrina cattolica fondamentale, ossia quella di un Messia divino che non frequentava le donne e non aveva rapporti sessuali.» Si interruppe. «Tuttavia, la discendenza di Cristo è stata allevata tranquillamente in Francia, nel suo nascondiglio, finché nel quinto secolo non ha fatto una mossa ardita, sposandosi con i re di Francia e creando la dinastia dei Merovingi.»

La notizia sorprese Sophie. In Francia, tutti gli studenti conoscevano la storia dei Merovingi. «I Merovingi hanno fondato Parigi.»

«Sì. È uno dei motivi per cui la leggenda del Graal è così diffusa in Francia. Molte delle ricerche del Graal organizzate dal Vaticano erano in realtà missioni segrete per eliminare i membri della discendenza reale. Ha sentito parlare di re Dagoberto?»

Sophie ricordava vagamente un episodio raccapricciante che aveva udito nelle lezioni di storia. «Era uno dei re merovingi, vero? Pugnalato in un occhio mentre dormiva?»

«Esatto. Assassinato dal Vaticano in combutta con Pipino d'Heristal. Fine del settimo secolo. Con l'assassinio di Dagoberto, la dinastia dei Merovingi venne quasi sterminata. Fortunatamente, il figlio di Dagoberto, Sigisberto, sfuggì all'attacco e proseguì la dinastia, di cui fece parte più tardi Goffredo di Buglione, il fondatore del Priorato di Sion.»

«Lo stesso uomo» disse Langdon «che ordinò ai Cavalieri del Tempio di recuperare i documenti del Sangreal dalle rovine del tempio di Salomone, in modo da fornire ai Merovingi la prova del loro legame ereditario con Gesù Cristo.»

Teabing annuì con un grande sospiro. «Il moderno Priorato di Sion ha un compito enorme. Un incarico triplice. La fratellanza deve proteggere i documenti del Sangreal. Deve proteggere la tomba di Maria Maddalena. E, naturalmente, deve sostenere e proteggere la discendenza di Cristo, quei pochi discendenti dei Merovingi che sono sopravvissuti fino a oggi.»

Le parole rimasero come sospese nella grande sala e Sophie sentì uno strano fremito, come se le sue ossa fossero entrate in risonanza con qualche nuovo tipo di verità. "Discendenti di Gesù Cristo sopravvissuti fino a oggi." Udì di nuovo la voce del nonno. "Principessa, ti devo dire la verità sulla tua famiglia."

Fu percorsa da un brivido.

"Sangue reale."

Non riusciva a immaginarlo.

"Principessa Sophie."

«Sir Leigh?» Dall'interfono giunse la voce gracchiante del maggiordomo. Sophie, che non se l'aspettava, fece un sobbalzo. «Potrebbe venire in cucina un momento?»

All'inopportuna richiesta, Teabing aggrottò la fronte. Si accostò all'apparecchio sulla parete e premette il pulsante. «Rémy, come sai, sono occupato con i miei ospiti. Se avremo bisogno di qualcos'altro dalla cucina, ci serviremo da noi. Grazie e buonanotte.»

«Una parola con lei, signore, prima di ritirarmi. Se me la concede.»

Teabing brontolò e premette il pulsante. «Fa' in fretta, Rémy.»

«È una questione che riguarda la gestione domestica, signore, non è il caso di annoiare i suoi ospiti.»

Teabing aveva un'espressione incredula. «E non può aspettare fino al mattino?»

«Richiede un minuto.»

Teabing alzò gli occhi al cielo, poi guardò Langdon e Sophie. «A volte mi chiedo chi è il padrone e chi il servitore.» Premette di nuovo il pulsante. «Arrivo, Rémy. Devo portarti qualcosa, mentre vengo?»

«Solo la libertà dall'oppressione, signore.»

«Rémy, ti rendi conto che la tua *steak au poivre* è la sola ragione per cui lavori ancora per me?»

«Così lei mi ripete, signore. Così lei mi ripete.»

61

"Principessa Sophie." Aveva l'impressione che il suo cervello fosse vuoto, mentre sentiva Teabing allontanarsi lungo il corridoio. Confusa, si voltò verso Langdon, nell'immensa sala. Lo studioso scuoteva già la testa come se le avesse letto nei pensieri.

«No, Sophie» le sussurrò, guardandola in modo rassicurante. «Anch'io ho pensato la stessa cosa quanto ho capito che tuo nonno era nel Priorato e mi hai riferito che voleva dirti un segreto sulla tua famiglia. Ma è impossibile.» Fece una pausa. «Saunière non è un cognome merovingio.»

Sophie non sapeva se sentirsi sollevata o delusa.

«Mi dispiace. So che avrebbe potuto spiegarti molte cose. Ma solo due linee dirette di Merovingi sopravvivono. I cognomi sono Plantard e Saint-Clair. Entrambe le famiglie vivono nascoste, probabilmente sotto la protezione del Priorato.»

Sophie pensò a quei nomi e scosse la testa, tra i suoi familiari non c'era nessuno che si chiamasse Plantard o Saint-Clair. Cominciava a provare una forte delusione. In fin dei conti, era ancora lontana dal capire che cosa le avesse voluto rivelare il nonno. In questo senso, era allo stesso punto di quando era giunta al Louvre. Avrebbe preferito che Saunière non le avesse nominato la famiglia. Aveva riaperto ferite ancora dolorose. "Sono morti, Sophie. Non ritorneranno." Pensò alla madre che cantava per farla addormentare, al padre che la portava sulle spalle, alla nonna e al fratello che le sorridevano e la guardavano con i loro occhi verdi. Tutto questo le era stato portato via. Le era rimasto soltanto il nonno.

"E adesso se n'è andato anche lui e io sono sola."

Tornò a guardare *L'Ultima Cena* e osservò i lunghi capelli rossi e gli occhi sereni di Maria Maddalena. Qualcosa nell'espressione della donna faceva pensare che avesse perso recentemente una persona amata. Sophie riusciva a capirlo per istinto. «Robert?» lo chiamò a bassa voce.

Lui si avvicinò.

«Leigh ha detto che la storia del Graal è dappertutto attorno a noi, ma questa notte è la prima volta che l'ho sentita.»

Langdon stava per metterle una mano sulla spalla per consolarla, ma si trattenne. «No, hai già sentito quella storia, Sophie. Tutti l'abbiamo sentita. Semplicemente, quando la ascoltiamo non ce ne accorgiamo.»

«Non capisco.»

«La storia del Graal è dappertutto, ma è nascosta. Quando la Chiesa ha vietato di parlare di Maria Maddalena e l'ha emarginata, la sua storia e la sua importanza sono state trasmesse attraverso canali più discreti. Canali che permettevano la metafora e il simbolismo.»

«Naturalmente. Tramite le arti.»

Langdon indicò *L'Ultima Cena*. «Un esempio perfetto. Alcune delle più famose opere di arte, letteratura e musica, ci raccontano segretamente la storia di Maria Maddalena e di Gesù.»

Langdon le parlò in fretta delle opere di Leonardo, Botticelli, Poussin, Bernini, Mozart e Victor Hugo che rivelavano il tentativo di ripristinare il femminino sacro. Leggende sempreverdi come quella di sir Gawain e il Cavaliere Verde, re Artù e la Bella Addormentata erano allegorie del Graal. *Notre Dame di Parigi* di Victor Hugo e *Il flauto magico* di Mozart erano pieni di simboli massonici e di segreti del Graal. «Una volta aperti gli occhi al Santo Graal» le disse «lo vedrai dappertutto, nei quadri, nella musica, nei libri. Persino nei cartoni animati, nei parchi di divertimenti e nei film popolari.»

Le mostrò il suo orologio Topolino e le disse che Walt Disney, per tutta la vita, si era dedicato al compito di tramandare la storia del Graal alle future generazioni. Disney era stato salutato come "moderno Leonardo da Vinci". Tutt'e due erano di parecchie generazioni più avanti dei loro contemporanei, erano artisti dalle doti uniche, membri di società segrete e, soprattutto, incorreggibili burloni. Come Leonardo, anche Disney amava inserire messaggi e simboli nascosti nella sua arte. Per lo studioso di simbologia, guardare un vecchio film di Disney era come essere assalito da una valanga di allusioni e di metafore.

La maggior parte dei messaggi nascosti nelle opere di Disney riguardava la religione, il mito pagano e la sottomissione della dea. Non era un caso che Disney avesse rifatto fiabe come *Cenerentola*, *La bella addormentata* e *Biancaneve*, tutte storie che riguardavano l'imprigionamento del femminino sacro. Non occorrevano approfondite conoscenze del simbolismo per capire che Biancaneve – una principessa che cadeva dalla grazia dopo avere assaggiato una mela avvelenata – era una chiara allusione alla caduta di Eva nel Paradiso Terrestre. O che nella *Bella addormentata* la principessa Aurora – nascosta nella profondità della foresta con il nome segreto di "Rosa" per proteggerla dalla strega malvagia – era la storia del Graal raccontata ai bambini.

Nonostante la sua immagine di grande azienda multinazionale, tra i suoi dipendenti permaneva ancora un elemento ludico, e i suoi disegnatori si divertivano ancora a inserire un simbolismo nascosto nei prodotti etichettati Disney. Langdon non si sarebbe mai scordato della volta che uno dei suoi studenti aveva portato un DVD del *Re Leone* e, fermando la visione su un fotogramma singolo, aveva fatto vedere come in quell'inquadratura fosse chiaramente visibile la parola "*sex*" nelle particelle di polvere sopra la testa di Simba. Lui sospettava che fosse più uno scherzo goliardico di uno dei disegnatori che un dotto riferimento alla sessualità pagana, ma Langdon aveva imparato a non sottovalutare l'uso dei simboli da parte di Disney. *La sirenetta* era un affascinante tessuto di simboli spirituali così legati specificamente alla dea da non poter essere una coincidenza.

Quando Langdon aveva visto per la prima volta *La sirenetta* era rimasto letteralmente senza fiato nel notare che il quadro nella casa subacquea di Ariel era nient'altro che *Maddalena penitente* dell'artista del diciassettesimo secolo Georges de la Tour: un famoso omaggio alla scacciata Maria Maddalena e un arredo quanto mai adatto, visto che il film, per tutta l'ora e mezzo della sua durata, era un collage di chiarissimi riferimenti simbolici alla perduta santità di Iside, Eva, Piscis la dea pesce e, ripetutamente, Maria Maddalena. Il nome della sirenetta, Ariel, era fortemente collegato con il femminino sacro e, nel *Libro di Isaia*, era sinonimo di "la Città Santa assediata". Naturalmente, anche i lunghi capelli rossi della sirenetta non erano certo una coincidenza.

Dal corridoio giunse il rumore delle grucce di Teabing che tornava. Lo storico arrivava stranamente di fretta. Quando entrò nello studio, la sua espressione era di grande severità.

«Faresti meglio a darmi una spiegazione, Robert» disse in tono gelido. «Non sei stato onesto con me.»

62

«Mi hanno incastrato, Leigh» disse Langdon, cercando di rimanere calmo. "Mi conosci. Sai che non ucciderei mai nessuno."

Il tono di Teabing non si addolcì. «Robert, hanno trasmesso la tua foto alla televisione, per l'amor di Dio. Sapevi di essere ricercato dalla polizia?»

«Sì.»

«Allora hai abusato della mia fiducia. Mi stupisce che tu mi abbia fatto correre dei rischi venendo qui e chiedendomi di parlare del Graal per poterti nascondere in casa mia.»

«Non ho ucciso nessuno.»

«Jacques Saunière è morto e la polizia accusa te.» Teabing pareva rattristato dalla notizia. «Un uomo che ha dato tanti contributi all'arte...»

«Signore?» Il maggiordomo era comparso e si era fermato dietro Teabing, con le braccia incrociate sul petto. «Li devo allontanare dalla casa?»

«Lascia fare a me.» Teabing attraversò lo studio, aprì un'ampia porta a vetri che dava su un prato, quindi si rivolse a Langdon e Sophie. «Per favore, prendete la vostra auto e andate via.»

Sophie non si mosse. «Abbiamo informazioni sulla clef de voûte. "La chiave di volta del Priorato."»

Teabing la fissò per alcuni secondi e sbuffò in segno di derisione. «Una menzogna disperata. Robert sa quanto io l'abbia cercata.»

«Dice la verità» intervenne Langdon. «Ecco perché siamo venuti da te. Per parlarti della chiave di volta.»

Il maggiordomo fece un passo avanti. «Andate via, o telefonerò alla polizia.»

«Leigh» sussurrò Langdon «sappiamo dov'è.»

La sicurezza di Teabing vacillò un poco.

Adesso Rémy avanzò decisamente lungo la stanza. «Andate via immediatamente! O sarò costretto a usare la forza...»

«Rémy!» Teabing si voltò, riprendendo seccamente il maggiordomo. «Scusaci per un momento!»

L'uomo rimase a bocca aperta. «Signore? Devo protestare. Queste persone sono...»

«Me ne occupo io» gli disse Teabing e indicò il corridoio.

Dopo un istante di silenzio Rémy, stupefatto, si allontanò come un cane bastonato.

Nella fredda aria notturna che entrava dalla porta, Teabing tornò a rivolgersi a Sophie e Langdon. La sua espressione era ancora sospettosa. «È meglio per voi che sia vero. Che cosa sapete della chiave di volta?»

Nascosto nei fitti cespugli all'esterno dello studio di Teabing, Silas impugnava la pistola e guardava attraverso la porta a vetri. Aveva fatto il giro della casa e aveva visto Langdon e la donna parlare nell'enorme studio. Prima che potesse entrare, era arrivato un uomo con le grucce, che si era rivolto a Langdon, aveva aperto la porta a vetri e aveva chiesto ai due di uscire. "Poi la donna ha parlato della chiave di volta e tutto è cambiato." Le grida si erano trasformate in sussurri, l'ira si era addolcita. E la porta a vetri era stata chiusa.

Adesso, mentre si nascondeva nell'ombra, spiò attraverso il vetro. "La chiave di volta è all'interno della casa." Silas lo sentiva.

Senza uscire dall'oscurità, si avvicinò lentamente alla porta, ansioso di udire quello che si diceva. Intendeva concedere loro cinque minuti. Se non avessero rivelato dove avevano nascosto la chiave di volta, sarebbe dovuto entrare per convincerli con la forza.

Nello studio, Langdon vide che Teabing era stupefatto.

«Gran Maestro?» ripeté lo storico, guardando Sophie. «Jacques Saunière?»

La donna annuì e lesse lo shock nei suoi occhi.

«Ma lei non poteva assolutamente saperlo!»

«Jacques Saunière era mio nonno.»

Teabing barcollò sulle grucce. Lanciò un'occhiata a Langdon, che gli fece un cenno affermativo. Lo storico tornò a rivolgersi a Sophie. «Signorina Neveu, sono senza parole. Se questo è vero, sono veramente dispiaciuto per la sua perdita. Devo ammettere che, per le mie ricerche, ho compilato elenchi delle persone di Parigi che ritenevo potessero far parte del Priorato. Jacques Saunière era in quell'elenco insieme a molti altri. Ma Gran Maestro, dice lei? È difficile crederlo.» Tacque per un istante e poi scosse la testa. «Comunque, la cosa non ha senso. Anche se suo nonno era davvero il Gran Maestro del Priorato e ha creato personalmente la chiave di volta, non avrebbe mai detto a lei come trovarla. La chiave di volta svela il percorso che porta al massimo tesoro della fratellanza. Nipote o no, lei non può essere destinata a ricevere una simile conoscenza.»

«Saunière stava per morire quando ha passato l'informazione» spiegò Langdon. «Non aveva molte alternative.»

«Non aveva bisogno di alternative» obiettò Teabing. «Esistono anche tre *sénéchaux* che conoscono il segreto. È questo il fascino della struttura che hanno ideato. Uno di loro diventerà Gran Maestro e nomineranno un nuovo *sénéchal* a cui comunicheranno il segreto della chiave di volta.»

«Credo che lei non abbia sentito l'intero notiziario» disse Sophie. «Oltre a mio nonno, sono stati assassinate *tre* altre importanti personalità parigine.»

Teabing rimase a bocca aperta. «E lei pensa che fossero...»

«I *sénéchaux*» confermò Langdon.

«Ma come hanno fatto? Un assassino non può venire a sapere l'identità dei quattro membri più importanti del Priorato di Sion! Guardate me, faccio ricerche su di loro da decenni, ma non saprei nominare neppure un appartenente al Priorato. Mi pare inconcepibile che i tre *sénéchaux* e il Gran Maestro siano stati scoperti e uccisi in un giorno solo.»

«Non credo che l'informazione sia stata raccolta in un giorno solo» disse Sophie. «Sembra un *décapiter* ben studiato. È una tecnica che si usa per combattere il crimine organizzato.

Se la polizia giudiziaria vuole eliminare una certa banda, intercetta le sue comunicazioni e la osserva in segreto per mesi, identifica i capi e poi passa all'azione e li arresta tutti nello stesso momento. Decapitazione. Priva dei suoi capi, la banda piomba nel caos e si lascia sfuggire altre informazioni. È possibile che qualcuno abbia pazientemente sorvegliato il Priorato a lungo e poi abbia attaccato, sperando che i capi rivelassero la collocazione della chiave di volta.»

Teabing non pareva convinto. «Ma i fratelli non parlerebbero mai. Giurano di mantenere il segreto, anche davanti a una minaccia di morte.»

«Esatto» intervenne Langdon. «Perciò, se non hanno rivelato il segreto e se sono stati uccisi...»

Teabing rimase senza fiato. «Allora la collocazione della chiave di volta sarebbe persa per sempre!»

«E con essa» disse Langdon «la speranza di trovare il Santo Graal.»

Teabing parve afflosciarsi sotto il peso delle parole di Langdon. Poi, come se fosse troppo esausto per resistere ancora un momento, si lasciò cadere su una sedia e guardò fuori della finestra.

Sophie si avvicinò e gli disse a bassa voce: «Considerando la situazione in cui si trovava mio nonno, pare possibile che, nella sua disperazione, abbia cercato di trasmettere il segreto a qualcuno all'esterno della fratellanza. Qualcuno di cui potersi fidare. Un membro della famiglia».

Teabing era impallidito. «Ma chi è stato in grado di sferrare un simile attacco... di scoprire tante informazioni sulla fratellanza...» Si interruppe e sul volto gli comparve un'espressione impaurita. «Può essere stata una sola forza. Questo tipo di infiltrazione può venire solo dal più vecchio nemico del Priorato.»

Langdon alzò la testa. «La Chiesa.»

«Chi altri? Roma cerca il Graal da secoli.»

Sophie era ancora scettica. «Pensate che sia stata davvero la Chiesa a uccidere mio nonno?»

Teabing rispose: «Non sarebbe la prima volta che la Chiesa uccide per proteggersi. I documenti che accompagnano il Santo Graal sono esplosivi; la Chiesa vuole distruggerli da secoli».

Langdon faticava ad accettare la premessa di Teabing che la Chiesa fosse disposta a uccidere senza scrupoli per procurarsi quei documenti. Avendo conosciuto il papa e molti cardinali, sapeva che erano uomini profondamente spirituali che non avrebbero mai perdonato l'omicidio. "Indipendentemente dallo scopo."

Sophie pareva pensarla come lui. «Non è possibile che quei membri del Priorato siano stati assassinati da qualcuno al di fuori della Chiesa? Qualcuno che non sa che cosa sia veramente il Graal? La Coppa di Cristo, dopotutto, costituirebbe un tesoro allettante. I cacciatori di tesori sono capaci di uccidere per meno.»

«Nella mia esperienza» disse Teabing «gli uomini sono disposti a fare molto di più per eliminare ciò che temono che per ottenere ciò che desiderano. Mi pare di scorgere una sorta di disperazione in questo attacco contro il Priorato.»

«Leigh» disse Langdon «è un'assurdità. Perché dei membri della Chiesa cattolica dovrebbero uccidere i vertici del Priorato per distruggere documenti che già in partenza giudicano falsi?»

Teabing rise. «Le torri d'avorio di Harvard ti hanno reso troppo buono, Robert. Sì, il clero romano ha la benedizione di una fede profonda, e grazie a questa può superare qualunque tempesta, compresa la divulgazione dei documenti che negano tutto ciò in cui essi credono. Ma pensa al resto del mondo. Che ne sarebbe di coloro che non hanno la benedizione di una certezza assoluta? Coloro che guardano la crudeltà che esiste al mondo e si chiedono dove sia finito oggi Dio? Coloro che vedono gli scandali della Chiesa e si chiedono: "Chi sono questi uomini che dicono di parlare in nome di Cristo, ma poi mentono per coprire le molestie sessuali dei loro stessi preti ai danni dei bambini?".» Teabing si interruppe. «Che succederà a queste persone, Robert, se verrà diffusa una convincente spiegazione scientifica del fatto che la versione della vita di Cristo raccontata dalla Chiesa è stata falsificata e che la più grande storia mai raccontata è in realtà la più grande menzogna?»

Langdon non rispose.

«Ti dico io che cosa succederà se quei documenti verranno

resi noti» spiegò Teabing. «Il Vaticano dovrà affrontare una crisi della fede che non ha precedenti nella sua storia bimillenaria.»

Dopo un lungo silenzio, Sophie chiese: «Ma se è davvero la Chiesa la responsabile dell'attacco, perché agire proprio ora? Dopo tutti questi anni? Il Priorato ha sempre tenuto nascosti i documenti del Sangreal. Non costituiscono un'immediata minaccia per il Vaticano».

Teabing sospirò con aria afflitta e guardò Langdon. «Robert, penso tu conosca la missione finale del Priorato.»

Al pensiero, Langdon rimase senza fiato. «Certo.»

«Signorina Neveu» disse Teabing «per anni, tra la Chiesa e il Priorato c'è stato un tacito accordo. Ossia, la Chiesa non attacca il Priorato, e questo continua a tenere nascosti i documenti del Sangreal.» Si interruppe. «Tuttavia, una parte della storia del Priorato ha sempre incluso un piano per rivelare il segreto. Con l'arrivo di una particolare data nella storia, la fratellanza intende rompere il silenzio e giungere al proprio trionfo finale, rivelando al mondo i documenti del Sangreal e gridando dalla cima delle montagne la vera storia di Gesù Cristo.»

Sophie fissò Teabing in silenzio. Infine, anche lei si sedette. «E lei pensa che quella data si avvicini? E che la Chiesa ne sia al corrente?»

«È un'ipotesi» disse Teabing «che spiegherebbe perché la Chiesa ha rischiato il tutto per tutto per impadronirsi dei documenti prima che fosse troppo tardi.»

Langdon aveva la sgradevole impressione che Teabing fosse nel giusto. «Pensi che la Chiesa sarebbe in grado di scoprire la data fissata dal Priorato?»

«E perché no? Se siamo partiti dall'ipotesi che abbia scoperto l'identità dei membri del Priorato, può anche avere scoperto i loro piani. E se pure non sanno la data esatta, le loro superstizioni potrebbero avergli preso la mano.»

«Superstizioni?» chiese Sophie.

«In termini di profezie» spiegò Teabing «siamo attualmente in un'epoca di enormi cambiamenti. Il vecchio millennio si è appena concluso e con esso è finita, dopo duemila anni, l'età astrologica dei Pesci, e il pesce è anche il segno di Gesù.

Come qualsiasi esperto di simboli astrologici le può confermare, l'ideale dei Pesci è che l'uomo debba ricevere *ordini* dai poteri superiori perché è incapace di pensare da solo. Perciò è stata un'epoca di fervore religioso. Adesso, però, entriamo nell'età dell'Aquario, il portatore d'acqua, il cui ideale afferma che l'uomo è capace di apprendere la verità e di pensare per sé. Il cambiamento ideologico è enorme, e avviene proprio ora.»

Langdon rabbrividì. Le profezie astrologiche non avevano mai avuto molto interesse per lui – tanto meno gli erano parse credibili – ma sapeva che alcune persone, nella Chiesa, le seguivano attentamente. «La Chiesa chiama questo periodo di transizione "la Fine dei Giorni".»

Sophie non pareva convinta. «Come la fine del mondo? L'Apocalisse?»

«No» rispose Langdon. «Questo è un errore comune. Molte religioni parlano della Fine dei Giorni, ma si riferiscono alla fine dell'attuale epoca, i Pesci, che è iniziata al tempo della nascita di Cristo, è durata duemila anni ed è finita con il cambio del millennio. Ora che siamo passati nell'età dell'Aquario, la Fine dei Giorni è arrivata.»

«Molti studiosi del Graal» aggiunse Teabing «credono che se il Priorato intende davvero rivelare la verità, questo momento storico sarebbe, simbolicamente, il più adatto. Molti studiosi del Priorato, fra i quali anch'io, hanno scritto che la rivelazione doveva coincidere esattamente con il cambiamento del millennio. Come ormai è ovvio, non è stato così. Si sa che il calendario romano non si concilia esattamente con i cicli astrologici, perciò nella profezia c'è una certa indeterminatezza. Se adesso la Chiesa sia stata informata della data precisa, o se sia stata semplicemente presa dal nervosismo a causa della profezia astrologica, non saprei dirlo. In ogni caso, non ha importanza. Entrambi gli scenari spiegano perché la Chiesa possa avere lanciato un attacco preventivo contro il Priorato.» Teabing aggrottò la fronte. «E, mi creda, se la Chiesa troverà il Santo Graal, lo distruggerà. Tutti i documenti e anche le reliquie della benedetta Maria Maddalena.» Aggrottò la fronte. «E allora, mia cara, una volta spariti tutti i documenti del Sangreal, ogni prova sarà scomparsa e la Chiesa avrà vinto la sua antica guerra per riscrivere la storia. Il passato sarà cancellato per sempre.»

Lentamente, Sophie estrasse di tasca la chiave a forma di croce e la porse a Teabing.

Lo storico la prese e la osservò. «Mio Dio! Lo stemma del Priorato. Dove l'ha trovata?»

«Mio nonno è riuscito a farmela pervenire prima della sua morte.»

Teabing passò le dita sulla superficie dorata. «La chiave di una chiesa?»

Sophie trasse un profondo respiro. «Questa chiave permette di recuperare la *clef de voûte*.»

Teabing alzò di scatto la testa e la fissò con aria incredula. «Impossibile! Quale chiesa mi sono dimenticato? Ho cercato in tutte le chiese di Francia!»

«Non è una chiesa» rispose lei. «È una banca svizzera.»

Teabing la guardò con aria delusa. «La chiave di volta in una banca?»

«In una cassetta di sicurezza» spiegò Langdon.

«La cassetta di sicurezza di una *banca*?» Teabing scosse con violenza la testa. «Impossibile. La pietra si dice sia nascosta sotto il segno della Rosa.»

«Certo» spiegò Langdon. «È chiusa in una cassetta di palissandro – ossia di *rosewood*, in inglese – e sul coperchio c'è l'intarsio di una rosa a cinque petali.»

Teabing era a bocca aperta. «Avete *visto* la chiave di volta?»

Sophie annuì. «Siamo stati nella banca.»

Teabing si sporse verso di loro, con espressione impaurita. «Amici miei, dobbiamo fare qualcosa. La pietra è in pericolo! Abbiamo il dovere di proteggerla. E se ci fossero altre chiavi? Magari rubate ai *sénéchaux* assassinati? Se la Chiesa riuscisse ad arrivare alla banca come ci siete arrivati voi...»

«Allora arriverebbe tardi» disse Sophie «perché noi l'abbiamo tolta di lì.»

«Cosa? Avete tolto la chiave di volta dal suo nascondiglio?»

«Non preoccuparti» lo rassicurò Langdon. «L'abbiamo nascosta bene.»

«*Estremamente* bene, mi auguro!»

«In realtà» disse Langdon, incapace di trattenere il sorriso «dipende dalla frequenza con cui fai spolverare sotto il tuo divano.»

Il vento si era alzato, all'esterno di Château Villette, e la tonaca di Silas danzava nella brezza mentre egli era rannicchiato accanto alla porta a vetri. Anche se non era riuscito a udire molto della conversazione, la frase "chiave di volta" era giunta parecchie volte fino a lui.

"È nella casa."

Le parole del Maestro erano ancora chiare nella sua mente. "Entra a Château Villette. Prendi la chiave di volta. Non fare male a nessuno."

Ora, Langdon e gli altri si erano alzati improvvisamente e si erano recati in un'altra stanza. Avevano spento le luci dello studio.

Con lo spirito di una pantera che dava la caccia alla preda, Silas scivolò fino alla porta a vetri. Scoperto che non era sbarrata, entrò senza fare alcun rumore e la chiuse dietro di sé. Udiva parlare in un'altra stanza. Prese di tasca la pistola, tolse la sicura e lentamente si avviò lungo il corridoio.

63

Il tenente Collet si era fermato all'inizio del viale della villa e guardava in direzione della massiccia costruzione. "Isolata. Buia. Ottimo nascondiglio." Osservò i suoi agenti che si schieravano senza fare rumore lungo la cancellata. Potevano entrare e circondare la casa nel giro di pochi minuti. Langdon non avrebbe potuto scegliere un posto migliore perché gli uomini di Collet lo attaccassero di sorpresa.

Collet stava per chiamare Fache quando alla fine il suo telefono suonò.

Il capitano non pareva molto entusiasta dei nuovi sviluppi dell'indagine. «Perché nessuno mi ha detto che avevate nuove informazioni su Langdon?»

«Lei era al telefono e...»

«Dove sei esattamente?»

Collet gli diede l'indirizzo. «La tenuta appartiene a un inglese che si chiama Teabing. Langdon ha fatto parecchia strada per arrivare e sul cancello non ci sono segni di scasso, perciò è probabile che conosca il proprietario della villa.»

«Vengo lì» disse Fache. «Non prendere iniziative. Me ne occuperò personalmente.»

Collet rimase a bocca aperta. «Ma, capitano, le occorreranno almeno venti minuti! Dobbiamo agire immediatamente. L'ho individuato e ho con me otto uomini. Quattro hanno fucili di precisione e gli altri la pistola.»

«Aspettate me.»

«Capitano, e se Langdon ha preso in ostaggio il proprietario? E se ci vede e decide di allontanarsi a piedi? Dobbiamo agire *adesso*! I miei uomini sono appostati e pronti a passare all'azione.»

«Tenente Collet, devi aspettare me prima di agire. È un ordine.» Fache interruppe la comunicazione.

Stupefatto, Collet spense il telefono. "Perché diavolo mi chiede di aspettare?" Ma il tenente sapeva già la risposta. Fache, famoso per il suo istinto, era ancora più famoso per il suo orgoglio. "Fache vuole prendersi tutto il merito per l'arresto." Dopo avere messo la faccia dell'americano su tutti i televisori, Fache voleva che fosse la sua a godere di altrettanta pubblicità. A Collet spettava il compito di difendere il fortino finché non fosse giunto il suo capo a prendere gli applausi.

Mentre continuava a osservare la casa, Collet pensò anche a un'altra spiegazione per il ritardo. "Limitare i danni." Nella tutela della legge, un ritardo nell'arresto di un fuggitivo si verificava solo quando sorgeva qualche dubbio sulla sua colpevolezza. "Fache ha avuto qualche ripensamento sull'effettiva colpevolezza di Langdon?" L'idea era spaventosa. Il capitano Fache si era messo in una posizione molto rischiosa, quella notte, utilizzando un eccessivo schieramento di mezzi per arrestare Langdon: sorveglianza segreta, Interpol e adesso la televisione. Neppure il grande Bezu Fache sarebbe riuscito a sopravvivere agli attacchi politici, se aveva erroneamente dato in pasto alla televisione francese la faccia di un importante americano, proclamando a tutti che era un assassino. Se Fache adesso si era accorto di avere commesso un errore, allora aveva senso l'ordine di non prendere iniziative. L'ultima cosa desiderata da Fache era che Collet assalisse la residenza privata di un cittadino britannico innocente e portasse via Langdon con la pistola alla schiena.

Inoltre, comprendeva Collet, se Langdon era innocente, trovava spiegazione anche uno dei misteri di quel caso: perché Sophie Neveu, la *nipote* della vittima, aveva aiutato il presunto assassino a fuggire? L'unica ragione poteva essere che Sophie sapeva che le accuse contro Langdon erano false. Quella notte, Fache aveva proposto un mucchio di interpretazioni assurde del comportamento della donna, compreso quella che Sophie, come unica erede di Saunière, aveva persuaso il suo amante segreto, Robert Langdon, a uccidere suo nonno per l'eredità. Saunière, sospettando la tresca, aveva lasciato il messaggio "P.S. Trova Robert Langdon". Collet era certo che la spiegazione fosse un'altra. Sophie Neveu sembrava troppo irreprensibile per farsi coinvolgere in qualcosa di tanto sordido.

«Tenente?» Uno degli agenti arrivava di corsa. «Abbiamo trovato un'auto.»

Collet lo seguì, fino a una cinquantina di metri di distanza. L'agente indicò una larga banchina dall'altra parte della strada. Parcheggiata in mezzo ai cespugli, seminascosta, c'era una Audi nera. Dalla targa, Collet riconobbe una vettura a nolo. Il tenente posò la mano sul cofano. Era ancora caldo. Scottava.

«Deve essere quella di cui si è servito Langdon» disse Collet. «Telefona all'agenzia di noleggio. Scopri se è stata rubata.»

«Sì, signore.»

Un altro agente chiamò Collet, che ritornò al cancello. «Tenente, guardi qui.» Gli passò un potente binocolo per la visione notturna. «Gli alberi dove finisce il viale d'accesso.»

Collet puntò il binocolo e regolò l'intensificatore di immagini. Lentamente, le macchie verdi divennero più nitide. Trovò il viale e lentamente lo risalì finché non incontrò gli alberi. Rimase come pietrificato. Nascosto in mezzo alle piante c'era un furgone corazzato. Identico a quello che Collet aveva lasciato uscire dalla Banca deposito di Zurigo poche ore prima. Si augurò che fosse una sorta di bizzarra coincidenza, ma sapeva che non era possibile.

«Pare ovvio» disse l'agente «che Langdon e Neveu si siano serviti di quel furgone per lasciare la banca.»

Collet era senza parole. Pensò all'autista da lui fermato. Al Rolex. Alla sua impazienza di andarsene. "Non ho controllato il vano del carico."

Evidentemente, qualcuno alla banca aveva mentito alla polizia su Langdon e Sophie e li aveva aiutati a uscire. "Ma chi? E perché?" Forse era quella la ragione per cui Fache gli aveva detto di non prendere iniziative. Forse Fache aveva scoperto che erano implicate altre persone, e non soltanto Langdon e Sophie. "Ma se Langdon e Neveu sono arrivati col furgone, allora chi guidava la Audi?"

Centinaia di chilometri più a sud, un aerotaxi Beechcraft Baron 58 volava in direzione nord sul Tirreno. Anche se non c'era vento, il vescovo Aringarosa teneva pronto un sacchetto per il mal d'aria, sicuro che da un momento all'altro potesse star male. La sua conversazione con Parigi non era stata affatto come se l'aspettava.

Solo nella piccola cabina, continuò a girare nervosamente l'anello pastorale che portava al dito e si sforzò di vincere la paura e la disperazione. "Tutto a Parigi è andato nel modo peggiore." Chiuse gli occhi e cominciò a pregare perché Bezu Fache riuscisse ancora a mettere le cose a posto.

64

Teabing, seduto sul divano, teneva il cofanetto sulle ginocchia e ammirava il delicato intarsio della rosa. "Questa è la più strana e più magica notte della mia vita."

«Alzi il coperchio» gli sussurrò Sophie, in piedi accanto a lui, a fianco di Langdon.

Teabing sorrise. "Non fatemi fretta." Dopo avere cercato per più di dieci anni la chiave di volta, voleva godersi ogni millisecondo di quel momento. Passò la mano sul coperchio per sentire la levigatezza del fiore. «La Rosa» sussurrò. "La Rosa è Maddalena, è il Santo Graal. La Rosa è la bussola che guida il tuo cammino." Teabing si sentiva uno sciocco. Per anni era passato da una chiesa francese all'altra, pagando per poterle visitare privatamente, aveva studiato centinaia di archi sotto rose scolpite e rosoni, alla ricerca dell'incisione su una chiave di volta. "La *clef de voûte*, una pietra sotto il segno della Rosa."

Lentamente aprì la chiusura e sollevò il coperchio.

Quando infine scorse il contenuto, capì immediatamente che era la chiave di volta. Era un cilindro di pietra, con incise lettere sulla circonferenza. L'oggetto gli pareva stranamente familiare.

«Il disegno è nei diari di Leonardo» spiegò Sophie. «Mio nonno li fabbricava per hobby.»

"Certo" comprese Teabing. Aveva visto gli schizzi nei diari. "La chiave per trovare il Santo Graal è dentro questa pietra." Teabing sollevò dal cofanetto il pesante cryptex e lo tenne delicatamente in mano. Anche se non aveva idea di come aprire il cilindro, sentiva che il suo destino vi era contenuto. Nei momenti di insuccesso, Teabing si era chiesto se la ricerca a cui aveva dedicato tutta la vita sarebbe mai stata coronata dal successo. Adesso quei dubbi erano svaniti per sempre. Ricordava le antiche parole, il fondamento della leggenda del Graal: "Non siete voi a trovare il Graal, è il Graal a trovare voi".

E quella notte, incredibilmente, la chiave che permetteva di trovare il Santo Graal gli era arrivata sulla porta di casa.

Mentre Sophie e Teabing sedevano con il cryptex e parlavano dell'aceto, degli anelli con le lettere e di quale potesse essere la parola segreta, Langdon prese il cofanetto e, con l'intenzione di osservarlo meglio, lo portò dall'altra parte della stanza, dove c'era un tavolino bene illuminato. Una delle affermazioni di Teabing gli tornava alla mente. "La chiave che porta al Graal è nascosta sotto il segno della Rosa."

Alla luce della lampada, esaminò il simbolo della rosa, intarsiato sul coperchio. Anche se non si era mai interessato di lavori di ebanisteria, si era ricordato del famoso soffitto piastrellato del monastero spagnolo vicino a Madrid, dove, trecento anni dopo la costruzione, le piastrelle del soffitto avevano cominciato a staccarsi, rivelando frasi di testi sacri scritte dai monaci sull'intonaco sottostante.

Tornò a guardare la rosa.

"Sotto la rosa. *Sub rosa*. Segreto."

Un rumore proveniente dal corridoio dietro di lui indusse Langdon a voltarsi. Non vide nulla. Il corridoio era buio. Probabilmente era passato il maggiordomo. Tornò a dedicarsi al cofanetto. Passò le dita sull'intarsio, chiedendosi se non si potesse staccare la rosa, ma l'intarsio era eseguito alla perfezione: tra il legno della rosa e quello del coperchio non sarebbe passata neppure una lametta.

Aprì il cofanetto ed esaminò l'interno. Era liscio. Inclinando il cofanetto, però, vide un piccolo foro all'interno del coperchio, esattamente nel centro. Lo richiuse e osservò il simbolo. Nessun foro.

"Non attraversa l'intarsio."

Posò il cofanetto sul tavolino e si guardò attorno finché non

322

vide alcuni fogli tenuti da una graffetta. Andò a prenderla, la aprì e ne infilò un'estremità nel foro. Spinse piano. Non occorse alcuno sforzo. Sentì qualcosa battere quasi impercettibilmente sul tavolino. Quando chiuse il coperchio per guardare, vide che era una sottile tessera di legno a forma di rosa. L'intarsio si era staccato ed era caduto sulla scrivania.

Senza parole, Langdon osservò la zona lasciata libera dalla rosa. Sul legno, scritte con grande precisione, c'erano quattro righe di testo, in una lingua che Langdon non riuscì a riconoscere. "I caratteri sembrano vagamente semitici" pensò "ma non riesco a capire la lingua!"

Un movimento improvviso, dietro di lui, richiamò la sua attenzione. Un istante dopo, come dal nulla, un forte colpo alla testa lo fece cadere sulle ginocchia.

Mentre crollava a terra, per un momento gli parve di vedere sopra di sé uno spettro bianco, che impugnava una pistola. Poi tutto divenne nero.

65

Anche se lavorava per la polizia, Sophie Neveu non si era mai trovata davanti a una pistola puntata contro di lei. Cosa quasi inconcepibile, la pistola che ora fissava era impugnata da un enorme albino dai lunghi capelli bianchi. Il nuovo venuto la guardava con occhi rossi e privi di espressione che incutevano il terrore. Indossava una tonaca di lana con una corda come cintura e assomigliava a un chierico medievale. Sophie non riusciva a immaginare chi potesse essere, ma cominciava a condividere il sospetto di Teabing che dietro gli omicidi ci fosse la Chiesa.

«Voi sapete che cosa cerco» disse il monaco, con voce priva di emozione.

Sophie e Teabing sedevano sul divano e avevano alzato le mani come aveva ordinato il loro assalitore. Langdon gemeva sul pavimento.

Gli occhi del monaco corsero subito al cryptex posato sulle ginocchia di Teabing.

Lo storico gli rispose, in tono di sfida: «Non sareste capaci di aprirlo».

«Il mio Maestro è molto saggio» rispose il monaco, avvicinandosi leggermente e puntando l'arma ora contro Teabing, ora contro Sophie.

La donna si chiese dove fosse finito il maggiordomo. "Non ha sentito cadere Robert?"

«Chi è il suo maestro?» chiese Teabing. «Forse potremmo arrivare a un accordo economico.»

«Il Graal non ha prezzo.» Si fece ancora più vicino.

«Lei sanguina» osservò con calma Teabing, indicando la caviglia destra del monaco, dove un rivolo di sangue era sceso fino al piede. «E zoppica.»

«Come lei» rispose l'altro, indicando le grucce appoggiate al divano. «Adesso mi dia la chiave di volta.»

«Lei conosce la chiave di volta?» chiese Teabing, sorpreso.

«Non si preoccupi di quello che conosco. Si alzi lentamente e me la dia.»

«Ho difficoltà ad alzarmi.»

«Precisamente. Preferisco che nessuno si muova troppo in fretta.»

Teabing prese con la destra una delle sue grucce e con la sinistra afferrò il cryptex. Si alzò in piedi a fatica e si appoggiò alla stampella, malfermo sulle gambe. Il monaco si avvicinò, con la pistola puntata contro la sua testa.

Sophie non poteva fare altro che guardare; si sentiva assolutamente impotente mentre l'albino sollevava il braccio per prendere il cilindro. «Lei non riuscirà ad aprire questa pietra» disse Teabing. «Solo chi è meritevole lo può fare.»

"Soltanto Dio può giudicare chi sia meritevole" pensò Silas.

«È pesante» l'avvertì l'uomo con le grucce. Il braccio gli tremava per lo sforzo. «Se non la prende subito, temo che mi cadrà di mano!» Ondeggiò pericolosamente.

Silas si affrettò a farsi avanti per prendere la pietra; mentre si avvicinava, l'uomo con le grucce perse l'equilibrio; la gruccia scivolò ed egli cominciò a cadere di lato, sulla destra. "No!" Silas si lanciò ad afferrare la pietra e abbassò l'arma. Ma adesso la chiave di volta si allontanava da lui. Mentre l'uomo cadeva dalla parte destra, il suo braccio sinistro si mosse indietro e il cilindro gli si sfilò dalla mano per finire sul divano. Nello stesso istante, la gruccia metallica che scivolava sul pavimento parve accelerare. Descrisse un ampio raggio nell'aria, in direzione della gamba dell'albino.

Un dolore acutissimo straziò il corpo di Silas quando la gruccia colpì con precisione il suo cilicio, piantando gli uncini nella carne viva, già lacerata dalle acrobazie di quella notte. Silas si sentì mancare le gambe e cadde sulle ginocchia, piantandosi il cilicio ancor più profondamente nella carne. La pistola sparò con un rombo assordante, ma il proiettile si piantò nelle assi del pavimento, senza fare danni. Prima che il monaco potesse sollevare la pistola e sparare di nuovo, la donna lo colpì sotto la mascella con un calcio bene assestato.

All'imboccatura del viale d'accesso, Collet sentì lo sparo. Il suono attutito gli diede il panico. Con Fache in arrivo, aveva già rinunciato a rivendicare un merito personale per la cattura di Langdon. Ma Collet non poteva permettere che l'egocentrismo del suo superiore lo facesse finire davanti a una commissione d'inchiesta per negligenza nelle procedure di polizia.

"Uno sparo all'interno di una casa privata! E lei se ne è rimasto lì, ad aspettare all'altra estremità del viale?"

Collet sapeva che ormai aveva perso ogni occasione di potersi avvicinare di soppiatto. Era anche consapevole che, se fosse rimasto inattivo ancora per un secondo, la sua carriera non sarebbe durata fino all'indomani. Guardò il cancello e prese la decisione. «Agganciamolo alle auto e tiriamolo giù.»

In fondo alla sua mente confusa, Robert Langdon aveva udito lo sparo. Aveva anche sentito un grido di dolore. Il suo? Un martello pneumatico cercava di scavargli un foro nel cranio. Vicino a lui, qualcuno parlava.

«Dove diavolo ti eri cacciato?» gridava Teabing.

Il maggiordomo arrivò di corsa. «Che cos'è successo? Oh, mio Dio! Chi è quell'uomo? Chiamo la polizia!»

«Dannazione! Lascia perdere la polizia. Renditi utile e porta qualcosa per legare questo mostro.»

«E un po' di ghiaccio!» gli gridò Sophie.

Langdon perse di nuovo i sensi. Altre voci. Movimento. Adesso si trovava sul divano. Sophie gli teneva sul capo la borsa del ghiaccio. Gli faceva male la testa. Quando finalmente gli si schiarì la vista, si accorse del corpo sul pavimento. "È un'allucinazione?" Era il corpo massiccio di un monaco albino, legato e imbavagliato con il nastro isolante. Aveva un taglio sul mento e la tonaca, sopra la sua coscia destra, era macchiata di sangue. Pareva che riprendesse i sensi in quel momento.

Langdon si voltò verso Sophie. «Chi è quell'uomo? Che cosa è successo?»

Teabing si avvicinò. «Sei stato salvato da un cavaliere che impugnava un'Excalibur fabbricata dalla Acme Orthopedics.»

"Come?" Langdon cercò di rizzarsi a sedere.

Sophie gli appoggiò la mano sulla spalla. Era scossa, ma parlò con gentilezza. «Aspetta ancora un minuto, Robert.»

«Credo di avere appena dimostrato alla tua amica» disse Teabing «uno sfortunato vantaggio di una condizione come la mia. Pare che tutti siano portati a sottovalutarti.»

Dalla sua posizione sul divano, Langdon guardò il monaco e cercò di capire che cosa fosse successo.

«Portava un cilicio» spiegò Teabing.

«Che cosa?»

Lo storico indicò una corta cintura di cuoio sporca di sangue che giaceva sul pavimento. Guardando meglio, Langdon vide che era piena di uncini. «Una cintura per fare penitenza. La portava avvolta alla gamba. Ho preso bene la mira.»

Langdon si massaggiò la testa. Sapeva di quei cilici. «Ma come... lo sapevi?»

Teabing sorrise. «Il cristianesimo è il mio campo di studio, Robert, e ci sono alcune sette che portano quel genere di strumenti.»

«L'Opus Dei» mormorò Langdon, ricordando gli articoli e i servizi televisivi su tre uomini d'affari di Boston che appartenevano all'associazione. Alcuni colleghi sospettosi li avevano falsamente accusati in pubblico di portare il cilicio sotto l'abito da ufficio. In realtà i tre non facevano nulla di simile. Come molti membri dell'Opus Dei, quegli uomini erano allo stadio "soprannumerario" e non praticavano mortificazioni corporali. Erano cattolici praticanti, padri affettuosi e si dedicavano con convinzione alle attività a favore della comunità. Come c'era da aspettarsi, i media avevano trascurato quegli aspetti spirituali per concentrarsi su argomenti che potevano colpire maggiormente le emozioni del pubblico, parlando delle aberranti pratiche dei membri "numerari" dell'associazione. Membri come il monaco che adesso giaceva sul pavimento davanti a Langdon.

Teabing osservava la cintura insanguinata. «Ma perché l'Opus Dei cerca il Santo Graal?»

Langdon era ancora troppo stordito per pensarci.

«Robert» disse Sophie, avvicinandosi al cofanetto di legno. «Che cos'è questo?» Gli mostrò l'intarsio della rosa che lui aveva staccato dal coperchio.

«Copriva una scritta. Penso che il testo ci possa rivelare come aprire il cryptex.»

Prima che Sophie e Teabing potessero fare commenti, scorsero all'imboccatura del viale una fila di luci azzurre lampeggianti della polizia. Un attimo più tardi, il suono delle sirene giunse fino a loro. Il corteo si avviò lungo la strada serpeggiante che portava alla villa.

Teabing aggrottò la fronte. «Amici miei, pare che dobbiamo prendere una decisione. E ci conviene prenderla in fretta.»

66

Collet e i suoi agenti si precipitarono nella casa di sir Leigh con le armi in pugno, entrando dalla porta principale. Allargando lo schieramento, cominciarono a perquisire le stanze del piano terreno e trovarono un foro di proiettile nel pavimento della sala, segni di lotta, qualche macchia di sangue, una strana cintura irta di punte e un rotolo di nastro isolante parzialmente usato. L'intero piano sembrava deserto.

Mentre Collet cercava di dividere i suoi uomini per ispezionare la cantina e lo spazio dietro la casa, udì giungere voci dal piano superiore. «Sono di sopra!»

Salirono di corsa la scala, poi esaminarono una stanza dopo l'altra della grande casa e trovarono corridoi vuoti e camere da letto deserte, mentre le voci si avvicinavano. I suoni parevano giungere dall'ultima sala di un corridoio lunghissimo. Gli agenti lo raggiunsero lentamente, bloccando le altre uscite.

Mentre arrivavano all'ultima camera da letto, Collet vide che la porta era spalancata. Le voci erano cessate bruscamente ed erano state sostituite da un rombo attutito, come quello di un motore.

Collet puntò la pistola davanti a sé e diede il segnale. Senza fare rumore, passò la mano sulla parete, accanto alla porta e, quando trovò l'interruttore della luce, l'accese. Entrò bruscamente nella stanza, accompagnato dai suoi uomini, gridò e puntò l'arma contro... nessuno.

Una camera da letto per gli ospiti, vuota. Perfettamente in ordine.

Il rombo del motore proveniva da un pannello elettronico incassato nella parete, vicino al letto. Collet ne aveva visto altri nella casa. Una sorta di sistema di interfono. Sul quadro c'era una decina di pulsanti: STUDIO, CUCINA, LAVANDERIA, CANTINA.

"Da dove diavolo arriva il rumore dell'auto?"

CAMERA DA LETTO PADRONALE, SOLARIUM, SCUDERIA, BIBLIOTECA.

"Scuderia!" Collet scese le scale in pochi secondi e corse verso la porta sul retro, chiamando con sé uno dei suoi agenti che era nelle vicinanze. Attraversarono un prato e arrivarono senza fiato a un edificio grigio e sbiadito dal sole. Ancora prima che entrassero, Collet udì un'auto che si allontanava. Impugnò la pistola, corse all'interno e accese la luce.

A destra c'era un piccolo laboratorio: tosaerba, attrezzi per le auto, prodotti per il giardinaggio. Sulla parete si scorgeva uno degli interfono che il tenente aveva già trovato all'interno della casa. Uno dei pulsanti era bloccato e trasmetteva.

CAMERA LETTO OSPITI II

Collet si guardò attorno, con ira. "Ci hanno attirato al piano di sopra con l'interfono!" Quando passò dall'altra parte dell'edificio, vide una lunga fila di box per cavalli. Non c'erano cavalli. Evidentemente il padrone di casa preferiva i cavalli-vapore: i box erano stati convertiti in un'impressionante fila di garage. La collezione di auto era stupefacente: una Ferrari nera, una Rolls-Royce, una Aston Martin coupé, una Porsche 356, anch'essa d'epoca come tutte le altre.

L'ultimo box era vuoto.

Collet corse all'interno e vide macchie d'olio sul pavimento. "Non possono allontanarsi dalla tenuta." Aveva lasciato al cancello due auto per evitare quel tipo di fuga.

«Signore.» L'agente gli indicò la parete in fondo alla scuderia. La porta scorrevole era aperta e si scorgeva una distesa irregolare di campi bui e fangosi che si perdeva nella notte. Il tenente corse alla porta e cercò di scrutare nel buio. Riuscì solo a vedere in lontananza la sagoma di una foresta. Nessuna luce. Quella valle alberata era probabilmente attraversata da decine di piste antincendio e di sentieri dei cacciatori, nessuno dei quali era segnato sulle cartine, ma Collet era sicuro che la sua preda non fosse in grado di arrivare al bosco. «Mandate degli uomini a perlustrare quei campi. Probabilmente si sono già impantanati in qualche fosso. Quelle eleganti macchine sportive non sono in grado di affrontare questo tipo di terreno.»

«Signore...» L'agente gli indicò un pannello con appesi vari mazzi di chiavi. Le etichette avevano nomi familiari: DAIMLER, ROLLS-ROYCE, ASTON MARTIN, PORSCHE.

L'ultimo mazzo mancava.

Quando Collet lesse l'etichetta sopra il gancio vuoto, capì di essere nuovamente nei guai.

67

L'auto era una Range Rover colore Java Black Pearl con quattro ruote motrici, cambio manuale, fari di polipropilene ad alta intensità, luci posteriori regolamentari e volante a destra.

Langdon era lieto di non dover guidare.

Dietro ordine del padrone, il maggiordomo di Teabing, Rémy, guidava con abilità sorprendente lungo i campi illuminati dalla luna dietro Château Villette. Senza accendere i fari, era salito su una collinetta e adesso procedeva lungo un pendio che lo allontanava dalla tenuta. Pareva diretto verso una sagoma frastagliata che si vedeva in lontananza e che doveva corrispondere a un bosco.

Langdon sedeva accanto al posto di guida e aveva sulle ginocchia il cofanetto contenente la chiave di volta. Si girò a guardare Teabing e Sophie che sedevano dietro.

«Come va la testa, Robert?» chiese Sophie, in tono preoccupato.

Langdon si sforzò di sorridere. «Adesso meglio, grazie.» Il dolore lo uccideva.

Teabing si voltò a osservare l'uomo legato e imbavagliato che giaceva nel piccolo bagagliaio dietro di loro. Aveva sulle ginocchia la pistola del monaco e la scena ricordava le vecchie foto dei safari, con il cacciatore in posa accanto alla preda.

«Sono davvero contento che tu sia venuto a trovarmi questa sera» disse lo storico, sorridendo come se da anni non si divertisse altrettanto.

«Mi dispiace di averti coinvolto in questo pasticcio, Leigh.»

«Oh, per favore, ho atteso per tutta la vita di essere coinvolto.» Teabing guardò in direzione del finestrino. Si scorgeva l'ombra di una lunga siepe. Toccò Rémy sulla spalla. «Ricorda, niente luci di frenata. Se occorre, tira il freno a mano. Voglio fare un breve tratto nei boschi e non è il caso che ci vedano dalla casa.»

Rémy ridusse la velocità e diresse la Range Rover verso un'apertura nella siepe. Il veicolo imboccò un sentiero coperto di cespugli e quasi immediatamente gli alberi oscurarono la luce della luna.

"Non vedo nulla" pensò Langdon, sforzandosi di distinguere qualcosa davanti a sé. Era buio pesto. Un ramo sfiorò il fianco sinistro della vettura e Rémy corresse leggermente la direzione. Senza più girare il volante, proseguì lentamente per una trentina di metri.

«Stai andando meravigliosamente, Rémy» gli disse Teabing. «Credo siamo abbastanza lontano. Robert, puoi premere quel pulsante azzurro sotto la ventola? L'hai visto?»

Langdon trovò il pulsante e lo premette.

Una luce gialla illuminò il sentiero davanti a loro, rivelando due fitte pareti di cespugli ai suoi lati. "Fari antinebbia" pensò Langdon. Il chiarore che proiettavano era appena sufficiente per vedere il sentiero, ma ormai erano entrati nel bosco e le luci non li avrebbero traditi.

«Bene, Rémy» disse allegramente Teabing. «I fari li hai. La nostra vita è nelle tue mani.»

«Dove andiamo?» chiese Sophie.

«Questo sentiero prosegue per circa tre chilometri nel bosco» spiegò Teabing. «Attraversa la tenuta e poi si dirige a nord. Se non finiamo in qualche lago e non urtiamo nessun tronco caduto, ci troveremo indenni sull'Autoroute 13.»

"Indenni..." La testa di Langdon non era d'accordo. Abbassò gli occhi sul cofanetto di legno di palissandro dove la chiave di volta era chiusa al sicuro. La rosa intarsiata era stata rimessa al suo posto e, anche se lo studioso aveva ancora la testa confusa, era ansioso di rimuoverla per esaminare più attentamente la scritta. Aprì la chiusura e stava per alzare il coperchio, quando Teabing gli posò la mano sulla spalla.

«Pazienta, Robert» gli disse lo storico. «È buio e la strada è accidentata. Dio ci salvi dal rompere qualcosa. Se non sei riuscito a riconoscere la lingua quando eri alla luce, non potrai fare molto meglio al buio. Pensiamo a uscirne incolumi, non ti pare? Presto avremo tutto il tempo per studiare la scritta.»

Teabing aveva ragione, così Langdon gli rivolse un cenno d'assenso.

Il monaco in nero cominciò a gemere e a cercare di sciogliere i legami. All'improvviso si mise a scalciare violentemente.

Teabing si girò verso di lui e puntò la pistola da dietro lo schienale. «Non riesco a immaginare di che cosa si lamenti, signore. Si è introdotto senza autorizzazione nella mia casa e ha procurato una brutta contusione alla testa a un caro amico. Sarebbe mio diritto spararle immediatamente e lasciarla a marcire nei boschi.»

Il monaco non si mosse più.

«Sei sicuro che sia stata una buona idea portarlo con noi?» chiese Langdon.

«Maledettamente certo!» esclamò Teabing. «Sei ricercato per omicidio, Robert. Questo malandrino rappresenta il tuo passaporto per la libertà. A quanto pare, la polizia è talmente desiderosa di catturarti che ti ha seguito fino a casa mia.»

«Colpa mia» disse Sophie. «Il furgone corazzato aveva probabilmente un localizzatore.»

«Non è questo il punto» disse Teabing. «Non mi stupisce che la polizia vi abbia trovato, ma piuttosto che l'abbia fatto questo personaggio dell'Opus Dei. Da tutto quello che mi avete detto, non riesco a immaginare come abbia potuto seguirvi fino a casa mia, a meno che non avesse un contatto nella polizia giudiziaria o all'interno della banca.»

Langdon rifletté su quelle parole. Senza dubbio, Bezu Fache sembrava molto deciso a trovare un capro espiatorio per gli omicidi di quella notte e Vernet si era rivoltato contro di loro piuttosto bruscamente, anche se il cambiamento del banchiere poteva essere comprensibile, considerando che Langdon era accusato di quattro omicidi.

«Questo monaco non agisce da solo, Robert» osservò Teabing «e finché non saprai *chi* stia dietro a questa storia, voi due sarete in pericolo. La buona notizia, amico mio, è che adesso sei tu in posizione di vantaggio. Il mostro dietro di noi conosce chi l'ha mandato e chiunque lo manovri dovrà essere assai nervoso in questo momento.»

Rémy pareva ormai sicuro del sentiero e aveva accelerato. Attraversarono un tratto coperto dall'acqua e gli schizzi salirono fino ai finestrini, poi percorsero una breve salita e ripresero a scendere.

«Robert, avresti la gentilezza di passarmi quel telefono?» Teabing gli indicò il telefono dell'auto, sul cruscotto. Langdon glielo porse e Teabing compose un numero. Attese a lungo che qualcuno rispondesse. «Richard? Ti ho svegliato? Certo, che ti ho svegliato, che domanda idiota. Scusa. Ho un piccolo problema. Mi sento un po' a terra. Io e Rémy abbiamo bisogno di raggiungere le Isole per la mia terapia. Be', immediatamente, a dire il vero. Mi dispiace di non averti dato preavviso. Puoi preparare *Elizabeth* entro una ventina di minuti? Lo so, fa' tutto quello che puoi. Ci vediamo tra poco.» Chiuse la comunicazione.

«Elizabeth?» chiese Langdon.

«Il mio aereo. Mi costa più dei gioielli della regina.»

Langdon si voltò verso di lui e lo guardò senza parlare.

«Perché?» chiese lo storico. «Voi due non potete pensare di rimanere in Francia con tutta la polizia che vi corre appresso. Londra sarà molto più sicura.»

Anche Sophie si voltò verso di lui. «Pensa che dovremmo lasciare il paese?»

«Amici miei, la mia influenza è assai superiore nel mondo civile che non qui in Francia. Inoltre, si ritiene che il Graal sia in Gran Bretagna. Se riusciremo ad aprire la chiave di volta, sono certo che scopriremo una mappa da cui capiremo di esserci mossi nella giusta direzione.»

«Lei corre un grave rischio, aiutandoci» disse Sophie. «Non si guadagnerà certamente l'amicizia della polizia francese.»

Teabing fece un gesto di fastidio. «Ho chiuso con la Francia. Sono venuto qui per cercare la chiave di volta. Ormai quel lavoro è finito. Non ho nessuna voglia di rivedere Château Villette.»

«Come possiamo superare le guardie di sicurezza dell'aeroporto?»

Teabing rise. «Partiamo da Le Bourget, un aeroporto privato non lontano di qui. I medici francesi mi innervosiscono, e ogni due settimane volo a farmi fare le mie cure in Inghilterra. Pago alla partenza e all'arrivo per certi privilegi. Una volta in volo, potrai decidere se chiamare qualcuno dell'ambasciata americana.»

Langdon si accorse all'improvviso di non voler avere nulla a che fare con l'ambasciata. Riusciva a pensare solamente alla chiave di volta, all'iscrizione, e alla possibilità che indicasse la strada per il Graal. Si chiese se Teabing avesse ragione sull'Inghilterra. Effettivamente, la maggior parte delle leggende moderne collocava il Graal in qualche punto del Regno Unito. Anche Avalon, la mitica isola di re Artù, ricca di riferimenti al Graal, adesso si credeva fosse semplicemente Glastonbury, in Inghilterra. Dovunque si trovasse il Graal, Langdon non si era mai immaginato di andare un giorno alla sua caccia. "I documenti del Sangreal. La vera storia di Gesù Cristo. La tomba di Maria Maddalena." All'improvviso ebbe l'impressione di vivere in una sorta di limbo, quella notte, in una bolla dentro la quale il mondo reale non poteva raggiungerlo.

«Signore» chiese Rémy «pensa davvero di tornare definitivamente in Inghilterra?»

«Rémy, non ti devi preoccupare» lo rassicurò Teabing. «Solo perché ritorno nelle terre della Regina, non intendo assoggettare il mio palato a salsicce e purè per il resto dei miei giorni. Intendo comprare una splendida villa nel Devonshire e ti faremo spedire immediatamente tutte le tue cose. Sarà un'avventura, Rémy. Te l'assicuro, un'avventura!»

Langdon fu costretto a sorridere. Mentre lo storico continuava a descrivere i suoi piani per un trionfale ritorno in Gran Bretagna, Langdon si sentì prendere dallo stesso entusiasmo contagioso.

Guardando distrattamente dal finestrino, Langdon osservò gli alberi passare davanti a loro, pallidi come spettri alla luce gialla dei fari antinebbia. Lo specchietto laterale era stato piegato all'interno, spostato dai cespugli, e Langdon vide il riflesso di Sophie che sedeva in silenzio. La contemplò per qualche minuto e provò un'inattesa soddisfazione. Nonostante i suoi guai di quella notte, era lieto di avere trovato una così buona compagnia.

Dopo un poco, come se avesse sentito quello sguardo su di sé, Sophie si sporse in avanti e gli posò le mani sulle spalle, stringendogliele per un istante. «Tutto a posto?»

«Sì» rispose lui. «Più o meno.»

Sophie tornò a sedere. Langdon vide che sorrideva; dopo un attimo si accorse che anche lui stava sorridendo.

Chiuso nel vano dei bagagli, Silas riusciva a malapena a respirare. Aveva le braccia legate dietro la schiena e ogni scossone gli procurava un dolore alle spalle. Se non altro, coloro che lo avevano catturato gli avevano tolto il cilicio. Non potendo respirare dalla bocca perché era coperta dal nastro isolante, era costretto a respirare dal naso, che però si stava lentamente otturando a causa della polvere contenuta nel bagagliaio. Cominciò a tossire.

«Ho paura che soffochi» disse l'autista francese, con aria preoccupata.

L'inglese che aveva colpito con la stampella Silas adesso si voltò verso il prigioniero. Lo guardò con aria gelida, aggrottando la fronte. «Fortunatamente per lei, noi inglesi giudichiamo la civiltà dell'uomo non in base alla sua compassione per gli amici, ma a quella per i nemici.» Allungò il braccio e, con un movimento rapidissimo, gli strappò il nastro dalla bocca.

Silas ebbe l'impressione che le sue labbra avessero preso fuoco, ma l'aria che gli entrava nei polmoni era un dono di Dio.

«Per chi lavori?» gli chiese l'inglese.

«Io compio il lavoro di Dio» ribatté Silas. La mascella gli faceva male dove la donna l'aveva colpito.

«Sei dell'Opus Dei» commentò l'uomo. Non era una domanda.

«Voi non sapete nulla di me.»

«Perché l'Opus Dei vuole la chiave di volta?»

Silas non aveva intenzione di rispondere. La chiave di volta era il legame con il Santo Graal, e il Graal era la chiave per difendere la fede. "Io compio il lavoro di Dio. La *Via* è in pericolo."

Ora, nella Range Rover, mentre cercava di liberarsi dei legami, Silas temeva di avere tradito ancora una volta, e per sempre, il Maestro e il vescovo. Non aveva neppure il modo di mettersi in contatto con loro per riferire la terribile verità. "Coloro che mi hanno catturato hanno la chiave di volta! Raggiungeranno il Graal prima di noi!" Nell'oscurità, Silas pregò e offerse il dolore del suo corpo perché la supplica venisse udita.

"Un miracolo, Signore. Mi serve un miracolo." Silas non aveva modo di sapere che entro poche ore l'avrebbe ottenuto.

«Robert?» Sophie continuava a guardarlo. «Perché fai quella faccia strana?»

Robert si girò a guardarla e si accorse di avere stretto le labbra. Il suo cuore aveva accelerato i battiti. Gli era appena venuta in mente una possibilità incredibile. "Che la spiegazione sia davvero così semplice?" «Dovrei usare il tuo cellulare, Sophie.»

«Adesso?»

«Credo di avere capito una cosa.»

«Quale?»

«Te lo dico tra un minuto. Prestami il telefono.»

Sophie aggrottò la fronte. «Non credo che Fache tenga il numero sotto controllo, ma cerca di non parlare per più di un minuto.» Gli diede il cellulare.

«Come faccio, per telefonare negli Stati Uniti?»

«Devi fare addebitare la telefonata al destinatario. Il mio abbonamento non comprende le chiamate oltreoceano.»

Langdon compose lo zero. Probabilmente, di lì a un minuto avrebbe avuto la risposta a un dubbio che lo aveva assillato per tutta la notte.

68

L'editor newyorkese Jones Faukman si era appena infilato a letto per la notte quando suonò il telefono. «Un po' tardi per telefonare» brontolò, sollevando il ricevitore.

La centralinista gli chiese: «Accetta una chiamata a pagamento da Robert Langdon?».

Perplesso, l'editor accese la luce. «Uh, certo, va bene.»

Uno scatto. «Jonas?»

«Robert? Non solo mi svegli ma mi addebiti anche la telefonata?»

«Jonas, scusa» disse Langdon. «Sarò molto breve, ma devo sapere urgentemente una cosa. Il manoscritto che ti ho dato. Hai...»

«Robert, mi dispiace, so che ti avevo promesso di inviarti le correzioni questa settimana, ma siamo sommersi dal lavoro. Lunedì prossimo. Promesso.»

«Non sono preoccupato per le correzioni. Devo sapere se hai mandato in giro qualche copia per i commenti in copertina. Senza avvertirmi.»

Faukman ebbe un attimo di esitazione. Il nuovo manoscritto di Langdon – un'esplorazione sulla storia del culto della dea – comprendeva parecchi capitoli su Maria Maddalena che avrebbero certamente destato scalpore. Anche se il materiale era ben documentato ed era già stato pubblicato da altri, Faukman non aveva intenzione di mandare le bozze alla stampa senza qualche raccomandazione da parte di storici seri e di autorità in campo artistico. Jonas aveva scelto dieci nomi importanti del mondo dell'arte e aveva mandato loro il manoscritto con una lettera in cui chiedeva cortesemente se fossero disposti a scrivere qualche riga di approvazione da riportare in copertina. Come Faukman sapeva per esperienza, la maggior parte delle persone approfittava immediatamente dell'occasione di vedere il proprio nome stampato sulla copertina di un libro.

«Jonas?» insistette Langdon. «Hai fatto circolare il manoscritto, vero?»

Faukman aggrottò la fronte; aveva l'impressione che Langdon non fosse molto soddisfatto della cosa. «Il manoscritto era a posto, Robert, e volevo sorprenderti con qualche giudizio entusiastico.»

Una pausa. «L'hai mandato al curatore del Louvre di Parigi?»

«Che cosa avresti fatto tu? Il tuo manoscritto parla varie volte della collezione del Louvre, cita i libri di Saunière in bibliografia e quell'uomo ha un certo ascendente che avrebbe fatto aumentare le vendite all'estero. Una scelta obbligata.»

Il silenzio dall'altra parte della comunicazione durò alcuni istanti. «Quando gliel'hai mandato?»

«Circa un mese fa. Gli ho anche detto che dovevi andare a Parigi e gli ho suggerito di incontrarvi. Si è poi messo in contato con te?» Faukman si interruppe, soffregandosi gli occhi. «Un attimo, tu non dovresti essere a Parigi, questa settimana?»

«Io *sono* a Parigi.»

Faukman si rizzò a sedere. «Mi hai chiamato a mie spese da Parigi?»

«Recuperalo dai miei diritti d'autore. Hai saputo qualcosa da Saunière? Il manoscritto gli è piaciuto?»

«Non lo so. Non mi è ancora arrivata la risposta.»

«Be'. Non perdere tempo ad aspettare. Devo correre, ma quanto mi hai detto spiega un mucchio di cose. Grazie.»

«Robert...»

Langdon aveva già interrotto la comunicazione.

Faukman agganciò il telefono, scuotendo la testa incredulo. "Gli autori" pensò "anche quelli più a posto sono matti come cavalli."

Nella Range Rover, Leigh Teabing scoppiò a ridere. «Robert, non mi dirai che hai scritto un saggio che parla di una società segreta e il tuo editor ne ha mandato una copia al suo capo?»

Langdon si afflosciò sul sedile. «Evidentemente.»

«Una crudele coincidenza, amico mio.»

"La coincidenza non ha niente a che fare con l'accaduto" pensò Langdon. Chiedere a Jacques Saunière di scrivere un commento su un manoscritto che trattava del culto della dea era ovvio come chiedere a Tiger Woods di scrivere una frase di presentazione di un libro sul golf. Inoltre, era pressoché garantito che un libro sul culto della dea citasse il Priorato di Sion.

«E qui c'è la domanda da un milione di dollari» disse Teabing, continuando a ridere. «La tua posizione sul Priorato era favorevole o contraria?»

Langdon aveva perfettamente capito che cosa volesse dire Teabing. Molti storici si erano chiesti perché il Priorato continuasse a tenere nascosti i suoi documenti. Alcuni pensavano che avrebbe dovuto rendere pubbliche le sue conoscenze già da molto tempo. «Non ho assunto alcuna posizione sulle azioni del Priorato.»

«Intendi dire le inazioni.»

Langdon si strinse nelle spalle. A quanto pareva, Teabing era di coloro che avrebbero voluto rendere pubblici i documenti. «Ho solo raccontato la storia della fratellanza e l'ho descritta come una moderna società che pratica il culto della dea, custodisce il Graal e conserva antichi documenti.»

Sophie lo guardò. «Hai parlato della chiave di volta?»

Langdon fece una smorfia. Ne aveva scritto. Più volte. «Ho parlato della presunta chiave di volta citandola come esempio delle misure a cui il Priorato è disposto a giungere per proteggere i documenti del Sangreal.»

Sophie era sorpresa. «Penso che possa spiegare la scritta "P.S. Trova Robert Langdon".»

Lo studioso aveva l'impressione che a destare l'interesse di Saunière fosse stato un altro particolare del manoscritto, ma preferiva discuterne con Sophie quando fossero rimasti soli.

«Perciò» disse Sophie «hai mentito al capitano Fache.»

«Come?» chiese Langdon.

«Gli hai detto di non avere mai scritto a mio nonno.»

«Infatti non gli ho mai scritto! È stato il mio editor a inviar
gli il manoscritto.»

«Pensaci, Robert. Se il capitano Fache non ha trovato la bu
sta con il mittente, ne ha concluso che l'abbia spedito tu.» Fece
una pausa. «O, peggio ancora, che glielo hai consegnato a ma
no e che gli hai mentito.»

Quando la Range Rover arrivò all'aeroporto di Le Bourget,
Rémy si diresse verso un piccolo hangar in fondo alla pista.
Quando giunsero, un uomo dai capelli arruffati e con un com
pleto cachi tutto spiegazzato corse fuori, agitò il braccio in se
gno di saluto e aprì l'enorme porta di metallo ondulato per ri
velare, all'interno, un elegante jet bianco.

Langdon fissò la fusoliera lucida. «Sarebbe quella *Elizabeth*?»

Teabing sorrise. «Capace di battere ogni tempesta del male
detto Canale.»

L'uomo vestito in cachi corse verso di loro, battendo le pal
pebre quando fu colpito dalla luce dei fari. «Quasi pronti, si
gnore» disse, con accento inglese. «Mi scuso per il ritardo, ma
mi ha colto di sorpresa e...» Si interruppe nel vedere il grup
po che scendeva dall'auto. Guardò Sophie e Langdon, poi
Teabing.

Lo storico gli disse: «Io e i miei compagni abbiamo alcuni
affari urgentissimi da sbrigare a Londra. Non c'è tempo da
perdere. Per favore, preparati a partire immediatamente».
Mentre parlava, Teabing prelevò la pistola dal sedile e la pas
sò a Langdon.

Il pilota sgranò gli occhi alla vista dell'arma. Si accostò a
Teabing e gli disse: «Signore, chiedo umilmente scusa, ma il
nostro passaporto diplomatico permette di trasportare solo lei
e il suo maggiordomo. Non posso portare i suoi ospiti».

«Richard» gli rispose Teabing, sorridendogli cordialmente
«duemila sterline e quella pistola carica dicono che *puoi* porta
re i miei ospiti.» Indicò la Range Rover. «Oltre, naturalmente,
a quello sciagurato che sta nel baule dell'auto.»

69

I due motori Garrett TFE731 dell'Hawker 731 rombavano e spingevano l'aereo verso il cielo, con una forza da strappare le budella. Sotto di loro, l'aeroporto di Le Bourget si allontanava con velocità sorprendente.

"Fuggo dal paese" pensò Sophie, mentre l'accelerazione la premeva contro la poltrona di cuoio. Fino a quel momento, aveva creduto che il suo gioco d'astuzia con Fache fosse in qualche modo giustificabile davanti alla commissione ministeriale. "L'ho fatto per proteggere un innocente. Volevo soddisfare l'ultimo desiderio di mio nonno." Quella finestra di possibilità, Sophie sapeva, adesso si era chiusa. Stava lasciando il paese, senza documenti, in compagnia di un ricercato, e portavano con loro un ostaggio legato. Se un "confine della ragione" era mai esistito, lei l'aveva appena superato. "E quasi alla velocità del suono."

Sedeva con Langdon e Teabing nella parte anteriore della cabina: un arredamento "Jet Executive Elite", come diceva la placca dorata sulla porta. Le loro soffici poltroncine scorrevano su guide del pavimento e si potevano spostare e bloccare attorno a un tavolo rettangolare di legno di quercia. Una mini-sala per riunioni. L'ambiente elegante, però, non poteva nascondere la situazione poco elegante in coda all'aereo, dove in una cabina più piccola e meno lussuosa, posta accanto alla toilette, il maggiordomo Rémy sedeva con la pistola in pugno, obbedendo, anche se con poca voglia, all'ordine di fare la guardia al monaco sporco di sangue che giaceva a terra, legato come un pacco.

«Prima di occuparci della chiave di volta» disse Teabing «mi chiedevo se mi poteste concedere alcune parole.» Sembrava leggermente apprensivo, come un padre prima di raccontare ai figli la storia delle api e dei fiori. «Amici, so di essere un semplice invitato in questo viaggio, e sono onorato di esserlo. Eppure, avendo trascorso l'intera vita in cerca del Graal, ritengo mio dovere avvertirvi che state per mettervi su un cammino da cui non c'è ritorno, indipendentemente dai pericoli che si possono correre.» Si rivolse a Sophie. «Signorina Neveu, suo nonno le ha dato questo cryptex nella speranza che lei riuscisse a tenere in vita il segreto del Graal.»

«Sì.»

«Comprensibilmente, si sente obbligata a seguire quel cammino, dovunque esso la porti.»

Sophie annuì, anche se sentiva una seconda motivazione bruciare ancora dentro di lei. "La verità sulla mia famiglia." Nonostante le rassicurazioni di Langdon che la chiave di volta non aveva niente a che fare con il suo passato, Sophie intuiva che qualcosa di profondamente personale si intrecciava con quel mistero, come se il cryptex, creato dal nonno con le sue stesse mani, cercasse di parlarle e di colmare il vuoto che l'aveva assillata per tanti anni.

«Suo nonno e altre tre persone sono morti questa notte» proseguì Teabing «allo scopo di tenere la Chiesa lontano da questa chiave di volta. Questa notte gli uomini dell'Opus Dei sono quasi giunti a impadronirsene. Lei capirà, penso, che ciò la mette in una posizione di eccezionale responsabilità. Le è stata affidata una fiaccola, una fiamma antica di duemila anni, a cui non si può permettere di spegnersi. Una fiaccola che non può cadere nelle mani sbagliate.» Si interruppe e guardò il cofanetto di palissandro. «Comprendo che non le è stata concessa alcuna possibilità di scelta, signorina Neveu, ma considerando ciò che è in gioco, deve assumersi pienamente questa responsabilità, oppure passarla a un'altra persona.»

«Mio nonno ha dato il cryptex a me. Sono certa che mi credeva capace di assumermi quella responsabilità.»

Teabing pareva incoraggiato ma non convinto. «Bene. È necessaria una forte volontà. Eppure, sono curioso di sapere se si rende conto di una cosa. Dischiudere il segreto della chiave di volta l'assoggetterà a una prova ancora più grande.»

«Come sarebbe a dire?»

«Mia cara, immagini di possedere improvvisamente una mappa che riveli la posizione del Santo Graal. In quel momento, lei sarà in possesso di una verità in grado di alterare la storia per sempre. Sarà la custode di una verità che l'uomo cerca da secoli e avrà la responsabilità di decidere se rivelarla al mondo. La persona che lo farà sarà lodata da molti e odiata da altrettanti. La questione è se lei avrà la forza necessaria per compiere questa missione.»

Sophie rifletté per alcuni istanti. «Non sono certa che la decisione spetti a me.»

Teabing inarcò le sopracciglia. «No? Se non al possessore della chiave di volta, a chi, allora?»

«Alla fratellanza che ha protetto con cura il segreto per tanti secoli.»

«Il Priorato?» Teabing sembrava piuttosto scettico. «Ma in che modo? Questa notte la fratellanza è stata fatta a pezzi. "Decapitata", come ha giustamente detto lei. Se siano stati traditi da qualche sistema di intercettazione ambientale o da una spia tra le loro file, non lo sapremo mai. Ma resta il fatto che qualcuno è arrivato a loro e ha scoperto l'identità dei quattro membri più importanti. A questo punto non mi fiderei di nessuno che si presenti come adepto della fratellanza.»

«Allora, cosa suggerisci?» chiese Langdon.

«Robert, tu sai al pari di me che il Priorato non ha protetto per tanti anni la verità al solo scopo di farle accumulare polvere per l'eternità. Hanno continuato ad aspettare il giusto momento storico per rendere pubblico il loro segreto. Un momento in cui il mondo fosse pronto ad accogliere la verità.»

«E tu credi che quel momento sia giunto?» chiese Langdon.

«Certo. Non potrebbe essere più ovvio. Tutti i segni storici concordano e se il Priorato non avesse deciso di rendere noto il suo segreto, perché la Chiesa l'avrebbe attaccato?»

Sophie osservò: «Il monaco non ci ha ancora detto il suo scopo».

«Lo scopo del monaco è quello della Chiesa» rispose Teabing. «Distruggere i documenti che rivelano il grande inganno. Questa notte la Chiesa è arrivata più vicino al segreto di quanto non sia mai giunta in precedenza, e il Priorato ha riposto la sua fiducia in lei, signorina Neveu. Il compito di salvare il Santo Graal comporta chiaramente quello di adempiere il principale desiderio del Priorato, che è quello di rivelare la verità al mondo.»

Intervenne Langdon. «Leigh, chiedere a Sophie di prendere questa decisione è un peso un po' troppo grande, per caricarlo sulle spalle di una persona che solo un'ora fa non sapeva neppure dell'esistenza dei documenti del Sangreal.»

Teabing sospirò. «Chiedo scusa per la mia insistenza, signorina Neveu. Chiaramente ho sempre ritenuto che quei documenti dovessero essere resi pubblici, ma in definitiva la decisione riguarda lei. Semplicemente, mi pare importante che cominci a pensare a ciò che dovrà fare se riusciremo a decifrare la chiave di volta.»

«Signori» disse Sophie con voce ferma. «Per citare le vostre stesse parole: "Non sei tu a trovare il Graal ma è il Graal a trovare te". Voglio credere che il Graal mi abbia trovato per una ragione e che, quando arriverà il momento, saprò che cosa fare.»

Tutt'e due la guardarono con stupore.

«Perciò» terminò Sophie, indicando il cofanetto di palissandro «diamoci da fare.»

70

Collet era fermo nella sala di Château Villette, guardava il fuoco del caminetto che ormai stava per spegnersi e si sentiva profondamente scoraggiato. Il capitano Fache era arrivato pochi minuti prima ed era nella stanza vicina, a gridare al telefono per coordinare il tentativo – finora infruttuoso – di localizzare la Range Rover sparita.

"Ormai potrebbe essere chissà dove" pensò Collet.

Avendo disobbedito agli ordini di Fache e avendo perso Langdon per una seconda volta, Collet era lieto che la Scientifica avesse trovato un foro di proiettile nel pavimento, cosa che almeno confermava la sua affermazione di avere sentito uno sparo. Comunque, l'umore di Fache era ancor più acido del solito e Collet sapeva che ci sarebbero state ripercussioni sgradevoli, una volta che si fosse diradato il polverone.

Purtroppo, le informazioni fin lì trovate non gettavano alcuna luce su quanto era successo e sulle persone coinvolte. L'Audi nera parcheggiata all'esterno era stata noleggiata con nome e carta di credito falsi e le impronte sull'auto non erano nel database dell'Interpol.

Un altro agente entrò nella sala con l'espressione di chi ha da comunicare qualcosa di urgente. «Dov'è il capitano Fache?»

Collet continuò a fissare le braci del caminetto. «Al telefono.»

«La telefonata è finita» ribatté seccamente Fache, entrando nella stanza. «Cos'hai trovato?»

«Signore» disse l'agente «la centrale ha ricevuto una telefonata da André Vernet della Banca deposito di Zurigo.

Vuole parlare con lei in privato. Ha cambiato la sua versione dei fatti.»

«Ah, sì?» commentò Fache.

Ora anche Collet alzò la testa.

«Vernet ha ammesso che Langdon e Neveu sono entrati nella sua banca e vi hanno trascorso qualche minuto.»

«L'avevamo già capito» osservò Fache. «Perché Vernet ci ha mentito?»

«Dice di essere disposto a parlare soltanto con lei, ma è deciso a cooperare appieno.»

«In cambio di che?»

«Di non dare in pasto ai giornalisti il nome della sua banca e di aiutarlo a recuperare un oggetto rubato. Pare che Langdon e Neveu abbiano sottratto un oggetto depositato da Saunière.»

«Cosa?» esclamò Collet. «Come hanno fatto?»

Fache non batté ciglio. Continuò a fissare l'agente. «Che cosa hanno rubato?»

«Vernet non si è dilungato, ma pare disposto a tutto per recuperarlo.»

Collet cercò di immaginare come potesse essere successo. Forse Langdon e Neveu avevano puntato un'arma contro qualche impiegato della banca? Avevano costretto Vernet ad aprire la cassetta di sicurezza di Saunière e a portarli via nel furgone corazzato? Per plausibile che fosse, Collet faticava a credere che Sophie Neveu potesse essere coinvolta in qualcosa di simile.

Dalla cucina, un altro agente chiamò Fache. «Capitano? Sto provando i numeri di telefono preprogrammati e sono in contatto con l'aeroporto di Le Bourget. Ho una brutta notizia.»

Trenta secondi più tardi, Fache richiamava i suoi uomini e si preparava a lasciare Château Villette. Aveva appena saputo che Teabing aveva un aereo privato a Le Bourget e che l'aeroplano era partito mezz'ora prima.

Al telefono, il controllore di volo di Le Bourget aveva detto di non sapere chi si trovasse sull'aereo e dove fosse diretto. La partenza non era prevista e non gli avevano comunicato il piano di volo. Una cosa estremamente illegale, anche per un piccolo aeroporto. Fache era certo che, applicando la giusta pressione, avrebbe potuto ottenere le risposte volute.

«Tenente Collet» abbaiò, mentre usciva. «Non ho altra scelta che lasciarti a capo delle ricerche della Scientifica in questa casa. Cerca di fare qualcosa di giusto, tanto per cambiare.»

71

Quando l'Hawker ebbe raggiunto la quota di volo, con la prua rivolta verso l'Inghilterra, Langdon sollevò con attenzione il cofanetto di palissandro che aveva tenuto sulle ginocchia, ben stretto, durante il decollo. Ora, mentre posava la scatola sul tavolo, vide che Sophie e Teabing si sporgevano in avanti, tesi nell'anticipazione.

Dopo avere aperto la chiusura e sollevato il coperchio, Langdon non rivolse l'attenzione alle lettere scritte sugli anelli del cryptex, ma al foro che si scorgeva sotto il coperchio. Con la punta di una penna, spinse via la rosa e rivelò il testo sottostante. "*Sub rosa*" rifletté, sperando che una nuova occhiata allo scritto potesse chiarirglielo. Concentrando tutte le sue energie, Langdon studiò lo strano testo.

Dopo alcuni secondi tornò a provare una frustrazione profonda, simile a quella sperimentata in precedenza. «Leigh» disse «non riesco assolutamente a capire che cosa sia.»

Sophie, seduta dall'altra parte del tavolo, non poteva vedere il testo, ma la sorprese che Langdon non riuscisse a interpretarlo. "Mio nonno parlava una lingua talmente astrusa che neppure un esperto di simboli riesce a riconoscerla?" Poi si disse che la cosa non doveva stupirla, non era la prima volta che Jacques Saunière nascondeva qualcosa alla nipote.

Di fronte a Sophie, Leigh Teabing stava quasi per esplodere. Ansioso di vedere il testo, fremeva di eccitazione, allungava il collo, cercava di guardare dietro le spalle di Langdon, che era curvo sul cofanetto.

«Non so» sussurrò lo studioso, perplesso. «La mia prima impressione era che fosse una lingua semitica, ma adesso non ne sono molto sicuro. La maggior parte delle lingue semitiche comprende dei *nekkudot*. Qui non ne vedo.»

«Sarà la forma antica» propose Teabing.

«*Nekkudot?*» chiese Sophie.

Teabing non staccò gli occhi dal cofanetto. «La maggior parte degli alfabeti semitici moderni non ha vocali e usa *nekkudot* – punti e accenti circonflessi scritti sotto la consonante o dentro di essa – per indicare il suono vocalico che l'accompagna. Storicamente sono un'aggiunta relativamente moderna alla scrittura.»

Langdon continuava a osservare lo scritto. «Una traslitterazione dei sefarditi, magari?»

Teabing non riuscì più a trattenersi. «Forse, se mi lasci...» prese il cofanetto e lo tirò fino a sé. Senza dubbio, Langdon aveva una buona familiarità con le lingue antiche più consuete – greco, latino, lingue romanze – ma dalla rapida occhiata che Teabing aveva dato alla scritta, gli pareva qualcosa di più specializzato, come un commentario di Rashi o gli STa"M delle corone.

Tratto un profondo respiro, Teabing posò gli occhi sulla scritta e per più di un minuto non disse nulla. A ogni istante che passava, lo storico sentiva dileguarsi le sue certezze. «Sono confuso» ammise. «Questa lingua non assomiglia a nessuna di quelle che conosco.»

Langdon appoggiò il mento sulle mani.

«Posso dare un'occhiata?» chiese Sophie.

Teabing finse di non avere sentito. «Robert, dicevi di avere già visto qualcosa di simile?»

Langdon fece una smorfia. «Mi pareva, ma adesso non ne sono sicuro. In qualche modo mi sembrava familiare.»

«Sir Leigh?» insistette Sophie, cui evidentemente non piaceva essere tagliata fuori dalla discussione. «Posso dare un'occhiata al cofanetto costruito da mio nonno?»

«Ma certo, cara» rispose Teabing, spingendo fino a lei la custodia di legno. Non intendeva darsi arie di superiorità, ma quella scritta era a miglia di distanza dalle competenze di Sophie Neveu. Se uno storico reale britannico e un professore di Harvard non erano riusciti a riconoscere il linguaggio...

«Ah» disse la donna, dopo avere dato uno sguardo al cofanetto. «C'era da aspettarselo.»

Teabing e Langdon la fissarono a bocca aperta.

«*Aspettarsi* cosa?» chiese Teabing.

Sophie si strinse nelle spalle. «Che mio nonno si servisse di questo linguaggio.»

«Lei dice di saper leggere quel testo?» chiese Teabing.

«Senza difficoltà» rispose Sophie, che chiaramente si divertiva, adesso. «Mio nonno me l'ha insegnato quando avevo sei anni. Lo leggo correntemente.» Guardò con aria severa Teabing. «E francamente, signore, vista la sua fedeltà all'Inghilterra, mi stupisce che lei non lo riconosca.»

In un lampo, Langdon comprese.

"Ecco perché la scritta mi sembra così familiare!"

Alcuni anni addietro, Langdon aveva preso parte a una cerimonia al museo Fogg di Harvard. L'ex allievo di Harvard Bill Gates era tornato all'università per prestare al museo uno dei suoi acquisti inestimabili: diciotto fogli di carta da lui recentemente acquistati a un'asta dei beni di Armand Hammer.

L'offerta con cui se lo era aggiudicato: un secco 30,8 milioni di dollari.

L'autore delle pagine: Leonardo da Vinci.

I diciotto fogli – noti come "codice Leicester" dal nome del suo famoso, primo proprietario, il conte di Leicester – costituivano quanto rimaneva di uno dei più affascinanti quaderni d'appunti di Leonardo: scritti e disegni in cui si delineavano le sue avanzate teorie su astronomia, geologia, archeologia e idraulica.

Langdon ricordava ancora la sua reazione dopo avere atteso in coda per poter finalmente vedere quei fogli preziosissimi. Una profonda delusione. Le pagine erano incomprensibili. Anche se erano meravigliosamente conservate e scritte in calligrafia impeccabile – inchiostro rosso su carta color seppia – il codice sembrava una raccolta di ghirigori. Dapprima Langdon aveva pensato di non capire per il fatto che Leonardo scriveva in italiano arcaico. Ma dopo avere letto un po' di righe si era accorto che lo scritto non conteneva alcuna parola italiana, e neppure una lettera dell'alfabeto.

«Provi questo» gli aveva detto la professoressa che si prendeva cura della bacheca. Gli aveva passato uno specchietto legato a una sottile catena. Langdon lo aveva preso e aveva guardato l'immagine speculare dello scritto.

Immediatamente, tutto era divenuto chiarissimo.

Nella sua ansia di leggere le pagine del grande pensatore, si era dimenticato che tra le numerose doti di Leonardo c'era anche quella di sapere usare correntemente una scrittura speculare che risultava virtualmente illeggibile per chiunque altro. Gli storici si chiedevano ancora se scrivesse in quel modo perché la cosa, semplicemente, lo divertiva, o per impedire alla gente di spiare quanto scriveva e di rubargli le idee, ma la differenza non aveva molta importanza. Leonardo da Vinci faceva quello che gli pareva.

Sophie sorrise tra sé nell'accorgersi che Robert aveva capito. «Posso leggervi le prime parole» disse. «È inglese.»

Teabing non aveva ancora compreso. «Come sarebbe a dire?»

«Grafia a ritroso» spiegò Langdon. «Ci occorre uno specchio.»

«No, aspetta» intervenne Sophie. «Scommetto che questo legno è abbastanza sottile.» Accostò il cofanetto a una luce e studiò il fondo del coperchio. Saunière non era realmente capace di scrivere al contrario, perciò barava sempre, scrivendo normalmente e poi voltando la carta e ripassando la scritta. In questo caso, Sophie aveva l'impressione che avesse inciso un testo normale, con il pirografo, su un blocco di legno e poi avesse passato la cartavetro sull'altro lato del blocco, finché non era rimasta che una lamina sottilissima di legno, attraverso cui si poteva vedere in trasparenza la scritta. Poi l'aveva semplicemente girata dall'altra parte.

Non appena avvicinò il coperchio alla lampada, Sophie ebbe la conferma. La luce attraversò senza difficoltà il sottile strato di legno e lo scritto le apparve nel senso giusto.

Perfettamente leggibile.

«Inglese» gemeva Teabing, abbassando la testa per l'umiliazione. «La mia lingua materna!»

Nella cabina in fondo all'aereo, Rémy Legaludec si sforzava di ascoltare la conversazione, coperta dal rumore dei motori, ma le parole che giungevano fino a lui erano incomprensibili. Al maggiordomo non piaceva il modo in cui stavano evolvendo gli avvenimenti. Per niente. Guardò il monaco legato che giaceva ai suoi piedi. L'uomo era perfettamente immobile, adesso, come in trance, forse perché aveva accettato la sua sorte o forse perché pregava silenziosamente di essere liberato.

72

A una quota di cinquemila metri, Robert Langdon sentiva allontanarsi il mondo fisico mentre tutti i suoi pensieri convergevano sul testo in rima di Saunière, che si scorgeva in controluce sul coperchio del cofanetto.

an ancient word of wisdom frees this scroll
and helps us keep her scatter'd family whole
a headstone praised by templars is the key
and atbash will reveal the truth to thee

Sophie trovò carta e penna e copiò la scritta. Quando ebbe terminato, ciascuno di loro lesse attentamente i quattro versi. Era una sorta di cruciverba archeologico, un indovinello che avrebbe permesso di aprire il cryptex. Langdon lesse lentamente i versi.

> *An ancient word of wisdom frees this scroll*
> *and helps us keep her scatter'd family whole*
> *a headstone praised by templars is the key*
> *and atbash will reveal the truth to thee.*

Un'antica parola di saggezza libera questo rotolo
e ci aiuta a mantenere unita la famiglia di lei dispersa
una pietra tombale venerata dai templari è la chiave
e Atbash ti rivelerà la verità.

Prima che Langdon cominciasse a chiedersi a che antica parola si riferissero quei versi, sentì risuonare in lui qualcosa di assai più fondamentale: il metro della poesia. "Pentametri giambici."

Langdon lo aveva incontrato molte volte nel corso degli anni in cui aveva studiato in tutta Europa le società segrete, compresa la sua escursione dell'anno prima negli archivi segreti del Vaticano. Per secoli, il pentametro giambico – la forma originale dell'endecasillabo – era stato il metro preferito dai letterati che esprimevano il proprio pensiero senza peli sulla lingua, dall'antico scrittore greco Archiloco a Shakespeare, Milton, Chaucer e Voltaire, anime coraggiose che sceglievano di scrivere i loro commenti sulla società in un metro che, secondo i contemporanei, godeva di proprietà mistiche. Le radici del pentametro giambico erano profondamente pagane.

"Il giambo. Due sillabe con enfasi opposte. Lunga e breve. Yin e yang. Una coppia equilibrata. In file di cinque. Cinque come il pentacolo di Venere e del femminino sacro."

«Pentametri!» esclamò Teabing, rivolto allo studioso. «E i versi sono in inglese. La lingua pura!»

Langdon annuì. Il Priorato, come tante società segrete nemiche della Chiesa, considerava l'inglese una lingua "pura". Diversamente dall'italiano, dal francese e dallo spagnolo, che derivano dal latino – la lingua del Vaticano – l'inglese era linguisticamente lontano dalla macchina propagandistica di Roma e per questo era divenuta una lingua sacra, segreta, per i gruppi abbastanza istruiti per impararla.

«Questa poesia» disse Teabing, con entusiasmo «contiene riferimenti non solo al Graal, ma anche ai templari e alla famiglia dispersa di Maria Maddalena! Che potremmo chiedere ancora?»

«La parola che apre il cryptex» disse Sophie, leggendo di nuovo la poesia. «Pare che ci occorra un'antica parola di saggezza.»

«Abracadabra?» scherzò Teabing, con gli occhi che gli brillavano.

"Una parola di cinque lettere" pensò Langdon. Rifletteva sulla enorme quantità di parole antiche che potevano essere definite "di saggezza": vocaboli presi da antichi inni, termini astrologici, formule rituali delle società segrete, incantesimi della Wicca, formule magiche egizie, mantra pagani... l'elenco era infinito.

«La parola» continuò Sophie «pare collegarsi ai templari.» Lesse ad alta voce il testo. «Una pietra tombale venerata dai templari è la chiave.»

«Leigh» disse Langdon «sei tu lo specialista sui templari.»

Teabing rifletté per alcuni istanti e poi sospirò. «Be', una pietra tombale è ovviamente un contrassegno che indica una particolare sepoltura. L'unica che mi venga in mente è qualche lapide posta sulla tomba di Maddalena e venerata dai templari, ma siamo al punto di prima perché non sappiamo dove sia la tomba.»

«L'ultima riga» osservò Sophie «dice che *atbash* rivelerà la verità. Mi pare di avere già sentito questa parola.»

«Non mi stupisce affatto» rispose Langdon. «Fa parte del corso di crittologia del primo anno. Il cifrario Atbash è uno dei più antichi codici usati dall'uomo.»

"Certo!" ricordò Sophie. "Il famoso sistema di codifica ebraico."

Il cifrario era uno dei primi studiati da Sophie. Risaliva al 500 avanti Cristo ed era impiegato come esempio, nei corsi di crittologia, di schema di sostituzione a rotazione. Si basava sulle ventidue lettere dell'alfabeto ebraico: la prima lettera veniva sostituita con l'ultima, la seconda con la penultima e così via.

«L'Atbash è adatto in modo sublime» disse Teabing. «Testi codificati con l'Atbash si trovano nella *Kabbalah*, nei Rotoli del Mar Morto e persino nell'Antico Testamento. Ancora oggi, gli studiosi dell'ebraismo e i mistici ebraici se ne servono per trovare nuovi significati delle parole. Sono certo che il Priorato lo include tra i suoi insegnamenti.»

«Il solo problema» ricordò Langdon «è che non abbiamo la parola su cui applicare la sostituzione dell'Atbash.»

Teabing sospirò. «Sulla lapide ci deve essere una parola. Dobbiamo trovare questa pietra tombale venerata dai templari.»

Dall'espressione cupa di Langdon, Sophie capì che la ricerca non sarebbe stata facile.

"*Atbash* è la chiave" pensò Sophie "ma non abbiamo la porta."

Tre minuti più tardi, Teabing sospirò e scosse la testa per la frustrazione. «Amici miei, sono a un punto morto. Lasciatemi riflettere mentre cerco qualcosa da mettere sotto i denti e controllo come stanno Rémy e il nostro ospite.» Si alzò e si avviò verso la coda.

Nel guardare lo storico che si allontanava, Sophie si accorse di essere stanchissima.

Vista dai finestrini, l'oscurità che precedeva l'alba era assoluta. Sophie aveva l'impressione di essere scagliata nello spazio senza alcuna idea di dove atterrare. Avendo passato anni a risolvere gli indovinelli del nonno, aveva l'inquietante sensazione, ora, che la poesia davanti a lei contenesse informazioni di cui non si erano ancora accorti.

"Qui c'è dell'altro" si disse. "Nascosto in modo ingegnoso, ma presente."

Inoltre temeva che ciò che avrebbero infine trovato all'interno del cryptex non fosse qualcosa di semplice come "la mappa per arrivare al Santo Graal". Nonostante la certezza di Langdon e Teabing di scoprire all'interno del cilindro di marmo la verità, Sophie aveva risolto troppe cacce al tesoro del nonno e sapeva da tempo che Jacques Saunière non rivelava facilmente i suoi segreti.

73

Il controllore di volo dell'aeroporto di Le Bourget sonnecchia-
va davanti a uno schermo radar vuoto quando il capitano della polizia giudiziaria per poco non gli abbatté la porta.

«L'aereo di Teabing» chiese Bezu Fache, entrando nella sala.
«Dov'è andato?»

La reazione iniziale del controllore fu un balbettio con cui
tentava, senza giustificazioni valide, di proteggere la privacy
del cliente inglese, uno dei loro utenti più rispettati. Il tentativo fallì miseramente.

«Bene» ripose Fache. «La arresto perché ha lasciato partire
un aereo privato senza che depositasse un piano di volo.» Fece un cenno a un agente, che si avvicinò facendo tintinnare le
manette.

Il controllore di volo fu colto dal terrore. Pensò agli articoli
di giornale in cui si dibatteva se il capitano fosse un eroe o una
minaccia. Per lui, la domanda aveva già una risposta. «Aspetti!» piagnucolò alla vista delle manette. «Le dirò tutto quello
che so. Sir Leigh Teabing compie frequenti viaggi a Londra
per cure mediche. Ha un hangar all'aeroporto di Biggin Hill,
nel Kent, a poca distanza da Londra.»

Fache congedò l'agente con le manette. «Questa notte la sua
destinazione è Biggin Hill?»

«Non lo so» disse onestamente il controllore. «L'aeroplano è
partito dalla sua solita pista e il suo ultimo contatto radar suggeriva che la destinazione fosse il Regno Unito. Biggin Hill è
un'ipotesi molto probabile.»

«Chi aveva a bordo?»

«Le giuro, signore, che non ho modo di saperlo. I nostri clienti arrivano con la macchina fino all'hangar e caricano quello che vogliono. Il controllo dei passeggeri è compito della dogana dell'aeroporto di atterraggio.»

Fache controllò l'orologio e guardò i jet parcheggiati davanti al terminal. «Se sono andati a Biggin Hill, quanto manca all'atterraggio?»

Il controllore sfogliò i suoi documenti. «Il volo è breve. L'aereo potrebbe essere laggiù verso... le sei e mezzo. Tra un quarto d'ora.»

Fache aggrottò la fronte e si rivolse a uno dei suoi uomini. «Fai venire qui un aereo. Vado a Londra. E chiamami la polizia locale del Kent. Non l'MI5, i servizi segreti, voglio tenere la cosa in sordina. La polizia locale. Di' loro di lasciare atterrare l'aereo di Teabing. Poi devono circondarlo. Nessuno deve scendere finché io non sarò laggiù.»

74

«Sei stranamente silenziosa» osservò Langdon guardando Sophie, dall'altra parte del tavolo.

«Sono solo stanca» rispose lei. «E quella poesia... Mi mette sonnolenza.»

Anche Langdon era assonnato. Il rumore dei motori e le leggere oscillazioni dell'aeroplano avevano un effetto ipnotico: inoltre gli faceva male la testa dove era stato colpito dal monaco.

Teabing era ancora in coda e Langdon approfittò di quel momento per parlare con Sophie di un argomento che voleva affrontare a quattr'occhi. «Credo di avere capito almeno in parte perché tuo nonno ha cercato di farci incontrare. Penso che volesse che ti spiegassi una cosa.»

«La storia del Santo Graal e di Maria Maddalena non è sufficiente?»

Langdon non sapeva come continuare. «Il distacco tra voi. La ragione per cui non gli hai parlato per dieci anni. Forse sperava che riuscissi a spiegarti ciò che vi ha allontanato.»

Sophie si mosse sulla sua poltroncina, a disagio. «Non ti ho detto che cosa ci ha separati.»

Langdon la guardò con attenzione. «Hai assistito a un rito sessuale, vero?»

Sophie sollevò di scatto la testa. «Come lo sai?»

«Sophie, mi hai detto di avere assistito a qualcosa da cui hai capito che tuo nonno faceva parte di una società segreta. E quello che hai visto ti ha scosso a tal punto, che non gli hai più rivolto la parola. Io ho delle conoscenze sulle società segrete.

Non occorre il cervello di Leonardo da Vinci per intuire quello che hai visto.»

Sophie lo guardò a occhi sgranati.

«È successo in primavera?» chiese Langdon. «Intorno all'equinozio? A metà marzo?»

Sophie si girò verso il finestrino. «Durante le vacanze di primavera. Sono arrivata a casa qualche giorno prima.»

«Hai voglia di parlarmene?»

«Preferirei di no.» Si voltò verso Langdon. Aveva gli occhi gonfi per la commozione. «Non so che cosa ho visto.»

«C'erano uomini e donne?»

Dopo un attimo, lei annuì.

«Vestiti di bianco e di nero?»

Sophie si asciugò gli occhi e poi annuì. Dava l'impressione di essersi lasciata andare un poco. «Le donne avevano una veste bianca di cotone leggerissimo e scarpe dorate. Tenevano in mano una sfera, dorata anch'essa. Gli uomini portavano tuniche nere, lunghe fino al ginocchio, e scarpe nere.»

Langdon si sforzò di nascondere l'emozione; stentava a credere a quanto ascoltava. Sophie Neveu aveva involontariamente assistito a una cerimonia sacra, antica di duemila anni. «Maschere androgine?»

«Sì. Indossavano tutti maschere identiche. Bianca per le donne e nera per gli uomini.»

Langdon aveva letto descrizioni della cerimonia e ne conosceva le radici mistiche. «Si chiama *hieros gamos*» disse piano. «Ha più di duemila anni. I sacerdoti e le sacerdotesse dell'antico Egitto lo praticavano regolarmente per celebrare il potere riproduttivo della donna.» Si interruppe e si sporse verso di lei. «E se hai assistito allo *hieros gamos* senza avere la giusta preparazione per comprendere di che cosa si trattasse, immagino che sia stato un trauma notevole.»

Sophie non disse nulla.

«*Hieros gamos* è un termine greco. Significa "matrimonio sacro".»

«Il rituale che ho visto non era un matrimonio.»

«Matrimonio nel senso di "unione", Sophie.»

«Intendi dire unione sessuale.»

«No.»

«No?» rispose lei, scrutandolo con i suoi occhi verdi.

Langdon si affrettò a fare marcia indietro. «Be', sì, in un certo senso, ma non come lo intendiamo noi oggi.»

Spiegò che anche se quello che aveva visto *appariva* probabilmente come un rituale sessuale, lo *hieros gamos* non aveva niente a che fare con l'erotismo. Era un atto spirituale. Anticamente, il rapporto sessuale era l'atto attraverso cui uomo e donna avevano l'esperienza di Dio. Gli antichi credevano che il maschio fosse spiritualmente incompleto finché non avesse avuto conoscenza carnale del femminino sacro. L'unione fisica con la donna rimaneva il solo mezzo attraverso cui l'uomo poteva diventare spiritualmente completo e giungere infine alla *gnosis*, la conoscenza del divino. Dai giorni di Iside, i riti sessuali erano stati considerati l'unico ponte che portava dalla terra al cielo.

«Attraverso la comunione con la donna» proseguì Langdon «l'uomo poteva raggiungere un momento culminante in cui la sua mente si svuotava completamente ed egli poteva vedere Dio.»

Sophie lo guardò con scetticismo. «L'orgasmo come preghiera?»

Langdon alzò le spalle, senza compromettersi, anche se Sophie era essenzialmente nel giusto. Fisiologicamente parlando, il punto di culmine, nel maschio, era accompagnato da un istante interamente privo di pensieri. Un breve vuoto mentale. Un momento di chiarezza durante il quale si poteva scorgere Dio. I guru ottenevano stati mentali analoghi senza bisogno del sesso e spesso descrivevano il Nirvana come un orgasmo spirituale infinito.

«Sophie» continuò Langdon, a bassa voce «è importante ricordare che le idee degli antichi sul sesso erano completamente diverse da quelle che abbiamo noi oggi. Il sesso generava nuova vita – il più grande dei miracoli – e i miracoli potevano essere compiuti solo da un dio. La capacità della donna di generare vita la rendeva sacra. Una dea. Il rapporto sessuale era la venerata unione delle due metà dello spirito umano, maschio e femmina, attraverso cui il maschio poteva trovare l'integrità spirituale e la comunione con Dio. Ciò che hai visto non riguardava il sesso, riguardava lo spirito. Il rituale dello *hieros gamos* non è una perversione. È una cerimonia profondamente sacra.»

Le sue parole parvero colpire un nervo scoperto. Per tutta la notte, Langdon aveva notato la grande tensione di Sophie, ma ora, per la prima volta, vedeva che la sua rigidità si incrinava. Le spuntò di nuovo una lacrima e lei la asciugò con la manica.

Per qualche momento, lo studioso la lasciò riflettere. Come sapeva, il concetto del sesso come sentiero verso Dio generava molta confusione. Gli studenti ebrei di Langdon rimanevano senza parole quando diceva loro che l'antica tradizione ebraica comprendeva rituali sessuali. "E nel Tempio, nientemeno." Gli antichi ebrei credevano che il sancta sanctorum, nel tempio di Salomone, ospitasse non solo Dio, ma anche una divinità femminile, potente e uguale a lui, Shekinah. Gli uomini che cercavano la completezza spirituale si recavano nel tempio per fare visita alle sacerdotesse – o *hierodule* – con cui si congiungevano e avevano l'esperienza del divino attraverso l'unione fisica. Il tetragramma ebraico YHWH – il nome sacro di Dio – derivava infatti da Yahweh ovvero Geova, androgina unione fisica tra il maschile "Jah" e il nome preebraico di Eva, "Hawah" o "Havah".

«Per la Chiesa delle origini» spiegò Langdon «l'impiego del sesso per comunicare direttamente con Dio costituiva una seria minaccia al suo potere. Smentiva le affermazioni della Chiesa, che si era proclamata unica via capace di portare a Dio. Perciò, per ovvie ragioni, si era data duramente da fare per demonizzare il sesso e presentarlo come un atto disgustoso e peccaminoso. E le altre principali religioni fecero lo stesso.»

Sophie taceva, ma Langdon sentiva che cominciava a capire meglio il nonno. Curiosamente, lo studioso aveva fatto le stesse osservazioni durante una lezione, all'inizio del semestre. «Vi stupisce che abbiamo un atteggiamento conflittuale nei riguardi del sesso?» aveva chiesto agli studenti. «La nostra più antica eredità e la nostra stessa fisiologia ci dicono che il sesso è qualcosa di naturale, la via preferita per la completezza spirituale, ma la religione moderna lo condanna in quanto atto vergognoso, e ci insegna a temere il nostro desiderio sessuale come se venisse dalla mano del diavolo.»

Aveva deciso di non sconvolgere gli allievi con la notizia che più di una decina di società segrete di tutto il mondo – molte delle quali assai influenti – praticavano ancora rituali sessuali e mantenevano in vita l'antica tradizione. Il personaggio di Tom Cruise nel film *Eyes Wide Shut* lo scopriva a proprie spese quando si introduceva clandestinamente in una riunione privata di newyorkesi ultraelitari e si trovava davanti a uno *hieros gamos*. Purtroppo il regista aveva sbagliato gran parte dei particolari, ma l'idea fondamentale era giusta: una società segreta si riuniva per celebrare la magia dell'unione sessuale.

«Professor Langdon?» Uno studente in fondo aveva alzato la mano, speranzoso. «Intende dire che invece di andare in chiesa dovremmo fare più sesso?»

Langdon aveva riso ma non aveva abboccato. Da quel che sentiva dire delle festicciole di Harvard, quei ragazzi facevano sesso in maniera più che sufficiente. «Signori» aveva detto, consapevole di camminare su un terreno minato «cercherò di offrire un suggerimento a tutti. Senza essere così temerario da incoraggiare i rapporti prematrimoniali, e senza essere tanto ingenuo da credere che tutti siate casti come angioletti, vi do un consiglio che riguarda la vostra vita sessuale.»

Tutti i maschi si erano sporti in avanti e l'avevano ascoltato con attenzione.

«La prossima volta che vi troverete con una donna, scrutate nel vostro cuore e guardate se potete accostarvi al sesso come a un atto mistico e spirituale. Sfidatevi a trovare quella scintilla di divinità che l'uomo può raggiungere solo attraverso l'unione con il femminino sacro.»

Tutte le ragazze avevano sorriso e annuito, con l'espressione esperta.

I maschi si erano messi a ridacchiare in modo ambiguo e si erano scambiati battute stantie.

Langdon aveva sospirato. Anche se erano abbastanza grandi per iscriversi all'università, quei giovanotti erano ancora dei bambini.

Sophie sentì freddo alla fronte quando l'appoggiò al vetro del finestrino. Con lo sguardo perso nel vuoto, cercava di assimilare quanto le aveva appena rivelato Langdon e sentiva crescere dentro di sé un rimpianto che aveva creduto di non dover mai provare. "Dieci anni." Pensò alla pila di lettere, mai aperte, che il nonno le aveva mandato. "Racconterò tutto a Robert" decise. Senza staccare la fronte dal vetro, cominciò a parlare, a voce bassa e intimorita. Quando iniziò a riferire quanto era successo quella notte, le parve di essere ritornata indietro di dieci anni. Aveva parcheggiato accanto al castello del nonno, in Normandia. Aveva cercato, in preda alla confusione, in tutta la casa. Aveva sentito le voci giungere da una cantina che non sapeva esistesse. E infine aveva scoperto la porta segreta. Era scesa lentamente lungo la scala a chiocciola, uno scalino la volta, fino a scorgere la camera sotterranea. Aveva sentito l'odore dell'aria, che sapeva di terra. Il freddo e poi la luce. Era marzo. Dall'ombra del suo nascondiglio sulla scala, aveva visto il cerchio degli sconosciuti ondeggiare e salmodiare alla luce giallognola delle torce.

"È un sogno" si era detta. "Che altro può essere?"

Uomini e donne erano alternati, nero, bianco, nero, bianco. Le belle vesti delle donne si erano agitate quando tutte avevano sollevato le sfere d'oro che tenevano nella destra e avevano cantato all'unisono: «Io ero con te all'inizio, all'alba di tutto ciò che è santo, ti ho messo al mondo dal mio ventre prima che iniziassero i giorni».

Poi le donne avevano abbassato le sfere e tutti avevano ripreso a dondolare avanti e indietro come se fossero in trance. Rendevano onore a qualcosa che era nel centro del loro cerchio.

"Che cosa guardano?"

Poi il ritmo delle voci si era fatto più veloce. E più forte.

«La donna che guardi è amore!» avevano cantato le donne, sollevando di nuovo le sfere.

Gli uomini avevano risposto: «Lei dimora nell'eternità!».

Il canto era divenuto ancora più veloce, forte come il tuono. Tutti coloro che partecipavano al rito avevano fatto un passo avanti e si erano inginocchiati.

In quell'istante, Sophie aveva potuto finalmente vedere che cosa c'era al centro del cerchio.

Su un altare basso, elegantemente decorato, era disteso un uomo. Supino. Era nudo e portava una maschera nera. Sophie aveva riconosciuto immediatamente la corporatura e la macchia di nascita sulla spalla. Per poco non aveva lanciato un grido di sorpresa. "Nonno!" Sarebbe bastata quell'immagine a sconvolgere Sophie, ma c'era anche dell'altro.

A cavalcioni sopra suo nonno c'era una donna nuda che portava una maschera bianca, e i folti capelli argentati le scendevano lungo la schiena. Era un po' sovrappeso, non certo perfetta, e si agitava al ritmo del canto, facendo sesso con il nonno di Sophie.

Lei avrebbe voluto voltarsi e fuggire, ma non c'era riuscita. Le pareti di pietra della stanza sotterranea la imprigionavano mentre il canto diventava sempre più veloce e acuto. Il cerchio dei partecipanti pareva preso da una frenesia, l'intensità del canto saliva ancora. Poi, con un improvviso boato, l'intera stanza le era parsa esplodere nel momento dell'orgasmo. Sophie non riusciva a respirare. All'improvviso si era accorta di singhiozzare senza rumore. Si era voltata ed era risalita in silenzio, era uscita dalla casa e, ancora tremante per l'emozione, era tornata a Parigi.

75

L'aerotaxi passava sopra le luci di Monaco quando Aringarosa terminò la seconda conversazione telefonica con Fache. Sollevò il sacchetto per il mal d'aria, ma si sentiva troppo svuotato, persino per stare male.

"Se solo fosse finita!"

L'ultimo aggiornamento di Fache sembrava incomprensibile, ma quella notte non c'era più nulla che avesse senso. "Che cosa succede?" La situazione era sfuggita di mano e tutto si allontanava lungo traiettorie sempre più ampie, a spirale. "In che pasticcio ho cacciato Silas? E in che pasticcio mi sono messo!"

Con le ginocchia che gli tremavano, Aringarosa raggiunse la cabina di pilotaggio. «Devo cambiare destinazione.»

Il pilota girò la testa verso di lui e rise. «Scherza, vero?»

«No. Devo raggiungere Londra immediatamente.»

«Padre, questo è un aereo, non un taxi.»

«Le pagherò la differenza, ovviamente. Quanto vuole? Londra è solo a un'ora da Parigi e non richiede cambiamento di direzione, o quasi, perciò...»

«Non è questione di soldi, padre. Ci sono altre considerazioni.»

«Diecimila euro. Subito.»

Il pilota lo guardò, sorpreso. «Quanto? Che tipo di prete è lei, per avere tanto contante?»

Aringarosa tornò indietro fino alla cartella nera, la aprì e prese uno dei certificati. Lo portò al pilota.

«Che roba è?» chiese l'uomo.

«Un titolo da diecimila euro, al portatore, tratto sulla Banca del Vaticano.»

Il pilota non pareva convinto.

«È come se fossero contanti.»

«Solo i contanti sono contanti» commentò il pilota, restituendogli il certificato.

Aringarosa si sentì quasi mancare; si appoggiò alla porta. «È una questione di vita o di morte. Mi deve aiutare. Devo andare a Londra.»

Il pilota scorse l'anello del vescovo. «Diamanti veri?»

Aringarosa abbassò gli occhi sull'anello. «Non posso assolutamente separarmene.»

Il pilota si strinse nelle spalle e tornò a guardare il pannello degli strumenti.

Aringarosa sentì una crescente disperazione. Guardò l'anello. In ogni caso, stava per perdere tutto ciò che quell'anello rappresentava. Dopo un lungo istante, se lo sfilò dal dito e lo posò sul cruscotto.

Uscì dalla cabina di pilotaggio e tornò al suo posto. Quindici secondi più tardi, sentì che il pilota si spostava di qualche grado a nord.

In ogni caso, il momento di gloria di Aringarosa era sfumato.

Tutto era cominciato come una giusta causa. Un piano congegnato in modo brillante. Adesso, come un castello di carte, crollava su se stesso... e non si scorgeva ancora la fine.

76

Sophie era ancora sconvolta dalla rivelazione sulle nozze sacre, lo *hieros gamos*. Da parte sua, Langdon era sorpreso dalla narrazione udita. Sophie aveva assistito al rituale completo, non solo, ma a celebrarlo era stato suo nonno, il Gran Maestro del Priorato di Sion. I suoi predecessori erano una compagnia da far girare la testa: Leonardo, Botticelli, Newton, Hugo, Cocteau... e adesso Jacques Saunière.

«Non so che altro dirti» concluse Langdon.

La donna aveva gli occhi pieni di lacrime e questo dava loro un colore verde profondo. «Mi ha cresciuta come se fossi sua figlia.»

Langdon adesso era certo di avere riconosciuto l'emozione che era diventata sempre più forte, in lei, a mano a mano che parlavano. Era il rimorso. Lontano e profondo. Sophie Neveu aveva abbandonato il nonno e adesso lo vedeva in una luce completamente diversa.

All'esterno, l'alba sorgeva in fretta, il suo alone rosato era già visibile alla loro destra. La terra sotto di loro era ancora nera.

«Qualcosa per colazione, miei cari?» Teabing si rivolse a loro con un inchino, mostrando alcune lattine di Coca-Cola e una scatola aperta di cracker. Si scusò per lo scarso menu mentre passava loro le poche vettovaglie. «Il nostro amico monaco non ha ancora detto nulla» disse ridendo «ma basterà dargli del tempo.» Assaggiò un cracker e rilesse la poesia. «Allora, mia cara, qualche idea?» Guardò Sophie. «Che cosa cerca di dirci suo nonno? Dove diavolo è la pietra tombale? Quella venerata dai templari?»

Sophie scosse il capo e non rispose.

Mentre Teabing rileggeva i versi, Langdon aprì una lattina e si voltò verso il finestrino. Aveva ancora la testa piena di rituali segreti e di codici da decifrare. "Una pietra tombale venerata dai templari è la chiave." Bevve una lunga sorsata e rifletté. La parola *headstone*, composta di *head*, "testa", e *stone*, "pietra", indicava la pietra che, sulle sepolture, si metteva dalla parte della testa, ma aveva anche altri significati. Significava anche pietra angolare e chiave di volta. "Una pietra – tombale? angolare? di volta? – venerata dai templari." Terminò la lattina e solo allora si accorse che la Coca-Cola era disgustosamente calda.

Il velo della notte si sciolse in fretta e agli occhi di Langdon, che osservava la trasformazione, apparve una distesa argentea sotto di loro. "Il Canale della Manica." Ormai mancava poco.

Si augurò che la luce del giorno portasse con sé anche un altro tipo di illuminazione, ma più chiaro diveniva all'esterno, più lontano si sentiva dalla verità. Gli pareva di udire il ritmo del pentametro giambico, i canti del rituale, lo *hieros gamos* e i suoi riti sacri: tutto echeggiava nel rumore dei jet.

"Una pietra... venerata dai templari."

L'aeroplano era di nuovo sulla terraferma quando Langdon, improvvisamente, comprese. Posò con forza la lattina vuota. «Non ci crederete» disse ai compagni «ma ho capito che cos'è che veneravano i templari.»

Teabing sgranò gli occhi. «Tu sai *dov'è* la pietra tombale?»

Langdon sorrise. «Non *dove* è, ma *che cosa* è.»

Sophie si sporse verso di lui per ascoltare meglio.

«Penso che con *headstone*, "testa-pietra", ci si riferisse letteralmente a una testa di pietra» spiegò, assaporando la familiare eccitazione della scoperta accademica. «Non una lapide.»

«Una testa di pietra?» chiese Teabing.

Sophie pareva altrettanto confusa.

«Leigh» continuò Langdon «durante il processo, la Chiesa accusò i templari di ogni genere di eresie, vero?»

«Giusto. Elaborarono ogni sorta di false accuse. Sodomia, orinare sulla croce, adorazione del diavolo, un elenco lunghissimo.»

«E nell'elenco c'era l'adorazione di falsi idoli, vero? In particolare la Chiesa accusò i templari di praticare riti segreti in cui adoravano una testa di pietra, ossia una scultura del dio pagano...»

«Baphomet!» lo interruppe Teabing. «Buon Dio, Robert, hai ragione! Una testa di pietra venerata dai templari.»

Langdon spiegò rapidamente a Sophie che Baphomet era un dio pagano della fertilità associato alla forza creativa della riproduzione. La testa di Baphomet era ritratta come quella di un ariete o di una capra, diffuso simbolo della procreazione e della fecondità. I templari rendevano onore a Baphomet disponendosi in cerchio attorno a una scultura rappresentante la sua testa e intonando preghiere.

«Baphomet» ripeté Teabing. «Era una cerimonia in onore della magia creativa dell'unione sessuale, ma il papa Clemente ha fatto credere a tutti che la testa di Baphomet fosse quella del demonio. Il papa ha usato la testa di Baphomet come fulcro della sua accusa contro i templari.»

Langdon era d'accordo. La credenza moderna in un diavolo cornuto chiamato Satana poteva essere ricondotta a Baphomet e al tentativo della Chiesa di trasformare il dio cornuto della fertilità in un simbolo del male. La Chiesa era riuscita nel suo intento, ovviamente, anche se non era stato un successo completo.

In America, durante la festa del Ringraziamento, si decora la tavola con simboli di fertilità dotati di corna. La cornucopia o "corno dell'abbondanza" era un tributo a Baphomet e risaliva a Zeus, che era stato allattato da una capra che aveva perso un corno, il quale si era riempito magicamente di frutta. Baphomet compariva anche nelle foto di gruppo quando qualche bello spirito alzava due dita dietro la testa di un amico per fargli le "corna"; pochi di quei burloni si rendevano conto che il loro gesto di derisione era in realtà un pubblico omaggio all'elevata conta spermatica della loro vittima.

«Sì, sì» ripeteva Teabing, in tono eccitato. «Baphomet è la testa di pietra dei templari!»

«Va bene» osservò Sophie «ma se Baphomet è il nome cercato, abbiamo un problema.» Indicò gli anelli alfabetici del cryptex. «"Baphomet" ha otto lettere e noi abbiamo posto soltanto per cinque.»

Teabing le rivolse un largo sorriso. «Mia cara, è qui che interviene appunto il cifrario Atbash!»

77

Langdon era impressionato. Teabing aveva appena terminato di scrivere le ventidue lettere dell'alfabeto ebraico – *alef, beit* – a memoria. Certo, aveva usato la traslitterazione latina e non i caratteri ebraici ma, anche così, ora li leggeva con pronuncia perfetta.

A B G D H V Z Ch T Y K L M N S O P Tz Q R Sh Th

«*Alef, Beit, Gimel, Dalet, Hei, Vav, Zayin, Chet, Tet, Yud, Kaf, La-med, Mem, Nun, Samech, Ayin, Pei, Tzadik, Kuf, Reish, Shin e Tav.*» Si asciugò teatralmente la fronte e proseguì: «Nella scrittura ufficiale ebraica, le vocali non si scrivono. Perciò, quando scriviamo la parola "Baphomet" servendoci dell'alfabeto ebraico, perde tre vocali nella traslitterazione, lasciandoci...».

«Cinque lettere» terminò Sophie.

Teabing annuì e riprese a scrivere. «Bene, ecco come si scrive correttamente Baphomet in lettere ebraiche. Per chiarezza ho aggiunto anche le vocali.»

B a P V o M e Th

«Ricorderete, naturalmente, che l'ebraico si scrive normalmente da destra a sinistra, ma possiamo usare l'Atbash anche così. Adesso ci basta creare il nostro schema di sostituzione riscrivendo l'intero alfabeto in ordine inverso sotto l'alfabeto originale.»

«C'è un sistema più rapido» intervenne Sophie, facendosi dare la penna da Teabing. «Funziona per tutti i cifrari di sostituzione mediante riflessione, come l'Atbash. Un trucchetto che mi hanno insegnato alla Royal Holloway.» Sophie scrisse la prima metà dell'alfabeto da sinistra a destra e poi, sotto di essa, l'altra metà da destra a sinistra. «I crittologi lo chiamano "ripiegamento". Metà complicazione, doppia chiarezza.»

A	B	G	D	H	V	Z	Ch	T	Y	K
Th	Sh	R	Q	Tz	P	O	S	N	M	L

Teabing guardò il lavoro della donna e rise. «Ha davvero ragione. Lieto di constatare che i ragazzi di Holloway fanno il loro dovere.»

Osservando la matrice di sostituzione scritta da Sophie, Langdon sentì crescere in sé un'emozione paragonabile a quella degli studiosi che avevano usato per primi l'Atbash per decifrare il famoso "mistero di Sheshach". Per anni, gli studiosi delle religioni non erano riusciti a spiegare i riferimenti a una città chiamata "Sheshach". La città non appariva sulle cartine o su altri documenti, ma era citata varie volte nel *Libro di Geremia*: il re di Sheshach, il popolo di Sheshach, la città di Sheshach. Alla fine, uno studioso aveva applicato il cifrario Atbash alla parola e aveva ottenuto un risultato sorprendente. Il cifrario aveva rivelato che Sheshach era una parola in codice per indicare un'altra ben nota città. Il processo di decrittazione era stato molto semplice.

Sheshach in ebraico si scriveva: "Sh-Sh-K".

Sh-Sh-K corrispondeva, una volta effettuata sostituzione, a: "B-B-L".

B-B-L in ebraico si pronunciava "Babel".

La misteriosa città di Sheshach era dunque Babele e questa scoperta aveva dato il via a una vera frenesia di controlli. In poche settimane erano state scoperte nell'Antico Testamento molte parole scritte in quel codice, che avevano rivelato moltissimi significati segreti che gli studiosi non avevano mai sospettato.

«Siamo vicini» disse Langdon, incapace di controllare l'eccitazione.

«A un passo dalla meta, Robert» confermò Teabing. Guardò Sophie e le sorrise. «Lei è pronta?»

Sophie annuì.

«Bene. Baphomet in ebraico senza le vocali è B-P-V-M-Th. Ora applichiamo la matrice di sostituzione per ottenere la parola di cinque lettere che apre il cryptex.»

Langdon sentiva il cuore accelerare i battiti. B-P-V-M-Th. Ormai i raggi del sole entravano dai finestrini. Guardò la matrice di sostituzione e cominciò lentamente a fare i cambiamenti. "B diventa Sh, P diventa V..."

Teabing sorrideva come uno scolaretto in vacanza natalizia. «E la conversione Atbash ci rivela...» Si interruppe. «Buon Dio!» Impallidì.

Langdon sollevò di scatto la testa.

«Cos'è successo?» volle sapere Sophie.

«Non ci crederete.» Teabing guardò Sophie. «Specialmente lei.»

«Che cosa intende dire?» chiese la donna.

«Ingegnoso» mormorò lo storico. «Estremamente ingegnoso!» Scrisse qualcosa sul foglio. «Un rullo di tamburi, prego. Qui c'è la vostra parola.»

Mostrò loro ciò che aveva scritto.

$$Sh - V - P - Y - A$$

Sophie aggrottò la fronte. «Che cos'è?»

Non lo riconobbe neppure Langdon.

A Teabing tremava la voce per l'ammirazione. «Questa, amico mio, è effettivamente un'antica parola di saggezza.»

Langdon lesse nuovamente le lettere. "Un'antica parola di saggezza libera questo rotolo." Un istante più tardi, comprese. Non se lo sarebbe mai aspettato.

«Un'antica parola di saggezza!» Teabing rise. «Proprio alla lettera!»

Sophie guardò prima la parola e poi l'anello alfabetico. Teabing e Langdon avevano commesso un errore, notò. «Il cryptex non ha la lettera "Sh". Impiega i caratteri latini.»

«Leggi la parola» la invitò Langdon. «Tieni in mente due cose. In ebraico, la lettera Sh si legge anche S, a seconda dell'accento. Analogamente, la lettera P si può pronunciare F.»

"SVFYA?" si chiese lei, senza capire.

«Geniale!» aggiunse Teabing. «La lettera Vav è spesso una notazione per indicare il suono vocalico "o"!»

Sophie guardò nuovamente le lettere e cercò di pronunciarle.

«S... o... f... y... a.» Udì il suono della propria voce e non riuscì a credere a quanto aveva appena detto. «Sophia? Si legge Sophia?»

Langdon annuiva con entusiasmo. «Certo! *Sophia* significa letteralmente "saggezza" in greco. Il tuo nome, Sophie, è letteralmente una "parola di saggezza".»

Sophie sentì all'improvviso un forte dolore per la perdita del nonno. "Ha codificato con il mio nome la chiave di volta del Priorato." Sentì un nodo alla gola. Tutto era perfetto. Ma quando guardò l'alfabeto sugli anelli del cryptex, si accorse che esisteva ancora un problema. «Ma, aspettate... la parola Sophia ha *sei* lettere.»

Il sorriso di Teabing non si incrinò. «Guardi di nuovo la poesia. Suo nonno ha scritto: un'*antica* parola di saggezza.»

«E allora?»

Teabing le strizzò un occhio. «In greco antico, saggezza si scrive S-O-F-I-A.»

78

Con grande emozione, Sophie sollevò il cryptex e iniziò a comporre la parola. "Un'antica parola di saggezza libera questo rotolo." Langdon e Teabing la guardavano e parevano incapaci di respirare.

S... O... F...

«Attenzione» la invitò Teabing. «Faccia molta attenzione!»

... I... A.

Sophie allineò l'ultimo anello. «Bene» mormorò, rivolgendo una breve occhiata agli altri. «Adesso cerco di aprirlo.»

«Ricordati dell'aceto» le sussurrò Langdon, esaltato e insieme allarmato. «Fa' attenzione.»

Se quel cryptex era come quelli che Sophie aveva aperto in gioventù, era sufficiente afferrare il cilindro alle sue estremità e tirare, aumentando lentamente la forza finché non si apriva. Quando gli anelli erano allineati nel modo giusto, grazie alla corretta parola in codice, una delle estremità si sfilava, un po' come il coperchietto di un obiettivo, e lei poteva recuperare il foglio contenuto all'interno, che era avvolto attorno alla fiala dell'aceto. Se però la parola in codice non era esatta, la trazione sulle estremità si scaricava su una leva all'interno, che premeva contro la fiala e la rompeva quando la trazione era eccessiva.

"Non tirare troppo forte" si disse Sophie.

Teabing e Langdon si piegarono impercettibilmente verso di lei mentre Sophie stringeva le due estremità del cilindro. Nell'ansia di decifrare la parola in codice, la donna non aveva più pensato a quel che si aspettavano di trovare all'interno. "Questa è la chiave di volta del Priorato." Secondo Teabing, conteneva una mappa che li avrebbe portati al Santo Graal, rivelando loro l'ubicazione della tomba di Maria Maddalena e del tesoro del Sangreal: la massima raccolta di verità segrete.

Ora, afferrate le estremità del tubo, Sophie controllò nuovamente che tutte le lettere fossero allineate con le frecce indicatrici. Poi, lentamente, tirò. Non successe nulla. Tirò con maggiore forza. Improvvisamente, la pietra si allungò come un cannocchiale e il pesante coperchio le rimase in mano. Langdon e Teabing sobbalzarono. Il cuore di Sophie accelerò i battiti mentre posava sul tavolo il coperchio e inclinava il cilindro per guardare all'interno.

"Un rotolo di papiro!"

Osservando meglio, vide che era avvolto attorno a un oggetto cilindrico e pensò che fosse la fiala dell'aceto. Stranamente, però, il rotolo non sembrava il solito papiro delicatissimo, ma una pergamena, assai più robusta. "Strano" pensò. "L'aceto non è in grado di dissolvere la pergamena." Ma quando guardò meglio, vide che l'oggetto non era una fiala piena di aceto, bensì qualcosa di completamente diverso.

«Che succede?» chiese Teabing. «Tiri fuori il papiro.»

Scura in viso, Sophie si fece scivolare sulla mano la cartapecora e l'oggetto attorno a cui era arrotolata ed estrasse entrambi dal contenitore.

«Non è papiro» commentò Teabing. «È troppo pesante.»

«Lo so. È solo una protezione.»

«Per che cosa, la fiala di aceto?»

«No.» Sophie srotolò il foglio di pergamena e mostrò l'oggetto contenuto al suo interno. «Per questo.»

Quando Langdon lo vide, il suo cuore perse un battito.

«Dio ci aiuti» disse Teabing, sprofondando nella sua poltroncina. «Suo nonno era davvero spietato, nell'architettare queste cacce al tesoro.»

Langdon guardò con stupore l'oggetto. "Saunière non aveva alcuna intenzione di facilitarci il compito."

Sul tavolo c'era un secondo cryptex. Più piccolo, fatto di onice nero. Era chiuso dentro il primo, come scatole cinesi. Anche ora, testimoniava della passione di Saunière per il dualismo. "Due cryptex." Tutto in coppia. "Doppi sensi. Maschile femminile. Nero infilato dentro il bianco." Langdon vide allargarsi la rete del simbolismo. "Il bianco dà alla luce il nero. Ogni uomo nasce da una donna. Bianco: femminile. Nero: maschile."

Prese in mano il cryptex più piccolo. Sembrava identico al primo, a parte il fatto di essere la metà e nero. Sentì il gorgoglio ormai familiare. La fiala era dentro il cryptex piccolo.

«Be', Robert» disse Teabing, porgendogli la pergamena. «Sarai lieto di sapere che almeno andiamo nella giusta direzione.»

Langdon la esaminò. In bella calligrafia c'erano scritti altri quattro versi. Anche questa volta pentametri giambici. I versi erano misteriosi, ma a Langdon bastò leggere il primo per capire che l'idea di Teabing di recarsi in Inghilterra era risultata azzeccata.

> *In London lies a knight a Pope interred.*
>
> A Londra giace un cavaliere sepolto da un papa.

Dal resto della poesia si capiva chiaramente che la parola occorrente per aprire il secondo cryptex si poteva trovare recandosi a visitare la tomba di quel cavaliere, in qualche punto della città.

Langdon si rivolse a Teabing. «Hai qualche idea del cavaliere a cui si riferisce?»

Teabing sorrise. «Nemmeno la più pallida idea. Ma so in che cripta dobbiamo guardare.»

In quel momento, a una trentina di chilometri di distanza, sei auto della polizia del Kent partirono a gran velocità lungo la strada bagnata di pioggia. Erano dirette all'aeroporto di Biggin Hill.

79

Il tenente Collet si servì un bicchiere di Perrier dal frigorifero di Teabing e ritornò nella sala. Invece di accompagnare Fache a Londra, dove si svolgeva l'indagine, doveva fare da balia alla squadra della Scientifica che esaminava Château Villette.

Finora tutte le prove raccolte erano inutili: un singolo proiettile piantato nel pavimento, un foglio di carta con vari simboli scarabocchiati e le parole "lama" e "calice". Inoltre una cintura piena di punte e sporca di sangue che, stando a quanto la Scientifica aveva detto a Collet, poteva essere collegata al gruppo cattolico conservatore Opus Dei, noto per avere causato uno scandalo, ultimamente, quando un programma televisivo aveva denunciato il comportamento aggressivo dei loro reclutatori parigini.

Collet sospirò. "Occorre una buona dose di fortuna per trarre un senso da questa miscela improbabile."

Percorse un elegante corridoio ed entrò nella grande sala da ballo trasformata in studio dove il capo della Scientifica passava la polvere per rilevare le impronte. Era un uomo corpulento, con le bretelle.

«Trovato qualcosa?» chiese Collet, mentre entrava.

L'uomo scosse la testa. «Niente di nuovo. Impronte corrispondenti a quelle del resto della casa.»

«E le impronte sul cilicio?»

«L'Interpol ci sta lavorando. Ho trasmesso tutto quello che ho trovato.»

Collet indicò due buste trasparenti per la raccolta delle prove. «E quelle?»

L'uomo si strinse nelle spalle. «La forza dell'abitudine. Metto sempre via le cose un po' strane.»

Collet si avvicinò. "Strane?"

«Questo inglese è un tipo bizzarro» disse il tecnico della Scientifica. «Guarda qui.» Esaminò le buste e ne scelse una. La porse a Collet.

La foto mostrava il portale di una cattedrale gotica: il tradizionale arco incassato, con una serie di archi interni, sempre più piccoli, che convergevano sul minuscolo ingresso.

Collet guardò la foto e chiese: «Che c'è di strano?».

«Guarda dietro.»

Sul retro della fotografia c'erano alcuni appunti scritti in fretta in lingua inglese, in cui si spiegava come la lunga navata vuota della cattedrale fosse un segreto tributo pagano all'utero femminile. La cosa era strana, ma il punto in cui descriveva l'ingresso della cattedrale era ancora più sorprendente. «Un momento. Questo pensa che l'entrata della cattedrali rappresenti una...»

L'esaminatore della Scientifica annuì. «Completa di escrescenze labiali incassate e di un clitoride floreale a cinque petali al di sopra del portale.» Sospirò. «Viene voglia di andare in chiesa a farsi benedire.»

Collet guardò la seconda busta. Sotto la plastica trasparente c'era l'ingrandimento di quello che sembrava un documento antico. L'intestazione diceva: *Les Dossiers Secrets – Numero 4°-lm^1-249*.

«Che cos'è?» chiese Collet.

«Non ne ho idea. Ce ne sono copie dappertutto, perciò ne ho presa una.»

Collet studiò il documento.

Priorato di Sion: i Nocchieri o Gran Maestri	
JEAN DE GISORS	1188-1220
MARIE DE SAINT-CLAIR	1220-1266
GUILLAUME DE GISORS	1266-1307
EDOUARD DE BAR	1307-1336
JEANNE DE BAR	1336-1351
JEAN DE SAINT-CLAIR	1351-1366
BLANCE D'EVREUX	1366-1398

NICOLAS FLAMEL	1398-1418
RENÉ D'ANJOU	1418-1480
IOLANDE DE BAR	1480-1483
SANDRO BOTTICELLI	1483-1510
LEONARDO DA VINCI	1510-1519
CONNETABLE DE BOURBON	1519-1527
FERDINAND DE GONZAQUE	1527-1575
LOUIS DE NEVERS	1575-1595
ROBERT FLUDD	1595-1637
J. VALENTIN ANDREA	1637-1654
ROBERT BOYLE	1654-1691
ISAAC NEWTON	1691-1727
CHARLES RADCLYFFE	1727-1746
CHARLES DE LORRAINE	1746-1780
MAXIMILIAN DE LORRAINE	1780-1801
CHARLES NODIER	1801-1844
VICTOR HUGO	1844-1885
CLAUDE DEBUSSY	1885-1918
JEAN COCTEAU	1918-1963

"Priorato di Sion?" si chiese Collet.

«Tenente?» Si affacciò un altro agente. «Il centralino ha una chiamata urgente per il capitano Fache, ma non riescono a mettersi in contatto con lui. Può prendere lei la comunicazione?»

Collet tornò in cucina e sollevò il telefono.

Era André Vernet.

Il raffinato accento del banchiere non riusciva a nascondere la tensione della voce. «Pensavo che il capitano Fache mi richiamasse, ma non l'ho ancora sentito.»

«Il capitano è molto occupato» rispose Collet. «Posso aiutarla io?»

«Mi aveva assicurato che mi avrebbe tenuto al corrente dei vostri progressi.»

Per un attimo, a Collet parve di riconoscere la voce, ma per il momento non riuscì a ricordare. «Signor Vernet. Attualmente, sono io a capo delle indagini di Parigi. Sono il tenente Collet.»

Per qualche istante, Vernet non rispose. Poi: «Scusi, tenente,

ma mi passano un'altra telefonata. Mi scusi. La richiamerò».
Riagganciò.

Per vari secondi, Collet continuò a tenere in mano il ricevitore. Poi si illuminò. "Mi pareva di riconoscere la voce!" La rivelazione lo lasciò senza fiato. "L'autista del furgone. Quello con il Rolex falso."

Ora capiva perché il banchiere si era affrettato a troncare la comunicazione. Vernet si era ricordato il nome "tenente Collet": l'ufficiale a cui aveva mentito così sfacciatamente poche ore prima.

Rifletté sulle implicazioni di quella bizzarra scoperta. "Vernet è coinvolto." Istintivamente, sapeva che avrebbe dovuto chiamare Fache. Emotivamente intuiva che quella scoperta fortunata gli avrebbe offerto la sua occasione di gloria.

Chiamò immediatamente l'Interpol e chiese di passargli tutte le informazioni disponibili sulla Banca deposito di Zurigo e sul suo presidente André Vernet.

80

«Allacciate le cinture, per favore» annunciò il pilota di Tea-bing mentre l'Hawker 731 si preparava all'atterraggio, in mezzo alla pioggerella di una mattinata grigia. «Atterreremo tra cinque minuti.»

Teabing provò la gioia del ritorno a casa, quando vide le nebbiose colline del Kent sotto l'aeroplano in discesa. L'In-ghilterra era a meno di un'ora da Parigi, ma era a un intero mondo di distanza. Quel mattino, il verde primaverile della sua patria, immerso nella pioggia, pareva dargli un benvenu-to particolare. "Il tempo da me trascorso in Francia è finito. Ri-torno in Inghilterra vincitore. La chiave di volta è stata trova-ta." Rimaneva naturalmente la domanda: "Dove ci porterà la pietra, alla fine del nostro cammino?". "In qualche luogo del Regno Unito." Dove, esattamente, Teabing non ne aveva idea, ma assaporava già il gusto esaltante della gloria.

Mentre Langdon e Sophie lo guardavano, Teabing si alzò e si recò in fondo alla cabina, spostò un pannello scorrevole e rivelò una cassaforte da parete, nascosta in modo discreto. Compose la combinazione, aprì lo sportello ed estrasse due passaporti. «I documenti miei e di Rémy.» Poi prelevò un fascio di banconote da cinquanta sterline. «E i documenti per voi.»

Sophie lo guardò con sospetto. «Una mazzetta?»

«Diplomazia creativa. Questi piccoli aeroporti permettono una certa elasticità. Un funzionario doganale inglese verrà ad accoglierci nel mio hangar e chiederà di salire sull'aereo. Per non farlo salire, gli dirò che viaggio con una celebrità francese che preferisce non far sapere a nessuno di essere in Inghilterra

– per via dei giornalisti, capite – e offrirò al funzionario una generosa mancetta in segno di gratitudine per la sua discrezione.»

Langdon lo guardò con stupore. «E il funzionario si lascia corrompere?»

«Non dal primo venuto, naturalmente, ma tutti qui mi conoscono. Non sono un trafficante d'armi, per l'amor di Dio. Sono stato nominato cavaliere.» Teabing sorrise. «La nobiltà ha i suoi privilegi.»

Rémy si avvicinò lungo il corridoio, impugnando sempre la pistola Heckler & Koch. «Signore, qual è il mio ordine del giorno?»

Teabing lanciò un'occhiata al maggiordomo. «Preferisco che tu rimanga a bordo con il nostro ospite finché non ritorneremo. Non possiamo trascinarcelo dietro per tutta Londra.»

Sophie pareva preoccupata da un'altra possibilità. «Sir Leigh, parlavo sul serio quando dicevo che la polizia francese potrebbe trovare il suo aereo.»

Teabing rise. «Sì. Immagino la loro sorpresa se salissero a bordo e trovassero Rémy.»

Sophie era sconcertata dal suo atteggiamento di superiorità. «Sir Leigh, lei ha trasportato un ostaggio, immobilizzato, al di là del confine. È una faccenda seria.»

«Lo sono anche i miei avvocati.» Lanciò un'occhiataccia in direzione del monaco, in coda all'aereo. «Quell'animale è entrato abusivamente in casa mia e per poco non mi ha ucciso. Questo è un fatto e Rémy lo confermerà.»

«Ma l'hai legato e l'hai portato a Londra» osservò Langdon.

Teabing alzò la mano destra come se giurasse in tribunale. «Vostro Onore, perdonate a un cavaliere vecchio ed eccentrico i suoi irragionevoli pregiudizi a favore del sistema giudiziario inglese. Comprendo che avrei dovuto rivolgermi alle autorità francesi, ma purtroppo sono uno snob e non mi fido di quei francesi *laissez-faire* quando si tratta di istruire debitamente un processo. Quest'uomo per poco non mi ha ucciso. Sì, ho preso una decisione avventata costringendo il mio maggiordomo ad aiutarmi a portarlo qui in Inghilterra, ma ero comprensibilmente scosso dall'accaduto. *Mea culpa. Mea maxima culpa.*»

Langdon lo guardò con incredulità. «Detto da te, Leigh, potrebbe anche funzionare.»

«Signore?» li chiamò il pilota. «La torre si è messa in contatto. Hanno problemi di manutenzione nei pressi del suo hangar e mi hanno chiesto di portare l'aereo vicino al terminal.»

Teabing volava a Biggin Hill ormai da dieci anni, ma non era mai successa una cosa del genere. «Hanno detto di che problema si tratta?»

«Il controllore di volo è stato un po' vago. Una perdita di carburante alla stazione di rifornimento. Mi ha chiesto di fermarmi davanti al terminal e di non far sbarcare nessuno fino a ulteriore comunicazione. Una misura di sicurezza. Non dobbiamo scendere dall'aeroplano finché non avremo il nulla osta dalla torre di controllo.»

Teabing era scettico. "Deve essere una perdita eccezionale." La stazione di rifornimento era quasi a un chilometro dall'hangar.

Anche Rémy pareva preoccupato. «Signore, mi sembra una procedura molto anomala.»

Teabing si voltò verso Sophie e Langdon. «Amici miei, ho lo sgradevole sospetto che ci abbiano preparato un comitato di ricevimento.»

Langdon sospirò. «Evidentemente, Fache pensa ancora che io sia il suo uomo.»

«O è come dici tu» commentò Sophie «o si è troppo compromesso per ammettere l'errore.»

Teabing non li ascoltava. Qualunque cosa pensasse Fache, occorreva agire, e in fretta. "Non perdere di vista la meta. Il Graal. Siamo ormai vicini." Sotto di loro, il carrello si abbassò con uno scatto metallico.

«Leigh» disse Langdon, in tono addolorato. «Penso che dovrei costituirmi e risolvere la cosa per via legale. Lasciandovi al di fuori di questo pasticcio.»

«Oh, buon Dio, Robert!» Teabing scosse la testa. «Pensi davvero che lascerebbero liberi gli altri? Io ti ho trasportato qui illegalmente. La signorina Neveu ti ha aiutato a fuggire dal Louvre e nell'altra cabina abbiamo un uomo legato. Via! Siamo tutti coinvolti!»

«Provare un altro aeroporto?»

Teabing scosse la testa. «Se ci allontaniamo ora, prima che riusciamo ad atterrare in un altro aeroporto ci accoglieranno con i carri armati dell'esercito.»

Sophie abbassò la testa.

Teabing intuiva che, se volevano evitare il confronto con le autorità inglesi per il tempo sufficiente a trovare il Graal, occorreva compiere qualcosa di ardito. «Concedetemi un minuto» disse, zoppicando verso la cabina di pilotaggio.

«Che intendi fare?» gli chiese Langdon.

«Un incontro d'affari» rispose Teabing, mentre si chiedeva quanto avrebbe dovuto spendere per convincere il suo pilota a compiere una manovra altamente irregolare.

81

"L'Hawker è in manovra di atterraggio."

Simon Edwards, direttore del servizio clienti presso l'aeroporto di Biggin Hill, camminava avanti e indietro nella torre di controllo e guardava nervosamente la pista bagnata dalla pioggia. Non gli piaceva essere svegliato prima dell'alba e in un giorno di sabato, ma la cosa che gli dava maggiormente fastidio era il fatto di essere stato chiamato per assistere all'arresto di uno dei suoi clienti più lucrosi. Sir Leigh Teabing pagava a Biggin Hill non solo il noleggio per l'hangar privato, ma anche una tassa d'atterraggio per i suoi frequenti arrivi e partenze. Di solito, l'aeroporto veniva avvertito in anticipo dei suoi movimenti ed era in grado di seguire uno stretto protocollo per il suo arrivo. A Teabing piaceva che le cose si svolgessero a modo suo. La limousine Jaguar che si era fatto costruire su misura e che teneva nell'hangar doveva avere sempre il pieno, essere lucidata e avere sul sedile posteriore il "Times" del giorno. Un funzionario doganale doveva aspettare l'aereo nell'hangar per abbreviare l'obbligatorio controllo dei documenti e del bagaglio. Di tanto in tanto i doganieri accettavano grosse mance da Teabing per chiudere un occhio sul trasporto di innocui cibi di lusso come lumache, un certo Rochefort stagionato e privo di additivi e frutta particolare. Del resto, molte leggi doganali erano assurde, e se Biggin Hill non fosse venuto incontro ai desideri dei clienti, l'avrebbero fatto gli aeroporti concorrenti. Teabing trovava a Biggin Hill quello che desiderava e i dipendenti dell'aeroporto ne traevano qualche vantaggio.

Edwards aveva i nervi a pezzi, quel mattino, mentre aspettava che l'aereo atterrasse. Si chiese se l'abitudine di Teabing di spandere a piene mani il denaro non l'avesse messo nei guai; le autorità francesi parevano quanto mai desiderose di arrestarlo. Edwards non sapeva ancora quali fossero le accuse, ma ovviamente doveva trattarsi di qualcosa di grave. Dietro richiesta delle autorità francesi, la polizia del Kent aveva ordinato al controllore di volo di mettersi in contatto con il pilota e di farlo atterrare al terminal anziché all'hangar. Il pilota aveva risposto affermativamente; a quanto pareva, aveva creduto all'assurda storia di una perdita di carburante.

Anche se in genere la polizia inglese non portava armi, la gravità della situazione aveva spinto la squadra a farlo. Ora, otto poliziotti muniti di pistola, all'interno del terminal, aspettavano che l'aereo spegnesse i motori. In quell'istante un inserviente avrebbe messo i cunei sotto le ruote dell'aereo per impedirgli di muoversi. Poi la polizia avrebbe circondato il velivolo e avrebbe bloccato i suoi occupanti finché non fosse arrivato Bezu Fache a prendere in mano la situazione.

L'Hawker volava già a bassa quota e sfiorava la cima degli alberi alla loro destra. Simon Edwards scese sulla pista per assistere da lì all'arrivo. La polizia del Kent era schierata a poca distanza, ma fuori vista, e l'inserviente aspettava con i suoi cunei. Sulla pista, il muso dell'aereo si innalzò e le ruote toccarono l'asfalto con una nuvoletta di vapore. L'aereo decelerò passando davanti al terminal, con la sua fusoliera bianca luccicante nella leggera pioggia. Ma, invece di frenare e virare verso il terminal, il jet passò tranquillamente davanti alla pista d'accesso e proseguì verso l'hangar di Teabing, in lontananza.

Tutti i poliziotti si girarono verso Edwards. «Non ci ha detto che il pilota aveva acconsentito a fermarsi davanti al terminal?»

Edwards era più stupefatto di loro. «Aveva detto proprio così!»

Pochi istanti più tardi, Edwards era stipato in mezzo agli agenti in un'auto della polizia, lanciata sulla pista in direzione del lontano hangar. Il convoglio di auto era ancora a cinquecento metri di distanza quando l'aereo si infilò tranquillamente nell'hangar privato e scomparve.

Le auto finalmente arrivarono e si fermarono con grande stridore di gomme davanti alla porta del capannone; i poliziotti uscirono di corsa, con la pistola in pugno.

Anche Edwards smontò in fretta.

Il rumore era assordante. I motori dell'Hawker ruggivano ancora mentre il jet terminava la sua abituale rotazione all'interno dell'hangar per posizionarsi con la prua verso la porta, per prepararsi alla futura partenza. Quando l'aereo terminò il suo mezzo giro e si portò verso l'ingresso della rimessa, Edwards scorse la faccia del pilota, che comprensibilmente era sorpreso e intimorito da tutto quello schieramento di auto della polizia.

Il pilota fermò definitivamente l'aereo e spense i motori. I poliziotti sciamarono dentro l'hangar, prendendo posizione attorno al jet. Edwards si affiancò all'ispettore capo del Kent, che si muoveva con aria sospettosa verso il portello. Dopo alcuni secondi, questo si aprì.

Leigh Teabing apparve sulla soglia mentre la scala scendeva velocemente a terra. Nel guardare il mare di armi puntate contro di lui, si appoggiò a una delle grucce e si grattò la testa. «Simon, che cosa è successo, ho vinto la lotteria della polizia mentre ero via?» Pareva più sorpreso che preoccupato.

Simon Edwards fece un passo avanti e inghiottì il nodo che aveva in gola. «Buongiorno, sir Leigh. Mi scuso della confusione, c'è stata una perdita di benzina e il suo pilota aveva accettato di atterrare al terminal.»

«Sì, sì, ma gli ho detto io di venire qui. Ho un appuntamento e sono in ritardo. Io pago per questo hangar e le idiozie sulla perdita di benzina mi sembravano improntate a una cautela eccessiva.»

«Temo che il suo arrivo ci abbia colti un po' alla sprovvista, signore.»

«Lo so. Non ho rispettato il mio solito programma. Detto tra noi, le nuove medicine che mi hanno dato sono un po' troppo diuretiche. Sono venuto per un controllo delle dosi.»

I poliziotti si scambiarono un'occhiata. Edwards fece una smorfia. «Ha fatto bene, signore.»

«Signore» disse l'ispettore capo, facendo un passo avanti. «Devo chiederle di rimanere a bordo per un'altra mezz'ora almeno.»

Teabing cominciò a scendere gli scalini. Aveva un'aria per nulla divertita. «Temo sia impossibile. Ho un appuntamento con il mio medico.» Giunse a terra. «Non posso permettermi di mancare.»

L'ispettore si spostò per impedire a Teabing di allontanarsi dall'aereo. «Sono qui per ordine della polizia giudiziaria francese. Dicono che lei trasporta sul suo aeroplano persone ricercate che intendono sottrarsi alla giustizia.»

Teabing fissò per qualche istante l'ispettore, poi scoppiò a ridere. «Che cos'è, uno di quei programmi con la telecamera nascosta? Molto divertente!»

L'ispettore non batté ciglio. «La cosa è seria, signore. La polizia francese afferma che potete avere con voi anche un prigioniero.»

Il maggiordomo Rémy comparve in cima alla scaletta. «A lavorare per sir Leigh mi sento davvero come un prigioniero, ma lui dice che sono libero di andarmene in qualsiasi momento.» Guardò l'orologio. «Signore, comincia davvero a essere un po' tardi.» Indicò la Jaguar in fondo all'hangar: un'automobile enorme, color ebano, con i vetri fumé e le gomme bianche. «Porto qui l'auto.» Scese alcuni gradini.

«Temo di non potervi permettere di scendere» disse l'ispettore. «Per favore, risalite sull'aereo. Tutt'e due. Un rappresentante della polizia francese arriverà tra breve.»

Teabing si rivolse ora a Edwards. «Simon, per l'amor di Dio, è ridicolo! Non abbiamo nessuno a bordo. Solo i soliti, io, Rémy e il pilota. Potresti agire da intermediario? Sali a dare un'occhiata e digli tu che l'aereo è vuoto.»

Edwards sapeva di essere in trappola. «Sì, signore. Posso dare un'occhiata io.»

«Niente affatto!» esclamò l'ispettore. Evidentemente, conosceva a sufficienza i piccoli aeroporti per sospettare che Simon Edwards potesse mentire per continuare ad avere Teabing come cliente di Biggin Hill. «Controllerò personalmente!»

Teabing scosse la testa. «No, ispettore. Questa è proprietà privata e finché non avrà un mandato di perquisizione, lei starà lontano dal mio aereo. Le ho offerto una soluzione ragionevole. Il signor Edwards è perfettamente in grado di effettuare l'ispezione.»

«No.»

L'espressione di Teabing divenne gelida. «Ispettore, temo di non avere più il tempo di indulgere ai suoi giochini. Sono in ritardo e me ne vado. Se è così importante fermarmi, mi può sparare.» Così detto, Teabing e Rémy fecero un giro attorno all'ispettore e si diressero verso l'auto.

L'ispettore capo provava solo un profondo disgusto per Leigh Teabing mentre l'uomo gli passava accanto con aria di sfida. I VIP si comportavano sempre come se fossero al di sopra della legge.

"Ma non lo sono." L'ispettore si voltò e puntò la pistola contro Teabing. «Fermo, o sparo!»

«Spari» gli disse Teabing senza rallentare l'andatura e senza guardarsi alle spalle. «I miei avvocati si friggeranno i suoi testicoli per colazione. E se oserà salire sul mio aeroplano, anche la milza.»

Conoscendo quei giochi di potere, l'ispettore non si lasciò impressionare. Tecnicamente, Teabing aveva ragione e la polizia aveva bisogno di un mandato per salire sul suo jet, ma dato che il volo era partito dalla Francia, e poiché il potente Bezu Fache aveva fatto valere tutta la sua autorità, l'ispettore capo del Kent era certo di poter giovare alla propria carriera scoprendo i clandestini che Teabing sembrava tanto intenzionato a nascondere.

«Fermateli» disse ai suoi uomini. «Io controllo l'aeroplano.»

I suoi uomini corsero avanti, con le armi puntate, e bloccarono fisicamente Teabing e Rémy, diretti alla limousine.

Questa volta, Teabing si voltò. «Ispettore, è l'ultimo avvertimento. Non si azzardi a salire su quell'aereo, se non vuole pentirsene.»

Senza badare alla minaccia, l'ispettore capo abbassò la pistola e raggiunse la scaletta. Salì fino al portello, guardò all'interno. Dopo un istante, entrò nella cabina. "Ma che diavolo...?"

A parte il pilota dall'aria intimorita, l'aereo era vuoto. Completamente privo di occupanti. Controllò in fretta la toilette, le cabine, il bagagliaio, e non trovò clandestini nascosti, nemmeno uno.

"Che diavolo gli è venuto in mente a Bezu Fache?" Pareva che Leigh Teabing avesse detto il vero.

L'ispettore si fermò per qualche istante nella cabina e inghiottì a vuoto. "Merda." Con la faccia arrossata, tornò sulla scaletta e guardò Teabing e il suo maggiordomo, che si erano fermati a poca distanza dall'auto, bloccati da agenti con le pistole puntate. «Lasciateli andare» ordinò. «Abbiamo ricevuto una falsa segnalazione.»

Si avvertiva, anche dalla parte opposta dell'hangar, che lo sguardo di Teabing era carico di minaccia. «Riceverà una telefonata dai miei avvocati. E in futuro le consiglio di non dare più ascolto alla polizia francese.»

Detto questo, Teabing attese che il maggiordomo gli aprisse la porta della limousine e lo aiutasse a sedere sul sedile posteriore. Poi Rémy girò intorno all'auto, si mise dietro il volante e accese il motore.

Mentre la Jaguar usciva dall'hangar, i poliziotti si affrettarono a togliersi di mezzo.

«Ben recitato, vecchio mio!» Teabing rise mentre la limousine si allontanava dall'aeroporto. Abbassò lo sguardo davanti a sé, verso l'ampio spazio scarsamente illuminato tra lui e il sedile del guidatore. «Tutti a posto?»

Langdon annuì. Lui e Sophie erano ancora accovacciati accanto all'albino legato e imbavagliato.

Poco prima, mentre l'Hawker faceva manovra all'interno dell'hangar deserto, Rémy aveva aperto il portello e l'aeroplano si era fermato mentre era a metà della sua inversione. Con la polizia a poca distanza da loro, Langdon e Sophie avevano trascinato il monaco lungo la scaletta e si erano nascosti dietro la limousine. Poi l'aereo aveva completato il giro mentre le auto della polizia si fermavano davanti all'hangar.

Ora, mentre la limousine correva verso Londra, Langdon e Sophie si alzarono e si sedettero di fronte a Teabing, lasciando il monaco dov'era. L'inglese rivolse loro un sorriso astuto e aprì il bar dell'auto. «Qualcosa da bere? O da sgranocchiare? Patatine? Noccioline? Seltz?»

Sophie e Langdon scossero la testa.

Teabing sorrise e chiuse il bar. «Allora, a proposito della tomba di quel cavaliere...»

82

«Fleet Street?» chiese Langdon, guardando Teabing che sedeva davanti a lui. "C'è una cripta in Fleet Street?" Fino a quel momento, Leigh si era divertito a tenere nascoste le informazioni sul luogo dove avrebbero trovato la tomba del "cavaliere" che, secondo la poesia, avrebbe permesso di aprire il cryptex più piccolo.

Teabing sorrise e si rivolse a Sophie. «Signorina Neveu, faccia dare al nostro ragazzo di Harvard un'altra occhiata ai versi, per favore.»

Sophie prelevò dalla tasca il cryptex nero, che era di nuovo avvolto nella pergamena. Avevano deciso di lasciare il cofanetto e il cryptex più grande nella cassaforte dell'aereo, e di portare solo l'indispensabile, piccolo e maneggevole cryptex nero. Sophie srotolò la pergamena e passò a Langdon il foglio.

Anche se aveva letto varie volte la poesia mentre era sull'aereo, non era riuscito a trarne una località specifica. Ora, mentre leggeva di nuovo le parole, rifletté su ciascuna, sperando che i pentametri assumessero un significato più chiaro, adesso che aveva di nuovo i piedi per terra.

> *In London lies a knight a Pope interred.*
> *His labor's fruit a Holy wrath incurred.*
> *You seek the orb that ought be on his tomb.*
> *It speaks of Rosy flesh and seeded womb.*

> A Londra giace un cavaliere sepolto da un papa.
> Il frutto del suo lavoro ha incontrato una collera santa.
> Tu cerchi l'orbe che dovrebbe essere sulla sua tomba.
> Parla di carne di Rosa e di ventre inseminato.

Sembrava abbastanza semplice. Un cavaliere sepolto a Londra, un cavaliere che aveva lavorato a qualche progetto tale da destare le ire della Chiesa. Sulla sua tomba mancava un "orbe" – una sfera – che avrebbe dovuto essere presente. E l'ultimo riferimento della poesia – carne di Rosa e ventre inseminato – era una chiara allusione a Maria Maddalena, la Rosa che portava in sé la discendenza di Gesù.

Nonostante la semplicità dei versi, Langdon non aveva idea di chi potesse essere il cavaliere né dell'ubicazione della sua sepoltura. Inoltre, una volta trovata la tomba, avrebbero dovuto cercare qualcosa che non c'era. "La sfera che doveva essere sulla sua tomba?"

«Qualche idea?» Teabing sorrise, fingendosi deluso, anche se Langdon capiva che lo storico reale si divertiva a stuzzicarlo sapendo di essere avanti di un passo. «Signorina Neveu?»

Lei scosse la testa.

«Cosa fareste senza di me!» esclamò Teabing. «Benissimo, vi aiuterò io. In realtà è molto semplice. Il primo verso è la chiave di tutto. Vuoi leggerlo, per favore?»

Langdon lo lesse a voce alta.

«Proprio come dicevo. A Londra giace un cavaliere sepolto da un *papa*.» Guardò lo studioso di simbologia. «Secondo te, che cosa significa?»

Langdon si strinse nelle spalle. «Un cavaliere sotterrato da un papa? Un cavaliere accompagnato alla tomba da un papa?»

Teabing rise di nuovo. «Oh, bella! Sempre il solito ottimista, Robert. Guarda il secondo verso: ovviamente questo cavaliere ha fatto qualcosa che ha destato la santa collera della Chiesa. Rifletti, considera il rapporto tra Chiesa e cavalieri templari. Un cavaliere *sepolto* da un papa?»

«Un cavaliere ucciso da un papa?» suggerì Sophie.

Teabing sorrise e le batté la mano sul ginocchio. «Ben detto, mia cara. Un cavaliere sepolto o *ucciso* da un papa.»

Langdon pensò alla famosa cattura dei templari nel 1307 – lo sfortunato venerdì 13 – allorché il papa Clemente aveva ucciso e sepolto centinaia di templari. «Ma ci devono essere centinaia di tombe di "cavalieri uccisi dai papi".»

«Aha, niente affatto!» rispose Teabing. «Molti di loro vennero bruciati sul rogo e i loro resti gettati nel Tevere senza tante preoccupazioni. Ma la poesia si riferisce a una *tomba*. Una tomba di Londra. E a Londra sono sepolti pochi cavalieri.» Si interruppe e guardò Langdon come se attendesse di veder scendere su di lui un raggio di luce. Alla fine, sbuffò e disse: «Robert, per l'amor di Dio! La chiesa costruita a Londra dal braccio militare del Priorato, gli stessi cavalieri templari!».

«Temple Church, la chiesa del Tempio?» rispose Langdon, stupito. «Ha una cripta?»

«Ha dieci delle più inquietanti tombe che si possano trovare.»

Langdon non era mai stato in quella chiesa, anche se l'aveva vista citare varie volte nei documenti sul Priorato. Temple Church era una volta l'epicentro di tutte le attività dei templari e del Priorato in Inghilterra ed era stata così chiamata in omaggio al tempio di Salomone, da cui gli stessi templari avevano preso non solo il nome, ma anche i documenti del Sangreal che avevano dato loro il potere. Un'infinità di leggende parlava degli strani, segreti riti praticati dai templari all'interno di Temple Church, inconsueto asilo di quelle pratiche. «Temple Church è in Fleet Street?»

«In realtà è poco lontano da Fleet Street, sulla Inner Temple Lane» disse Teabing, con aria ironica. «Volevo vederti sudare un poco, prima di dirtelo.»

«Grazie.»

«Nessuno di voi c'è stato?»

Sophie e Langdon scossero la testa.

«Non mi sorprende» commentò Teabing. «Oggi la chiesa è nascosta dietro edifici molto più alti. Pochi sanno dov'è. Una strana costruzione antica. L'architettura è pagana da cima a fondo.»

Sophie lo guardò senza capire. «Pagana?»

«Pagana come il Pantheon!» esclamò lo storico. «La chiesa è circolare. I templari hanno ignorato la tradizionale pianta a croce delle chiese cristiane e hanno costruito una chiesa perfettamente circolare per onorare il Sole.» Nei suoi occhi comparve una luce diabolica. «Uno sberleffo non precisamente sottile ai colleghi romani. Un po' come se avessero ricostruito Stonehenge nel centro di Londra.»

Sophie lo guardò. «E il resto della poesia?»

Lo storico inglese aggrottò la fronte. «Non ne sono certo. Non è chiara. Dobbiamo esaminare con attenzione ciascuna delle dieci tombe. Con un po' di fortuna, su una delle tombe si noterà l'assenza di qualche particolare a forma di sfera.»

Langdon pensò che ormai la loro ricerca si avvicinava al termine. Se la sfera mancante avesse rivelato la parola, sarebbero riusciti ad aprire il secondo cryptex. Non riusciva a immaginare che cosa contenesse.

Rilesse la poesia. Era una sorta di cruciverba primordiale: trovare una parola di cinque lettere. "Che sia una parola relativa al Graal?" Sull'aeroplano avevano già provato con quelle più ovvie – GRAIL, GRAAL, GREAL, VENUS, MARIA, JESUS, SARAH – ma il cilindro non si era aperto. "Troppo ovvie." Evidentemente esisteva qualche altro termine che si riferiva al ventre inseminato della Rosa. E se era sfuggito a uno specialista come Leigh Teabing, non doveva essere uno dei termini consueti.

«Sir Leigh?» chiese Rémy. Lo schermo divisorio era aperto e il maggiordomo li guardava dallo specchietto retrovisore. «Ha detto che Fleet Street è nei pressi del Blackfriars Bridge?»

«Sì, prendi il Victoria Embankment.»

«Mi scusi, ma non so dove sia esattamente. Di solito andiamo solo all'ospedale.»

Teabing guardò Langdon e Sophie e roteò gli occhi in segno di disperazione. Brontolò: «Lo giuro, a volte è come far da balia a un bambino. Un attimo, per favore. Bevete qualcosa e assaggiate gli stuzzichini». Si alzò e si diresse verso il divisorio per parlare con Rémy.

Sophie si rivolse a Langdon, a bassa voce. «Robert, nessuno sa che siamo in Inghilterra.»

Langdon si rese conto che era vero. La polizia del Kent avrebbe detto a Fache che l'aereo era vuoto, e il capitano della polizia giudiziaria sarebbe stato costretto a concludere che erano ancora in Francia. "Siamo invisibili." Il trucco di Leigh aveva assicurato loro molto tempo.

«Fache non desisterà facilmente» continuò Sophie. «Su questo arresto si è giocato tutto.»

Langdon aveva cercato di non pensare a Fache. Sophie aveva promesso di fare il possibile per scagionarlo una volta che la loro ricerca fosse terminata, ma Langdon cominciava a sospettare che non fosse sufficiente. "È probabile che anche Fache faccia parte del complotto." Nonostante non riuscisse a immaginare che la polizia fosse interessata al Santo Graal, gli pareva che le coincidenze fossero troppe per non pensare a Fache come a un possibile complice. "Fache è religioso e cerca di incolparmi dei quattro omicidi." Però, d'altra parte, Sophie aveva osservato che poteva semplicemente trattarsi di un eccesso di zelo da parte del capitano e che le prove contro Langdon, in ogni caso, erano piuttosto forti. Oltre al suo nome scritto sul pavimento e annotato sull'agenda degli appuntamenti di Saunière, agli occhi della polizia lo studioso aveva mentito sul manoscritto e poi era fuggito. "Dietro suggerimento di Sophie."

«Robert, mi dispiace che tu sia stato coinvolto così profondamente» disse Sophie, appoggiandogli una mano sul ginocchio. «Ma sono contenta che tu sia qui.»

Il commento suonava più pragmatico che romantico, ma Langdon sentì tra loro un'inattesa scintilla di attrazione. Le rivolse un sorriso stanco. «Sono molto più simpatico quando riesco a dormire regolarmente.»

Sophie tacque per qualche istante. «Mio nonno mi ha chiesto di fidarmi di te. Sono lieta di averlo ascoltato, questa volta.»

«Tuo nonno non mi conosceva.»

«In ogni caso, credo che tu abbia fatto tutto quello che desiderava. Mi hai aiutato a trovare la chiave di volta, mi hai spiegato il Sangreal, mi hai parlato del rituale nella stanza sotterranea.» Fece una pausa. «In qualche modo, questa notte mi sento più vicina a mio nonno di quanto non mi sia sentita per anni. So che ne sarebbe stato felice.»

In lontananza, il profilo dei tetti di Londra cominciava a materializzarsi in mezzo alla pioggerella dell'alba. Un tempo dominata dal Big Ben e dal Tower Bridge, la linea dell'orizzonte adesso doveva inchinarsi al Millennium Eye, la colossale, ultramoderna ruota panoramica che saliva fino a centocinquanta metri e offriva una spettacolare vista della città. Una volta, Langdon aveva cercato di salirvi, ma le ' capsule panoramiche" della ruota gli avevamo fatto pensare a sarcofagi sigillati ermeticamente; così aveva preferito tenere i piedi per terra e godersi lo spettacolo dalle più ariose rive del Tamigi.

Langdon si sentì stringere il ginocchio e si accorse che gli occhi verdi di Sophie erano puntati su di lui. La donna gli stava dicendo qualcosa. «Che cosa pensi si debba fare dei documenti del Sangreal, se riusciremo a trovarli?» gli chiedeva.

«Quello che penso io non ha importanza» rispose Langdon. «Tuo nonno ha dato il cryptex a te e tu dovresti fare quello che, secondo il tuo intuito, avrebbe fatto lui.»

«Voglio sapere la tua opinione. Ovviamente hai espresso qualche teoria, in quel manoscritto, che ha spinto mio nonno a fidarsi del tuo giudizio. Ha chiesto un incontro con te, cosa molto rara.»

«Forse voleva dirmi che ho sbagliato tutto.»

«Non mi avrebbe invitato a cercarti, se non gli fossero piaciute le tue idee. Nel tuo manoscritto, sostenevi l'idea di rivelare i documenti del Sangreal o di mantenerli segreti?»

«Né l'una né l'altra. Non ho dato giudizi. Il manoscritto riguarda la simbologia del femminino sacro, ne segue l'iconografia attraverso la storia. Non avevo certamente la presunzione di sapere dove è nascosto il Graal e se debba o non debba essere rivelato.»

«Eppure hai scritto un libro sull'argomento: perciò pensi che le informazioni debbano essere condivise.»

«C'è un'enorme differenza tra discutere in via ipotetica l'"altra" storia di Cristo e...» Non proseguì.

«E cosa?»

«E presentare pubblicamente migliaia di antichi documenti, dicendo che sono la prova scientifica che il Nuovo Testamento è una falsa testimonianza.»

«Ma me l'hai detto tu che il Nuovo Testamento è basato su falsificazioni.»

Langdon sorrise. «Sophie, *tutte* le religioni del mondo sono basate su falsificazioni. È la definizione di "fede": accettare quello che riteniamo vero, ma che non siamo in grado di dimostrare. Ogni religione descrive Dio attraverso metafore, allegorie e deformazioni della verità, dagli antichi egizi fino agli attuali insegnamenti di catechismo. Le metafore sono un modo per aiutare la nostra mente a spiegare l'inspiegabile. I problemi sorgono quando cominciamo a credere alla lettera alle nostre metafore.»

«Perciò sei favorevole a tenere per sempre nascosti i documenti del Sangreal?»

«Io sono uno storico. Sono contrario alla distruzione dei documenti, e mi piacerebbe che gli studiosi delle religioni avessero maggiori informazioni su cui riflettere per raccontarci l'eccezionale vita di Gesù Cristo.»

«Stai prendendo tutt'e due le posizioni, senza rispondere alla mia domanda.»

«Davvero? La Bibbia rappresenta una guida fondamentale per milioni di persone in tutto il mondo, esattamente come il Corano, la Torah e il Canone Pali offrono una guida ai fedeli di altre religioni. Se noi due trovassimo dei documenti che contraddicono le sacre leggende dell'islam, del giudaismo e del buddismo, dovremmo diffonderle? Dovremmo proclamare ai buddisti di avere la prova che il Buddha non è mai uscito da un fiore di loto? O che Gesù non è nato da un parto *letteralmente* verginale? Coloro che comprendono veramente la loro fede sanno che queste storie sono metafore.»

Sophie lo guardò con scetticismo. «I cattolici praticanti che conosco sono convinti che Cristo camminasse letteralmente sulle acque, trasformasse letteralmente l'acqua in vino e sia nato letteralmente da un parto verginale.»

«È esattamente quanto dicevo» rispose Langdon. «L'allegoria religiosa è divenuta una parte del tessuto della realtà. E vivere in quella realtà aiuta milioni di persone ad affrontare la vita e a essere migliori.»

«Ma la loro realtà è falsa!»

Langdon rise. «Non più falsa di quella della crittologa matematica che crede nel numero immaginario *i* perché la aiuta a decifrare i messaggi in codice.»

Sophie aggrottò la fronte. «Questo è un colpo basso.»

Trascorse qualche secondo.

«Cos'era che mi avevi chiesto?» domandò Langdon.

«Non ricordo.»

Lui le sorrise. «Funziona sempre.»

83

Le braccia di Topolino, sull'orologio di Langdon, indicavano quasi le sette e trenta quando scese, insieme a Sophie e Teabing, dalla Jaguar parcheggiata nella Inner Temple Lane. Il terzetto passò attraverso un labirinto di edifici e raggiunse un piccolo cortile all'esterno della chiesa. La pietra non lucidata luccicava per la pioggia e i colombi tubavano sotto i cornicioni.

L'antica Temple Church era costruita completamente in calcare chiaro di Carn. Era un edificio dall'aspetto minaccioso, circolare, con una facciata priva di qualsiasi abbellimento, una torretta centrale e su un lato una navata sporgente: sembrava più una fortezza militare che un luogo di culto. Consacrata il 10 febbraio del 1185 da Eraclio, patriarca di Gerusalemme, Temple Church era sopravvissuta a otto secoli di rivolgimenti politici, al Grande incendio di Londra e alla Prima guerra mondiale, per poi essere gravemente danneggiata dalle bombe incendiarie della Luftwaffe nel 1940. Dopo la guerra, l'edificio era stato ricostruito nella sua spoglia grandezza originale.

"La semplicità del cerchio" pensò Langdon, ammirando per la prima volta l'edificio. L'architettura era grezza e semplice, ricordava più il rude Castel Sant'Angelo che il raffinato Pantheon. L'aggiunta rettangolare che sporgeva a destra era un pugno in un occhio, anche se non toglieva nulla all'originale forma pagana della struttura principale.

«È ancora presto ed è sabato» disse Teabing. «Penso che non dobbiamo aver paura di interrompere qualche funzione.»

L'ingresso della chiesa era una nicchia nella pietra con un largo portale di legno. A sinistra, completamente incongruo, c'era un cartello con il programma dei concerti e delle funzioni religiose.

Teabing aggrottò la fronte nel leggere l'elenco. «Non aprono ai visitatori per altre due ore.» Si avvicinò al portone e provò a spingere, ma non si mosse. Accostato l'orecchio al legno, controllò se dall'interno giungeva qualche rumore. Dopo un attimo si staccò e, con aria cospirativa, indicò il cartello. «Robert, controlla l'orario delle funzioni, per favore. Chi officia, questa settimana?»

All'interno della chiesa, un giovane inserviente aveva appena finito di passare l'aspirapolvere sugli inginocchiatoi, quando sentì picchiare alla porta. Non se ne preoccupò. Padre Harvey Knowles aveva le chiavi e doveva arrivare due ore più tardi. Chi bussava era probabilmente un turista o un mendicante. Il ragazzo continuò a passare l'aspirapolvere, ma dalla porta continuarono a giungere colpi. "Non sei buono a leggere?" Il cartello diceva chiaro che la chiesa apriva alle nove e mezzo. Il ragazzo continuò il lavoro.

All'improvviso i colpi divennero più forti, come se qualcuno battesse con un bastone di metallo. Il ragazzo spense l'aspirapolvere e marciò incollerito verso il portone. Aprendolo dall'interno, lo spalancò. Tre persone erano ferme davanti all'ingresso. "Turisti" pensò con fastidio. «Apriamo alle nove e mezzo.»

L'uomo più massiccio, che a quanto pareva era il capo, fece un passo avanti, aiutandosi con le grucce. «Sono sir Leigh Teabing» disse, parlando con un elegante accento sassone, da classi alte. «Come lei certo sa, sono venuto ad accompagnare il signor Christopher Wren IV e signora.» Si fece da parte e indicò la coppia che lo accompagnava. La donna aveva i lineamenti delicati e bei capelli castano rossicci. L'uomo era alto, aveva i capelli neri e un'aria vagamente familiare.

Il ragazzo non aveva idea di cosa rispondere. Sir Christopher Wren era il più famoso benefattore di Temple Church. Aveva fatto riparare a sue spese i danni causati dall'incendio. Era però morto all'inizio del diciottesimo secolo. «Uhm... onorato di conoscerla.»

L'uomo con le grucce aggrottò la fronte. «È un bene che lei non faccia il venditore, giovanotto, perché non suona affatto convincente. Dov'è padre Knowles?»

«È sabato. Arriva più tardi.»

L'uomo con le grucce aggrottò la fronte. «Bella gratitudine. Mi ha assicurato che sarebbe stato presente, ma pare che dovremo fare a meno di lui. Non occorrerà molto.»

Il ragazzo rimase fermo al suo posto, bloccando l'ingresso. «Mi spiace, *che cosa* non richiederà molto tempo?»

L'uomo con le grucce lo fissò e parlò a bassa voce, come per evitare una situazione imbarazzante, per tutti. «Giovanotto, a quanto pare, lei è nuovo qui dentro. Ogni anno i discendenti di sir Christopher Wren portano un pizzico delle sue ceneri e le spargono nella cripta. È una disposizione del suo testamento. Nessuno ha mai voglia di compiere il viaggio, ma non si può evitarlo.»

Il ragazzo lavorava lì da un paio di anni ma non aveva mai sentito parlare di quella cerimonia. «Sarebbe meglio che aspettaste le nove e mezzo. La chiesa non è ancora aperta e io non ho finito di passare l'aspirapolvere.»

L'uomo con le grucce lo guardò con ira. «Giovanotto, se c'è ancora un edificio in cui lei può passare l'aspirapolvere, è grazie al gentiluomo contenuto nella tasca della signora.»

«Scusi?»

«Signora Wren» disse l'uomo con le grucce «vuole avere la gentilezza di mostrare a questo giovanotto impertinente il reliquiario?»

La donna esitò un istante; poi, come se si destasse dalla trance, infilò la mano nella tasca e ne trasse un piccolo cilindro avvolto in un foglio protettivo.

«Visto?» disse seccamente l'uomo con le grucce. «Adesso, o lei permette a sir Christopher di soddisfare il suo ultimo desiderio consentendo a noi di spargere le ceneri nella cripta, o riferirò a padre Knowles come ci ha trattato.»

Il giovane inserviente ebbe un attimo di esitazione. Conosceva sia il profondo rispetto di padre Knowles per le tradizioni della chiesa, sia la sua ira contro tutto ciò che rischiava di mettere in cattiva luce l'antico luogo di culto. Forse padre Knowles si era semplicemente dimenticato dell'arrivo di quelle persone. In tal caso, era più rischioso allontanarle che lasciarle passare. "Dopotutto, hanno parlato di pochi minuti. Che male possono fare?" Quando si fece da parte per lasciarli passare, però, gli parve che i signori Wren fossero imbarazzati quanto lui. Non del tutto convinto, il ragazzo tornò al suo lavoro, ma continuò a osservarli con la coda dell'occhio.

Langdon non poté fare a meno di sorridere quando entrarono nella parte interna della chiesa. «Leigh» sussurrò «tu menti troppo bene.»

Teabing aveva gli occhi che brillavano. «Merito del Club filodrammatico di Oxford. Parlano ancor oggi del mio Giulio Cesare. Nessuno ha mai recitato con più dedizione la prima scena del terzo atto.»

Langdon lo guardò. «Mi pareva che Cesare fosse già morto in quella scena.»

Teabing sorrise. «Sì, ma la toga mi si è aperta mentre cadevo e sono dovuto restare per mezz'ora sul palcoscenico col pisello di fuori. Eppure, non ho mosso un muscolo. Una recitazione brillante, ti assicuro.»

Langdon fece una smorfia. "Mi sarebbe piaciuto esserci."

Mentre il gruppo passava davanti alla parte di edificio a pianta rettangolare per raggiungere l'arco che immetteva nel santuario, Langdon notò con stupore quanto la chiesa fosse spoglia e austera; anche se l'altare assomigliava a quello delle cappelle cristiane, l'arredamento era gelido e nudo, privo di tutte quelle decorazioni che lo studioso era abituato a vedere. «Quant'è spoglia» mormorò.

Teabing ridacchiò. «È la Chiesa d'Inghilterra. La loro religione, gli anglicani se la bevono liscia. Nulla che rischi di distrarli dalla loro sofferenza.»

Sophie indicò l'apertura nella parete circolare della chiesa. «Qui dentro sembra di essere in una fortezza» sussurrò.

Langdon annuì. Anche dalla loro posizione, le pareti sembravano eccezionalmente robuste.

«I cavalieri templari erano guerrieri» ricordò loro Teabing. Il tonfo delle sue grucce echeggiava in quello spazio aperto. «Una società religioso-militare. Le loro chiese erano insieme fortezze e banche.»

«Banche?» chiese Sophie, lanciando un'occhiata a Leigh.

«Santo Cielo, sì. Sono stati i templari a inventare il moderno concetto di servizio bancario. Per la nobiltà europea, viaggiare con l'oro era pericoloso, così i templari concedevano ai nobili di depositarlo nella più vicina chiesa del Tempio e di prelevarne da ogni altra chiesa templare in tutta Europa, mostrando la dovuta documentazione.» Strizzò un occhio. «Oltre a una piccola commissione. L'antenato del Bancomat.» Teabing indicò una finestra istoriata: i raggi del mattino illuminavano in trasparenza la figura di un cavaliere vestito di bianco, in sella a un cavallo di colore rosa. «Alanus Marcel» spiegò. «Maestro del Tempio all'inizio del dodicesimo secolo. Lui e i suoi successori occupavano il seggio di *Primus Baro Angliae*.»

Langdon non lo sapeva. «Primo barone del regno?»

Teabing annuì. «Il Maestro del Tempio, secondo alcuni, aveva più potere del re.» Arrivati davanti al santuario circolare, Teabing si guardò brevemente alle spalle per controllare il ragazzo delle pulizie, che continuava a passare l'aspirapolvere. «Sapete» sussurrò a Langdon e Sophie «si dice che il Santo Graal sia stato depositato in questa chiesa per una notte, quando i templari l'hanno spostato da un nascondiglio all'altro. Immaginate i quattro bauli di documenti del Sangreal nascosti qui insieme al sarcofago di Maria Maddalena? Al pensiero mi viene la pelle d'oca.»

Anche Langdon si sentì accapponare la pelle quando entrò nella camera circolare. Esaminò l'intero perimetro della stanza dalle pareti di pietra chiara, le sculture raffiguranti demoni, mostri e facce umane sofferenti, tutte con gli occhi fissi nel centro della sala. Sotto le sculture, una panca di pietra correva lungo l'intera circonferenza. «Un teatro circolare, col palcoscenico al centro» sussurrò.

Teabing sollevò una gruccia per indicare prima a sinistra e poi a destra. Anche Langdon li aveva già visti.

"Dieci cavalieri di pietra. Cinque da un lato, cinque dall'altro."

Le figure di pietra, di grandezza naturale, riposavano sul pavimento, supine e in pose pacifiche. I cavalieri erano ritratti con tutta l'armatura, lo scudo e la spada, e Langdon ebbe l'inquietante sensazione che qualcuno avesse coperto di gesso quei templari mentre dormivano. Tutte le figure erano molto consumate dall'età, ma ciascuna era diversa dall'altra: i pezzi dell'armatura erano differenti e così pure la posizione delle mani e delle gambe, i lineamenti e l'insegna sullo scudo.

"A Londra giace un cavaliere sepolto da un papa."

Langdon fece un passo avanti, nella sala circolare, e si sentì tremare le gambe.

Il posto doveva essere quello.

84

In un vicolo pieno di spazzatura, non lontano da Temple Church, Rémy Legaludec fermò la limousine dietro una fila di contenitori per i rifiuti industriali. Spense il motore e si guardò attorno. La zona era deserta. Scese dall'auto e aprì la portiera dello scompartimento principale, dove c'era il monaco.

Sentendo la presenza di Rémy, Silas uscì da uno stato di preghiera che assomigliava alla trance. I suoi occhi rossi erano più curiosi che intimoriti. Per tutta la notte Rémy era stato colpito dalla sua capacità di mantenere la calma. Dopo qualche tentativo di sciogliersi nella Range Rover, il monaco pareva avere accettato la sua situazione e affidato il suo destino a qualche potere più alto.

Rémy si sciolse la cravatta a farfalla e si sbottonò il colletto alto, inamidato e con le punte ripiegate. Per la prima volta da anni, gli parve di riuscire nuovamente a respirare. Aprì il bar dell'auto e si versò un bicchiere di vodka Smirnoff. Lo mandò giù in un sorso e ne bevve un secondo.

"Presto sarò ricco."

Frugando nel bar, Rémy trovò un cavaturaccioli e aprì l'annesso coltellino, dalla lama bene affilata. Il coltello era in genere usato per togliere da qualche preziosa bottiglia la stagnola attorno al tappo, ma quel giorno l'avrebbe utilizzato per uno scopo assai diverso. Si voltò e guardò Silas, sollevando la lama scintillante.

Ora negli occhi rossi si scorgeva la paura.

Rémy sorrise e si avvicinò. Il monaco cercò di allontanarsi, di liberarsi dai legami.

«Sta' fermo» gli ordinò Rémy, alzando il coltello.

Silas non riusciva ancora a credere che Dio lo avesse abbandonato. Fino a quel momento, aveva trasformato in un esercizio per lo spirito anche il dolore fisico, mutando la pulsazione dei suoi muscoli privati del sangue in un ricordo delle sofferenze patite da Cristo. "Per tutta la notte ho pregato per essere liberato." Ora, mentre il coltello scendeva, Silas chiuse gli occhi.

Una fitta di dolore gli attraversò le scapole e l'albino gridò, ancora incapace di credere che stava per morire laggiù, nel fondo di quella limousine, senza potersi difendere. "Ho compiuto il lavoro di Dio. Il Maestro aveva promesso di proteggermi."

Sentì un calore doloroso corrergli lungo la schiena e le spalle e si immaginò il sangue che sgorgava sulla sua pelle. Poi un dolore altrettanto acuto gli trafisse le gambe ed egli riconobbe l'inizio del disorientamento, la difesa automatica del corpo dal dolore.

Il bruciore adesso si era esteso a tutti i muscoli e Silas strinse gli occhi ancora di più, in modo che l'ultima immagine della sua vita non fosse quella del suo assassino. Invece gli apparve il vescovo Aringarosa, da giovane, fermo davanti alla piccola chiesa spagnola, la chiesa costruita da lui e da Silas, con le loro mani. "L'inizio della mia vita."

Silas aveva l'impressione che il suo corpo fosse in fiamme.

«Bevi qualcosa» gli disse l'uomo in abito da sera. Parlava con accento francese. «Ti servirà per la circolazione.»

Silas spalancò gli occhi per la sorpresa. Una figura confusa aleggiava sopra di lui, con in mano un bicchiere. Sul tappetino dell'auto, accanto al coltello, c'era un mucchietto di nastro isolante.

«Bevi» ripeté l'uomo. «Il dolore è dovuto al sangue che riprende a circolare.»

Silas sentì che la pulsazione rovente si trasformava in migliaia di piccole punture. La vodka aveva un sapore terribile, ma lui la bevve con gratitudine. Il destino gli aveva servito una serie di disgrazie, quella notte, ma adesso Dio aveva risolto ogni cosa con una svolta imprevista che aveva del miracoloso.

"Dio non mi ha abbandonato."

Silas sapeva come l'avrebbe chiamata il vescovo Aringarosa. "La Divina Provvidenza."

«Ti avrei liberato prima» si scusò il maggiordomo «ma mi è stato impossibile. Con la polizia che stava per arrivare a Château Villette e poi all'aeroporto di Biggin Hill, questo è il primo momento opportuno. Lo capisci, vero, Silas?»

L'albino lo guardò con stupore. «Sai il mio nome?»

Il maggiordomo sorrise.

Silas si massaggiò i muscoli. I suoi pensieri erano un torrente di incredulità, di sollievo e di confusione. «Sei... il Maestro?»

Rémy scosse la testa e rise a quel suggerimento. «Mi piacerebbe avere quel tipo di potere. No, non sono il Maestro. Come te, mi limito a servirlo. Ma il Maestro parla molto bene di te. Mi chiamo Rémy.»

Silas era stupito. «Non capisco. Se lavori per il Maestro, perché Langdon ha portato la chiave di volta in casa tua?»

«Non era casa mia. Era la casa del più importante storico del Graal, sir Leigh Teabing.»

«Ma tu abitavi laggiù. La probabilità...»

Rémy sorrise. Evidentemente, non aveva difficoltà a spiegare la strana coincidenza per cui Langdon si fosse rifugiato proprio laggiù. «Era abbastanza prevedibile. Robert Langdon aveva la chiave di volta e gli occorreva tempo. Quale rifugio scegliere, migliore della casa di Leigh Teabing? Il fatto che io abitassi presso di lui è la ragione per cui il Maestro si è rivolto a me.» Fece una pausa. «Come credi che abbia fatto, il Maestro, a sapere tante cose sul Graal?»

Ora che capiva, Silas era stupefatto. Il Maestro aveva reclutato un maggiordomo con accesso a tutte le ricerche di sir Leigh Teabing. Un'idea brillantissima.

«Ho varie cose da dirti» proseguì Rémy, consegnando a Silas la pistola Heckler & Koch, carica. Poi si sporse in avanti e recuperò da un vano nel cruscotto un piccolo revolver. «Prima, però, noi due abbiamo un lavoro da compiere.»

Il capitano Fache scese dall'aereo a Biggin Hill e ascoltò con incredulità l'ispettore capo del Kent che gli raccontava quanto era successo nell'hangar di Teabing.

«Ho controllato io stesso l'aereo» ripeteva l'ispettore «e all'interno non c'era nessuno.» Proseguì, in tono seccato: «Devo aggiungere che se sir Leigh Teabing mi citerà in giudizio, sarò costretto a...».

«Ha interrogato il pilota?»

«No, ovviamente. È francese e la mia giurisdizione...»

«Mi accompagni all'aereo.»

Quando giunsero all'hangar, a Fache bastarono sessanta secondi per scoprire una strana macchia di sangue sul cemento, vicino al luogo dove era parcheggiata la limousine. Poi raggiunse l'aereo e batté sulla fusoliera. «Sono il capitano Fache della polizia giudiziaria francese. Apra!»

Il pilota, terrorizzato, aprì il portello e abbassò la scaletta.

Fache salì. Tre minuti più tardi, con l'aiuto della sua pistola, disponeva di una confessione completa, compresa una descrizione del monaco albino prigioniero. Inoltre, il pilota aveva visto Langdon e Sophie lasciare qualcosa nella cassaforte di Teabing: una scatola di legno, non sapeva che cosa contenesse, ma riferì che per tutto il volo era stata al centro dell'attenzione di Langdon.

«Apra la cassaforte» chiese Fache.

Il pilota lo guardò con terrore. «Non conosco la combinazione!»

«Un vero peccato. Pensavo di fare il cambio con la sua licenza di pilota e lasciargliela.»

L'uomo si torceva le mani. «Conosco qualcuno del servizio di manutenzione, qui. Forse potrebbero forzarla?»

«Ha mezz'ora di tempo per farlo.»

Il pilota corse alla radio.

Fache si recò a poppa e si versò una doppia razione di liquore. Era presto, ma lui non aveva dormito e perciò non lo si poteva definire "bere alcolici prima di mezzogiorno". Si sedette su una soffice poltroncina e chiuse gli occhi, cercando di fare il punto. "Lo sbaglio della polizia del Kent potrebbe costarmi caro." Adesso tutti erano alla ricerca di una limousine Jaguar nera.

Il suo telefono suonò e Fache si lasciò sfuggire un'imprecazione. «*Allô?*»

«Sono in viaggio per Londra.» Era il vescovo Aringarosa. «Arriverò tra un'ora.»

Fache rizzò la schiena. «Pensavo che scendesse a Parigi.»

«Sono troppo preoccupato. Ho cambiato i miei piani.»

«Non avrebbe dovuto farlo.»

«Ha trovato Silas?»

«No. Coloro che l'hanno catturato sono riusciti a sfuggire alla polizia del Kent prima che io arrivassi.»

Aringarosa ribatté, incollerito: «Mi aveva assicurato di poter fermare quell'aereo!».

Fache abbassò la voce. «Eminenza, considerando la sua situazione, le raccomando di non mettere alla prova la mia pazienza. Troverò Silas e gli altri non appena possibile. Dove atterra?»

«Un momento.» Aringarosa posò il telefono e qualche istante più tardi riprese la comunicazione. «Il pilota cerca di avere il permesso di atterraggio a Heathrow. Sono il suo unico passeggero, ma il cambiamento di rotta non era previsto.»

«Gli dica di venire a Biggin Hill, nel Kent. Gli farò avere il permesso di atterraggio. Se non sarò più qui al momento del suo arrivo, le lascerò a disposizione un'auto.»

«Grazie.»

«Come le ho detto fin dalla nostra prima comunicazione, Eminenza, le consiglio di ricordare che lei non è il solo a rischiare di perdere tutto.»

85

"Tu cerchi l'orbe che dovrebbe essere sulla sua tomba."

Ciascuno dei cavalieri raffigurati nelle statue di Temple Church era disteso sulla schiena, con la testa appoggiata a un cuscino rettangolare di pietra. Sophie rabbrividì. Il riferimento a un "orbe", a una sfera che simboleggiava il mondo, le faceva venire in mente le sfere che aveva visto nella camera sotterranea del castello di suo nonno.

"Hieros gamos. Le sfere in mano alle donne."

Si chiese se lo stesso rituale fosse stato praticato in quella camera. Con la sua pianta circolare, sembrava fatta apposta per quel rito pagano. La lunga panca di pietra circondava il pavimento, vuoto al centro. "Un teatro circolare, col palcoscenico al centro" come aveva detto Robert. Provò a immaginarla di notte, piena di persone mascherate che intonavano inni alla luce delle torce e assistevano alle "nozze sacre" nel centro della cappella.

Allontanò dalla mente quell'immagine e si diresse con Langdon e Teabing verso il primo gruppo di cavalieri. Anche se Teabing aveva insistito perché la loro ricerca fosse condotta meticolosamente, Sophie era ansiosa e passò davanti ai compagni per fare un rapido esame dei cinque cavalieri alla sinistra.

Osservando le cinque tombe, Sophie notò somiglianze e differenze. Tutti erano in posizione supina, ma tre avevano le gambe allungate e parallele, mentre due le avevano incrociate. La cosa pareva non avere alcuna importanza per quanto riguardava la sfera assente. Esaminando gli abiti, Sophie notò che due portavano una sopravveste sull'armatura mentre gli altri tre indossavano tuniche lunghe fino al ginocchio. Anche quel particolare era irrilevante. Sophie controllò l'altra differenza ovvia, le mani. Due le posavano sulla spada, due pregavano, e uno aveva le braccia lungo i fianchi. Guardò meglio le mani e si strinse nelle spalle; in nessuno si notava la cospicua assenza di una sfera o "orbe".

Sentendo in tasca il peso del cryptex, si volse a guardare Langdon e Teabing. I due uomini camminavano lentamente ed erano ancora al terzo cavaliere, ma non parevano avere avuto maggiore fortuna. Sophie, che non aveva voglia di perdere tempo, si avviò verso il secondo gruppo.

Mentre attraversava la cripta, ripeté la poesia; l'aveva letta così tante volte da saperla a memoria.

> A Londra giace un cavaliere sepolto da un papa.
> Il frutto del suo lavoro ha incontrato una collera santa.
> Tu cerchi l'orbe che dovrebbe essere sulla sua tomba.
> Parla di carne di Rosa e di ventre inseminato.

Quando arrivò al secondo gruppo di statue constatò che non era molto differente dal primo. Erano distese in posizioni diverse e portavano la spada e l'armatura.

Tutte meno l'ultima.

Corse in quella direzione e la osservò. "Né cuscino né armatura né tunica né spada."

«Robert? Sir Leigh?» li chiamò. «Qui manca qualcosa.»

Tutt'e due gli uomini alzarono la testa e si diressero verso di lei.

«La sfera?» chiese Teabing, con eccitazione. Le sue grucce batterono rapidamente sul pavimento di pietra. «Manca una sfera?»

«Non proprio» rispose Sophie. Con la fronte aggrottata, guardava l'ultima tomba. «Qui manca un intero cavaliere.»

I due uomini giunsero accanto a lei e guardarono il decimo sarcofago, confusi. Anziché rappresentare un cavaliere disteso, la tomba era una cassa di pietra, chiusa. La sezione era trapezoidale: più stretta ai piedi, più larga in alto, e con un coperchio a doppia pendenza, simile a un tetto.

«Perché qui non c'è la statua del cavaliere?» chiese Langdon.

«Affascinante» disse Teabing, accarezzandosi il mento. «Mi

ero dimenticato di questo particolare. Sono passati anni dall'ultima volta che sono stato qui.»

«Questa tomba» disse Sophie «sembra essere stata scolpita insieme alle altre e dallo stesso scultore, perché allora questo cavaliere è in un sarcofago invece che all'aperto?»

Teabing scosse la testa. «Uno dei misteri di questa chiesa. Che io sappia, nessuno ha mai trovato la spiegazione.»

«Posso?» chiese il ragazzo che puliva la chiesa. Era arrivato all'improvviso e aveva l'aria preoccupata. «Scusate la scortesia, ma mi avete detto che volevate spargere delle ceneri e invece mi sembra che facciate i turisti.»

Teabing indirizzò un'occhiataccia al ragazzo e si rivolse a Langdon. «Signor Wren, a quanto pare la filantropia della sua famiglia non è sufficiente a concederci il tempo che ci occorre, perciò forse ci conviene spargere le ceneri e andarcene.» Si rivolse a Sophie. «Signora Wren?»

Sophie si prestò alla recita ed estrasse di tasca il cryptex avvolto nella pergamena.

«Allora» disse Teabing al ragazzo «ci vuole lasciare un attimo da soli?»

Il ragazzo non si mosse. Guardava Langdon con attenzione. «La sua faccia mi sembra familiare.»

Teabing sbuffò. «Forse perché il signor Wren viene qui tutti gli anni!»

"O forse" temeva Sophie "perché ha visto Langdon in televisione dal Vaticano lo scorso anno."

«Non ho mai incontrato il signor Wren» disse il ragazzo.

«Si sbaglia» intervenne educatamente Langdon. «Credo che ci siamo visti l'anno scorso, di passaggio. Padre Knowles non ci ha presentati, ma ho riconosciuto la sua faccia quando siamo arrivati. Adesso, comprendo che è una sorta di violenza che le facciamo, ma se mi potesse concedere ancora qualche minuto... Ho fatto un lungo viaggio per spargere quelle ceneri sulle tombe.» Langdon pronunciò queste frasi con un'aria di perfetta sincerità: una recita che non aveva nulla da invidiare a quella di Teabing.

Il ragazzo lo guardò con aria, se possibile, ancora più scettica. «Queste non sono tombe.»

«Scusi?» chiese Langdon.

«Ma certo che sono tombe» intervenne Teabing. «Che cosa intende dire?»

Il ragazzo scosse la testa. «Le tombe contengono dei corpi. Qui ci sono solo le statue, omaggi scolpiti in onore di uomini realmente vissuti. Non ci sono corpi sotto le statue.»

«Ma questa è la cripta!» esclamò Teabing.

«Solo nei vecchi libri di storia. Si credeva che fosse una cripta, ma durante i lavori del 1950 si è scoperto che non lo è affatto.» Si voltò verso Langdon. «Pensavo che il signor Wren lo sapesse, visto che è stata la sua famiglia a scoprire la vera natura delle statue.»

Scese un silenzio carico di imbarazzo, che venne interrotto dal rumore di una porta che sbatteva, proveniente dalla cappella a pianta rettangolare.

«Dev'essere padre Knowles» osservò Teabing. «Forse farebbe meglio ad andare a controllare.»

Il ragazzo non pareva molto convinto, ma uscì dalla cripta, lasciando Sophie, Langdon e Teabing a guardarsi con aria cupa.

«Leigh» sussurrò Langdon «non ci sono corpi? Che cosa intendeva dire?»

Teabing era confuso. «Non lo so. Ho sempre pensato che... ma certo, il posto deve essere questo. Non credo che sappia cosa dice. Tutto ciò non ha alcun senso!»

«Posso guardare la poesia?» chiese Langdon.

Sophie si tolse di tasca il cryptex e lo passò con cautela a Langdon.

Lo studioso srotolò la pergamena e tenne in una mano il cryptex mentre con l'altra reggeva il foglio. «Sì, la poesia parla chiaramente di una tomba, non di una statua.»

«Potrebbe sbagliarsi la poesia?» chiese Teabing. «Che Jacques Saunière abbia commesso il mio stesso errore?»

Langdon scosse la testa. «Leigh, l'hai detto tu stesso. Questa chiesa è stata costruita dai templari, il braccio militare del Priorato. Penso che il Gran Maestro del Priorato di Sion sapesse perfettamente se c'erano sepolti dei cavalieri.»

Teabing pareva colpito da un fulmine. «Ma questo posto è perfetto» ripeté. Tornò a guardare i cavalieri. «Dobbiamo avere trascurato qualche particolare...!»

Quando entrò nella cappella, il ragazzo notò con sorpresa che non c'era nessuno. «Padre Knowles?» "Eppure ho sentito il portone aprirsi" pensò, continuando a camminare finché non fu in grado di vedere l'ingresso.

Un uomo alto e magro con una giacca nera da cerimonia era fermo accanto al portone e si grattava con perplessità una tempia; pareva avere perso la strada. Il ragazzo sbuffò con irritazione, ricordandosi solo ora di non avere chiuso il portone quando aveva fatto entrare lo strano terzetto. Adesso questo patetico imbecille aveva trovato aperto ed era entrato per chiedere dove si celebrava qualche matrimonio, a giudicare dall'abbigliamento. «Mi dispiace» gli gridò, mentre passava accanto a una grossa colonna. «Siamo chiusi.»

Ci fu un rumore di passi dietro di lui e prima che il ragazzo riuscisse a girarsi, la testa gli venne tirata all'indietro, una mano robusta gli chiuse la bocca e soffocò il suo grido. La mano era bianca come la neve ed emanava odore di alcol.

L'uomo magro in abito da cerimonia sollevò un revolver molto piccolo e glielo puntò contro la fronte.

Il ragazzo sentì uno strano calore all'inguine e comprese di essersela fatta addosso.

«Ascolta bene» disse l'uomo magro. «Adesso esci da questa chiesa senza fare rumore e poi corri, corri senza più fermarti. Chiaro?»

Il ragazzo annuì come meglio poteva, dato che la mano gli bloccava la testa.

«Se chiami la polizia...» L'uomo gli appoggiò la rivoltella contro la fronte. «Ti troverò.»

Un attimo più tardi, il ragazzo correva lungo il cortile ed era certo di una cosa soltanto: non intendeva fermarsi finché le gambe l'avessero retto.

86

Come uno spettro, Silas scivolò silenziosamente dietro il suo bersaglio. Sophie Neveu se ne accorse quando ormai era troppo tardi. Prima che potesse girarsi, Silas le premette la pistola contro la schiena e avvolse un braccio robusto attorno al suo petto, tirandola contro di sé. La donna lanciò un grido per la sorpresa. Teabing e Langdon si voltarono di scatto, con aria spaventata e stupita.

«Cosa?» balbettò Teabing. «Che cos'hai fatto a Rémy?»

«Di una sola cosa dovete preoccuparvi» disse con calma Silas «che io esca di qui con la chiave di volta.» Quella "missione di recupero", come l'aveva chiamata Rémy mentre gli spiegava il suo compito, doveva essere un lavoro semplice e pulito: «Entri nella chiesa, prendi la chiave di volta ed esci; niente spari, niente lotte».

Tenendo ferma Sophie, Silas abbassò la mano e frugò nelle tasche della donna, alla ricerca del cryptex. Sentiva il profumo dei suoi capelli, mescolato all'odore di alcol del proprio respiro. «Dov'è?» le chiese. "Aveva la chiave di volta in tasca, poco fa. Dov'è adesso?"

«È qui» disse Langdon, dall'altra parte della stanza, con la sua voce profonda.

Silas si voltò e vide che aveva in mano il cryptex nero e lo muoveva avanti e indietro come un matador che volesse eccitare un animale particolarmente stupido.

«Lo appoggi per terra» ordinò Silas.

«Prima, Sophie e Leigh devono lasciare la chiesa» rispose Langdon. «Poi possiamo vedercela tra noi due.»

Silas allontanò da sé Sophie e puntò la pistola contro Langdon, poi si diresse verso di lui.

«Non un passo di più» disse Langdon «finché non avranno lasciato la chiesa.»

«Lei non è in una posizione che le permetta di fare richieste.»

«Non sono d'accordo» ribatté Langdon, sollevando il cryptex al di sopra della sua testa. «Non avrò alcuna esitazione a scagliarlo in terra in modo da rompere la fiala che c'è all'interno.»

Anche se esteriormente finse di farsi beffe della minaccia, Silas sentì un brivido di paura. Non aveva previsto quel rovesciamento di situazione. Puntò la pistola contro la testa di Langdon e mantenne la voce ferma come la mano. «Non sarebbe mai disposto a distruggere la chiave di volta. Lei desidera trovare il Graal tanto quanto lo voglio io.»

«Qui si sbaglia. Lei lo vuole molto di più. Come ha già dimostrato, lo desidera a tal punto da avere già ucciso.»

A quindici metri di distanza, nascosto in mezzo ai banchi della cappella, nei pressi dell'entrata della cripta, Rémy Legaludec era sempre più allarmato. L'incursione non era andata come previsto e, anche da quella posizione, capiva che Silas non sapeva come gestire la situazione. Per ordine del Maestro, Rémy aveva proibito a Silas di sparare.

«Li lasci andare» chiese nuovamente Langdon, sollevando ancora di più il cryptex al di sopra della propria testa e fissando la pistola di Silas.

Gli occhi rossi del monaco erano sempre più pieni di collera e di frustrazione; Rémy sentiva crescere la paura che Silas finisse per sparare a Langdon mentre teneva sollevato il cryptex. "Il cryptex non può cadere!"

Per Rémy, il cryptex era il biglietto che gli doveva procurare libertà e ricchezza. Un anno prima, egli era semplicemente un maggiordomo cinquantacinquenne che abitava tra le pareti di Château Villette, provvedendo ai capricci di un insopportabile invalido. Poi gli era stata fatta un'offerta straordinaria. Il suo servizio presso sir Leigh Teabing – il più grande studioso del Graal che esistesse al mondo – gli avrebbe portato tutto quello che aveva sempre desiderato dalla vita. Da allora, ogni istante da lui trascorso all'interno di Château Villette lo aveva avvicinato al momento che stava vivendo adesso.

"Sono così vicino al traguardo" si disse Rémy, osservando all'interno della cripta la chiave di volta in mano a Robert Langdon. Se lo studioso l'avesse lasciata cadere, Rémy avrebbe perso tutto.

"Sono disposto a mostrarmi?" Il Maestro glielo aveva proibito, perché Rémy era il solo che conoscesse la sua identità.

«È sicuro di volere che questo compito sia portato a termine da Silas?» aveva chiesto al Maestro, meno di mezz'ora prima, quando aveva ricevuto l'ordine di rubare la chiave di volta. «Posso farlo io.»

Ma il Maestro era deciso. «Silas ci ha servito bene nel sistemare i quattro membri del Priorato. Recupererà la pietra. Tu non devi farti vedere. Se qualcuno ti riconoscerà, dovrà essere eliminato, e ci sono stati già troppi omicidi. Non rivelare la tua faccia.»

"La mia faccia cambierà" aveva pensato Rémy. "Con quello che hai promesso di pagarmi, diventerò un uomo completamente nuovo." La chirurgia poteva persino cambiare le sue impronte digitali, gli aveva detto il Maestro. Presto sarebbe stato libero. Una delle tante facce belle e irriconoscibili che prendevano il sole sulla spiaggia. «D'accordo» aveva detto Rémy. «Aiuterò Silas tenendomi nell'ombra.»

«Per tua informazione, Rémy» gli aveva detto il Maestro «la tomba in questione non è in Temple Church. Perciò, non avere paura. Stanno cercando nel posto sbagliato.»

Rémy era rimasto stupefatto. «E lei sa dove si trova la tomba?»

«Certo. In seguito te lo dirò. Per il momento devi agire in fretta. Se gli altri arrivassero a scoprire la vera ubicazione della tomba e lasciassero la chiesa prima che tu ti impadronisca del cryptex, potremmo perdere per sempre il Graal.»

A Rémy non importava nulla del Graal, a parte il fatto che il Maestro si rifiutava di pagarlo finché non l'avesse trovato. Rémy si sentiva girare la testa ogni volta che pensava al denaro che gli sarebbe toccato. "Un terzo di venti milioni di euro. Quanto basta per sparire per sempre." Rémy già sapeva come impiegarli: andando a vivere nelle città balneari della Costa

Azzurra, dove avrebbe trascorso le sue giornate a crogiolarsi al sole e a farsi servire dagli altri, tanto per cambiare.

Adesso, però, nella chiesa del Tempio, con Langdon che minacciava di infrangere la chiave di volta, il futuro di Rémy correva un grave rischio. Incapace di sopportare l'idea di essere arrivato tanto vicino al traguardo per poi perdere tutto, Rémy decise di intervenire. La pistola che aveva in pugno era una Medusa dalla canna corta e di piccolo calibro, che si poteva nascondere nella mano, ma assolutamente efficace a distanza ravvicinata.

Rémy uscì dall'ombra ed entrò nella cripta circolare. Puntò la pistola contro la testa di Teabing e disse: «Vecchio mio, da un mucchio di tempo aspettavo di poterlo fare».

Il cuore di sir Leigh Teabing si fermò per un istante, quando vide comparire Rémy, con una pistola puntata contro di lui. "Che cosa sta facendo?" Riconobbe il piccolo revolver: era il suo, quello che, per sicurezza, teneva nel vano del cruscotto.

«Rémy?» balbettò Teabing, traumatizzato. «Che succede?»

Langdon e Sophie erano altrettanto sconvolti.

Rémy si portò alle spalle di Teabing e gli piantò la pistola nella schiena, in alto e a sinistra, direttamente dietro il cuore.

Teabing sentiva i muscoli tremare per il terrore. «Rémy, io non...»

«Mettiamola nel modo più semplice» disse seccamente Rémy, fissando Langdon da dietro la spalla di Teabing. «Lei posi a terra la chiave di volta, altrimenti premo il grilletto.»

Langdon pareva paralizzato. «La chiave di volta è priva di valore per lei» balbettò. «Non vedo come possa aprirla.»

«Imbecilli arroganti» disse ridendo Rémy. «Non ha notato come ho ascoltato tutto, mentre parlavate di quelle poesie? Tutto quello che ho sentito l'ho già comunicato ad altri. Persone che ne sanno più di voi. Non state neppure cercando nel posto giusto. La tomba che cercate è da tutt'altra parte!»

Teabing si sentì prendere dal panico. "Che cosa dice?"

«Perché vuole il Graal?» chiese Langdon. «Per distruggerlo? Prima della Fine dei Giorni?»

Rémy si rivolse al monaco. «Silas, prendi al signor Langdon la chiave di volta.»

Mentre il monaco si avvicinava, Langdon fece un passo indietro e piegò il braccio, pronto a scagliare il cryptex sul pavimento. «Preferisco distruggerlo che vederlo finire nelle mani sbagliate!»

Teabing inorridì. Vedeva il lavoro di tutta la sua vita evaporare davanti ai suoi occhi. Tutti i suoi sogni stavano per essere infranti. «Robert, no!» esclamò. «Non farlo! Quello che hai in mano è il Graal! Rémy non mi sparerebbe mai! Ci conosciamo da dieci...»

Rémy mirò al soffitto e fece partire un colpo. Per un'arma così piccola, l'esplosione fu enorme. Lo sparo echeggiò come il tuono nella piccola camera di pietra.

Tutti si immobilizzarono.

«Non ho voglia di giocare» disse Rémy rivolto a Langdon. «Il prossimo colpo è nella sua schiena. Dia la chiave di volta a Silas.»

Con riluttanza, Langdon porse il cryptex all'albino. Silas fece un passo avanti e lo prese. I suoi occhi rossi brillavano per il piacere della vendetta. Si infilò in tasca il cryptex, poi indietreggiò in direzione dell'uscita, continuando a tenere di mira Langdon e Sophie.

Teabing sentì il braccio di Rémy stringergli il collo; il maggiordomo lo portò via con sé, continuando a puntargli la pistola contro la schiena.

«Lo lasci» gli chiese Langdon.

«Portiamo sir Leigh a fare una passeggiata» disse Rémy. «Se chiamate la polizia, morirà. Se cercherete di fermarci, morirà. Chiaro?»

«Porti via me» disse Langdon, con la voce incrinata dalla tensione. «Lasci andare Leigh.»

Rémy rise. «Penso proprio di no. Io e lui siamo stati insieme per tanto tempo. Inoltre, ci può ancora essere utile.»

Silas continuò a indietreggiare e Rémy trascinò Leigh verso l'uscita, con le grucce che strisciavano sul pavimento.

Sophie chiese con voce ferma: «Per chi lavora, Rémy?».

Alla domanda, il maggiordomo le rivolse un sorriso ironico. «Sarebbe davvero una sorpresa per voi, Mademoiselle Neveu.»

87

Il caminetto della sala di Château Villette era ormai freddo, ma Collet continuava a passeggiare di fronte, avanti e indietro, mentre leggeva i fax dell'Interpol.

Nessuna delle informazioni che si aspettava.

André Vernet, secondo i documenti, era un cittadino modello. Nessuna segnalazione della polizia, neppure per una multa. Aveva studiato alla Sorbona e si era laureato con lode in finanza internazionale. L'Interpol riferiva che il nome di Vernet era comparso di tanto in tanto sui giornali, ma sempre sotto una luce estremamente positiva. A quanto pareva, l'uomo aveva aiutato a progettare i sistemi che mantenevano la Banca deposito di Zurigo all'avanguardia nel mondo ultramoderno della sicurezza elettronica. La sua carta di credito indicava una propensione per i libri d'arte, i vini costosi e i CD di musica classica – soprattutto Brahms – che ascoltava su un impianto stereo di altissima fedeltà acquistato anni prima.

"Zero" concluse Collet, con un sospiro.

L'unica segnalazione interessante che fosse giunta dall'Interpol erano le impronte appartenenti al servitore di Teabing. Il capo della squadra della Scientifica era intento a leggere il rapporto, seduto in una comoda poltrona dall'altra parte della stanza.

Collet si avvicinò. «Niente?»

Il tecnico si strinse nelle spalle. «Le impronte appartengono a Rémy Legaludec. Ricercato per piccoli reati. Niente di molto grave. Pare sia stato espulso dall'università perché aveva modificato i collegamenti della sua centralina per non pagare le telefonate. Più tardi qualche piccolo furto con scasso. Una volta non ha pagato un conto d'ospedale, per un intervento d'urgenza. Una tracheotomia.» Rise. «Allergia alle arachidi!»

Collet annuì. Ricordava un'indagine su un ristorante che non aveva scritto sul menu l'impiego dell'olio di arachidi nella salsa piccante. Un ignaro cliente era morto in pochi minuti per lo shock anafilattico dopo una sola forchettata.

«Probabilmente, Legaludec è venuto a lavorare qui per evitare di essere scoperto.» L'esaminatore pareva divertito. «Non è la sua notte fortunata.»

Collet sospirò. «Bene, passa l'informazione al capitano Fache.»

Il tecnico si allontanò mentre un altro agente della scientifica entrava di corsa. «Tenente, abbiamo trovato qualcosa nella scuderia!»

Scorgendo l'espressione ansiosa dell'agente, Collet chiese subito: «Un cadavere?».

«No, signore. Qualcosa di...» Esitò. «Imprevedibile.»

Massaggiandosi gli occhi, Collet l'accompagnò fino alla scuderia. Quando furono nel suo interno cavernoso, l'agente gli indicò il centro della costruzione, dove si scorgeva una scaletta di legno, appoggiata al bordo di un fienile sopra di loro.

«Questa scala non l'ho vista, quando siamo venuti qualche ora fa» osservò Collet.

«No, signore. L'ho portata io. Cercavamo impronte sulla Rolls quando ho visto la scala. Non me ne sarei interessato se non avessi notato che i pioli erano consumati e sporchi di fango. La scala è stata usata regolarmente, fino a poco tempo fa. L'altezza del fienile corrisponde a quella della scala, così sono salito a dare un'occhiata.»

Lo sguardo di Collet corse alla scala e al fienile, alto sopra di loro. "Qualcuno sale regolarmente lassù?" Da dove si trovava il tenente, la piattaforma sopra i box delle auto sembrava deserta, ma gran parte della sua superficie non era visibile da terra.

Un agente scelto della Scientifica si affacciò dal fienile e guardò in basso. «Tenente, deve vedere cosa c'è qui sopra» disse. Con la mano – ancora infilata in un guanto di lattice di gomma – fece segno a Collet di salire.

Questi annuì senza grande entusiasmo e cominciò a salire. La scala era molto vecchia e si restringeva a mano a mano che saliva. Quando era quasi arrivato, Collet scivolò su uno dei pioli e rischiò di cadere; per un istante la scuderia girò attorno a lui. Proseguì con maggiore cautela e alla fine giunse in cima. L'agente sopra di lui gli tese la mano per farlo salire sulla piattaforma.

«Di qua» disse l'uomo, indicando il fondo del fienile. Collet notò che la superficie era perfettamente pulita: non c'era una macchia né una pagliuzza. «Quassù c'è solo una serie di impronte. Presto avremo l'identificazione.»

Collet cercò di scorgere qualcosa nell'oscurità. "Che diavolo?" Accanto alla parete si scorgeva un complesso impianto di computer e altre apparecchiature elettroniche: due grosse unità tower, uno schermo a cristalli liquidi con altoparlanti, una fila di hard disk esterni e un quadro di controllo audio che pareva avere una sua alimentazione separata.

"Perché diavolo venire a lavorare quassù?" Collet si avvicinò. «Ha esaminato il sistema?»

«È una postazione di ascolto.»

Collet si girò verso l'agente. «Sorveglianza?»

L'agente annuì. «Sorveglianza, e molto sofisticata.» Indicò un tavolo coperto di apparecchiature elettroniche, manuali, utensili, cavi, saldatori e altra minuteria. «Qualcuno che conosce il fatto suo, ovviamente. Gran parte di questa attrezzatura è al livello di quella che usiamo noi per le intercettazioni ambientali: microfoni miniaturizzati, cellule fotoelettriche per la ricarica, chip di memoria ad alta capacità. Ha persino qualcuno dei recenti nanodrive.»

Collet era sempre più impressionato.

«Questo è un sistema completo» continuò l'agente, passando a Collet un'apparecchiatura larga pochi centimetri, da cui pendeva un filo lungo un palmo, che terminava con un foglio di alluminio grosso come un francobollo. «L'apparecchio è un sistema di registrazione audio, con un hard disk ad alta capacità e batterie ricaricabili. Il foglietto di alluminio in fondo al filo è nello stesso tempo il microfono e la cellula che ricarica le batterie.»

Collet conosceva quegli apparecchi. Le fotocellule microfono erano state un grande passo in avanti, qualche anno prima, e oggi si poteva nascondere un registratore con hard disk dietro una lampada, per esempio, e occultare il microfono su qualche punto dello stesso colore, per impedire che lo si notasse. Se il microfono assorbiva qualche ora di luce ogni giorno, la fotocellula ricaricava l'intero sistema. Quel tipo di apparecchio per l'intercettazione poteva continuare a funzionare per anni.

«Metodo di ricezione?» chiese Collet.

L'agente gli indicò un cavo coassiale che usciva dal computer, saliva sulla parete e infine usciva attraverso un foro sul soffitto. «Onde radio. C'è un'antenna sul tetto.»

Collet sapeva che quei sistemi di registrazione venivano in genere installati negli uffici. Erano attivati dalla voce per risparmiare lo spazio nell'hard disk e registravano brevi conversazioni per tutto il giorno, poi, per evitare di essere scoperti, trasmettevano durante la notte i file compressi. Dopo la trasmissione, l'hard disk si cancellava per essere pronto alle registrazioni del giorno seguente.

Collet ora scorse uno scaffale dove erano conservate parecchie centinaia di cassette audio, tutte etichettate con date e numeri. "Qualcuno deve essersi dato molto da fare, con quell'impianto." Si rivolse all'agente. «Ha idea di chi fosse la persona intercettata?»

«Be', tenente» disse l'uomo. Si accostò al computer e aprì un programma. «Questa è proprio la cosa più strana.»

88

Langdon si sentiva completamente esaurito mentre scendevano nella stazione di Temple della metropolitana, superavano la barriera e si immergevano nel labirinto di gallerie e piattaforme. La colpa minacciava di schiacciarlo.

"Ho coinvolto Leigh, e adesso rischia la vita."

La comparsa di Rémy era stata uno shock, ma aveva perfettamente senso. Coloro che cercavano il Graal avevano reclutato una persona all'interno. "Hanno cercato Teabing per lo stesso motivo per cui l'abbiamo cercato noi." Nel corso dei secoli, coloro che avevano conoscenze sul Graal avevano sempre attirato non solo gli studiosi, ma anche i ladri. Il fatto che Teabing fosse un bersaglio prevedibile avrebbe dovuto alleggerire i sensi di colpa di Langdon, ma non fu così. "Dobbiamo trovare Leigh per aiutarlo. Immediatamente." Langdon seguì Sophie fino alla banchina della linea District and Circle diretta a ovest, e laggiù la donna corse a un telefono pubblico per chiamare la polizia, nonostante l'ordine di Rémy che glielo vietava. Langdon si sedette su una panca a poca distanza, oppresso dal rimorso.

«Il miglior modo per aiutare Leigh» ripeté Sophie mentre componeva il numero «è di chiamare immediatamente la polizia. Fidati.»

All'inizio, Langdon non era d'accordo con quel piano, ma presto la logica di Sophie l'aveva convinto. Teabing non correva un pericolo immediato, almeno per ora. Anche se Rémy e i suoi sapevano dov'era collocata la tomba del cavaliere, avevano bisogno dello storico per decifrare il riferimento alla sfera mancante. Piuttosto, Langdon era preoccupato di quel che sarebbe successo dopo avere trovato la mappa del Graal. "Leigh diventerà un pericolo per loro."

Se Langdon voleva aiutare Leigh e recuperare la chiave di volta, era essenziale che trovasse la tomba prima di loro. "E purtroppo Rémy è partito molto prima di me."

Sophie si era assunta il compito di rallentare Rémy.

Langdon quello di trovare la tomba.

Sophie si sarebbe servita della polizia londinese per trasformare Rémy e Silas in due fuggitivi: la polizia li avrebbe costretti a nascondersi o, meglio ancora, li avrebbe catturati. Il piano di Langdon, invece, era alquanto più vago. Prendere la metropolitana per recarsi al King's College, che era rinomato per il suo archivio elettronico di testi sulla religione. "Il non plus ultra per le ricerche" Langdon l'aveva sentito definire. "Immediata risposta a qualunque domanda sulla storia delle religioni." Si chiedeva che cosa gli avrebbe rivelato il famoso archivio su un "cavaliere sepolto da un papa".

Si alzò e camminò avanti e indietro dinanzi alla cabina telefonica, augurandosi che il treno arrivasse in fretta.

Al telefono, Sophie riuscì finalmente ad avere la comunicazione con la polizia di Londra.

«Divisione di Snow Hill» rispose il centralinista. «Chi posso passarle?»

«Voglio denunciare un rapimento.» Sophie sapeva di dover essere concisa.

«Il suo nome, prego?»

Un attimo di esitazione. «Agente Sophie Neveu della polizia giudiziaria francese.»

Il riferimento alla polizia francese ottenne l'effetto desiderato. «Subito, signora. Le passo un agente investigativo.»

Mentre aspettava la comunicazione, Sophie si chiese se la polizia avrebbe creduto alla sua descrizione delle persone che avevano catturato Teabing. "Un uomo con la giacca nera da cameriere." In ogni caso, anche se si fosse cambiato d'abito, Rémy era in compagnia di un monaco albino. "Impossibile non notarlo." Inoltre, avevano con loro un ostaggio e non potevano servirsi dei mezzi pubblici. Si chiese quante limousine

Jaguar nere con le gomme bianche circolassero in quel momento per Londra.

L'agente investigativo non rispondeva. "Fate in fretta!" Sentiva solo qualche brusio e qualche scatto, come se la telefonata venisse trasferita da un ufficio all'altro.

Passarono quindici secondi.

Alla fine si udì una voce maschile. «Agente Neveu?»

Stupefatta, Sophie riconobbe il tono brusco.

«Agente Neveu» ripeté Bezu Fache. «Dove diavolo si è cacciata?»

Sophie era senza parole. Evidentemente il capitano aveva chiesto che gli passassero eventuali telefonate, se l'agente Neveu avesse chiamato.

«Senta» le disse Fache, in francese. «Questa notte ho commesso un terribile errore. Robert Langdon è innocente. Le accuse contro di lui sono state ritirate. Però, tutt'e due siete in pericolo, dovete venire qui.»

Sophie rimase a bocca aperta, non seppe come rispondere. Bezu Fache aveva la fama di non avere mai chiesto scusa a nessuno.

«Non mi aveva informato» continuava Fache «che Jacques Saunière era suo nonno. Ritengo giusto ignorare la sua insubordinazione della scorsa notte, visto lo stress che la notizia le deve avere procurato. Al momento, però, lei e Langdon dovete rifugiarvi nella più vicina stazione di polizia londinese per farvi proteggere.»

"Sa che siamo a Londra? Cos'altro sa, Fache?" In sottofondo, Sophie sentiva rumore di attrezzi da meccanico, come se qualcuno usasse un trapano. Inoltre, dalla linea giungevano scatti sospetti. «Che fa, capitano, cerca di rintracciare la chiamata?»

Fache riprese il tono di voce abituale. «Noi due dobbiamo collaborare, agente Neveu. Entrambi abbiamo molto da perdere. Semplice limitazione dei danni. La scorsa notte ho commesso un errore nell'interpretare alcuni indizi, ma se questo errore dovesse condurre alla morte di un professore americano e di un'agente del dipartimento di Crittologia, la mia carriera sarebbe finita. Da alcune ore vi cerco per mettervi in un luogo sicuro.»

Sulla banchina soffiava ora un vento caldo: il treno si avvicinava sferragliando e Sophie aveva tutte le intenzioni di non aspettarne un altro. Langdon evidentemente aveva la stessa idea; si avvicinava a lei.

«L'uomo che lei cerca è Rémy Legaludec» disse in fretta Sophie. «Il maggiordomo di Teabing. Ha appena rapito Teabing all'interno di Temple Church.»

«Agente Neveu!» urlò Fache mentre il treno si fermava in stazione. «Non sono cose da discutere su una linea non sicura. Lei e Langdon dovete presentarvi alla polizia. Per il vostro bene! È un ordine!»

Sophie agganciò e corse verso il treno, seguita da Langdon.

89

L'immacolata cabina dell'Hawker di Teabing era adesso coperta di trucioli di acciaio e puzzava di aria compressa e di gas propano. Bezu Fache aveva mandato via tutti e sedeva da solo, in compagnia del bicchiere di liquore e del pesante cofanetto di legno trovato nella cassaforte di Teabing.

Passò il dito sull'intarsio della rosa e sollevò il coperchio. All'interno trovò un cilindro con cinque anelli su cui era inciso l'alfabeto. Gli anelli erano regolati in modo da comporre il nome SOFIA. Fache lo fissò per un momento, sollevò il cilindro dall'imbottitura che lo teneva fermo e ne esaminò ogni centimetro. Poi, tirando piano le estremità, lo aprì. Il cilindro era vuoto.

Fache lo posò di nuovo nel cofanetto e guardò distrattamente dal finestrino, pensando alla breve conversazione con Sophie e alle informazioni ricevute dalla Scientifica sulle indagini a Château Villette. Ad allontanarlo da quelle riflessioni sopraggiunse lo squillo del telefono.

Era il centralino della polizia giudiziaria. L'impiegato si scusava ma il presidente della Banca deposito di Zurigo continuava a chiamare e, anche se tutte le volte gli dicevano che il capitano era a Londra per le indagini, lui insisteva. A malincuore, Fache lo autorizzò a passarglielo.

«Monsieur Vernet» gli disse, ancora prima che l'uomo riuscisse a parlare «mi scuso per non averle telefonato, sono stato occupatissimo. Come promesso, il nome della sua banca non è stato comunicato ai giornalisti. Perciò, qual è esattamente la sua preoccupazione?»

Con voce ansiosa, il banchiere riferì come Langdon e Sophie avessero prelevato dalle cassette di sicurezza un cofanetto di legno e l'avessero convinto ad aiutarli a uscire dalla banca. «Poi, quando ho sentito alla radio che erano due criminali» spiegò Vernet «mi sono fermato e ho chiesto di restituire il cofanetto, ma mi hanno aggredito e hanno rubato il furgone.»

«Lei è preoccupato per un cofanetto» disse Fache, osservando la rosa sul coperchio e poi aprendolo per osservare il cilindro bianco. «Ma mi sa dire che cosa conteneva?»

«Il contenuto non ha importanza» ribatté Vernet. «Mi preoccupa la reputazione della mia banca. Non abbiamo mai subito un furto, mai. Sarà la nostra rovina se non riuscirò a recuperare quel bene di un mio cliente.»

«Ha detto che l'agente Neveu e Robert Langdon avevano la chiave e il numero segreto. Che cosa le fa pensare che abbiano rubato il cofanetto?»

«Hanno ucciso delle persone, questa notte. Compreso il nonno di Sophie Neveu. Chiave e numero sono stati chiaramente sottratti indebitamente.»

«Signor Vernet, i miei uomini hanno controllato i suoi precedenti e i suoi interessi. Lei è ovviamente un uomo raffinato e di grande cultura. Immagino che sia anche un uomo d'onore. Come lo sono io. Premesso questo, le do la mia parola di capo della Police judiciaire che il suo cofanetto, come la reputazione della sua banca, sono in mani sicure. Le più sicure che esistano.»

90

Nel fienile di Château Villette, Collet guardò con stupore il monitor. «Questa apparecchiatura spia in *tutti* quei posti?»

«Sì» confermò l'agente. «Pare che abbiano raccolto i dati per più di un anno.»

Collet lesse di nuovo la lista. Era senza fiato.

COLBERT SOSTAQUE – Presidente della Corte costituzionale
JEAN CHAFFÉE – Curatore della Galleria del Jeu de Paume
EDOUARD DESROCHERS – Archivista capo della Biblioteca Mitterrand
JACQUES SAUNIÈRE – Curatore del Museo del Louvre
MICHEL BRETON – Direttore del DAS (Servizi segreti francesi)

L'agente indicò lo schermo. «Il quarto è di ovvio interesse per noi.»

Collet annuì. L'aveva notato immediatamente. Jacques Saunière era sorvegliato. Rilesse gli altri nomi nella lista. "Come possono essere riusciti a spiare persone così importanti?" «Ha provato ad ascoltare qualcuna delle registrazioni audio?»

«Qualcuna. Ecco una delle più recenti.» L'agente batté alcuni tasti. Una voce uscì dagli altoparlanti. «*Capitaine, un agent du Département de Cryptologie est arrivé.*»

Collet non riusciva a credere alle proprie orecchie. «Ma quello sono io! È la mia voce!» Ricordava benissimo: sedeva alla scrivania di Saunière e aveva chiamato Fache nella Grande Galleria per avvertirlo dell'arrivo di Sophie Neveu.

L'agente annuì. «Volendo, si potrebbe ascoltare gran parte delle nostre indagini di questa notte al Louvre.»

«Ha mandato qualcuno a cercare il microfono?»

«Non ce n'è bisogno. So perfettamente dov'è.» Si alzò e andò a frugare in mezzo a una pila di fogli sul tavolo di lavoro. Trovò una pagina e la passò a Collet. «Le sembra familiare?»

Il tenente era stupito. Era la fotocopia di un vecchio manoscritto con il disegno di una macchina rudimentale. Non si riusciva a leggere le scritte in italiano, ma l'oggetto era perfettamente riconoscibile. Il modellino articolato di un cavaliere medievale francese.

"Il modellino sulla scrivania di Saunière!"

Collet osservò i margini del foglio, dove qualcuno aveva scritto alcune annotazioni con un pennarello rosso. Le annotazioni erano in francese e parevano indicare il modo per inserire all'interno del cavaliere un dispositivo d'ascolto.

91

Silas sedeva accanto al guidatore, nella limousine parcheggiata vicino a Temple Church. Teneva sulle ginocchia la chiave di volta, mentre Rémy, nel vano per i passeggeri, legava e imbavagliava Teabing con la corda trovata del bagagliaio. Il monaco aveva le mani sudate per la tensione.

Alla fine, Rémy scese dall'auto e risalì per mettersi al posto di guida.

«È ben legato?» chiese Silas.

Rémy rise, passò la mano sulla fronte bagnata dalla pioggia e si girò a guardare, al di là del divisorio abbassato, la forma di Leigh Teabing, legato come un fagotto e a malapena visibile nella penombra. «Non andrà da nessuna parte.»

Silas sentì le grida soffocate di Teabing e capì che l'ex maggiordomo aveva usato il nastro adesivo per impedirgli di parlare.

«*Ferme ta gueule!*» gridò Rémy, rivolto al suo ex padrone. Allungò la mano verso il cruscotto e premette un pulsante. Il séparé opaco si alzò dietro di loro, isolandoli dal vano passeggeri. Teabing scomparve e la sua voce non si udì più. Rémy si rivolse a Silas. «Ho ascoltato fin troppo a lungo le sue miserabili lamentele.»

Qualche minuto più tardi, quando la limousine correva già per la strada, il telefono di Silas suonò. "Il Maestro." Rispose con eccitazione. «Pronto?»

«Silas» gli disse l'uomo, con il suo familiare accento francese «sono lieto di sentire la tua voce. Significa che sei al sicuro.»

Silas era altrettanto lieto di udire il Maestro. Erano passate ore e l'operazione aveva preso una direzione imprevista. Adesso, finalmente, sembrava tornata sul giusto binario. «Ho la chiave di volta.»

«È una notizia stupenda» gli disse il Maestro. «Sei con Rémy?»

Silas si stupì che il Maestro chiamasse per nome il francese. «Sì. È stato lui a liberarmi.»

«Gliel'ho ordinato io. Mi dispiace che tu sia rimasto prigioniero così a lungo.»

«Il disagio fisico non ha importanza. L'essenziale è che la chiave di volta sia nostra.»

«Sì. Devo averla quanto più in fretta possibile. Il tempo è decisivo.»

Silas era ansioso di incontrare il Maestro. «Certo, signore, sarà un onore per me.»

«Silas, voglio che sia Rémy a portarmela.»

"Rémy?" Silas non riusciva a comprendere. Dopotutto quello che aveva fatto per lui, si aspettava di avere l'onore di portargli l'oggetto desiderato. "Il Maestro preferisce Rémy?"

«Intuisco la tua delusione» disse il Maestro «ma essa mi rivela che non hai capito.» Abbassò la voce. «Vedi, preferirei di gran lunga ricevere la chiave di volta da te, da un uomo di Dio, anziché da un criminale, ma devo provvedere a Rémy. Ha disobbedito ai miei ordini e ha commesso un grave errore che ha messo in pericolo l'intera missione.»

Silas sentì un brivido e lanciò un'occhiata a Rémy. Il rapimento di Teabing non faceva parte del piano, e decidere che cosa fare dello storico poneva un ulteriore problema.

«Noi due siamo uomini di Dio» soggiunse il Maestro. «Non possiamo essere distolti dalla nostra meta.» Una pausa che non prometteva niente di buono per Rémy. «Solo per questo motivo, chiederò a lui di portarmi la chiave di volta. Capisci?»

Silas sentì la collera nella voce del Maestro e si stupì che non mostrasse maggiore comprensione. "Non poteva evitare di mostrarsi" pensò Silas. "Rémy ha fatto quello che doveva fare. Ha salvato la chiave di volta." «Capisco» riuscì a dire.

«Bene. Per la tua sicurezza, è meglio che tu ti nasconda immediatamente. Presto la polizia cercherà l'auto e non voglio che tu sia catturato. L'Opus Dei ha una sede a Londra, vero?»

«Naturale.»

«E tu sei il benvenuto, lì?»

«Come ogni confratello.»

«Allora, va' laggiù e non farti vedere in giro. Ti chiamerò non appena sarò entrato in possesso della chiave di volta e avrò risolto il mio attuale problema.»

«Lei è a Londra?»

«Fa' come ti ho detto e tutto andrà nel modo migliore.»

«Certo, signore.»

Il Maestro trasse un respiro, come se quello che stava per fare fosse profondamente spiacevole. «È ora che io parli a Rémy.»

Silas passò il telefono a Rémy ed ebbe l'impressione che fosse l'ultima telefonata che l'uomo avrebbe ricevuto.

Nel prendere da lui il telefono, Rémy pensò che quel povero monaco imbecille non aveva idea del destino che gli sarebbe toccato, adesso che non era più di alcuna utilità. "Il Maestro ti ha usato, Silas. E il tuo vescovo è solo una pedina in mano sua."

Rémy continuava a meravigliarsi per la capacità di persuasione del Maestro. Il vescovo Aringarosa aveva creduto a tutto. Era stato accecato dalla propria disperazione. "Aringarosa era troppo ansioso di credergli." Anche se non amava particolarmente il Maestro, Rémy era orgoglioso di godere della sua fiducia e di avergli dato un aiuto concreto. "Mi sono guadagnato la mia paga."

«Ascolta con attenzione» gli disse il Maestro. «Porta Silas alla sede dell'Opus Dei e lascialo a un paio di strade di distanza. Poi raggiungi St James's Park. È vicino al Parlamento e al Big Ben. Puoi parcheggiare la vettura nella Horse Guards Parade. Ci vedremo laggiù.»

Detto questo, il collegamento venne interrotto.

Il King's College, fondato da re Giorgio IV nel 1829, ospita il suo dipartimento di Teologia e studi religiosi nei pressi del Parlamento, su un terreno concesso in uso dalla Corona. Oltre a vantare centocinquant'anni di esperienza nell'insegnamento e nella ricerca, il dipartimento ha fondato nel 1982 l'istituto di ricerca di Teologia sistematica, che possiede una delle biblioteche elettroniche più complete e aggiornate del mondo.

Langdon era ancora scosso quando lui e Sophie lasciarono la strada bagnata dalla pioggia ed entrarono nella biblioteca. La sala principale per le ricerche era come Teabing l'aveva descritta: una camera ottagonale dominata da un'enorme tavola rotonda che sarebbe piaciuta a re Artù e ai suoi cavalieri, se non avessero badato alla presenza di dodici terminali di computer con lo schermo a cristalli liquidi. In fondo alla sala, la bibliotecaria si stava versando una tazza di tè e si preparava al lavoro della giornata.

«Buongiorno» disse loro, con un allegro accento britannico, lasciando il tè e avvicinandosi. «Posso aiutarvi?»

«Grazie, sì» rispose Langdon. «Sono...»

«Robert Langdon» gli disse la bibliotecaria, sorridendo. «L'ho riconosciuta.»

Per un istante, lo studioso temette che Fache avesse fatto trasmettere la sua fotografia anche dalla televisione inglese, ma il sorriso della bibliotecaria smentiva questa ipotesi. Langdon non si era ancora abituato a quei momenti di celebrità inattesa. Però, se qualcuno era in grado di riconoscerlo, non poteva che essere una bibliotecaria specializzata in studi religiosi.

«Pamela Gettum» si presentò la donna, tendendogli la mano. Aveva una faccia simpatica, un'aria molto erudita e una voce gradevole. Appeso al collo portava un paio di occhiali dalle lenti spesse.

«Piacere mio» rispose Langdon. «Le presento la mia amica Sophie Neveu.»

Le due donne si diedero la mano, poi Gettum si rivolse a Langdon. «Non sapevo che lei dovesse venire qui.»

«Neanche noi. Se non le diamo troppo fastidio, ci servirebbe il suo aiuto per trovare un'informazione.»

Per un attimo, la donna parve leggermente imbarazzata. «Di solito il nostro servizio è solo su richiesta e dietro appuntamento. A meno che, naturalmente, lei non sia ospite di qualcuno del college.»

Langdon scosse la testa. «Temo che siamo arrivati senza avvertire. Un mio amico, sir Leigh Teabing, ci ha parlato molto bene di voi.» Langdon sentì una fitta di dolore nel pronunciare il nome. «Lo storico reale.»

Gettum scoppiò a ridere. «Santo cielo, certo! Che personaggio, un vero fanatico! Ogni volta che viene, la sua ricerca è sempre la stessa. Graal. Graal. Graal. Penso che neppure in punto di morte rinuncerebbe a quella ricerca.» Gli strizzò un occhio. «Il tempo e il denaro permettono questi piacevoli lussi, non crede? Un vero Don Chisciotte, in quel campo!»

«Ci può aiutare?» chiese Sophie. «È una cosa importante.»

Gettum si guardò attorno, nella biblioteca deserta, e strizzò l'occhio a tutt'e due. «Be', non posso dire di avere troppo lavoro, vero? Se mi compilate la richiesta, non credo che nessuno abbia qualcosa da dire. Che cosa cercate?»

«Dobbiamo trovare una tomba, a Londra.»

La donna non parve molto ottimista. «Ne abbiamo circa ventimila. Avete qualche informazione in più?»

«È la tomba di un cavaliere, ma non sappiamo il suo nome.»

«Un cavaliere. Questo restringe notevolmente la ricerca. Molto meno comuni.»

«Non abbiamo molte informazioni» disse Sophie «ma sappiamo questo.» Mostrò un foglio di carta su cui aveva scritto solo i primi due versi.

Non volendo rivelare l'intera poesia a un estraneo, Langdon e Sophie avevano deciso di far vedere solo quei versi che si riferivano al cavaliere. Sophie l'aveva chiamata "crittoanalisi a compartimenti". Quando un servizio di controspionaggio intercettava un messaggio in codice contenente dati riservati, ciascun analista lavorava su una parte del messaggio. Così, una volta risolto, nessuno di loro era a conoscenza dell'intero testo.

In quel caso la precauzione era forse eccessiva. Anche se la bibliotecaria avesse letto l'intera poesia, avesse individuato la tomba e avesse saputo che sfera mancava, l'informazione sarebbe stata inutile senza il cryptex.

Gettum aveva notato l'ansia del famoso studioso americano, come se trovare rapidamente quella tomba fosse una questione di vita o di morte. Anche la donna dagli occhi verdi che lo accompagnava pareva preoccupata.

Incuriosita, si infilò gli occhiali e lesse il foglio che le avevano passato.

> *In London lies a knight a Pope interred.*
> *His labor's fruit a Holy wrath incurred.*

Rivolse un'occhiata ai suoi ospiti. «Che cos'è? Una nuova caccia al tesoro accademica inventata a Harvard?»

Langdon si sforzò di ridere. «Sì, qualcosa del genere.»

Gettum rimase in silenzio per un istante, con l'impressione che non le avessero raccontato tutta la storia. Tuttavia, la cosa la incuriosiva; rifletté attentamente sulla poesia. «Secondo questi versi, un cavaliere ha fatto qualcosa che ha destato la collera di Dio ma un papa ha avuto la gentilezza di lasciarlo seppellire a Londra.»

Langdon annuì. «Le fa venire in mente qualcosa?»

La donna si avvicinò a uno dei terminali. «Così, a memoria, no, ma vediamo che cosa troviamo nel database.»

Nei vent'anni precedenti, l'istituto si era servito di software per la lettura ottica dei caratteri e di programmi per la traduzione automatica al fine di digitalizzare e catalogare un'enorme raccolta di testi: enciclopedie, biografie, testi sacri in decine di lingue, storie, lettere, diari di religiosi, tutto ciò che riguardava la spiritualità umana. Poiché l'imponente raccolta era adesso sotto forma di bit e di byte anziché di pagine fisiche, i dati erano infinitamente più accessibili.

Gettum accese il terminale e cominciò a scrivere. «Per iniziare, facciamo una ricerca booleana con alcune parole chiave e vediamo cosa troviamo.»

«Grazie.»

Gettum scrisse alcune parole: LONDON, KNIGHT, POPE.

Quando premette il tasto "cerca", le parve di sentire il ronzio del grosso computer che, nella stanza sotto di loro, esaminava i dati alla velocità di cinquecento megabyte al secondo. «Ho chiesto al sistema di mostrarci ogni documento che contiene nel testo queste tre parole. Avremo più risultati del necessario, ma può servire come inizio.»

Sullo schermo compariva già il primo risultato: *Painting the Pope. The Collected Portraits of sir Joshua Reynolds*, London University Press.

"Dipingere il papa. Raccolta dei ritratti di sir Joshua Reynolds." Gettum scosse la testa. «Ovviamente non è quello che cercate.» Schiacciò un tasto per passare al secondo risultato.

The London Writings of Alexander Pope di G. Wilson Knight.

"Scritti londinesi di Alexander Pope." La donna scosse di nuovo la testa.

I risultati cominciarono ad accumularsi, decine di testi, in gran parte legati allo scrittore inglese del diciottesimo secolo Alexander Pope, la cui poesia antireligiosa, che parodiava i poemi epici, conteneva molti riferimenti a cavalieri londinesi.

Gettum guardò i dati statistici nella parte bassa dello schermo. Il computer, calcolando i risultati trovati e facendo la proporzione con i testi ancora da esplorare, forniva una prima valutazione del numero di risultati che si aspettava di trovare. Quella particolare scelta pareva destinata a trovarne un numero esagerato.

Numero di risultati previsto: 2692

«Dobbiamo specificare qualche altro parametro» disse la bibliotecaria, sospendendo la ricerca. «È la sola informazione che avete sulla tomba? Nient'altro che si possa usare?»

Langdon lanciò un'occhiata a Sophie. Pareva dubbioso.

"Questa non è una caccia al tesoro accademica" si disse

442

Gettum. Aveva sentito parlare di Robert Langdon e del periodo da lui trascorso a Roma l'anno precedente. Quell'americano era entrato nella biblioteca più riservata che esistesse al mondo, gli archivi segreti del Vaticano. Si chiese che genere di segreti avesse scoperto laggiù e se la sua disperata ricerca di una tomba londinese fosse legata alle informazioni da lui apprese nella Santa Sede. Gettum faceva la bibliotecaria da un tempo sufficiente per sapere il principale motivo che portava la gente a recarsi a Londra per chiedere notizie sui cavalieri. "Il Graal."

Sorrise e si aggiustò gli occhiali sul naso. «Siete amici di Leigh Teabing, siete in Inghilterra e cercate un cavaliere.» Congiunse le mani. «Posso solo pensare che siate anche voi alla ricerca del Graal.»

Langdon e Sophie si scambiarono occhiate piene di stupore.

Gettum rise. «Amici miei, questa biblioteca è il campo base per i cercatori del Graal. Leigh Teabing compreso. Vorrei avere uno scellino per ogni volta che ho cercato la Rosa, Maria Maddalena, Sangreal, Merovingi, Priorato di Sion eccetera eccetera. A tutti piacciono i complotti.» Si sfilò gli occhiali e li guardò. «Mi occorre qualche altra informazione.»

Scese il silenzio e Gettum sentì che il senso di discrezione dei suoi ospiti veniva progressivamente cancellato dal desiderio di scoprire la verità.

«Ecco» disse Sophie Neveu «questo è tutto ciò che sappiamo.» Si fece dare una penna da Langdon e scrisse altre due righe, poi consegnò a Gettum il foglio.

> You seek the orb that ought be on his tomb.
> It speaks of Rosy flesh and seeded womb.

La bibliotecaria sorrise tra sé. "Proprio il Graal" pensò, non appena lesse i riferimenti alla Rosa e al suo ventre inseminato. «Penso di riuscire ad aiutarvi» disse, alzando gli occhi. «Posso chiedere da dove arrivano questi versi? E perché cercate un "orbe"?»

«Lei può chiederlo» rispose Langdon «ma si tratta di una storia lunga e abbiamo poco tempo.»

«Sembra un modo elegante per dire: "Si faccia gli affari suoi".»

«Saremmo eternamente in debito con lei, Pamela» disse Langdon «se riuscisse a scoprire chi è il cavaliere e dov'è sepolto.»

«Va bene» rispose Gettum «mi presterò al gioco. Se è un argomento che riguarda il Graal, dobbiamo controllarlo sulle sue parole chiave. Aggiungo un parametro di prossimità e tolgo la ricerca tra i titoli. Così avremo come risultato solo i casi in cui le nostre parole chiave sono vicino a parole che si riferiscono al Graal.»

Ricerca:

KNIGHT, LONDON, POPE, TOMB
In prossimità (cento parole) di:
GRAIL, ROSE, SANGREAL, CHALICE

«E quanto tempo occorrerà per la ricerca?» volle sapere Sophie.

«Poche centinaia di terabyte con riferimenti incrociati multipli?» Con gli occhi che le brillavano, Gettum premette il pulsante di ricerca. «Un semplice quarto d'ora.»

Langdon e Sophie non dissero nulla, ma la bibliotecaria ebbe l'impressione che la giudicassero un'eternità.

«Un tè?» chiese, alzandosi e dirigendosi verso la teiera che aveva preparato prima del loro arrivo. «Leigh ha sempre apprezzato il mio tè.»

93

La sede londinese dell'Opus Dei era un modesto edificio di mattoni al numero 5 di Orme Court, accanto alla North Walk dei Kensington Gardens. Silas non vi era mai stato, ma sentiva di essere vicino a un asilo e a un rifugio mentre si avvicinava a piedi. Nonostante la pioggia, Rémy lo aveva lasciato a qualche isolato di distanza per evitare le vie principali. Silas non badò al tratto da percorrere a piedi. La pioggia era purificatrice.

Dietro suggerimento di Rémy, Silas aveva pulito dalle impronte la pistola e l'aveva gettata in un tombino. Era lieto di essersene liberato. Si sentiva più leggero. Le gambe gli facevano ancora male per essere rimasto legato tante ore, ma Silas aveva sopportato sofferenze molto più grandi. Non poteva fare a meno di pensare, però, a Teabing legato nella limousine. A quel punto, certamente l'inglese cominciava a sentire il dolore.

«Che ne farai di Teabing?» aveva chiesto a Rémy, mentre erano in auto.

Il francese si era stretto nelle spalle. «È una decisione che spetta al Maestro.» C'era una strana risolutezza nel suo tono.

Ora, mentre si avvicinava all'edificio dell'Opus Dei, la pioggia prese a cadere più forte, inzuppando la sua pesante tonaca e riaprendo le ferite del giorno prima. Il monaco era pronto a lasciare dietro di sé i peccati delle ultime ventiquattr'ore e a purgare la sua anima. Il suo lavoro era terminato.

Dopo avere attraversato un piccolo cortile che portava all'ingresso, Silas non si stupì di non trovarlo chiuso a chiave. Lo aprì ed entrò nel piccolo atrio. Quando mise un piede sul tappeto, al piano di sopra suonò un campanello, un elemento comune in quelle case, dove i residenti trascorrevano la maggior parte del giorno nelle loro stanze, in preghiera. Silas sentì che qualcuno si muoveva al piano superiore; le assi del pavimento scricchiolavano.

Un uomo con una mantellina da pioggia scese ad accoglierlo. «Posso aiutarla?» Aveva lo sguardo gentile; pareva non avere notato l'aspetto non comune del gigantesco albino.

«Grazie. Mi chiamo Silas. Sono un numerario dell'Opus Dei.»

«Americano?»

Silas annuì. «Sono in città solo per oggi. Posso riposare qui?»

«Non ha nemmeno bisogno di chiederlo. Al terzo piano ci sono due camere vuote. Vuole che le porti del tè e del pane?»

«Grazie.» Silas si accorse di avere fame.

Salì al terzo piano, fino a una camera molto modesta, con una finestra. Lassù si sfilò la tonaca bagnata e si inginocchiò a pregare, vestito del solo perizoma. Sentì che il fratello che l'aveva accolto lasciava un vassoio davanti alla sua porta. Finì di recitare le preghiere, consumò il cibo e si distese sul pagliericcio per dormire.

Tre piani più sotto, un telefono squillò. Il numerario che aveva accolto Silas rispose.

«Qui è la polizia di Londra» disse la persona che aveva chiamato. «Cerchiamo un monaco albino. Ci hanno detto che potrebbe essere presso di voi. L'avete visto?»

Il numerario era stupito della domanda. «Sì. C'è qualcosa che non va?»

«È lì adesso?»

«Sì, è al piano di sopra che prega. Che cosa è successo?»

«Lo lasci stare dov'è» ordinò l'agente. «Non parli con nessuno. Mando subito alcuni uomini.»

94

St James's Park è un mare di verde nel bel mezzo di Londra, un parco pubblico che confina con i palazzi di Westminster, Buckingham e St James. Un tempo recintato da re Enrico VIII e rifornito di daini per la caccia, St James's Park è ora aperto al pubblico. Nei pomeriggi di sole, i londinesi fanno il picnic sotto i salici e danno da mangiare ai pellicani del laghetto, i cui antenati erano stati un regalo dell'ambasciatore di Russia al re Carlo II.

Il Maestro non aveva visto alcun pellicano, oggi. Il vento aveva invece portato i gabbiani dal mare, e i prati erano coperti di quegli uccelli. Centinaia di corpi bianchi tutti girati nella stessa direzione, in paziente attesa che il vento cessasse. Nonostante la nebbia del mattino, dal parco si godeva di un'ottima vista di Westminster e del Big Ben. Al di là dei prati, del laghetto e del delicato profilo dei salici piangenti, il Maestro poteva vedere i pinnacoli dell'edificio che ospitava la tomba del cavaliere, la vera ragione per cui aveva detto a Rémy di andare in quel luogo.

Quando raggiunse la portiera anteriore della limousine, Rémy si piegò sul sedile e gli aprì. Il Maestro si fermò ancora qualche istante per bere una sorsata di cognac dalla fiaschetta che aveva con sé. Poi si asciugò le labbra, si infilò sul sedile accanto al guidatore e chiuse la portiera.

Rémy gli mostrò la chiave di volta come se fosse un trofeo. «Per poco non l'abbiamo persa.»

«Hai fatto un buon lavoro» si complimentò il Maestro.

«*Noi* abbiamo fatto un buon lavoro» rispose Rémy, affidando la chiave di volta alle mani ansiose del Maestro.

Questi la ammirò per qualche istante, poi sorrise. «La pistola? Hai tolto le impronte?»

«Sì e l'ho rimessa nel vano del cruscotto.»

«Eccellente.» Il Maestro bevve un altro sorso di cognac e passò la fiaschetta a Rémy. «Brindiamo al nostro successo. La fine è vicina.»

Rémy accettò con piacere la fiaschetta. Il cognac gli parve salato, ma la cosa non aveva importanza. Lui e il Maestro erano davvero soci, adesso. Aveva l'impressione di essere salito di parecchi gradini nella gerarchia sociale. "Non dovrò mai più servire nessuno." Mentre l'occhio gli correva lungo il prato in direzione del laghetto, Château Villette gli pareva all'altro capo del mondo.

Rémy bevve un'altra sorsata e sentì che il cognac gli riscaldava piacevolmente il sangue. Il calore alla gola, però, presto si trasformò in un bruciore fastidioso. Mentre si slacciava la cravatta, Rémy sentì in bocca una sgradevole arsura; il palato era ruvido come cartavetrata. Riconsegnò la fiaschetta al Maestro. «Probabilmente ne ho bevuto troppo» riuscì a dire, con voce fioca.

Il Maestro prese la fiaschetta e disse: «Rémy, come ben sai, sei il solo a conoscere la mia faccia. Ho riposto in te un'enorme fiducia».

«Sì» rispose Rémy, che si sentiva la febbre; si sbottonò il colletto. «E la sua identità finirà nella tomba con me.»

Il Maestro rimase in silenzio per un lunghissimo istante. «Ti credo.» Si infilò in tasca la fiaschetta e la chiave di volta, poi aprì il vano del cruscotto e prelevò il piccolo revolver Medusa. Per un istante, Rémy provò una fitta di paura, ma il Maestro si limitò a infilarsela nella tasca dei calzoni.

"Che cosa fa?" All'improvviso, Rémy si accorse di essere madido di sudore.

«So di averti promesso la libertà» continuava il Maestro, con una sfumatura di rimpianto nella voce. «Ma riflettendo sulla tua situazione, questo è il meglio che posso fare.»

Lo stomaco di Rémy sussultò con la violenza di un terremoto; dovette appoggiarsi al volante, si portò le mani alla gola e sentì che il vomito gli si rovesciava nella trachea. Gli sfuggì un grido roco, ma così basso da non poter essere udito all'esterno dell'auto. Ora capì perché il cognac fosse salato.

"Mi ha ucciso!"

Ancora incredulo, Rémy si voltò verso il Maestro e vide che sedeva tranquillamente accanto a lui e guardava dinanzi a sé, fissando il panorama che si vedeva dal parabrezza, poi la vista gli si oscurò. Prese ad ansimare, senza riuscire a respirare. "Sono stato io a rendergli possibile tutto quello che ha fatto! Come ha potuto trattarmi così?" Forse il Maestro aveva preventivato fin dall'inizio di ucciderlo, o forse aveva perso la fiducia in lui a causa di quanto aveva fatto in Temple Church, ma Rémy non l'avrebbe mai saputo. Ora provava solo terrore, e insieme rabbia. Fece per afferrare il Maestro, ma il suo corpo si era irrigidito e non riusciva a muoversi. "E dire che ho avuto piena fiducia in te!"

Cercò di sollevare il pugno per suonare il clacson, ma scivolò di lato, rotolò sul sedile, vicino al Maestro, con ancora le mani sulla gola. Pioveva più forte, adesso. Rémy non riusciva più a vedere, ma il suo cervello privato dell'ossigeno si sforzava ancora di afferrarsi agli ultimi residui di lucidità. E mentre il suo mondo diventava progressivamente nero, Rémy Legaludec avrebbe giurato di udire il dolce suono della risacca della Riviera.

Il Maestro scese dalla limousine, lieto di vedere che nessuno guardava verso di lui. "Non ho avuto scelta" disse a se stesso, sorpreso di non provare alcun rimorso per ciò che aveva fatto. "Rémy ha deciso il suo destino." Il Maestro aveva sempre temuto che Rémy dovesse essere eliminato una volta completata la missione, ma mostrandosi così imprudentemente in Temple Church, l'aveva reso indispensabile. L'inattesa visita di Robert Langdon a Château Villette era stata per il Maestro un inatteso colpo di fortuna e insieme un complicato dilemma. Langdon aveva portato la chiave di volta direttamente nel centro dell'operazione, cosa che costituiva una piacevole sorpresa, ma nello stesso tempo aveva attirato laggiù la polizia. Le impronte di Rémy erano dappertutto, a Château Villette, oltre che nella postazione d'ascolto nel fienile, dove Rémy aveva effettuato la sorveglianza. Il Maestro era lieto di avere accuratamente evitato ogni collegamento tra le attività di Rémy e le sue. Nessuno poteva accusare il Maestro, a meno che non fosse Rémy a parlare, e ormai questo non era più possibile.

"Un ultimo nodo da sciogliere, qui dietro" si disse il Maestro, avviandosi ora verso la portiera posteriore. "La polizia non riuscirà a capire che cosa è successo, qui... e non ci sarà alcun testimone per raccontarglielo." Guardandosi attorno per assicurarsi che nessuno vedesse, aprì la portiera ed entrò nello spazioso vano posteriore.

Qualche minuto più tardi, il Maestro attraversava St James's Park. "Restano solo due persone, Langdon e Neveu." Il loro caso era più complesso, ma gestibile. Al momento, però, doveva occuparsi del cryptex.

Guardando trionfalmente dall'altra parte del parco, poteva vedere la sua destinazione. "*In London lies a knight a Pope interred.*" Non appena il Maestro aveva ascoltato la poesia, aveva compreso la risposta. Tuttavia, il fatto che gli altri non l'avessero capita non era per nulla strano. "Io ho un vantaggio sleale." Dopo avere ascoltato per mesi le conversazioni di Saunière, il Maestro aveva sentito il curatore del Louvre parlare spesso di quel famoso cavaliere, da lui stimatissimo, quasi al pari di Leonardo da Vinci. Il riferimento della poesia al cavaliere era semplicissimo, una volta che lo si conosceva – un ulteriore omaggio all'intelligenza di Saunière – ma rimaneva ancora misterioso il legame tra la tomba e la parola che apriva il cryptex.

"La sfera assente dalla sua tomba."

Il Maestro ricordava vagamente la foto della tomba famosa e, in particolare, la sua caratteristica più appariscente. "Una sfera magnifica." Montata in cima al sepolcro, era quasi grande come il sepolcro stesso: la sua presenza era incoraggiante per il Maestro, ma nello stesso tempo preoccupante. Sotto un certo aspetto era una sorta di insegna, ma la poesia parlava di una sfera "mancante", non di quella già presente. Il Maestro, però, era certo che un esame ravvicinato della tomba gli avrebbe fornito la risposta.

Pioveva più forte; il Maestro controllò che il cryptex, nella sua tasca destra, non si bagnasse. Il piccolo revolver era nell'altra tasca, invisibile. Qualche minuto più tardi, entrava nel tranquillo asilo che gli veniva offerto dal più grandioso edificio di Londra, vecchio ormai di nove secoli.

Proprio mentre il Maestro si riparava dalla pioggia, il vescovo Aringarosa vi si avventurava. Sull'asfalto bagnato dell'aeroporto di Biggin Hill, il prelato scese dall'aereo e si avvolse nella tonaca per ripararsi dall'umidità. Aveva sperato che ci fosse il capitano Fache ad accoglierlo, ma al suo posto trovò un giovane agente della polizia, con un ombrello.

«Vescovo Aringarosa? Il capitano Fache si è dovuto allontanare. Mi ha chiesto di mettermi a sua disposizione. Ha suggerito che la accompagnassi a Scotland Yard. Ha pensato che laggiù sarebbe stato al sicuro.»

"Al sicuro?" Aringarosa guardò la pesante cartella, piena di titoli al portatore, che teneva in mano. Se n'era quasi dimenticato. «Sì, grazie.»

Montò sull'auto della polizia, chiedendosi dove fosse finito Silas. Qualche minuto più tardi, dalla radio dell'auto gli giunse la risposta.

"Numero 5 di Orme Court."

Il vescovo riconobbe immediatamente l'indirizzo. "La sede londinese dell'Opus Dei." Si rivolse all'autista. «Mi porti subito laggiù!»

Langdon non aveva perso di vista il monitor dall'inizio della ricerca. "Cinque minuti. Due soli risultati, tutt'e due irrilevanti." Cominciava a preoccuparsi.

Pamela Gettum era nella stanza adiacente e faceva scaldare l'acqua. Langdon e Sophie avevano chiesto, senza riflettere, se non si potesse avere del caffè, oltre al tè che la bibliotecaria aveva offerto, e a giudicare dal rumore del forno a microonde, lo studioso sospettava che si trattasse di caffè istantaneo.

Dopo qualche istante, dal computer giunse un *bip* soddisfatto.

«Pare che ne abbia trovato un altro» commentò Gettum dalla stanza accanto. «Com'è il titolo?»

Langdon si accostò allo schermo e lesse: "*Grail Allegory in Medieval Literature. A Treatise on* Sir Gawain and the Green Knight". «Un'allegoria sul Cavaliere Verde» rispose.

«Non è quello che cercate» rispose la bibliotecaria. «Sono pochissimi i giganti verdi mitologici sepolti a Londra.»

Langdon e Sophie continuarono ad aspettare pazientemente i nuovi risultati e ne scartarono altri due, anch'essi inutili. Quando il computer li avvertì di nuovo, però, lessero un titolo che non si aspettavano di vedere.

Die Opern von Richard Wagner.

«Le opere di Wagner?» chiese Sophie.

Gettum comparve sulla soglia. Come Langdon temeva, aveva in mano un barattolo di caffè liofilizzato. «Mi pare un risultato alquanto strano. Wagner era cavaliere?»

«No» rispose lo studioso, che sentiva ridestarsi il suo lato accademico. «Ma era notoriamente affiliato alla massoneria.» "Come Mozart, Beethoven, Shakespeare, Gershwin, Houdini e Disney." Si erano scritti infiniti volumi sui legami tra massoneria e templari, Priorato e Santo Graal. «Questo titolo vorrei guardarlo. Come faccio per ottenere il testo completo?»

«Il testo completo non le serve» rispose Gettum. «Basta cliccare sull'ipertesto del titolo e il computer le mostra le parole chiave e una precedente e tre successive come contesto.»

Langdon non capì una sola parola, ma portò il cursore sul titolo e premette il tasto.

Comparve una nuova schermata.

... mythological knight named Parsifal who...
... metaphorical Grail quest that arguably...
... the London Philharmonic in 1855...
.. Rebecca Pope's opera antology "Diva's..
.. Wagner's tomb in Bayreuth, Germany..

"Cavaliere mitologico chiamato Parsifal che... metaforica ricerca del Graal che presumibilmente... la Filarmonica di Londra nel 1855... l'antologia di brani d'opera di Rebecca Pope 'Una diva... la tomba di Wagner a Bayreuth, in Germania..."
«Qui c'è "Pope", ma come cognome e non come "papa"» commentò Langdon, deluso. Comunque, non poteva che ammirare la facilità d'accesso del sistema. Erano state sufficienti quelle poche parole per ricordargli che l'opera di Wagner, *Parsifal*, era un omaggio a Maria Maddalena e alla discendenza di Gesù Cristo, raccontata attraverso la storia di un giovane cavaliere alla ricerca della verità.

«Un po' di pazienza» suggerì Gettum. «È solo una questione di grandi numeri. Bisogna lasciare che la macchina faccia la sua ricerca.»

Nei successivi minuti, il sistema fornì qualche altro risultato, compreso un testo sui *troubadours*, i menestrelli vaganti francesi. Langdon sapeva che "menestrello" veniva dalla stessa radice di "ministro". I trovatori erano i servitori – ministri – della Chiesa di Maria Maddalena, e si servivano della musica per diffondere tra la gente comune il concetto del femminino sacro. Tradizionalmente, e ancora oggi, le canzoni dei trovatori magnificavano le virtù della loro "signora", la donna misteriosa e bellissima a cui avevano giurato eterna fedeltà.

Ansioso, Langdon controllò l'ipertesto ma non trovò nulla di utile.

Il computer avvertì di avere trovato un nuovo risultato: *Knights, Knaves, Popes, and Pentacles: The History of the Holy Grail through Tarot.*

"Cavalieri, fanti, papi e pentacoli: la storia del Santo Graal attraverso i Tarocchi." «Niente di strano» spiegò Langdon, rivolto a Sophie. «Alcune delle nostre parole chiave hanno il nome delle carte.» Servendosi del mouse, aprì la finestra del testo. «Non so se tuo nonno ti ha mai parlato di questo quando ti faceva i tarocchi, Sophie, ma quel mazzo di carte è un "catechismo per immagini" che insegna la storia della Sposa Dimenticata e della sua sottomissione da parte della Chiesa malvagia.»

Sophie lo guardò con espressione incredula. «Non ne avevo idea.»

«È questo, infatti, il punto. Insegnandolo attraverso le metafore di un gioco di carte, i seguaci del Graal riuscivano a nascondere il loro messaggio agli occhi vigili della Chiesa.» A volte Langdon si chiedeva quanti moderni giocatori di carte sapessero che i loro quattro semi – cuori, quadri, fiori, picche – erano simboli legati al Graal che derivavano dai semi dei tarocchi: coppe, pentacoli, bastoni e spade. "Nell'ordine, i cuori corrispondono alle coppe: il calice, femminile; i quadri corrispondono ai pentacoli: la dea, il femminino sacro; i fiori corrispondono ai bastoni: la dinastia reale, il bastone che fiorisce; le picche corrispondono alle spade: la lama, maschile."

Quattro minuti più tardi, quando ormai Langdon temeva di non trovare quello che cercavano, il computer mostrò un altro risultato: *The Gravity of Genius: Biography of a Modern Knight.*

«E che dire della "Gravità del genio, biografia di un cavaliere moderno"?» Langdon chiese a Gettum, che era tornata dietro la sua scrivania.

«Moderno quanto? Non mi dica che è il vostro sir Rudy Giuliani! Personalmente non lo trovo granché in carattere.»

Se era solo per quello, anche Langdon aveva i suoi dubbi su sir Mick Jagger, recentemente elevato al rango di cavaliere, ma non era il momento di discutere le politiche dell'Inghilterra nella nomina dei suoi baronetti. «Diamo un'occhiata.» Lo studioso aprì la finestra delle citazioni testuali.

> ... honorable knight, Sir Isaac Newton...
> ... in London in 1727 and...
> ... his tomb in Westminster Abbey...
> ... Alexander Pope, friend and colleague...

"Onorevole cavaliere, sir Isaac Newton... a Londra nel 1727 e... la sua tomba in Westminster Abbey... Alexander Pope, amico e collega..." ripeté fra sé Langdon.

«Credo che "moderno" sia un termine relativo» disse Sophie, rispondendo alla bibliotecaria. «È un vecchio libro su Isaac Newton.»

Gettum scosse la testa. «Non è lui. Newton è sepolto a Westminster, centro del protestantesimo. Impossibile che fosse presente il papa.»

Sophie annuì.

La bibliotecaria attese qualche istante, poi chiese. «E lei, Robert, che ne pensa?».

Il cuore di Langdon aveva accelerato i battiti. Staccò gli occhi dallo schermo e si alzò. «Isaac Newton è il cavaliere che cerchiamo.»

Sophie non si mosse. «Cosa intendi dire?»

«Newton è sepolto a Londra» spiegò lo studioso. «Le sue fatiche hanno prodotto nuove scienze che hanno incontrato l'ostilità della Chiesa. Inoltre era un Gran Maestro del Priorato di Sion. Che altro occorre?»

«Che altro?» protestò Sophie. «E la sepoltura da parte del papa? Hai sentito cos'ha detto la signora Gettum. Newton non può essere stato sepolto da un papa cattolico!»

Langdon posò la mano sul mouse. «Perché pensare che corrisponda soltanto al papa di Roma?» Cliccò sulla parola "Pope" e comparve la frase completa.

Del funerale di Newton, a cui erano presenti i sovrani e la nobiltà, venne incaricato Alexander Pope, amico e collega, che tenne un commovente discorso funebre prima di spargere una manciata di polvere sulla sua tomba.

Langdon guardò Sophie. «Avevamo trovato il giusto riferimento fin dal secondo tentativo. Alexander Pope.» Fece una pausa. «Il vero significato del verso è: "sepolto da A. Pope", non "da un papa".»

Sophie rimase a bocca aperta. Jacques Saunière, il maestro del doppio senso, ancora una volta aveva dimostrato di possedere un'intelligenza davvero sorprendente.

96

Silas si destò con un sobbalzo. Non aveva idea di che cosa lo avesse svegliato o per quanto tempo avesse dormito. "Ho sognato?" Rizzandosi a sedere sul nudo pagliericcio, tese l'orecchio, ma udì solo il tranquillo respiro della residenza dell'Opus Dei, un silenzio interrotto unicamente dalle preghiere di un confratello, provenienti dalla stanza sotto di lui. Erano suoni familiari e avrebbero dovuto conciliargli il sonno.

Eppure, provava un improvviso, inatteso senso d'allarme.

Si alzò e, senza infilarsi la tonaca ancora bagnata, si accostò alla finestra. "Che mi abbiano seguito?" Il cortile davanti all'ingresso era deserto, esattamente come quando era entrato. Tese di nuovo l'orecchio. Silenzio. "Perché questo senso di disagio?" Molti anni prima, Silas aveva imparato a fidarsi del suo istinto. L'istinto l'aveva tenuto in vita quando era bambino, nelle strade di Marsiglia, ben prima della prigione, ben prima della sua seconda nascita a opera del vescovo Aringarosa. Guardando dalla finestra, vide in fondo alla strada la sagoma scura di un'auto parcheggiata; su tetto c'era una sorta di piccola campana: il lampeggiante della polizia, spento. Nel corridoio davanti alla sua porta, un asse di legno cigolò, poi la maniglia si abbassò lentamente.

Silas reagì meccanicamente, correndo a nascondersi dietro la porta, che si spalancò bruscamente. Il primo poliziotto entrò, puntando la pistola a sinistra e poi a destra, in quella che sembrava una stanza vuota. Prima che capisse dov'era Silas, il monaco si lanciò contro la porta e colpì il secondo poliziotto, che stava entrando in quel momento. Mentre il primo si voltava per sparare, Silas si gettò contro le sue gambe. La pistola sparò e il proiettile passò sopra Silas proprio mentre lui afferrava le gambe dell'agente e lo faceva cadere a terra. L'uomo batté violentemente la nuca sul pavimento. Intanto, sulla soglia, il secondo poliziotto cercava di rimettersi in piedi. Silas gli piantò un ginocchio nel basso ventre, scavalcò il corpo che si contorceva a terra e corse via lungo il corridoio.

Seminudo, Silas si lanciò giù per le scale. Sapeva di essere stato tradito, ma da chi? Quando giunse al piano terreno, altri poliziotti entravano dalla porta principale. Si voltò immediatamente dall'altra parte e si addentrò nella parte posteriore della residenza. "L'ingresso delle donne. Ogni sede dell'Opus Dei ne ha uno." Passò per uno stretto corridoio, attraversò di corsa una cucina dove terrorizzò alcuni sguatteri che si affrettarono ad appiattirsi contro le pareti per non farsi travolgere dal gigantesco albino nudo, buttò a terra piatti e posate, e imboccò un altro corridoio, subito dopo la sala della caldaia. In fondo, vide la porta che cercava, con la scritta luminosa che indicava l'uscita.

Attraversò di corsa la porta e sgusciò all'esterno, sotto la pioggia. Con un balzo, superò gli scalini lanciandosi in avanti, senza vedere il poliziotto che veniva verso di lui. Lo scorse all'ultimo momento e i due si scontrarono; la spalla nuda di Silas gli batté contro lo sterno, con una forza da spaccare le ossa, e l'uomo finì a terra, lasciando la presa sulla pistola. Anche Silas perse l'equilibrio e cadde sopra di lui.

Silas sentì che i poliziotti arrivavano dall'uscita secondaria, dietro di lui, gridandogli di fermarsi. Rotolando su se stesso, il monaco afferrò la pistola mentre gli agenti uscivano. Uno di essi sparò e Silas sentì un dolore acuto sotto le costole. Per la rabbia aprì il fuoco contro tutt'e tre i poliziotti e vide scorrere il loro sangue.

Una sagoma nera comparve dietro di lui, come se uscisse dal nulla. Le mani che afferrarono le spalle di Silas parevano quelle del diavolo stesso. Un grido: «Silas, no!».

L'albino si girò e premette il grilletto. Solo allora vide il suo assalitore e urlò inorridito mentre il vescovo Aringarosa cadeva a terra.

97

Più di tremila persone sono sepolte o commemorate in Westminster Abbey. Il suo colossale interno di pietra pullula dei resti di re, statisti, scienziati, poeti e musicisti. Le loro tombe riempiono ogni nicchia e ogni vano liberi e come grandiosità variano dal più regale dei mausolei – la tomba di Elisabetta I, il cui sarcofago coperto da un baldacchino ha una propria cappella – fino alle modeste lastre sul pavimento, con le scritte consumate da secoli di passi dei visitatori, lasciando all'immaginazione degli osservatori l'identità di coloro che vi sono sepolti.

Disegnata nello stile delle grandi cattedrali di Amiens, Chartres e Canterbury, Westminster Abbey non è una cattedrale sede di insegnamento né una chiesa parrocchiale, ma è "riservata al Sovrano". Da quando ospitò l'incoronazione di Guglielmo il Conquistatore, il giorno di Natale del 1066, l'abbazia ha visto un'infinita serie di cerimonie reali e di affari di stato, dalla canonizzazione di Edoardo il Confessore al matrimonio del principe Andrea con Sarah Ferguson e ai funerali di Enrico V, Elisabetta I e Diana, principessa del Galles.

Nonostante questo passato illustre, Robert Langdon non provava in quel momento alcun interesse per la storia dell'abbazia, a parte un singolo evento che vi aveva avuto luogo: il funerale del cavaliere inglese sir Isaac Newton

"Un cavaliere sepolto da A. Pope."

Quando entrarono nel grande portico del transetto Nord, Langdon e Sophie vennero accolti dalle guardie di sicurezza che li accompagnarono educatamente fino alla più recente innovazione dell'edificio: un metal detector, ora installato nella maggior parte delle costruzioni storiche inglesi. Tutt'e due lo attraversarono senza far suonare l'allarme ed entrarono nell'abbazia.

Non appena all'interno, Langdon ebbe l'impressione di essere arrivato in un altro mondo. Né rumore del traffico né pioggia, solo un completo silenzio, che pareva echeggiare tra le alte mura, quasi l'edificio parlasse tra sé.

Come accadeva a tutti i visitatori, Langdon e Sophie guardarono immediatamente verso l'alto, dove il grande abisso dell'abbazia pareva esplodere sulla loro testa. Le colonne di pietra grigia salivano come alberi d'alto fusto fino a perdersi nell'ombra, si incurvavano elegantemente in campate di lunghezza prodigiosa e scendevano nuovamente fino a terra. Davanti a loro, il transetto Nord si allargava come un profondo canyon tra due alte pareti di vetri istoriati. Nei giorni di sole, il pavimento dell'abbazia era un mosaico di luce. Oggi, invece, la pioggia e l'oscurità davano a quegli spazi vuoti un aspetto spettrale, come per sottolineare che era una cripta.

«È praticamente vuota» sussurrò Sophie.

Langdon era preoccupato. Aveva sperato in una maggiore presenza di visitatori. "Un luogo più frequentato." Non voleva ripetere la precedente esperienza in Temple Church. Si aspettava di trovare sicurezza in quel luogo di grande attrazione, ma il suo ricordo di un'abbazia illuminata dal sole e affollata di visitatori risaliva all'estate, durante la stagione turistica. Ma quel giorno era una piovosa giornata di aprile. Invece della folla e delle vetrate illuminate, Langdon vedeva davanti a sé unicamente migliaia di metri quadri di pavimento spoglio e di nicchie buie e vuote.

«Siamo passati attraverso il metal detector» gli ricordò Sophie, che aveva notato la sua apprensione. «Se c'è qualcuno, non può essere armato.»

Langdon annuì, ma non si sentiva sicuro. Avrebbe voluto recarsi laggiù accompagnato dalla polizia, ma Sophie l'aveva sconsigliato perché temeva che i loro nemici fossero in contatto con le autorità. «Dobbiamo recuperare il cryptex» aveva insistito. «È la chiave di tutto.»

Aveva ragione, naturalmente.

"La chiave per riavere Leigh indenne. La chiave per trovare il Santo Graal. La chiave per scoprire chi ha organizzato tutto."

Purtroppo, la loro unica possibilità di riprendere la pietra era laggiù nell'abbazia, presso la tomba di Isaac Newton. Chiunque possedesse il cryptex doveva visitare la tomba per decifrare l'ultimo indizio e, se non era ancora arrivato, Sophie e Langdon intendevano intercettarlo.

Per non trovarsi troppo esposti, si diressero verso la parete a sinistra ed entrarono in un corridoio buio, dietro una fila di pilastri. Langdon non riusciva a togliersi dalla mente l'immagine di Leigh Teabing prigioniero, probabilmente legato nel retro della sua limousine. Chi aveva ordinato di uccidere i principali membri del Priorato non avrebbe esitato a eliminare chiunque gli bloccasse la strada. Pareva una beffa del destino che Teabing – un moderno cavaliere inglese – fosse divenuto un ostaggio nella ricerca del suo connazionale, il cavaliere Isaac Newton.

«Da che parte è?» chiese Sophie, guardandosi attorno.

"La tomba." Langdon non ne aveva idea. «Dovremmo trovare una guida e chiedere.»

Non aveva alcuna intenzione di cercare quel sepolcro in mezzo all'abbazia. Westminster era un dedalo di mausolei, camere perimetrali e nicchie. Come la Grande Galleria del Louvre, c'era un solo ingresso – la porta da cui erano passati – ed era facile entrare, ma difficile trovare la via d'uscita. In ossequio alla tradizione architettonica religiosa, la sua pianta era quella di un grande crocifisso. Diversamente dalla maggior parte delle chiese, però, aveva l'entrata sul fianco invece che dal nartece in fondo alla navata. Inoltre, era circondata da una serie di chiostri. Un passo falso attraverso l'arcata sbagliata e il visitatore si trovava perso in un labirinto di passaggi circondati da alte pareti.

«Le guide sono vestite di rosso» disse Langdon, dirigendosi verso il centro della chiesa. Dietro l'immenso altare dorato, nel transetto Sud, scorse molte persone carponi. Quella sorta di pellegrinaggio in ginocchio era piuttosto frequente nell'Angolo dei Poeti, anche se in sostanza era assai meno spirituale che in apparenza. "Turisti che ricalcano le scritte delle lapidi."

«Non vedo nessuna guida» disse Sophie. «Non possiamo trovare la tomba senza ricorrere a un aiuto?»

Senza fare parola, Langdon la accompagnò ancora per qualche metro, finché non furono al centro del passaggio, e le indicò lo slargo alla loro destra.

Sophie rimase senza fiato nel guardare lungo la navata, adesso che la dimensione dell'edificio era finalmente visibile. «Ah» disse. «Cerchiamo la guida.»

In quel momento, cento metri più avanti, lungo la navata e nascosta dietro il coro, la monumentale tomba di Newton aveva un solitario visitatore. Il Maestro la studiava ormai da una buona decina di minuti.

La tomba era costituita di un massiccio sarcofago di marmo nero su cui era china la figura scolpita di sir Isaac Newton, nel suo abito classico e orgogliosamente appoggiato a una colonna dei suoi libri: *Divinità, Cronologia, Ottica, Philosophiae naturalis principia mathematica*. Ai piedi di Newton, due putti alati tenevano aperto un rotolo di pergamena. Dietro di lui si alzava una severa piramide e, anche se già la presenza della piramide era una stranezza, a interessare il Maestro era la forma gigantesca che si scorgeva su di essa.

"Una sfera."

Il Maestro rifletté sull'indovinello di Saunière: "La sfera che dovrebbe trovarsi sulla sua tomba." L'enorme sfera che sporgeva dalla faccia della piramide era scolpita in bassorilievo e ritraeva ogni sorta di corpi celesti: costellazioni, segni zodiacali, comete, stelle e pianeti. Al di sopra c'era l'immagine della dea dell'Astronomia, sotto un campo stellato. "Innumerevoli sfere."

Il Maestro aveva pensato che, una volta trovata la tomba, fosse facile scoprire la sfera mancante, ma adesso non ne era più così certo. Aveva sotto gli occhi una complessa carta celeste. Che mancasse un pianeta? O che a una costellazione mancasse una stella? Non ne aveva idea. Tuttavia aveva il sospetto che la soluzione fosse ingegnosa, ma chiara e semplice, come quella del cavaliere seppellito da Pope. "Che 'orbe' devo cercare?" Non aveva mai saputo che per trovare il Santo Graal occorressero avanzate conoscenze di astronomia!

"Un 'orbe' che 'parla di carne di Rosa e di ventre inseminato'."

La concentrazione del Maestro venne interrotta da un gruppo di turisti che avanzava verso di lui. Si infilò in tasca il cryptex e li sorvegliò con attenzione mentre si avvicinavano a un tavolino, lasciavano una banconota nella coppa e prelevavano
l'occorrente per ricalcare le scritte, fornito dall'abbazia. Armati
di carboncino e di fogli di carta spessa, si allontanarono verso la
parte frontale della costruzione, probabilmente verso il famoso
Angolo dei Poeti, per rendere omaggio a Chaucer, Tennyson e
Dickens ricalcando furiosamente le scritte delle loro tombe.

Rimasto nuovamente solo, si accostò una seconda volta alla
tomba e la esaminò a partire dal basso. Cominciò dalle zampe
di grifone su cui poggiava il sarcofago, passò lo sguardo su
Newton, sui suoi libri, sulla faccia della piramide e sulla grande sfera con le sue costellazioni, e infine sul baldacchino pieno
di stelle.

"Che sfera dovrebbe essere presente e invece manca?"
Toccò il cryptex che aveva nella tasca come se potesse in qual-
che modo avere la risposta dal cilindro di marmo costruito da
Saunière. "Solo cinque lettere mi separano dal Graal."

Fece alcuni passi, fino a raggiungere il coro, trasse un profondo respiro e si affacciò sulla navata per guardare in direzione
dell'altare. Abbassando gli occhi vide una guida vestita di rosso
e due ben noti individui che la chiamavano.

Langdon e Neveu.

Con calma, il Maestro fece un passo indietro. "Hanno fatto
in fretta." Aveva previsto che prima o poi avrebbero risolto
l'indovinello e si sarebbero recati alla tomba di Newton, ma
non pensava che arrivassero così presto. Sospirò e valutò le
sue possibilità. Ormai era abituato ad affrontare le sorprese

"Il cryptex è in mano mia."

Infilò la mano in tasca e toccò il secondo oggetto che gli dava sicurezza: il revolver Medusa. Come previsto, il metal detector dell'abbazia aveva suonato quando il Maestro era passato con la pistola attraverso la barriera. Ma – sempre come
previsto – le guardie l'avevano lasciato passare quando il
Maestro aveva protestato con indignazione e mostrato la sua
tessera. Il suo rango gli procurava sempre il giusto rispetto.

Anche se inizialmente il Maestro aveva sperato di risolvere l'enigma del cryptex da solo e di evitare ulteriori complicazioni, adesso sentiva che l'arrivo di Langdon e Neveu era una novità a lui favorevole. Considerato il suo insuccesso con il riferimento all'"orbe", avrebbe potuto sfruttare la loro competenza. Dopotutto, se Langdon aveva decifrato la poesia fino a trovare la tomba, era possibile che avesse scoperto anche qualcosa a proposito della sfera mancante. E se conosceva anche il codice che apriva il cryptex, era solo questione di esercitare su di lui la giusta pressione.

"Non qui, naturalmente. In qualche luogo più isolato."

Il Maestro ricordò il cartello che aveva visto quando era entrato nell'abbazia. Immediatamente gli parve il posto perfetto dove attirarli.

Rimaneva un solo particolare: che cosa usare come esca.

98

Langdon e Sophie camminavano lentamente lungo il corridoio laterale, mantenendosi nell'ombra dietro le colonne per evitare lo spazio aperto. Anche se erano ormai a metà della navata, non riuscivano ancora a scorgere la tomba di Newton. Il sarcofago era ospitato in una nicchia, coperta dal coro dalla loro posizione.

«Almeno, qui non c'è nessuno» sussurrò Sophie.

Langdon annuì, sollevato. Quell'intera sezione della chiesa, vicino alla tomba di Newton, era deserta. «Io vado a vedere» sussurrò a Sophie. «Dovresti stare nascosta, nel caso qualcuno...»

Sophie era già uscita dal corridoio laterale e attraversava lo spazio aperto.

«... ci stesse guardando» terminò lo studioso, con un sospiro, e si affrettò a raggiungere la sua compagna.

Attraversando in diagonale la navata, videro comparire progressivamente il sepolcro: il sarcofago di marmo nero... la statua di Newton... due putti alati... una piramide e... *una sfera enorme.*

«Sapevi della sfera?» chiese Sophie, sorpresa a quella vista.

Anche Langdon era sorpreso. Scosse la testa.

«Sembrano costellazioni scolpite sulla sfera» commentò Sophie.

Quando furono più vicini, Langdon si sentì mancare la terra sotto i piedi. La tomba di Newton era piena di corpi sferici: stelle, comete, pianeti. "Dobbiamo cercare la sfera che manca dalla tomba?" Era come cercare il filo d'erba mancante in un campo da golf.

«Corpi astronomici» disse Sophie, preoccupata. «E ce ne sono tantissimi.»

Langdon aggrottò la fronte. Il solo collegamento che gli veniva in mente tra i pianeti e il Graal era il pentacolo di Venere, ma avevano già provato inutilmente la parola "Venus" mentre raggiungevano Temple Church.

Sophie si avvicinò al sarcofago; Langdon si tenne a qualche passo di distanza per sorvegliare l'abbazia attorno a loro.

«*Divinità*» disse Sophie, inclinando la testa per leggere i titoli delle opere di Newton. «*Cronologia, Ottica, Philosophiae naturalis principia mathematica*?» Si rivolse a Langdon. «Ti viene in mente qualcosa?»

Lui si avvicinò. «I *Principi matematici*, se ben ricordo, parlano dell'attrazione gravitazionale dei pianeti, che chiaramente sono sfere, ma mi sembra un'ipotesi azzardata.»

«E i segni dello Zodiaco?» chiese la donna, indicando le costellazioni sulla sfera. «Parlavate dei Pesci e dell'Aquario, mi pare.»

"La Fine dei Giorni" pensò Langdon. «Si diceva che la fine dell'età dei Pesci e l'inizio di quella dell'Aquario fosse il momento storico in cui il Priorato si proponeva di rendere pubblici i documenti del Sangreal.» "Ma il millennio è giunto ed è passato senza incidenti e gli storici non sanno quando sarà comunicata la verità."

«Forse» suggerì Sophie «il piano del Priorato di rivelare la verità è collegato all'ultimo verso della poesia.»

"Parla di carne di Rosa e di ventre inseminato." Langdon pensò che poteva essere così. Non aveva ancora interpretato il verso in quella luce.

«Dicevate» proseguì la donna «che il Priorato si proponeva di rivelare la verità sulla "Rosa" e i suoi discendenti e che questo era collegato direttamente alla posizione dei pianeti. Be', ciascuno di essi è un "orbe".»

Langdon annuì e pensò che era una delle possibilità. Però l'intuito gli diceva che l'astronomia non era la chiave. In precedenza, le soluzioni degli indovinelli di Saunière avevano un significato eloquente. La *Monna Lisa*, la *Vergine delle rocce*, SOFIA. Nell'idea delle sfere planetarie e dello Zodiaco non c'era la stessa immediatezza. Fino a quel momento, Saunière si era rivelato assai meticoloso, nei suoi messaggi, e lo studioso pensava che la sua ultima parola segreta, le cinque lettere che mettevano a disposizione il segreto del Priorato, sarebbe stata semplice. Se era come le precedenti, sarebbe risultata ovvia, una volta rivelata.

«Guarda!» esclamò improvvisamente Sophie, afferrandolo per il braccio. Dalla sua voce impaurita, Langdon pensò che avesse sentito arrivare qualcuno, ma quando si voltò verso di lei, vide che fissava il coperchio del sarcofago di marmo nero.

«Qualcuno è stato qui» mormorò la donna, indicando un punto accanto al piede destro di Newton.

Langdon non capì la ragione del suo timore; qualche turista distratto aveva lasciato laggiù uno dei carboncini per ricalcare le scritte delle lapidi. "Non è nulla." Langdon si chinò per prenderlo, ma quando si avvicinò, il riflesso della luce sul marmo cambiò e lo studioso si immobilizzò. Ora capì perché Sophie si era spaventata.

Sul coperchio del sarcofago, ai piedi di Newton, si scorgeva un messaggio, scritto col carboncino.

HO CON ME TEABING. ATTRAVERSATE LA CASA CAPITOLARE
E RAGGIUNGETE I GIARDINI DALL'USCITA SUD

Langdon lesse due volte il messaggio, con il cuore in tumulto.

Sophie si voltò e scrutò l'intera lunghezza della navata.

Nonostante l'allarme, lo studioso la giudicava una buona notizia. "Leigh è ancora vivo." E c'era un'ulteriore implicazione. «Non hanno trovato la parola» mormorò.

Sophie annuì. Altrimenti, perché comunicare la loro presenza?

«Forse vogliono liberare Leigh in cambio della parola segreta.»

«O è una trappola.»

Langdon scosse la testa. «Non credo. Il giardino è all'esterno dell'abbazia. Un luogo molto frequentato.» Una volta aveva visitato il famoso College Garden dell'abbazia, un piccolo frutteto e giardino d'erboristeria, risalente all'epoca in cui i monaci vi coltivavano piante medicinali. Il giardino vantava i più antichi alberi da frutta dell'Inghilterra ed era visitato da molti turisti che non intendevano entrare nell'abbazia. «Penso che sia una prova di fiducia. Per farci sentire al sicuro.»

Sophie non era altrettanto ottimista. «All'esterno dell'abbazia, vuoi dire dove non ci sono metal detector?»

Langdon non disse nulla. Aveva ragione.

Guardando ancora una volta la tomba, Langdon pensò che non aveva la minima idea su quale fosse la parola cercata. Se l'avesse saputa, l'avrebbe usata come mezzo di scambio. "Sono stato io a coinvolgere Leigh e farò tutto quello che occorre per aiutarlo."

«La nota dice di entrare nella Casa capitolare e di raggiungere l'uscita Sud» disse Sophie. «Forse dalla porta potremo vedere i giardini e valutare la situazione prima di correre rischi.»

Era una buona idea. Langdon ricordava vagamente che la Casa capitolare era un palazzo ottagonale dove si riuniva il Parlamento prima che si trasferisse nell'attuale sede. La sua ultima visita risaliva a molti anni prima, ma ricordava che per raggiungerla si passava dai chiostri. Fece alcuni passi indietro e si guardò attorno, lungo la navata.

Sull'altro lato, accanto a un corridoio dal soffitto a volta, c'era un cartello.

DI QUI PER:
CHIOSTRI
DECANATO
COLLEGE HALL
MUSEO
TESORERIA
CAPPELLA DELLA SANTA FEDE
CASA CAPITOLARE

Langdon e Sophie si affrettarono a imboccare il corridoio. Nella fretta non notarono l'avviso, più piccolo, che avvertiva come alcune aree fossero chiuse per restauri.

Alla fine del corridoio si trovarono in un cortile aperto, chiuso tra alti muri, sotto la pioggia. Il vento aveva un suono molto basso, quasi un ululato, come quando si soffia nell'imboccatura di una bottiglia. Si diressero verso uno stretto passaggio coperto e Langdon accusò il leggero senso di soffocamento che provava nei luoghi chiusi. Quei passaggi erano chiamati "chiostri"; la radice della parola era la stessa di "claustrofobia".

Imponendosi di guardare davanti a sé in direzione della fine del passaggio, lo studioso seguì le frecce che indicavano la Casa capitolare. Pioveva più forte e la pioggia arrivava fino all'interno dai tratti dove il muro era sostituito da un colonnato. Una coppia che veniva nella direzione opposta passò davanti a loro, di corsa, per ripararsi dalla pioggia. Il chiostro era deserto; senza dubbio, in un giorno di pioggia, era una delle parti meno interessanti dell'abbazia.

Dopo avere percorso un'altra quarantina di metri, davanti a loro si aprì un arco che portava a un altro corridoio. Anche se era l'ingresso da loro cercato, l'apertura era chiusa da un cordone a cui era appeso un cartello.

CHIUSI PER RESTAURI:
TESORERIA
CAPPELLA DELLA SANTA FEDE
CASA CAPITOLARE

Al di là del cordone, il corridoio lungo e deserto era costellato di ponteggi coperti di teli di plastica. Immediatamente dietro la barriera si scorgevano a sinistra l'ingresso dell'antica Tesoreria e a destra la cappella della Santa Fede. La Casa capitolare, invece, era molto lontano, in fondo al corridoio. Anche dall'imboccatura del lungo passaggio, Langdon vedeva la massiccia porta di legno aperta e l'interno illuminato dalla luce grigia del giorno, che giungeva dalle ampie finestre affacciate sul College Garden. "Attraversate la Casa capitolare, e raggiungete i giardini dall'uscita Sud."

«Quello che abbiamo appena lasciato era il chiostro Est» disse Langdon. «L'uscita Sud deve essere laggiù, in fondo e a destra.»

Sophie stava già scavalcando il cordone.

Mentre camminavano in fretta lungo il corridoio in penombra, il rumore del vento e della pioggia che proveniva dal chiostro svanì dietro di loro. La Casa capitolare era una sorta di struttura satellite, posta alla fine di quel lungo corridoio per assicurare la tranquillità ai lavori del Parlamento quando era ospitato laggiù.

«È enorme» commentò Sophie, quando furono più vicini.

Langdon aveva dimenticato l'ampiezza di quella sala. Anche dal corridoio si scorgeva l'enorme dimensione del pavimento e delle finestre, che salivano fino al soffitto a volta e che erano alte come una casa di cinque piani. Da quelle finestre si poteva osservare bene l'intero giardino.

Oltrepassata la soglia, Langdon e Sophie dovettero chiudere gli occhi, abbagliati per qualche istante. Dopo la penombra del corridoio, il chiarore della sala fece loro l'effetto di un solarium. Avevano già fatto alcuni passi e guardavano alla loro destra, quando si accorsero che la porta promessa non esisteva.

Erano finiti in un enorme cul-de-sac. Il cigolio di una pesante porta dietro di loro li fece girare di scatto, proprio mentre la porta si chiudeva con un forte rumore e scattava la serratura. L'uomo dall'espressione tranquilla che aveva atteso dietro l'uscio puntava contro di loro una piccola rivoltella. Era di corporatura massiccia e si appoggiava su un paio di grucce di metallo.

Per un attimo, Langdon credette di sognare.

Era Leigh Teabing.

99

Sir Leigh Teabing era addolorato di dover puntare la pistola contro Robert Langdon e Sophie Neveu. «Amici» disse «da quando siete giunti in casa mia, la scorsa notte, ho fatto il possibile per evitare che vi fosse fatto del male. Ma adesso la vostra insistenza mi mette in una posizione difficile.»

Vedeva l'espressione stupita e tradita di Langdon e di Sophie, ma era certo di potere chiarire loro la catena di eventi che li aveva condotti a quell'improbabile incontro. "Ho molte cose da dirvi... molte cose che non capite ancora." «Vi prego di credere che non ho mai avuto intenzione di coinvolgervi. Siete stati voi a venire da me. Siete venuti voi a cercarmi.»

«Leigh?» Langdon riuscì finalmente a dire. «Che diavolo fai? Pensavamo che fossi in pericolo. Siamo venuti qui perché volevamo aiutarti!»

«Ero sicuro che l'avreste fatto» rispose Teabing. «Abbiamo molte cose di cui discutere.»

Langdon e Sophie sembravano incapaci di staccare gli occhi dalla pistola puntata contro di loro.

«È solo per assicurarmi la vostra attenzione» disse lo storico. «Se avessi voluto farvi del male, ormai sareste morti. Quando siete entrati in casa mia, ho rischiato tutto per risparmiarvi la vita. Sono un uomo d'onore e nel profondo della mia coscienza ho giurato di sacrificare soltanto i traditori del Sangreal.»

«Che cosa dici?» chiese Langdon. «I traditori del Sangreal?»

«Ho scoperto una terribile verità» sospirò Teabing. «Ho saputo perché i documenti del Sangreal non sono mai stati rivelati al mondo. Ho saputo che il Priorato ha deciso di mantenere il segreto, dopotutto. Ecco perché il millennio è finito senza rivelazioni, perché non è successo nulla quando siamo entrati nella Fine dei Giorni.»

Langdon trasse un respiro e si preparò a protestare.

«Il Priorato» lo precedette lo storico inglese «ha ricevuto il sacro incarico di comunicare la verità, di rendere noti i documenti del Sangreal una volta giunta la Fine dei Giorni. Per secoli, uomini come Leonardo, Botticelli e Newton hanno rischiato tutto per proteggere i documenti e mantenere quell'impegno. E ora, al momento decisivo della verità, Jacques Saunière ha cambiato idea. L'uomo a cui era stata affidata la massima responsabilità della storia cristiana non ha compiuto il suo dovere. Ha deciso che il momento non era giusto.» Teabing si rivolse a Sophie. «Ha tradito il Graal. Ha tradito il Priorato. E ha tradito la memoria di tutte le generazioni che hanno lavorato per rendere possibile quella rivelazione.»

«Lei?» esclamò Sophie, alzando la testa e fissandolo con ira, adesso che cominciava a capire. «*Lei* è il responsabile della morte di mio nonno?»

Teabing sbuffò. «Suo nonno e i suoi *sénéchaux* erano traditori del Graal.»

Sophie sentì montare la furia. "Sta mentendo!"

Teabing proseguì imperterrito: «Suo nonno si era venduto alla Chiesa. È ovvio che hanno esercitato pressioni su di lui perché tacesse la verità».

Sophie scosse la testa. «La Chiesa non ha mai avuto alcuna influenza su mio nonno!»

Lo storico rise gelidamente. «Mia cara, la Chiesa ha duemila anni di esperienza nell'esercitare pressioni su coloro che minacciano di svelare le sue bugie. Fin dai tempi di Costantino, la Chiesa è sempre riuscita a nascondere la verità su Maria Maddalena e Gesù. Non si deve stupire se oggi, ancora una volta, ha trovato il modo di mantenere il mondo all'oscuro. La Chiesa non può più servirsi dei crociati per ammazzare i non credenti ma la sua influenza è altrettanto efficace. E altrettanto insidiosa.» Si interruppe, come per dare maggiore evidenza a quello che stava per dire. «Signorina Neveu, da vario tempo suo nonno cercava di dirle la verità sulla sua famiglia.»

Sophie era stupefatta. «Come lo sa?»

«I miei metodi non hanno importanza. L'importante è che lei capisca questo.» Trasse un profondo respiro. «La morte dei suoi genitori, di sua nonna e di suo fratello non è stata un incidente.»

A quelle parole, Sophie si sentì girare la testa. Fece per dire qualcosa ma non riuscì a parlare.

Langdon scosse il capo. «Che cosa intendi dire?»

«Robert, è la spiegazione di tutto. Ogni pezzo combacia. La storia si ripete: la Chiesa ha già ucciso, quando si tratta di far tacere il Sangreal. Con la Fine dei Giorni vicina, eliminare i familiari del Gran Maestro costituiva un messaggio molto chiaro: "Sta' zitto, o tu e Sophie sarete i prossimi".»

«È stato un incidente d'auto» balbettò Sophie, mentre sentiva tornare il dolore provato nell'infanzia. «Un incidente!»

«Favole per proteggere la sua innocenza» disse Teabing. «Consideri che due soli membri della famiglia sono rimasti indenni: il Gran Maestro del Priorato e la nipote, una coppia perfetta, che consentiva alla Chiesa di controllare la fratellanza. Posso solo immaginare il terrore in cui è vissuto suo nonno per tanti anni, con la Chiesa che minacciava di ucciderla, Sophie, se lui avesse osato rivelare il segreto del Sangreal, lo minacciava di finire il lavoro interrotto a metà se non avesse convinto il Priorato a tradire il suo antico voto di rendere pubblici i documenti.»

«Leigh» disse Langdon, che ormai era francamente irritato «certamente non hai alcuna prova che la Chiesa abbia qualcosa a che fare con quelle morti, o che abbia influenzato la decisione del Priorato di tacere.»

«Prova?» ribatté lo storico. «Vuoi la prova che il Priorato è stato ricattato? Il nuovo millennio è iniziato e il mondo ignora ancora quei documenti! Non è una prova sufficiente?»

Nelle parole di Teabing, Sophie sentiva l'eco di un'altra voce che le diceva: "Sophie, devo dirti la verità sulla tua famiglia". Si accorse di tremare. Che fosse *quella* la verità che il nonno avrebbe voluto dirle? Che la sua famiglia era stata assassinata? Che cosa sapeva lei, in realtà, dell'incidente in cui era morta la sua famiglia? Solo qualche particolare. Anche gli articoli dei giornali erano vaghi. Un incidente? Una favola? Le tornò in mente la tendenza del nonno a essere iperprotettivo con lei, quando era piccola, come se non volesse mai lasciarla sola. Anche quando era cresciuta e frequentava l'università, aveva sempre l'impressione che il nonno la controllasse. Si chiese se nell'ombra, per tutta la sua vita, non ci fosse stato qualche membro del Priorato che si prendeva cura di lei.

«Tu sospettavi che fosse ricattato dalla Chiesa» disse Langdon, fissando con ira e incredulità Teabing «e allora lo hai *ucciso*?»

«Non sono stato io a premere il grilletto» disse Teabing. «Saunière è morto molti anni fa, quando la Chiesa gli ha strappato la famiglia. Era compromesso. Adesso è libero da quel dolore, sciolto dalla vergogna di non poter portare a compimento il suo sacro dovere. Considerate le alternative: era necessario fare qualcosa. Il mondo dovrà continuare per sempre a ignorare la verità del Sangreal? Dobbiamo permettere alla Chiesa di cementare le sue menzogne nei nostri libri di storia per tutta l'eternità? Permetterle di influenzarci eternamente con l'assassinio e il ricatto? No, occorreva fare qualcosa! E adesso possiamo assumere su di noi l'eredità di Saunière e porre rimedio a uno sbaglio terribile.» Si interruppe. «Noi tre. Insieme.»

Sophie stentava a credere a quello che udiva. «Come può pensare che siamo disposti ad aiutarla?»

«Perché, mia cara, è colpa sua se il Priorato non ha reso pubblici quei documenti. L'amore di suo nonno per lei gli ha impedito di sfidare la Chiesa. La sua paura di ritorsioni sull'unica persona della sua famiglia che fosse sopravvissuta gli ha impedito di agire. Non ha mai avuto la possibilità di spiegarle la verità perché lei lo ha allontanato, gli ha legato le mani, l'ha indotto ad aspettare. Adesso lei deve rivelare al mondo la verità. È un debito verso suo nonno.»

Robert Langdon aveva rinunciato a capire Teabing. Nonostante le domande che avrebbe voluto rivolgergli, sapeva che la cosa importante era un'altra. Fare in modo che Sophie uscisse viva da quell'incontro. Tutto il senso di colpa che Langdon provava per avere coinvolto Teabing, adesso si era proiettato su Sophie. "Sono stato io a portarla a Château Villette. Sono il responsabile."

Langdon non pensava che Leigh Teabing fosse capace di ucciderli a sangue freddo, laggiù nella Casa capitolare, ma, d'altra parte, l'inglese si era certo reso responsabile della morte di quattro altre persone nel corso della sua folle ricerca. Langdon aveva la sgradevole sensazione che uno sparo, in quella sala isolata e dalle pareti spesse, non sarebbe stato udito da nessuno, soprattutto con il sottofondo della pioggia. "E Leigh ha appena ammesso la sua colpa."

Guardò Sophie, che era sconvolta. "La Chiesa ha ucciso la famiglia di Sophie per far tacere il Priorato?" Langdon non riusciva a credere che la Chiesa moderna uccidesse i suoi avversari. Certamente doveva esserci un'altra spiegazione.

«Lascia uscire Sophie» propose Langdon, guardando Leigh. «Noi due dobbiamo discuterne da soli.»

Teabing rise in modo sforzato. «Temo di non potermi permettere un simile atto di fiducia. Posso però offrirti questo.» Si appoggiò alle grucce, senza abbassare la pistola, e si sfilò di tasca il cryptex. Dondolò un poco nel porgerlo a Langdon. «Un pegno della mia fiducia, Robert.»

Lo studioso americano non si fidava di Teabing e non si mosse. "Leigh ci restituisce la chiave di volta?"

«Prendilo» disse Teabing, porgendo goffamente a Langdon il cryptex.

L'americano riusciva a immaginare una sola regione per quel gesto. Che fosse vuoto. «L'hai già aperto. Hai tolto la mappa.»

Teabing scosse la testa. «Robert, se avessi risolto il problema di aprire la chiave di volta, sarei scomparso per cercare personalmente il Graal e non vi avrei coinvolti. No, non conosco la risposta. Lo ammetto tranquillamente. Il vero cavaliere impara l'umiltà davanti al Graal. Impara a obbedire ai segni che il destino gli fa incontrare sulla sua strada. Quando vi ho visto entrare nell'abbazia, ho capito. Eravate qui per un motivo. Per aiutare. Non cerco la gloria per me solo, servo un padrone assai più grande del mio orgoglio. La Verità. L'umanità merita di conoscerla. È stato il Graal a trovare noi tre e adesso ci chiede di rivelarlo. Dobbiamo lavorare insieme.»

Nonostante le offerte di fiducia e di collaborazione, la pistola di Teabing rimase puntata contro Sophie mentre Langdon faceva un passo avanti e prendeva dalla sua mano il freddo cilindro di pietra. L'aceto contenuto all'interno gorgogliò mentre Langdon afferrava il cryptex e indietreggiava. Le lettere erano ancora in ordine casuale e il cryptex era chiuso. Guardò Teabing. «Come puoi essere certo che non lo scagli in terra per distruggerlo?»

Lo storico inglese rise seccamente. «In Temple Church avrei dovuto capire che la tua minaccia di distruggerlo era vuota. Robert Langdon non distruggerebbe mai la chiave di volta. Tu sei uno storico, Robert. Hai in mano la chiave di duemila anni di storia, la chiave che porta al Sangreal. Puoi sentire attorno a te le anime dei cavalieri bruciati sul rogo per proteggere il segreto. Vuoi che siano morti invano? No, tu hai voglia di vendicarli. Ti unirai ai grandi uomini che ammiri, Leonardo, Botticelli, Newton. Ciascuno di loro sarebbe onorato di essere in questo momento al posto tuo. Il contenuto della chiave di volta ci implora perché lo mettiamo in libertà. E il momento è giunto. È stato il destino a condurci a questo momento.»

«Non posso aiutarti, Leigh. Non ho idea di come aprirlo. Ho visto la tomba di Newton per pochi istanti. E anche se conoscessi la parola...» Si interruppe, accorgendosi di avere detto troppo.

«Non me la diresti?» Teabing sospirò. «Mi sorprende e mi delude, Robert, vedere che non comprendi la vera dimensione del tuo debito nei miei riguardi. Il mio compito sarebbe stato molto più semplice se Rémy vi avesse eliminati quando siete venuti a Château Villette. Invece, ho rischiato tutto per scegliere il cammino più nobile.»

«E tutto questo sarebbe nobile?» chiese Langdon, continuando a guardare la pistola.

«Colpa di Saunière» rispose Teabing. «Lui e i suoi *sénéchaux* hanno mentito a Silas. Altrimenti, avrei ottenuto la chiave di volta senza complicazioni. Come potevo immaginare che il Gran Maestro arrivasse a farsi uccidere, pur di ingannarmi, e poi lasciasse la chiave di volta nelle mani di una nipote che non vedeva da anni?» Guardò con disprezzo Sophie. «Una persona così indegna di conservare questa conoscenza da dover avere come baby-sitter un esperto di simbologia?» Teabing guardò nuovamente Langdon. «Fortunatamente, Robert, la tua partecipazione è divenuta la mia fortuna. Anziché rimanere chiusa per sempre in quella banca, la chiave di volta è stata recuperata da te e portata a casa mia.»

"Dove potevo andare?" pensò Langdon. "La comunità degli storici del Graal è molto ristretta, e io e Teabing avevamo già lavorato insieme."

Ora lo storico inglese gli rivolse un sorriso astuto. «Quando ho saputo che Saunière aveva lasciato un ultimo messaggio, ho pensato che contenesse informazioni del Priorato. Non sapevo se riguardasse la chiave di volta o l'ubicazione del Graal. Ma con la polizia sulle vostre tracce, avevo il sospetto che sareste venuti da me.»

Langdon protestò: «E se non fossimo venuti?».

«Avevo un piano per offrirmi di darvi una mano. In un modo o nell'altro, la chiave di volta sarebbe arrivata a Château Villette. Il fatto che me l'abbiate portata spontaneamente dimostra che la mia causa è giusta.»

«Cosa!» esclamò Langdon, stupito.

«Silas doveva entrare e portarvi via la chiave di volta a Château Villette, allontanandovi così dalla scena senza farvi male ed esonerandomi da ogni sospetto di complicità. Tuttavia, quando ho visto la complessità dei codici di Saunière, ho deciso di tenervi con me ancora per qualche tempo. Potevo farla rubare da Silas più tardi, una volta che fossi stato in grado di proseguire da solo.»

«In Temple Church» disse Sophie con un tono di profondo disgusto per quel tradimento.

"Comincia a capire" pensò Teabing. Temple Church era il luogo più adatto per rubare la chiave di volta; il fatto, poi, che fosse apparentemente citata nei versi della poesia la rendeva un plausibile specchietto per le allodole. Rémy aveva ordini chiari: non farsi vedere mentre Silas recuperava la chiave di volta. Purtroppo, la minaccia di Langdon di lasciarla cadere sul pavimento della cripta aveva fatto piombare nel panico Rémy. "Se solo Rémy non si fosse mostrato!" pensò, ricordando il suo finto rapimento. "Rémy era il solo legame che potesse portare a me, e si è rivelato!"

Fortunatamente, Silas aveva continuato a ignorare la vera identità del Maestro e si era lasciato convincere a portarlo via dalla chiesa. Poi era rimasto ingenuamente ad assistere mentre Rémy fingeva di legarlo. Quando il divisorio si era alzato, Teabing era riuscito a telefonare a Silas seduto davanti a lui, usando il finto accento francese del Maestro e ordinando al monaco di raggiungere l'Opus Dei. Una telefonata anonima alla polizia era stata sufficiente per eliminare Silas dalla scena.

"Una possibile smagliatura era stata eliminata."

L'altra smagliatura era più difficile da eliminare. "Rémy."

Teabing aveva esitato a lungo, ma alla fine Rémy aveva dimostrato di costituire un rischio. "Ogni ricerca del Graal richiede sacrifici." La soluzione più semplice gli era stata offerta dal bar della limousine. Una fiaschetta, una bottiglia di cognac, una scatola di arachidi: la polvere in fondo alla scatola era più che sufficiente a scatenare la reazione anafilattica dell'allergia di Rémy. Quando il francese aveva parcheggiato l'auto nella Horse Guards Parade, Teabing era sceso dal vano passeggeri, aveva raggiunto il posto a fianco del guidatore e si era seduto accanto a Rémy. Qualche minuto più tardi, Teabing era sceso, era ritornato nel vano posteriore, aveva eliminato le prove e alla fine aveva lasciato l'auto per compiere l'ultima parte della missione.

Westminster Abbey non era molto lontana; anche se i tutori ortopedici, le grucce e la pistola avevano fatto suonare il metal detector, le guardie giurate non avevano saputo che fare. "Chiedergli di togliersi i tutori e di strisciare attraverso il rilevatore della macchina? O perquisirlo?" Teabing aveva presentato a quelle guardie una soluzione molto più facile: un tesserino ufficiale che lo qualificava come cavaliere del Regno. I poveri sprovveduti si erano fatti in quattro per lasciarlo passare.

Ora, davanti a Langdon e Neveu, avrebbe voluto parlare del suo brillantissimo piano per coinvolgere l'Opus Dei nel complotto che presto avrebbe portato alla rovina dell'intera Chiesa. Per il momento, tuttavia, vi rinunciò. Aveva ancora del lavoro da fare.

«Mes amis» disse in perfetto francese «vous ne trouvez pas le Saint-Graal, c'est le Saint-Graal qui vous trouve.» Sorrise. «Il nostro cammino comune non potrebbe essere più chiaro. Tutt'e tre insieme. Il Graal ci ha trovato.»

Silenzio.

Teabing abbassò la voce a un semplice sussurro. «Ascoltate. Non lo udite? Il Graal ci parla attraverso i secoli. Ci chiede di essere riscattato dal Priorato e dalle sue follie. Vi supplico di riconoscere questa grande occasione. Non potrebbero mai esserci tre persone più capaci di noi, riunite nello sforzo comune di trovare l'ultima parola in codice e di aprire il cryptex.» Si interruppe, con gli occhi che gli luccicavano. «Dobbiamo fare un giuramento. Un giuramento di fiducia reciproca. Il voto del cavaliere: scoprire la verità e renderla nota.»

Sophie lo fissò negli occhi e rispose con durezza: «Non farò mai un giuramento all'assassino di mio nonno. A parte quello di mandarlo in prigione».

Teabing la guardò con espressione grave e decisa. «Mi spiace che lei la pensi così, Mademoiselle.» Puntò la pistola contro Langdon. «E tu, Robert? Sei con me o contro di me?»

100

Il corpo del vescovo Aringarosa aveva sopportato molte sofferenze diverse, ma il bruciore del proiettile nel suo petto gli
sembrava qualcosa di assolutamente estraneo. Profondo e
grave. Non una ferita della carne, ma dello spirito.

Aprì gli occhi e cercò di vedere, ma la pioggia che gli cadeva sul volto glielo impediva. "Dove sono?" Sentiva braccia robuste che lo sollevavano, lo trasportavano come una bambola
di stracci, e il vento che gli agitava la veste nera.

Sollevando a fatica il braccio, si asciugò gli occhi e vide che
l'uomo che lo reggeva era Silas. Il gigantesco albino lo portava
lontano dalla casa dell'Opus Dei e gridava perché qualcuno lo
accompagnasse all'ospedale; la sua voce era un gemito di dolore. Aveva lo sguardo fisso davanti a sé e sul volto sporco di
sangue scorrevano le lacrime.

«Figlio mio» gli sussurrò Aringarosa. «Sei ferito.»

Silas lo guardò. Il suo viso era contorto dal dolore. «Sono
così addolorato, padre.» Pareva troppo sofferente per parlare.

«No, Silas» gli rispose Aringarosa. «Sono io a essere addolorato. È colpa mia.» "Il Maestro mi aveva promesso di non uccidere nessuno e io ti ho detto di obbedirgli in tutto e per tutto." «Sono stato troppo ansioso, troppo impaurito. Tutt'e due
siamo stati ingannati.» "Il Maestro non ha mai avuto l'intenzione di consegnarci il Santo Graal."

Trasportato dall'uomo che aveva salvato tanti anni prima, il
vescovo Aringarosa ebbe l'impressione di essere tornato indietro nel tempo, in Spagna, ai suoi modesti inizi, quando
aveva costruito una piccola chiesa a Oviedo, aiutato da Silas...

E più tardi, a New York, dove aveva innalzato il grande centro dell'Opus Dei per proclamare la gloria di Dio.

Cinque mesi prima, Aringarosa aveva ricevuto una notizia terribile. Tutto il suo lavoro era a rischio. Ricordava perfettamente l'incontro nella biblioteca di Castel Gandolfo che aveva cambiato la sua vita. La notizia che aveva messo in moto quell'enorme calamità.

Era entrato nella stanza a testa alta, aspettandosi i complimenti dell'intero collegio cardinalizio, ansioso di congratularsi con lui per l'ottimo lavoro svolto in America a favore del cattolicesimo.

Ma solo tre persone erano presenti.

Il segretario vaticano. Obeso, arcigno.

Due importanti cardinali italiani. Con l'aria da faine, due sepolcri imbiancati.

«Segretario?» aveva chiesto Aringarosa, senza capire.

Il grasso supervisore delle questioni legali vaticane gli aveva stretto la mano e gli aveva indicato la sedia. «La prego, si accomodi.»

Aringarosa si era seduto, con l'impressione che ci fosse qualcosa di sbagliato.

«Non sono molto abituato alle conversazioni spicciole, Eminenza» disse il segretario «perciò passerei direttamente alla ragione della sua visita.»

«La prego, parli apertamente.» Aringarosa aveva lanciato un'occhiata ai cardinali, che lo studiavano con ipocrita aria d'attesa.

«Come lei sa» aveva detto il segretario «Sua Santità e altri, qui a Roma, ultimamente hanno manifestato preoccupazione per la ricaduta politica delle pratiche più controverse dell'Opus Dei.»

Aringarosa aveva sentito immediatamente rizzarsi il pelo, come i gatti. Aveva già dovuto sopportare quel tipo di discorsi da parte del nuovo pontefice, che, con sua grande costernazione, era risultato una voce fin troppo fervida per un cambiamento "liberale" nella Chiesa.

«Desidero rassicurarla» il segretario si era affrettato ad aggiungere «che Sua Santità non intende cambiare nulla, nel modo in cui lei gestisce il suo ministero.»

"Vorrei ben vedere!" «Allora, perché sono qui?»

Il grasso segretario aveva sospirato. «Eminenza, non so come dirlo delicatamente, perciò lo dirò nel modo più diretto. Due giorni fa, il Consiglio del segretariato ha votato all'unanimità di revocare l'approvazione dell'Opus Dei da parte del Vaticano.»

Aringarosa era certo di non avere sentito bene. «Mi scusi?»

«Detto semplicemente, tra sei mesi l'Opus Dei non sarà più una prelatura del Vaticano. Sarete una chiesa autonoma. La Santa Sede si dissocia da voi. Sua Santità è d'accordo e stiamo già stendendo i documenti ufficiali.»

«Ma... è impossibile!»

«Al contrario, è perfettamente possibile. Anzi, è necessario. Sua Santità vede con inquietudine le vostre aggressive politiche di reclutamento e le vostre pratiche di mortificazione corporale.» Aveva fatto una pausa. «Anche la vostra politica che riguarda le donne. Francamente, l'Opus Dei è diventato un rischio e un motivo di imbarazzo.»

Il vescovo Aringarosa era rimasto stupefatto. «Di *imbarazzo*?»

«Certo non può stupirsi, se si è arrivati a questo.»

«L'Opus Dei è la sola organizzazione cattolica in crescita! Oggi abbiamo più di mille sacerdoti!»

«Vero. Un motivo di preoccupazione per tutti noi.»

Aringarosa era scattato in piedi. «Chiedete a Sua Santità se l'Opus Dei era un motivo di imbarazzo nel 1982, quando abbiamo aiutato la Banca Vaticana!»

«Il Vaticano ve ne sarà sempre riconoscente» aveva risposto il segretario, in tono affabile «ma molti ancora credono che la vostra generosità del 1982 sia la sola ragione per cui vi è stato conferito lo statuto di prelatura.»

«Non è vero!» L'insinuazione aveva offeso profondamente Aringarosa.

«In ogni caso, noi abbiamo intenzione di agire correttamente. Stiamo studiando termini di separazione che comprendano un rimborso di quei fondi. In cinque rate.»

«Volete comprarmi?» aveva chiesto Aringarosa. «Pagarmi perché me ne vada senza fare chiasso? Quando l'Opus Dei è la sola voce rimasta a rappresentare la ragione?»

Uno dei cardinali aveva alzato la testa. «Mi perdoni, ha detto "ragione"?»

Aringarosa si era piegato sul tavolo e aveva risposto con voce tagliente: «Si chiede veramente perché i cattolici lascino la Chiesa? Si guardi attorno, cardinale. La gente ha perso il rispetto. Il rigore della fede è sparito. La dottrina è diventata un self-service. Astinenza, confessione, comunione, battesimo, messa, quello che lei vuole, scelgono la combinazione preferita e ignorano il resto. Che razza di guida spirituale offre adesso la Chiesa?».

«Le leggi del terzo secolo» aveva commentato l'altro cardinale «non si possono applicare ai moderni seguaci di Cristo. Quelle regole non sono più funzionali, nella società moderna.»

«Be', sembrano funzionare bene per i membri dell'Opus Dei!»

«Vescovo Aringarosa» aveva detto il segretario, col tono di chi non ammette repliche «per rispetto dei buoni rapporti tra la sua associazione e il precedente pontefice, Sua Santità concederà all'Opus Dei sei mesi per staccarsi *spontaneamente* dal Vaticano. Le suggerisco di menzionare le vostre differenze di opinione con la Santa Sede e di costituirvi come organizzazione cristiana indipendente.»

«Mi rifiuto!» aveva esclamato Aringarosa. «E glielo andrò a dire di persona!»

«Temo che Sua Santità non abbia più desiderio di incontrarsi con lei.»

Aringarosa si era alzato. «Non oserà abolire una prelatura personale costituita da un pontefice precedente!»

«Mi dispiace.» Il segretario non aveva battuto ciglio. «Il Signore dà e il Signore toglie.»

Aringarosa era uscito dall'incontro con le gambe malferme, stordito e in preda al panico. Al suo ritorno a New York, per giorni era rimasto a fissare il profilo dei grattacieli sullo sfondo del cielo, sopraffatto dal dolore di non vedere un futuro per la cristianità.

Qualche settimana più tardi, però, aveva ricevuto la telefonata che aveva cambiato tutto. A chiamarlo era stato un uomo che parlava con accento francese e che si era presentato come il "Maestro", un titolo abbastanza comune nella prelatura. Aveva detto di essere al corrente dei piani del Vaticano per revocare l'appoggio all'Opus Dei.

"Come può saperlo?" si era chiesto Aringarosa. Aveva sperato che soltanto un piccolo gruppo di pressione politica all'interno del Vaticano fosse a conoscenza dell'imminente abolizione dell'Opus Dei. Ma, a quanto pareva, la voce si era già diffusa. Quando si trattava di non lasciare sfuggire pettegolezzi, le pareti della Santa Sede erano piene di buchi come un setaccio.

«Le mie orecchie sono dappertutto, Eminenza» aveva sussurrato il Maestro «e queste orecchie mi hanno procurato certe informazioni. Con il suo aiuto posso scoprire il nascondiglio di una sacra reliquia che le procurerà un potere enorme: quanto basta perché il Vaticano si inchini davanti a lei. Un potere sufficiente a salvare la Fede.» Si era interrotto. «Non solo per l'Opus Dei, ma per tutti noi.»

"Il Signore toglie... e il Signore dà." Ad Aringarosa era apparso uno splendido raggio di speranza.

Il vescovo Aringarosa era privo di coscienza quando le porte del St Mary Hospital si erano aperte automaticamente davanti a lui. Silas entrò barcollando e delirando per lo sforzo. Cadde in ginocchio sul pavimento e gridò perché venissero in suo aiuto. Tutti i presenti guardarono meravigliati l'albino seminudo che teneva tra le braccia un sacerdote ferito.

Il medico che lo aiutò a posarlo su un lettino sentì il polso del vescovo privo di sensi e si rabbuiò. «Ha perso molto sangue. Ci sono poche speranze.»

Aringarosa aprì gli occhi; riprese coscienza per qualche istante e cercò con lo sguardo Silas. «Figliolo...»

Silas tremava per la collera e il rimorso. «Padre, anche se dovessi impiegare tutta la vita, cercherò chi ci ha ingannato e lo ucciderò.»

Aringarosa scosse la testa e guardò con espressione addolorata l'albino mentre si preparavano a portarlo via. «Silas... se da me non hai imparato nulla, ti prego... impara questo.» Gli prese la mano e la strinse. «Perdonare è il più grande dono di Dio.»

«Ma padre...»

Aringarosa chiuse gli occhi. «Silas, devi pregare.»

101

Sotto l'alta cupola della Casa capitolare deserta, Robert Langdon fissava la pistola di Leigh Teabing. Gli echeggiavano ancora nella mente le parole dello storico reale. "Sei con me?" Non c'era una risposta soddisfacente. Se avesse risposto "sì", avrebbe condannato Sophie. Se avesse risposto "no", Teabing li avrebbe uccisi entrambi.

Gli anni di studio non avevano insegnato a Langdon un modo per affrontare quel tipo di domande sottolineate da una pistola puntata, ma i suoi studenti gli avevano insegnato qualcosa sulle domande che portavano a un paradosso. "Quando una domanda non ha una risposta corretta, c'è una sola risposta."

L'area grigia tra il sì e il no.

"Il silenzio."

Fissando il cryptex che aveva in mano, Langdon si limitò ad allontanarsi.

Senza alzare gli occhi, fece alcuni passi indietro nell'ampia area della sala. "Territorio neutrale." Interessandosi del cryptex, faceva capire a Teabing che la collaborazione era forse possibile; nello stesso tempo, con il suo silenzio, segnalava a Sophie di non averla abbandonata.

"Intanto guadagno tempo per pensare." E che pensasse, si diceva Langdon, era esattamente quanto Teabing voleva che lui facesse. "Per questo mi ha passato il cryptex. Perché sentissi il peso della mia decisione." Lo storico pensava che Langdon, avendo in mano il cryptex, comprendesse la vastità del suo contenuto e spingesse la sua curiosità accademica a passare sopra ogni altra considerazione, perché l'incapacità di aprire la pietra equivaleva alla perdita della storia.

Langdon aveva ormai la convinzione che la scoperta della parola chiave fosse il solo modo per salvare Sophie. "Se riuscirò a portare alla luce la mappa, Teabing dovrà negoziare." Costringendosi a pensare solo alla parola misteriosa, si mosse verso la finestra, riempiendo la sua mente delle immagini astronomiche sulla tomba di Newton.

Tu cerchi l'orbe che dovrebbe essere sulla sua tomba.
Parla di carne di Rosa e di ventre inseminato.

Voltò la schiena agli altri e raggiunse la finestra, sperando di trovare qualche ispirazione nei suoi vetri istoriati. Non ne trovò.

"Cerca di immedesimarti in Saunière" si disse, spostando ora lo sguardo verso il giardino. "Quale poteva essere, secondo lui, la sfera che meritava di comparire sulla tomba di Newton?" Nella mente gli passarono immagini di stelle e pianeti, ma Langdon le ignorò. Saunière non era un astronomo. Era un umanista, uno studioso dell'arte, della storia e delle religioni. "Il femminino sacro, il calice, la Rosa, Maria Maddalena rimossa dalla storia, il declino della Dea, il Santo Graal."

La leggenda aveva sempre ritratto il Graal come un'amante crudele, che danzava nell'ombra appena fuori vista, ti sussurrava all'orecchio, ti attirava sempre più avanti e poi si confondeva con la nebbia.

Guardando gli alberi del College Garden e le foglie mosse dal vento, Langdon sentì la sua presenza divertita. I suoi simboli erano dappertutto. Come se la loro sagoma uscisse dalla nebbia per sfidarlo, i rami del più vecchio melo d'Inghilterra erano coperti di fiori a cinque petali, tutti luccicanti come Venere. La dea era nel giardino, in quel momento. Danzava nella pioggia, cantava le sue eterne canzoni, occhieggiava dai rami come per ricordare a Langdon che il frutto della conoscenza cresceva appena al di là della sua portata.

Dall'altra parte della sala, sir Leigh Teabing guardava con fiducia lo studioso americano, che osservava dalla finestra come se fosse sotto un incantesimo.

"Esattamente come speravo" pensò. "Verrà con me."

Da qualche tempo, Teabing sospettava che Langdon fosse vicino alla scoperta del Graal. Non era una coincidenza che lo storico inglese avesse attuato il suo piano la notte che Langdon doveva incontrare Jacques Saunière. Ascoltando i discorsi del curatore del Louvre, Teabing era certo che la sua ansia di incontrarsi privatamente con Langdon potesse avere un solo significato. "Il manoscritto di Langdon ha toccato qualche nervo scoperto del Priorato. Langdon si è imbattuto per caso in qualche verità e Saunière ha paura che venga rivelata." Teabing era certo che il Gran Maestro aveva convocato Langdon per farlo tacere.

"La verità è stata taciuta per troppo tempo!"

Teabing sapeva di dovere agire in fretta. L'attacco di Silas avrebbe portato a due risultati: avrebbe impedito a Saunière di far tacere Langdon e avrebbe permesso allo stesso Teabing di ricorrere all'aiuto dello studioso, se avesse incontrato difficoltà nell'interpretazione della chiave di volta.

Organizzare l'incontro fatale tra Saunière e Silas era stato facile. "Avevo informazioni dirette sulle più profonde paure di Saunière."

Il giorno prima, Silas aveva telefonato al curatore e si era presentato come un sacerdote assillato da un problema di coscienza. «Signor Saunière, mi perdoni, ma devo parlarle. Non dovrei infrangere la santità della confessione, ma in questo caso sento di doverlo fare. Ho appena ricevuto la confessione di un uomo che afferma di avere ucciso i suoi familiari.»

Saunière era rimasto sorpreso, ma aveva risposto con diffidenza. «La mia famiglia è morta in un incidente. L'ha accertato la polizia in un modo che non lascia dubbi.»

«Sì, un incidente d'auto» Silas aveva proseguito. «L'uomo ha detto di avere spinto la loro auto fuori strada, in un fiume.»

Saunière non aveva replicato.

«Signor Saunière, non le avrei telefonato se l'uomo non avesse fatto un commento che mi fa temere per la sua sicurezza.» Aveva fatto una pausa. «L'uomo ha anche fatto il nome di sua nipote Sophie.»

Il nome della nipote aveva fatto immediatamente entrare in azione Saunière. Aveva chiesto a Silas di fargli subito visita nel luogo più sicuro a lui noto, il suo ufficio del Louvre. Poi aveva telefonato a Sophie per avvertirla che era in pericolo. Aveva abbandonato subito l'idea di andare all'appuntamento con lo studioso americano.

Ora, con Langdon lontano da Sophie e dall'altra parte della stanza, Teabing sentiva di essere finalmente riuscito a separare la coppia.

Sophie Neveu manteneva la sua aria di sfida, ma Langdon chiaramente aveva allargato i suoi orizzonti e cercava di scoprire la parola chiave. "Ha capito l'importanza di scoprire il Graal e di liberarlo dalla sua prigionia."

«Per lei non lo aprirà» disse Sophie, freddamente. «Neppure se potesse farlo.»

Teabing osservava Langdon e nello stesso tempo puntava la pistola contro Sophie. Ormai era certo di dovere usare l'arma. Anche se l'idea lo preoccupava, non avrebbe avuto esitazioni, se fosse stato necessario. "Le ho dato la possibilità di fare la cosa giusta. Il Graal è più grande di ciascuno di noi."

In quel momento, Langdon si allontanò dalla finestra. «La tomba...» disse con una luce di speranza negli occhi. «So dove cercare sulla tomba di Newton. Penso di poter trovare la parola chiave!»

Teabing sentì allargarsi il cuore. «Dove, Robert? Dimmelo!»

Sophie era inorridita. «Robert, no! Non intenderai aiutarlo, vero?»

Langdon si avvicinò con decisione, tenendo davanti a sé il cryptex. «No» disse, guardando con espressione dura Teabing. «Prima deve lasciarti andare via.»

Teabing lo guardò con fastidio. «Siamo troppo vicino alla meta, Robert. Non pensare di poter fare questi giochi con me!»

«Non sono giochi. Lasciala andare, poi ti accompagnerò alla tomba di Newton e apriremo il cryptex.»

«Io non vado da nessuna parte» intervenne Sophie, con gli occhi che mandavano fiamme. «Quel cryptex è stato affidato a me. Non è vostro, qualcosa di cui disporre a vostro piacimento.»

Langdon si voltò, con aria allarmata. «Sophie, per favore! Sei in pericolo e cerco di aiutarti!»

«In che modo? Rivelando il segreto che mio nonno ha difeso a costo della vita? Si è fidato di te, Robert. Io mi sono fidata di te!»

Langdon era sempre più in preda al panico. Teabing sorrise nel vedere come litigassero tra loro. Il tentativo di Langdon di salvare la ragazza era patetico. "Sul punto di svelare uno dei più grandi segreti della storia, si preoccupa per una donna che si è dimostrata indegna della ricerca."

«Sophie» supplicava Langdon «devi andare via.»

Lei scuoteva la testa. «No, a meno che tu non mi consegni il cryptex o lo scagli sul pavimento.»

«Come?» chiese Langdon, incredulo.

«Robert, mio nonno avrebbe preferito che il segreto andasse perso per sempre, anziché finire nelle mani del suo assassino.» Sophie pareva sul punto di piangere, ma si trattenne. Fissò Teabing. «Mi spari, se vuole, ma non intendo lasciare nelle sue mani l'eredità di mio nonno.»

"Benissimo." Teabing puntò l'arma.

«No!» gridò Langdon. Alzò il braccio e minacciò di scagliare il cryptex sul duro pavimento di pietra. «Leigh, se intendi sparare, lo getto a terra.»

Teabing rise. «Questo bluff ha funzionato con Rémy, ma non funzionerà con me. Ti conosco troppo bene.»

«Lo credi davvero, Leigh?»

"Certo. Non sei capace di controllare bene la tua espressione, amico mio. Ci ho messo parecchi secondi, ma adesso sono certo che menti. Non hai idea di dove sia la risposta sulla tomba di Newton." «Davvero, Robert? Sai in che punto della tomba guardare?»

«Sì.» L'ombra che passò negli occhi di Langdon durò un solo istante ma Leigh la colse chiaramente. Era una bugia. Una bugia disperata, per salvare Sophie. Teabing sentì una profonda delusione nei riguardi di Robert Langdon.

"Sono un cavaliere solitario, circondato da anime indegne. E dovrò decifrare la chiave di volta da solo."

Ormai, Langdon e Neveu erano soltanto una minaccia per lui... e per il Graal. Per quanto la soluzione fosse dolorosa, Teabing sapeva di poterla mettere in atto con la coscienza pulita.

La sola difficoltà stava nel convincere Langdon a posare la

chiave di volta, in modo che Teabing potesse finire senza pericoli quella pagliacciata.

«Una prova di fiducia» disse, abbassando l'arma. «Posa la pietra e discutiamone.»

Langdon capì che la sua menzogna era stata scoperta. Vedeva la decisione sulla faccia di Teabing e sapeva che era giunto il momento cruciale. "Quando poserò il cryptex, ci ucciderà tutt'e due." Anche senza guardare Sophie, sentiva che il cuore della donna lo supplicava. "Robert, quest'uomo non è degno del Graal. Non consegnarglielo. Costi quello che costi."

Langdon aveva già preso la decisione qualche minuto prima, mentre era alla finestra e guardava il giardino. "Proteggere Sophie. Proteggere il Graal." E avrebbe voluto gridare, disperato: "Ma non riesco a capire come!".

Quel momento di delusione, però, aveva portato con sé una grande chiarezza: "La verità è davanti ai tuoi occhi." Non sapeva da dove gli venisse quella convinzione. "È il Graal: non si fa beffe di te, sta chiamando un'anima degna di lui."

Ora, chinandosi come un suddito, a qualche metro da Leigh Teabing, Langdon abbassò il cryptex fino a un palmo dal pavimento.

«Bene, Robert» disse Teabing, puntando la pistola contro di lui. «Posalo.»

Langdon alzò lo sguardo, verso l'enorme cupola della Casa capitolare. Si piegò sulle ginocchia e guardò la pistola di Teabing, puntata contro di lui.

«Mi dispiace, Leigh.»

Con un solo movimento, Langdon si alzò di scatto e sollevò il braccio, scagliando in aria il cryptex, come per colpire la cupola sopra di loro.

Leigh Teabing non si accorse di premere il grilletto, ma il revolver sparò con un fragore assordante. La figura di Langdon, che un attimo prima era piegata sulle ginocchia, adesso era verticale, sollevata da terra, e il proiettile colpì il pavimento vicino ai piedi dell'americano. Una parte del cervello di Teabing cercò di prendere la mira e di sparare di nuovo, in preda alla collera, ma un'altra parte, molto più forte, lo costrinse a sollevare gli occhi.

"La chiave di volta!"

Il tempo parve cristallizzarsi, si trasformò in un sogno al rallentatore, mentre l'intero mondo di Teabing si concentrava nel cryptex in volo. Lo vide salire fino al vertice della traiettoria. Rimase sospeso nel vuoto per un attimo, poi ricadde, girando su se stesso, verso le pietre del pavimento.

Tutte le speranze e i sogni di Teabing stavano precipitando a terra. "Non può colpire il pavimento! Faccio ancora in tempo ad afferrarlo!" Teabing reagì d'istinto: lasciò la pistola e si allungò come poteva, abbandonando le grucce e cercando di afferrarlo con le mani ben curate. Stendendo al massimo le braccia e le dita, riuscì ad afferrare il cryptex prima che toccasse terra.

Mentre cadeva in avanti, stringendo nella mano, vittoriosamente, la chiave di volta, Teabing comprese di precipitare troppo in fretta. Non c'era nulla che fermasse la sua caduta: le braccia tese atterrarono per prime e il cryptex urtò con forza il pavimento.

Dall'interno del cilindro giunse uno spaventoso rumore di vetro che si spezzava.

Per un istante, Teabing rimase senza fiato. Disteso sul gelido pavimento, fissò le proprie braccia e il cilindro nero e supplicò la fiala di non spezzarsi. Poi l'odore acre dell'aceto gli colpì le nari e il liquido gli bagnò le mani.

Venne preso dal panico. "No!" L'aceto si riversava sul pavimento e Teabing immaginò il papiro che si dissolveva al suo interno. "Robert, pazzo! Adesso il segreto è perduto per sempre!"

Teabing singhiozzò in modo incontrollabile. "Il Graal è perduto. Tutto è stato distrutto." Rabbrividendo e cercando ancora di non credere al gesto di Langdon, Teabing provò ad aprire il cilindro, per dare almeno un'occhiata al papiro prima che si sciogliesse del tutto. Con stupore, quando tirò le due estremità della chiave di volta, vide che il cilindro si apriva.

Con un tuffo al cuore, guardò all'interno. Era vuoto, a parte le schegge di vetro. Nessun papiro macerato dall'aceto. Teabing si girò su se stesso e guardò Langdon. Accanto a lui, Sophie puntava la pistola contro Teabing.

Senza capire, lo storico inglese guardò il cryptex e solo allora comprese. Le lettere non erano più disposte a caso. Ora formavano una parola di cinque lettere: APPLE. Mela.

«L'orbe che Eva assaggiò» disse Langdon, in tono gelido «così destando la santa collera di Dio. Il peccato originale. Il simbolo del crollo del femminino sacro.»

Teabing sentì che la verità cadeva su di lui con una gravità tormentosa. La "sfera" che meritava di stare sulla tomba di Newton era la mela rossa che gli era caduta sulla testa e gli aveva ispirato il lavoro di tutta la vita. "Il frutto che ha ispirato il suo lavoro! La polpa rosata sotto la buccia e l'interno contenente i semi, 'inseminato'!" «Robert» balbettò, sopraffatto da quella rivelazione. «Tu l'hai aperto. Dov'è... la mappa?»

Senza battere ciglio, Langdon trasse delicatamente dal taschino della giacca un foglietto di papiro arrotolato. A pochi metri da Teabing, lo aprì e lo lesse. Dopo qualche momento, sorrise e annuì tra sé.

"Langdon sa!" Il cuore di Teabing avrebbe dato qualsiasi cosa per quella conoscenza. Il sogno di tutta la vita era adesso davanti a lui. «Dimmelo!» esclamò. «Ti supplico! Dio, dimmelo! Non è troppo tardi!»

Mentre dal corridoio giungeva un rumore di passi pesanti, Langdon tranquillamente arrotolò il papiro e se lo infilò di nuovo nel taschino.

«No!» gridò Teabing, cercando invano di alzarsi.

Quando la porta si spalancò, Bezu Fache irruppe come un toro, si guardò attorno, scorse il suo obiettivo – Leigh Teabing – inerme sul pavimento. Con un sospiro di sollievo infilò nella fondina la pistola e si rivolse a Sophie. «Agente Neveu, sono molto più tranquillo, ora che vedo lei e il signor Langdon sani e salvi. Avreste fatto meglio a recarvi dalla polizia quando vi ho avvertito.»

La polizia inglese arrivò qualche istante più tardi, si occupò del prigioniero disperato e lo ammanettò.

Sophie era stupefatta di vedere Fache. «Come ha fatto a trovarci?»

Il capitano indicò Teabing. «Ha commesso l'errore di mostrare un documento quando è entrato nell'abbazia. Le guardie hanno sentito un bollettino della polizia in cui si avvertiva che lo stavamo cercando.»

«È nella tasca di Langdon!» gridava Teabing, come un pazzo. «La mappa del Santo Graal!»

Mentre lo portavano via, lo storico alzò ancora la testa e gridò: «Robert! Dimmi almeno dov'è nascosto!».

Langdon lo fissò negli occhi. «Solo chi ne è degno può trovare il Graal, Leigh. Me l'hai insegnato tu stesso.»

La nebbia copriva i Kensington Gardens quando Silas giunse in una piccola radura fuori vista e si inginocchiò sull'erba bagnata; solo allora sentì il sangue caldo uscire dalla ferita sotto le costole. Senza badarvi, fissò davanti a sé.

Con la nebbia, quel punto dei giardini sembrava il paradiso.

Sollevò le mani sporche di sangue, con l'intenzione di pregare, e guardò le gocce di pioggia che gli accarezzavano le dita e le facevano tornare bianche. Quando le gocce gli caddero con maggiore forza sulle spalle e sulla schiena, sentì il suo corpo sparire a poco a poco nella nebbia.

"Sono uno spettro."

Un soffio di vento passò su di lui, portando con sé odore di terra e di una nuova vita. Con ogni cellula del suo corpo ferito, Silas pregò. Pregò per avere il perdono. Pregò perché gli venisse usata misericordia. E soprattutto pregò per il suo maestro, il vescovo Aringarosa, perché il Signore non lo prendesse prima del tempo. "Gli resta ancora tanto lavoro da fare."

La nebbia mulinava attorno a lui, adesso, e Silas si sentiva talmente leggero da sapere che quelle spire di nebbia lo avrebbero portato via con loro. Chiuse gli occhi e mormorò un'ultima preghiera.

Da qualche punto indeterminato della foschia, Manuel Aringarosa gli sussurrava: "Il Nostro Signore è buono e misericordioso".

Il dolore pian piano si spense e Silas comprese che il vescovo aveva ragione.

Era ormai pomeriggio inoltrato quando il sole riuscì a farsi strada in mezzo alle nuvole e la città cominciò ad asciugarsi. Bezu Fache era esausto, quando uscì dalla sala interrogatori e fermò un taxi. Sir Leigh Teabing aveva ripetutamente proclamato la propria innocenza, ma dalle sue farneticazioni incoerenti sul Santo Graal, i documenti segreti e le fratellanze misteriose, Fache sospettava che l'insidioso storico preparasse la strada ai suoi avvocati per impostare una difesa basata sull'incapacità di intendere.

"Certo" pensò Fache. "Proprio incapace." Teabing aveva dato prova di grande ingegno nel formulare un piano che non rivelasse il suo coinvolgimento. Aveva sfruttato per i suoi fini sia il Vaticano sia l'Opus Dei, due gruppi che erano risultati del tutto innocenti. Il lavoro sporco era stato eseguito, senza saperlo, da un monaco fanatico e da un vescovo disperato. Con astuzia ancora maggiore, Teabing aveva collocato la sua postazione d'ascolto in un luogo che un uomo con la polio non poteva raggiungere. La sorveglianza era stata effettuata dal suo maggiordomo Rémy – la sola persona che conoscesse la vera identità del "Maestro" – che adesso era morto, assai opportunamente, per una reazione allergica. "Non certo l'opera di una persona incapace di intendere" pensò Fache.

Le informazioni che Collet gli aveva trasmesso da Château Villette indicavano in Teabing un'astuzia talmente profonda che lo stesso Fache pensava di poter imparare qualcosa da lui. Per nascondere i suoi microfoni negli uffici di alcune delle più importanti persone di Parigi, lo storico inglese si era ispirato ai greci e al loro cavallo di Troia. Alcuni dei bersagli di Teabing avevano ricevuto in dono costose opere d'arte, altri avevano partecipato ad aste dove Teabing aveva messo in vendita opere ben specifiche. Nel caso di Saunière, il curatore era stato invitato al castello per discutere la possibilità che Teabing finanziasse l'acquisto di un nuovo Leonardo da Vinci. Sull'invito c'era un innocuo post scriptum in cui Teabing diceva di essere affascinato dal cavaliere leonardesco da lui costruito. «Può portarlo con sé?» aveva suggerito lo storico. E Saunière, a quanto pareva, l'aveva portato e, mentre lo lasciava incustodito, Rémy vi aveva inserito il microfono.

Ora, sul sedile posteriore del taxi, Fache chiuse gli occhi. "Ancora una visita prima di tornare a Parigi."

La stanza del St Mary Hospital era inondata di sole.

«Lei ci ha impressionato tutti» diceva l'infermiera, sorridendogli. «Un vero miracolo.»

Il vescovo Aringarosa le rivolse un pallido sorriso. «Ho sempre ricevuto benedizioni da Dio.»

L'infermiera terminò il suo lavoro e lasciò solo il vescovo. La luce che gli illuminava la faccia era la benvenuta. Quella notte era stata la più cupa della sua vita.

Con dolore, pensò a Silas, il cui corpo era stato trovato nel parco.

"Perdonami, figlio mio."

Aringarosa aveva voluto che anche Silas prendesse parte al suo piano glorioso. La notte precedente, però, il vescovo aveva ricevuto una telefonata da Bezu Fache, il quale lo aveva interrogato sul suo collegamento con una suora che era stata uccisa nella chiesa di Saint-Sulpice. Aringarosa aveva capito che la notte aveva preso una direzione terrificante, e la notizia degli altri quattro omicidi aveva trasformato l'orrore in angoscia. "Silas, che cos'hai fatto!" Incapace di raggiungere il Maestro, il vescovo si era reso conto di essere stato isolato. "Usato." Il solo modo per fermare l'orribile catena di eventi da lui messa in moto consisteva nel confessare tutto a Fache e, da quel momento, Aringarosa e il capitano avevano cercato di raggiungere Silas prima che il Maestro lo convincesse a uccidere di nuovo.

Esausto, Aringarosa chiuse gli occhi e ascoltò il telegiornale, che parlava dell'arresto di un importante cavaliere del Regno, sir Leigh Teabing. "Il Maestro rivelato a tutti." Teabing aveva saputo dell'intenzione del Vaticano di separarsi dall'Opus Dei e aveva scelto Aringarosa come la perfetta pedina per i suoi piani. "Dopotutto, chi poteva correre ciecamente dietro il Santo Graal se non un uomo come me, che non aveva nulla da perdere? Il Graal avrebbe dato un enorme potere a chi lo possedeva."

Leigh Teabing aveva protetto con grande astuzia la sua identità, fingendo un accento francese e un cuore profondamente pio, e chiedendo come pagamento la sola cosa di cui non aveva bisogno: denaro. E Aringarosa era troppo ansioso per nutrire qualche sospetto. Il prezzo di venti milioni di euro era poca cosa, rispetto al Graal, e con la prima rata del pagamento del Vaticano all'Opus Dei anche le questioni finanziarie erano state risolte facilmente. "Il cieco vede quello che desidera vedere." L'insulto finale di Teabing, naturalmente, era stato quello di chiedere il pagamento in certificati di credito del Vaticano, in modo che, se qualcosa fosse andato storto, l'indagine avrebbe portato a Roma.

«Sono lieto che lei si sia ripreso, Eminenza.»

Aringarosa riconobbe la voce brusca che giungeva dalla porta, ma la faccia non era quella che si aspettava: lineamenti severi e forti, capelli neri e lisci, un collo taurino che minacciava di far scoppiare il colletto della camicia. «Il capitano Fache?» chiese il vescovo. Dalla compassione e dalla preoccupazione mostrate dal capitano la notte precedente, il vescovo si era fatto l'idea che avesse un aspetto molto più aristocratico.

Fache si avvicinò al letto e appoggiò sulla sedia una cartella nera. «Credo che questa sia sua.»

Aringarosa la guardò per un istante e distolse subito gli occhi per la vergogna. «Sì... grazie.» Fece una breve pausa, passando le mani sulla cucitura del lenzuolo, poi continuò: «Capitano, ho riflettuto a lungo su questa cosa e dovrei chiederle un favore».

«Certo.»

«Le famiglie delle persone che Silas...» Si interruppe e, per l'emozione, inghiottì a vuoto. «Comprendo che nessuna somma può ridare loro ciò che hanno perso, ma se lei fosse così gentile da dividere il contenuto della cartella tra loro... le famiglie dei deceduti.»

Fache lo studiò per qualche istante. «Un gesto molto virtuoso, Eminenza. Farò in modo che il suo desiderio venga esaudito.»

Scese il silenzio.

Alla televisione, un ufficiale di polizia alto e magro rilasciava un'intervista davanti a una grande villa di campagna. Fache lo riconobbe e rivolse la sua attenzione allo schermo.

«Tenente Collet» chiedeva il giornalista della BBC, in tono d'accusa. «Questa notte il suo capitano ha accusato pubblicamente di omicidio due innocenti. Pensa che Robert Langdon e Sophie Neveu chiederanno un indennizzo al suo dipartimento? E questo costerà il posto al capitano Fache?»

Il sorriso di Collet era stanco ma sereno. «In tanti anni di esperienza, ho constatato che il capitano Fache raramente commette errori. Non gli ho ancora parlato di questo particolare ma, conoscendo il suo modo di lavorare, sospetto che la caccia pubblica all'agente Neveu e al signor Langdon fosse un suo trucco per indurre il vero assassino a scoprirsi.»

I giornalisti lo guardarono con stupore.

Collet continuò. «Non saprei dire se il signor Langdon e l'agente Neveu fossero a conoscenza del trucco: il capitano Fache tende a tenere per sé i suoi sistemi più creativi. Posso confermare che il capitano ha arrestato il responsabile e che il signor Langdon e l'agente Neveu sono innocenti e in questo momento sono al sicuro.»

Con un sorriso, Fache tornò a guardare Aringarosa. «Brava persona, quel Collet.»

Trascorsero alcuni secondi. Alla fine, Fache si passò la mano sulla fronte, si ravviò i capelli e fissò Aringarosa. «Eminenza, prima che io torni a Parigi c'è un ultimo argomento che vorrei discutere con lei... il suo improvvisato volo a Londra. Ha dato una mancia al pilota per cambiare rotta. Così facendo, ha infranto un certo numero di leggi internazionali.»

Aringarosa abbassò la testa. «Ero disperato.»

«Sì, come pure il pilota quando i miei uomini lo hanno interrogato.» Fache si infilò la mano in tasca e ne trasse un anello d'oro, con i brillanti, la mitra incisa e l'ametista.

Aringarosa sentì che gli bruciavano gli occhi per la commozione, nel prendere l'anello per infilarselo al dito. «È stato molto gentile.» Tese la mano e strinse quella di Fache. «Grazie.»

Il capitano alzò la mano come per dire che era una cosa da nulla, poi si avvicinò alla finestra e guardò il profilo della città; chiaramente, i suoi pensieri erano già altrove. Quando si voltò, pareva meno sicuro di sé. «Eminenza, dove andrà adesso?»

Ad Aringarosa era già stata rivolta la stessa domanda, a Castel Gandolfo, la notte prima. «Ho l'impressione che il mio cammino sia incerto come il suo.»

«Sì» disse Fache. «Sospetto che mi ritirerò in anticipo.»

Aringarosa gli sorrise. «Un po' di fede può fare miracoli, capitano. Un po' di fede.»

104

La cappella di Rosslyn – spesso chiamata la "Cattedrale dei codici" – si trova a una decina di chilometri da Edimburgo, in Scozia, sul sito di un antico tempio mitraico. Costruita dai templari nel 1446, sulla cappella è incisa un'enorme quantità di simboli delle tradizioni ebraica, cristiana, egizia, massonica e pagana.

Le coordinate geografiche della cappella cadono esattamente sul meridiano che passa per Glastonbury, una Linea della Rosa che è il contrassegno dell'isola di Avalon, cara a re Artù, e che è considerata la colonna portante della geometria sacra della Gran Bretagna. Da quella Linea della Rosa, Rosslyn – in origine Roslin – prende il nome.

Le guglie della chiesa proiettavano le lunghe ombre del pomeriggio inoltrato quando Robert Langdon e Sophie Neveu parcheggiarono l'auto a noleggio ai piedi dell'altura dove sorgeva la cappella. Il breve volo da Londra a Edimburgo li aveva riposati, anche se nessuno dei due aveva dormito al pensiero di quanto li attendeva. Alzando gli occhi verso il severo edificio, che si stagliava sullo sfondo del cielo coperto di nuvole, Langdon si sentiva come Alice caduta nella tana del coniglio. "Deve essere un sogno." Eppure, il testo del messaggio di Saunière non poteva essere più specifico:

The Holy Grail 'neath ancient Roslin waits.

Il Santo Graal sotto l'antica Roslin attende.

Langdon aveva pensato che la "mappa del Graal" di Saunière fosse una piantina – un disegno con una croce sul luogo esatto – e invece l'ultimo segreto del Priorato era formulato alla maniera dei precedenti. "Versi semplici." Quattro righe esplicite che indicavano senza dubbio quel luogo. Oltre a chiamare Rosslyn per nome, la poesia parlava di molte caratteristiche architettoniche della famosa cappella.

Anche se l'ultimo messaggio di Saunière era chiaro, Langdon era tutt'altro che convinto; anzi, era perplesso. Per lui, la cappella di Rosslyn era un luogo troppo ovvio. Quella chiesa di pietra era famosa da secoli come un possibile nascondiglio del Graal. Le voci si erano moltiplicate negli ultimi decenni, quando gli strumenti capaci di compiere rilevazioni del sottosuolo avevano rivelato la presenza di una stupefacente struttura *sotto* la cappella, un'enorme camera sotterranea. Non solo quella grotta era più grande della cappella che le stava sopra, ma pareva non avere un ingresso. Gli archeologi avevano chiesto di poter forare le rocce per arrivare alla misteriosa camera, ma il Rosslyn Trust aveva proibito qualsiasi scavo nel sito sacro. Naturalmente, le voci si erano fatte ancora più insistenti. Che cosa cercava di nascondere il Rosslyn Trust?

Rosslyn era inoltre un luogo di pellegrinaggio per i cercatori di verità misteriose. Alcuni dicevano di essere richiamati lassù dai forti campi magnetici creati da quelle coordinate, altri di cercare l'ingresso segreto alla caverna, e molti semplicemente di volerla visitare e farsi permeare dal fascino del Santo Graal.

Anche se Langdon non era mai stato lassù, aveva sempre riso di coloro che descrivevano la cappella come l'attuale nascondiglio del Graal. Certo, un tempo Rosslyn poteva essere stato uno dei luoghi in cui era stato celato, ma certo non oggi. Da decenni quella cappella era oggetto di troppe attenzioni e presto o tardi qualcuno sarebbe riuscito a entrare nella caverna sotterranea.

I veri accademici del Graal concordavano sul fatto che Rosslyn fosse uno specchietto per le allodole, una delle false piste che il Priorato sapeva creare in modo convincente. Quella sera, però, con i versi della chiave di volta che indicavano quel luogo, Langdon aveva perso una parte della sua sicurezza. Per tutto il giorno si era rivolto una domanda. "Perché Saunière ci ha indirizzato verso un posto così ovvio?"

Pareva esserci una sola risposta. "Rosslyn ha qualche caratteristica che dobbiamo ancora capire."

«Robert?» Accanto all'auto, Sophie lo chiamava. «Andiamo?» Teneva sotto il braccio il cofanetto, che il capitano Fache aveva restituito loro. All'interno, i due cryptex erano stati rimessi nella loro posizione iniziale, a parte la fiala di aceto che si era spezzata.

Mentre risalivano il lungo sentiero coperto di ghiaia, Langdon e Sophie passarono accanto alla famosa parete occidentale della cappella. I visitatori occasionali pensavano che quella parete stranamente sporgente fosse una parte della cappella che non era stata terminata. La verità, come sapeva Langdon, era molto più interessante.

"La parete occidentale del Tempio di Salomone."

I templari avevano costruito la cappella di Rosslyn come una esatta copia del Tempio di Salomone di Gerusalemme, completa di una parete occidentale, uno stretto santuario rettangolare, e una camera sotterranea simile al sancta sanctorum, dove i nove primi cavalieri avevano trovato il loro tesoro inestimabile. Langdon doveva ammettere che c'era una curiosa simmetria nell'idea che i templari avessero costruito un moderno nascondiglio per il Santo Graal che imitava il suo nascondiglio originario.

L'ingresso della cappella era più modesto di quanto si aspettasse lo studioso. La piccola porta di legno aveva due cardini di ferro e una semplice insegna: ROSLIN.

Quella grafia antica, spiegò Langdon, derivava dal meridiano – o Linea della Rosa, *Rose Line* – su cui si trovava la cappella; o, come preferivano credere gli accademici del Graal, da "Linea di Rosa", ossia la discendenza di Maria Maddalena.

Mancava poco all'ora di chiusura della cappella, e quando Langdon aprì la porta ne uscì un soffio di aria calda, come se l'antico edificio tirasse il fiato dopo una lunga giornata di lavoro. L'arco sopra il portale era decorato con fiori a cinque petali.

"Rose. Il ventre della dea."

All'interno, Langdon osservò con sorpresa la famosa chiesa. Anche se aveva letto varie descrizioni delle sue complesse sculture, vista di persona era un'esperienza soverchiante.

"Il paradiso della simbologia" l'aveva definita uno dei colleghi di Langdon.

Su ogni superficie della cappella erano scolpiti simboli: croci cristiane, stelle ebraiche, sigilli massonici, croci templari, cornucopie, piramidi, segni astrologici, piante, foglie, pentacoli e rose. I templari erano maestri nell'arte di lavorare la pietra e avevano eretto chiese in tutta Europa, ma Rosslyn era considerata il loro capolavoro. I mastri scalpellini non avevano lasciato una sola pietra senza simboli. La cappella era un tempio dedicato a tutte le fedi, a tutte le tradizioni e, soprattutto, alla natura e alla dea.

Il santuario era vuoto, a parte una manciata di visitatori che ascoltavano un giovane il quale terminava di accompagnarli nel loro giro: l'ultimo gruppo di turisti. Li guidava in fila indiana lungo un ben noto percorso sul pavimento, un invisibile cammino che legava sei punti architettonici all'interno del santuario. Generazioni di visitatori avevano percorso lo stesso cammino, e i loro passi avevano inciso sul pavimento un enorme simbolo.

"La Stella di David" pensò Langdon. "Non certo una coincidenza." Noto anche come Sigillo di Salomone, l'esagramma era un tempo il simbolo segreto degli astrologi mesopotamici e in seguito era stato adottato dai re di Israele, Davide e Salomone.

La guida aveva visto entrare Langdon e Sophie; anche se era l'ora della chiusura, rivolse loro un sorriso e li invitò, con un gesto, a visitare liberamente la cappella.

Langdon gli rivolse un cenno di ringraziamento ed entrò nella chiesa. Sophie, invece, era ferma sull'ingresso e aveva un'aria perplessa.

«Che cosa c'è?» le chiese Langdon.

Sophie si guardò attorno. «Ho l'impressione di essere già stata qui.»

Lo studioso la fissò con stupore. «Mi avevi detto che non conoscevi neppure il nome di Rosslyn.»

«Non lo conoscevo, infatti.» Si guardò attorno, confusa. «Mio nonno deve avermi portato qui quando ero molto piccola. Non so, ma mi sembra un luogo familiare.» A mano a mano che osservava l'interno, la sua certezza cresceva. «Sì.» Indicò un punto davanti al santuario interno. «Quelle colonne, le ho già viste.»

Langdon osservò le due colonne complesse, in fondo alla chiesa. Le loro sculture illuminate dagli ultimi raggi del sole avevano assunto un colore rosso fuoco. Situate nel punto dove ci si aspettava di vedere un altare, erano una coppia male assortita. Su quella a sinistra erano scolpite semplici linee verticali, mentre su quella a destra era incisa una complessa spirale, molto ornata.

Sophie si stava già avviando in quella direzione. Langdon si affrettò a seguirla. Quando fu accanto alle colonne, la donna ripeté: «Sì, ne sono certa, le ho già viste!».

«Non dubito che tu le abbia viste» osservò Langdon «ma forse non qui.»

«Che cosa intendi dire?» chiese lei.

«Queste due colonne sono le strutture architettoniche più copiate nel corso della storia. In tutto il mondo se ne incontrano riproduzioni.»

«Copie di Rosslyn?» chiese Sophie, scettica.

«No, delle colonne. Ricordi quando dicevo che Rosslyn è una copia del Tempio di Salomone? Queste colonne sono riproduzioni di quelle che stavano nel Tempio. A Gerusalemme.» Indicò la colonna a sinistra. «Questa si chiama "Boaz", ossia la colonna del Muratore. L'altra si chiama "Jachin", o colonna dell'Apprendista. In effetti, quasi tutti i templi massonici del mondo hanno due colonne così.»

Langdon le aveva già spiegato i legami tra i templari e i massoni (o liberi muratori), i cui gradi – apprendista, compagno e maestro – risalivano all'epoca dei templari. L'ultimo verso della poesia di Saunière parlava espressamente dei maestri muratori che avevano abbellito Rosslyn offrendo le loro sculture. Citava anche il soffitto centrale della cappella, che era coperto di sculture di stelle e pianeti.

«Non sono mai stata in un tempio massonico» disse Sophie, che continuava a osservare le colonne. «Sono quasi certa di averle viste qui.» Tornò indietro come se cercasse qualche altro elemento capace di stimolare la sua memoria.

Gli altri visitatori stavano uscendo e la giovane guida si avvicinò a loro con un sorriso. Era un bel giovanotto di venticinque o trent'anni, con accento scozzese e capelli tra il castano e il rosso. «Per oggi stavo per chiudere. Posso aiutarvi a trovare qualcosa?»

"Che ne direbbe del Graal?" voleva domandargli Langdon.

«Il codice» esclamò Sophie, che si era improvvisamente ricordata di un particolare. «Qui c'è un messaggio in codice!»

La guida pareva lieta del suo entusiasmo «Sì, è vero, signora.»

«È sul soffitto» continuò Sophie, dirigendosi alla sua destra. «Lassù.»

Il giovanotto sorrise. «Non è la sua prima visita, vedo.»

"Il codice" pensò Langdon. Si era dimenticato di quella leggenda. Tra i numerosi misteri di Rosslyn c'era un passaggio dal soffitto a volta, fatto di centinaia di blocchi di pietra, ciascuno dei quali portava un simbolo scolpito, apparentemente a caso, che rappresentava un messaggio in codice di enormi proporzioni. Alcuni dicevano che il messaggio rivelava l'ingresso della grotta sotto la cappella, altri che conteneva la vera storia del Graal. Non che avesse importanza: i crittologi cercavano da secoli di decifrarlo, ma inutilmente. Ancora oggi il Rosslyn Trust offriva un generoso compenso a chi avesse rivelato il suo significato segreto, ma il messaggio era tuttora un mistero.

«Sarò lieto di mostrarle...»

Sophie non udiva più la voce della giovane guida.

"Il mio primo messaggio in codice" pensava, mentre si avviava verso il passaggio, come in trance. Aveva dato il cofanetto a Langdon e per il momento si era scordata del Graal, del Priorato di Sion e di tutti i misteri del giorno precedente.

Quando arrivò sotto il soffitto scolpito e vide i simboli, si ricordò improvvisamente della sua visita e, stranamente, provò una tristezza inattesa.

Era ancora piccola, era passato un anno o poco di più dalla morte dei suoi familiari. Il nonno l'aveva portata in Scozia per una breve vacanza ed erano venuti a visitare la cappella di Rosslyn prima di tornare a Parigi. Si avvicinava la sera e l'edificio era ormai chiuso, ma lei e il nonno erano ancora dentro.

«Non possiamo andare a casa, nonno?» aveva chiesto Sophie, che era stanca.

«Presto andremo, cara, molto presto» le aveva risposto il nonno, in tono malinconico. «Devo ancora fare un'ultima cosa, qui. Perché non mi aspetti in macchina?»

«Devi fare un'altra cosa da grandi?»

Saunière aveva annuito. «Farò in fretta, te lo prometto.»

«Posso guardare il codice del soffitto? È stato divertente.»

«Non so... Io devo uscire, non avrai paura a stare qui dentro da sola?»

«Ma no!» aveva risposto lei, alzando le spalle. «Non è neppure buio!»

Il nonno aveva sorriso. «Va bene, allora.» L'aveva portata sotto la volta che le aveva mostrato poco prima.

Sophie si era immediatamente distesa a terra per guardare meglio i simboli. «Scommetto che riuscirò a risolverlo prima che torni!»

«Allora vedrò di fare ancora più in fretta.» Si era chinato a baciarla sulla fronte e si era avviato verso una porta laterale, a poca distanza dal passaggio. «Io sono qui fuori. Lascio la porta aperta. Se hai bisogno di me, chiamami.» Era uscito nella luce ancora chiara del crepuscolo.

Distesa sul pavimento, Sophie aveva continuato a studiare il messaggio in codice. Faticava a tenere aperte le palpebre. Dopo qualche minuto, i simboli erano divenuti confusi e infine erano scomparsi.

Quando Sophie si era svegliata, il pavimento era freddo. «Nonno?»

Non aveva avuto risposta. Si era alzata e si era lisciata con la mano le pieghe del vestito. La porta era ancora aperta e aveva visto che era calata la sera. Era uscita e aveva scorto il nonno, fermo sotto il porticato di una casa situata subito dietro la chiesa. Il nonno parlava con una persona a malapena visibile sulla porta.

«Nonno?» l'aveva chiamato.

Il nonno si era voltato e le aveva fatto un cenno, per dirle di aspettarlo. Poi, piano, aveva detto alcune parole alla persona dentro la casa e le aveva mandato un bacio. Quando aveva raggiunto Sophie, aveva le lacrime agli occhi.

«Perché piangi, nonno?»

Lui l'aveva presa in braccio. «Oh, Sophie, noi due abbiamo dato l'addio a molte persone, quest'anno. È doloroso.»

Sophie aveva pensato all'incidente, all'ultimo saluto che avevano dovuto dare alla mamma e al papà, alla nonna e al fratellino. «Hai detto addio a un'altra persona?»

«A una cara amica che amo molto» aveva risposto lui, con la voce carica di emozione. «E temo che non la rivedrò per tanto tempo.»

Langdon era accanto alla guida e continuava a osservare le pareti della chiesa, con una crescente convinzione di essere nuovamente finito in un vicolo cieco. Sophie era andata a vedere il messaggio in codice e gli aveva lasciato il cofanetto contenente una mappa del Graal che non gli aveva dato alcun aiuto. Anche se la poesia citava Rosslyn, Langdon non sapeva cosa fare, adesso che erano arrivati. Nel secondo verso, la poesia parlava di una lama e di un calice, e lo studioso non ne aveva visti.

The blade and chalice guarding o'er Her gates

La lama e il calice custodiscono le sue porte.

Di nuovo Langdon ebbe l'impressione di dover conoscere ancora qualche sfaccettatura di quel mistero.

«Non vorrei fare la figura del curioso» disse la guida, osservando il cofanetto che Langdon teneva sotto il braccio. «Ma questo cofanetto... posso chiederle come l'ha avuto?»

Langdon rise. «È una storia molto lunga.»

Il giovanotto continuava a guardare il cofanetto. «È una cosa strana, ma mia nonna ne ha uno esattamente uguale, un cofanetto per le gioie. Lo stesso palissandro, la stessa rosa intarsiata, perfino le cerniere mi sembrano le stesse.»

Langdon sapeva che il giovanotto si sbagliava. Se c'era un oggetto di cui non esistevano copie era quel cofanetto, fabbricato espressamente per la chiave di volta del Priorato. «Probabilmente si assomigliano, ma...»

La porta si chiuse rumorosamente, richiamando la loro attenzione. Sophie era uscita senza fare parola. Langdon la seguì fin sulla soglia della cappella, accompagnato dalla guida, e la vide avviarsi verso una casa a poca distanza. "Dove sta andando?" Sophie si comportava in modo strano, da quando erano entrati nella chiesa. Si voltò verso la guida. «Sa di che casa si tratta?»

Il giovanotto annuì. Anch'egli sembrava confuso nel vedere che Sophie si avviava verso l'edificio. «È la canonica. Vi abita il curatore della cappella, che è anche il capo del Rosslyn Trust: mia nonna.»

«Sua nonna è a capo del Rosslyn Trust?»

Il giovanotto annuì. «Io abito con lei e la aiuto a tenere in ordine la cappella e accompagno i visitatori.» Si strinse nelle spalle. «Sono sempre vissuto qui. Mi ha allevato mia nonna.»

Preoccupato per Sophie, Langdon fece per seguirla ma, fatti pochi passi, si fermò. Solo allora era stato colpito da una frase pronunciata dal giovane.

"Sono stato allevato da mia nonna."

Langdon guardò Sophie, poi abbassò gli occhi sul cofanetto. «Diceva che sua nonna ha un cofanetto come questo?»

«Quasi identico.»

«E come l'ha avuto?»

«Gliel'ha fatto mio nonno. È morto quando io ero piccolo, ma mia nonna parla ancora di lui. Dice che era un genio nei lavori manuali. Che sapeva costruire ogni genere di oggetti.»

Langdon vide comparire un'inimmaginabile rete di collegamenti. «Ha detto che è cresciuto con sua nonna? Le dispiace se le chiedo dei suoi genitori?»

Il giovane lo guardò con stupore. «Sono morti quando ero piccolo, lo stesso giorno di mio nonno.»

Langdon sentì che il cuore accelerava i battiti. «In un incidente d'auto?»

La guida lo guardò con stupore, sgranando gli occhi di colore verde scuro. «Sì, in un incidente d'auto. Ho perso il nonno, i genitori e...» Ebbe un attimo di esitazione e abbassò gli occhi.

«E sua sorella» disse Langdon.

Dietro la chiesa, la casa di pietra era esattamente come Sophie la ricordava. Scendeva la notte e la casa aveva un aspetto caldo e invitante. Dalla porta giungeva l'odore del pane cotto nel forno a legna e dalla finestra una luce dorata. Quando fu più vicina, sentì che all'interno qualcuno singhiozzava piano.

Dalla porta, vide una donna anziana nel corridoio. Le voltava la schiena, ma Sophie si accorse che era lei che piangeva. La donna aveva capelli lunghi, argentati, che le fecero tornare qualcosa alla mente. Sentì il desiderio di avvicinarsi e, quando fu sulla soglia, vide che la donna teneva in mano una fotografia incorniciata e che passava con amore le dita sul ritratto.

Era una faccia che Sophie conosceva bene.

"Il nonno."

La donna aveva ovviamente appreso la triste notizia della sua morte.

Un'assicella di legno cigolò sotto i piedi di Sophie e la donna si voltò lentamente, fino a incrociare gli occhi con i suoi. Sophie avrebbe voluto allontanarsi, ma era come pietrificata. Senza distogliere lo sguardo, la vecchia posò il ritratto e si avvicinò alla porta. Parve trascorrere un'eternità mentre si guardavano. Poi, come un'onda oceanica che sale lentamente, l'espressione della donna passò dall'incertezza all'incredulità, alla speranza e infine a una grande gioia.

La vecchia uscì sulla soglia, poi accarezzò il viso di Sophie, che tuttora non riusciva a muoversi. «Oh, cara bambina!»

Anche se non era in grado di riconoscerla, Sophie sapeva chi era. Cercò di parlare ma si accorse di non poter neppure respirare. Infine riuscì a balbettare: «Ma... il nonno aveva detto che eri...».

«Lo so.» La donna le posò le mani sulle spalle e le sorrise. «Io e tuo nonno siamo stati costretti a dire molte cose non vere. Abbiamo fatto quello che ritenevamo giusto. Mi dispiace, ma l'abbiamo fatto per la tua salvezza, principessa.»

Sophie udì l'ultima parola e pensò immediatamente al nonno. Anch'egli l'aveva chiamata principessa per tanti anni. La sua voce parve echeggiare sulle antiche pietre di Rosslyn, entrare nella terra e risuonare nella cavità sconosciuta sotto di loro.

La donna abbracciò Sophie, piangendo di gioia. «Da tempo tuo nonno voleva dirti tutto. Ma il rapporto tra voi due era difficile. Ha cercato per molto tempo di parlarti. Ci sono tante cose da spiegare.» La baciò di nuovo sulla fronte. «Niente più segreti, principessa. È tempo che tu sappia la verità sulla nostra famiglia.»

Sophie e la nonna erano sedute sugli scalini e si abbracciavano piangendo per la gioia quando la giovane guida attraversò di corsa il prato, con gli occhi che luccicavano di speranza e di incredulità. «Sophie?»

Tra le lacrime, Sophie annuì e si alzò. Non conosceva la faccia del giovane, ma mentre si abbracciavano sentì la forza del sangue scorrerle nelle vene... il sangue che tutt'e tre condividevano.

Quando Langdon li raggiunse, Sophie non riusciva a pensare che soltanto il giorno prima si era sentita sola al mondo. Adesso, in quel luogo straniero, in compagnia di tre persone che conosceva appena, sentiva finalmente di essere a casa.

105

La notte era scesa su Rosslyn.

Robert Langdon era uscito sul portico della casa di pietra e ascoltava con piacere le risate e le voci che giungevano fino a lui. La tazza di caffè forte che teneva in mano l'aveva aiutato a vincere la stanchezza, ma sentiva che presto sarebbe tornata. Era una stanchezza che arrivava fino alle ossa.

«È scivolato via alla chetichella» disse qualcuno, dietro di lui.

Si voltò. La nonna di Sophie veniva verso di lui, con i capelli bianchi che scintillavano nel buio. Il suo nome, almeno negli ultimi ventotto anni, era Marie Chauvel.

Langdon le rivolse un sorriso stanco. «Volevo lasciare alla vostra famiglia qualche minuto di intimità.»

Dalla finestra vedeva Sophie intenta a parlare con il fratello.

Marie si fermò accanto a lui. «Signor Langdon, quando ho saputo che Jacques è stato ucciso, ero terrorizzata per la sicurezza di Sophie. Questa sera, quando l'ho vista sulla porta di casa, ho provato il più grande sollievo della mia vita. Non potrò mai ringraziarla abbastanza.»

Langdon non sapeva come rispondere. Anche se aveva chiesto a Sophie e a sua nonna di permettergli di uscire perché potessero parlarsi in privato, Marie gli aveva chiesto di rimanere ad ascoltare. «Mio marito, ovviamente, si fidava di lei, signor Langdon, perciò mi fido anch'io.»

Langdon era rimasto e, fermo vicino alla giovane donna, aveva ascoltato con stupore Marie che raccontava la storia dei genitori di Sophie. Incredibilmente, tutt'e due appartenevano a famiglie dei Merovingi, discendenti diretti di Maria Maddalena e Gesù Cristo. I genitori di Sophie, come gli altri antenati, per sicurezza avevano cambiato nome e non si chiamavano più Plantard e Saint-Clair. I loro figli erano gli eredi diretti della dinastia reale e perciò erano attentamente custoditi dal Priorato. Quando i genitori di Sophie erano morti in un incidente d'auto di cui non si era mai scoperta la causa, il Priorato aveva temuto che l'identità della discendenza reale fosse stata scoperta.

«Io e tuo nonno» aveva spiegato Marie, con la voce soffocata dal dolore «abbiamo dovuto prendere una grave decisione nel momento in cui abbiamo ricevuto la telefonata. L'auto dei vostri genitori era stata trovata nel fiume.» Si era asciugata le lacrime. «Tutt'e sei, compresi voi due bambini, dovevamo viaggiare insieme quella notte. Fortunatamente avevamo cambiato idea all'ultimo momento e i vostri genitori erano soli. Avuta notizia dell'incidente, io e Jacques non avevamo modo di sapere che cosa fosse realmente successo, né se fosse davvero un incidente.» Marie aveva guardato Sophie. «Sapevamo di dovere proteggere i nostri nipoti e abbiamo scelto quella che per noi era la soluzione migliore. Jacques ha riferito alla polizia che sull'auto c'eravamo anche io e tuo fratello; evidentemente i nostri corpi erano stati portati via dalla corrente. Poi io e tuo fratello ci siamo nascosti con l'aiuto del Priorato. Jacques, essendo una persona importante, non poteva permettersi il lusso di sparire. Era logico che tu, essendo la più grande, rimanessi a Parigi e venissi allevata da Jacques, vicino al cuore del Priorato e sotto la sua protezione.» La sua voce si era abbassata fino a un sussurro. «Dividere la famiglia è stata la cosa più dolorosa. Io e Jacques ci vedevamo raramente, e sempre in luoghi segreti, sotto la protezione del Priorato. Ci sono alcune cerimonie a cui la fratellanza è sempre rimasta fedele.»

Langdon aveva avuto l'impressione che ci fosse ancora molto da dire, ma che non fossero argomenti per lui. Perciò era uscito. Ora, guardando le guglie di Rosslyn, non poteva fare a meno di pensare al mistero irrisolto. "Il Graal è davvero qui a Rosslyn? E, se così è, dove sono la lama e il calice citati da Saunière nella poesia?"

«Lo dia a me» disse Marie, indicando la mano di Langdon.

«Grazie» rispose lui, sollevando la tazza vuota.

Marie lo guardò. «Mi riferivo a quello che tiene nell'altra mano, signor Langdon.»

L'americano si ricordò di avere in mano il papiro di Saunière. L'aveva preso dal cryptex nella speranza di trovare qualche nuova ispirazione. «Oh, certo. Mi scusi.»

Marie lo guardò con aria divertita, mentre prendeva il foglietto. «Conosco un uomo, in una certa banca di Parigi, che dev'essere molto ansioso di riavere un cofanetto di palissandro. André Vernet era un caro amico di Jacques, che si fidava di lui in tutto. André farebbe qualunque cosa, pur di rispettare la richiesta di Jacques che si prendesse cura della cassetta.»

"Anche spararmi" pensò Langdon, che non citò il fatto di avergli probabilmente rotto il naso. Pensando a Parigi, si rammentò dei tre *sénéchaux* che erano stati uccisi il giorno prima. «E il Priorato? Che cosa succederà adesso?»

«Gli ingranaggi sono già in movimento, signor Langdon. La fratellanza è sopravvissuta per secoli e sopravvivrà anche a questo. C'è sempre chi si prepara a salire alla guida e a ricostruire.»

Per tutta la sera Langdon aveva sospettato che la nonna di Sophie fosse strettamente legata alle operazioni del Priorato. Dopotutto, la fratellanza aveva sempre accolto tra i suoi appartenenti anche le donne. Quattro dei passati Gran Maestri erano donne. I *sénéchaux* erano per tradizione uomini – i guardiani – ma le donne godevano di una considerazione molto più alta, all'interno del Priorato, e potevano salire alla massima carica indipendentemente dal loro rango precedente.

Langdon pensò a Leigh Teabing e a Westminster Abbey. Pareva passata un'infinità di tempo. «La Chiesa ha esercitato pressioni su suo marito perché non rendesse noti i documenti del Sangreal alla Fine dei Giorni?»

«Santo cielo, no. La Fine dei Giorni è una leggenda di menti paranoiche. Nella dottrina del Priorato non c'è nulla che stabilisca una data in cui rivelare il Graal. Anzi, il Priorato ha sempre detto che il Graal non dovrà *mai* essere rivelato.»

«Mai?» chiese Langdon, stupito.

«Sono il mistero e la meraviglia a muovere le nostre anime, non il Graal in se stesso. La bellezza del Graal sta nella sua natura inafferrabile.» Marie Chauvel guardò in direzione della cappella di Rosslyn. «Per alcuni, il Graal è un calice che darà loro la vita eterna. Per altri è la ricerca di documenti perduti e di una storia segreta. E per la maggior parte delle persone sospetto che il Graal sia semplicemente un'idea grandiosa, un tesoro splendido e irraggiungibile che, in qualche modo, anche nel caos del mondo moderno, ci ispira.»

«Ma se i documenti del Sangreal rimarranno nascosti, la storia di Maria Maddalena sarà perduta per sempre» osservò Langdon

«Lo sarà davvero? Si guardi attorno. La sua storia è raccontata dall'arte, dalla musica, dai libri. Sempre di più, giorno dopo giorno. Il pendolo oscilla già dall'altra parte, cominciamo a capire i pericoli della nostra storia, del nostri cammini di di struzione Cominciamo a sentire il bisogno di ridare il suo posto al femminino sacro.» Si interruppe· «Ha detto di avere scritto un libro sul femminino sacro, non è vero?»

«Certo.»

«Lo pubblichi, signor Langdon. Canti la canzone della dea Il mondo ha bisogno di moderni trovatori.»

Langdon tacque, pensando al peso delle parole di Marie Davanti a loro, la luna nuova saliva allora al di sopra degli alberi. Guardando la cappella, Langdon sentì un desiderio quasi infantile di conoscere i suoi segreti. "Non fare domande" si disse. "Non è il momento." Guardò il papiro in mano di Marie e poi la cappella.

«Mi rivolga la domanda, signor Langdon» gli disse la donna, sorridendo divertita. «Se n'è guadagnato il diritto.»

Langdon arrossì.

«Lei vuole sapere se il Graal è qui a Rosslyn.»

«Lei me lo può dire?»

La donna sorrise e si finse esasperata. «Perché voi uomini, semplicemente, non riuscite a lasciar riposare il Graal?» Rise. Evidentemente, l'ansia di Langdon la divertiva. «Che cosa le fa pensare che sia qui?»

Langdon le indicò il papiro. «La poesia di suo marito parla di Rosslyn, a parte la citazione della lama e del calice che proteggono il Graal. Nella chiesa non ho visto questi simboli.»

«La lama e il calice?» chiese Marie. «Che aspetto hanno, esattamente?»

Langdon capì che voleva giocare con lui, ma stette al gioco e le descrisse rapidamente i due simboli, come aveva fatto con Sophie.

Marie finse di ricordare. «Ah, vero. La lama rappresenta tutto ciò che è maschile. Credo che si disegni così, vero?» Con il dito indice, si tracciò una figura sul palmo della mano.

$$\triangle$$

«Sì» disse Langdon. Marie aveva disegnato la meno comune forma "chiusa" della lama, ma Langdon l'aveva vista disegnare in entrambi i modi.

«E l'inverso» continuò la donna, tracciando anche il secondo simbolo sul palmo «è il calice, che rappresenta tutto ciò che è femminile.»

$$\triangledown$$

«Giusto» confermò Langdon.

«E lei dice che in tutte le centinaia di simboli della cappella non compaiono questi due?»

«Non li ho visti.»

«Se glieli mostro, riuscirà a dormire?»

Prima che Langdon riuscisse a rispondere, Marie Chauvel scese dal porticato e si diresse verso la cappella. Langdon le corse dietro. Quando entrò nell'antico edificio, Marie accese le luci e indicò il pavimento. «Eccoli, signor Langdon. La lama e il calice.»

Lo studioso guardò il pavimento. Era vuoto. «Ma... qui non c'è niente...»

Con un sospiro, Marie cominciò a percorrere il famoso cammino scavato nelle pietre della cappella, quello che Langdon aveva visto seguire dai visitatori. Guardando il gigantesco simbolo, però, continuò a non capire. «Ma è la Stella di Da...»

Si interruppe, muto per lo stupore, nel capire la natura del simbolo.

"La lama e il calice. Fusi insieme. La Stella di David, la perfetta unione di maschio e femmina, il Sigillo di Salomone che contrassegnava il sancta sanctorum, dove abitava la presenza delle divinità maschile e femminile, Yahweh e Shekinah."

Allo studioso americano occorse qualche istante per raccogliere i pensieri. «I versi indicano Rosslyn. In ogni dettaglio. Il Santo Graal è nella cripta sotto di noi?»

Marie rise. «Solo in spirito. Uno dei più antichi incarichi del Priorato era quello di riportare il Graal nella sua terra natale, la Francia, perché vi riposasse per l'eternità. Per secoli è stato trascinato da un luogo all'altro, perché non fosse distrutto. Poco decoroso. Quando è divenuto Gran Maestro, Jacques ha avuto l'incarico di riportarlo in Francia e di ridargli l'onore costruendogli un luogo di riposo degno del sepolcro di una regina.»

«E lo ha fatto?»

Ora l'espressione di Marie divenne molto seria. «Signor Langdon, in considerazione di quello che ha fatto per me e come curatrice del Rosslyn Trust, posso assicurarle che il Graal non è più quı.»

Langdon decise di insistere. «Ma la chiave di volta dovrebbe indicare il luogo dove è nascosto *oggi* il Santo Graal. Percne indica Rosslyn?»

«Forse lei ha frainteso il significato dei versi. Ricordi, il Graal è capace di trarre in inganno, a volte. Come lo era il mio defunto marito.»

«Ma la poesia non potrebbe essere più chiara di così» protestò lui. «Siamo su una camera sotterranea contrassegnata dalla lama e dal calice, sotto un soffitto di stelle, circondati dall'arte di maestri scalpellini. Tutto indica Rosslyn.»

«Bene, allora vediamo questi versi misteriosi» disse Marie. Srotolò il papiro e lesse a voce alta.

> The Holy Grail 'neath ancient Roslin waits.
> The blade and chalice guarding o'er Her gates.
> Adorned in masters' loving art, She lies.
> She rests at last beneath the starry skies.

Il Santo Graal sotto l'antica Roslin attende.
La lama e il calice custodiscono le sue porte.
Adorna dell'arte eseguita dai maestri per amor suo, Lei giace.
Riposa infine sotto il cielo stellato.

Quando ebbe terminato di leggere, rimase in silenzio per alcuni secondi, finché un sorriso non le increspò le labbra. «Ah, Jacques!»

Langdon la guardò con ansia. «Lei *capisce* questi versi?»

«Come ha visto sul pavimento della cappella, signor Langdon, anche le cose più semplici si possono considerare sotto molte angolature.»

Lo studioso si sforzò di capire. Tutto ciò che riguardava Jacques Saunière pareva avere un doppio significato, ma Langdon non riusciva a comprendere quale.

Marie si lasciò sfuggire uno sbadiglio. «Signor Langdon, le confesserò una cosa. Non mi è mai stato comunicato ufficialmente il luogo dove si trova il Graal. Ma, naturalmente, ero sposata a una persona di enorme influenza, e la mia intuizione femminile è molto forte.» Langdon stava per dire qualcosa, ma Marie proseguì. «Mi dispiace che dopo tutto il suo lavoro debba lasciare Rosslyn senza una vera risposta. Eppure, qualcosa mi dice che lei finirà per trovare quello che cerca. Un giorno la verità apparirà davanti a lei.» Gli sorrise. «E quando la troverà, confido che, almeno lei, saprà tenere il segreto.»

Qualcuno aprì la porta. «Siete scomparsi tutt'e due» disse Sophie, entrando nella cappella.

«Stavo andando via» rispose la nonna, avviandosi verso di lei. «Buonanotte, principessa.» La baciò sulla fronte. «Non trattenere il signor Langdon troppo a lungo.»

Langdon e Sophie guardarono Marie che si dirigeva verso la casa. Quando Sophie si voltò verso di lui, era profondamente emozionata. «Non è esattamente il finale che mi aspettavo.»

"Allora siamo in due" pensò lo studioso. Vide che era ancora sopraffatta da ciò che aveva saputo. Le informazioni ricevute quella notte avevano completamente cambiato la sua vita. «Stai bene? È stata una rivelazione piuttosto scioccante.»

Lei gli sorrise. «Ho una famiglia. È da questo che intendo partire. Capire chi siamo e da dove veniamo richiederà più tempo.»

Langdon tacque.

«Dopo questa notte, ti fermerai un po' con noi?» chiese Sophie. «Almeno per qualche giorno?»

Langdon sospirò. Avrebbe voluto fermarsi. «Hai bisogno di rimanere da sola con la tua famiglia, Sophie. Domattina io torno a Parigi.»

Lei era delusa, ma sapeva che era la cosa giusta. Per parecchi minuti nessuno di loro parlò. Alla fine Sophie gli prese la mano e uscì con lui dalla cappella. Salirono su una collinetta da cui si scorgeva il paesaggio della Scozia, illuminato dalla luce della luna che filtrava attraverso le nuvole sparse. Erano tutt'e due molto stanchi e si limitarono a osservare in silenzio, tenendosi per mano.

Le stelle cominciavano solo allora ad apparire, ma a occidente un punto di luce brillava più di ogni altro. Langdon sorrise nel vederlo. Era Venere. L'antica dea che brillava della sua luce salda e paziente.

Cominciava a fare più fresco; dalla pianura giungeva un vento frizzante. Dopo qualche minuto, Langdon guardò Sophie e vide che aveva gli occhi chiusi, le labbra increspate in un sorriso di soddisfazione. Lui stesso faticava a tenere aperte le palpebre. Con riluttanza le scosse la mano. «Sophie?»

Lei aprì lentamente gli occhi e si voltò a guardarlo. Era bellissima alla luce della luna. Gli rivolse un sorriso assonnato. «Ciao.»

Al pensiero di tornare a Parigi senza di lei, Langdon fu colto da un'inattesa tristezza. «Probabilmente sarò già via, quando ti sveglierai.» Dovette interrompersi perché sentiva un nodo alla gola. «Mi dispiace, ma non sono molto bravo a...»

Sophie gli accarezzò il viso, poi si sporse in avanti e lo baciò sulla guancia. «Quando possiamo rivederci?»

Per un momento, Langdon si sentì girare la testa. Era perso nei suoi occhi. «Già, quando?» rispose, chiedendosi se gli avesse letto nella mente. «Be', il prossimo mese devo andare a Firenze per una conferenza. Sarò laggiù per una settimana, senza molto da fare.»

«Cos'è, un invito?»

«Vivremo nel lusso. Mi hanno assegnato una stanza al Brunelleschi.»

Sophie rise ironicamente. «Lei non presume un po' troppo, signor Langdon?»

Lui sentì un brivido di paura. «Volevo dire che...»

«Sarò lietissima di venire a trovarti a Firenze, Robert. Ma a una condizione.» Il suo tono divenne serio. «Niente musei, niente chiese, né tombe né quadri né ruderi.»

«A Firenze? Per una settimana? Ma se laggiù non c'è altro da fare.»

Sophie lo baciò sulle labbra. I loro corpi si avvicinarono, prima esitanti, poi stringendosi forte. Quando Sophie si staccò, il suo sguardo brillava di promesse.

«D'accordo» riuscì a dire Langdon. «Ci conto.»

Robert Langdon si destò di scatto. Aveva sognato. L'accappatoio da bagno accanto al suo letto aveva il monogramma del Ritz di Parigi. Dagli scuri filtrava una debole luce. "È l'alba o il tramonto?" si chiese.

Fisicamente, si sentiva bene; negli ultimi due giorni aveva dormito per gran parte del tempo. Mettendosi a sedere, capì che cosa lo avesse svegliato: un pensiero stranissimo. Da giorni cercava di aprirsi una strada in mezzo a una montagna di informazioni, ma adesso gli era venuto in mente qualcosa di nuovo.

"Possibile?"

Per alcuni istanti rimase perfettamente immobile.

Scese dal letto e raggiunse la doccia, dove lasciò che il forte getto gli massaggiasse le spalle. Il nuovo pensiero si rifiutava di lasciare la sua mente.

"Impossibile."

Venti minuti più tardi, Langdon usciva dal Ritz e attraversava Place Vendôme. Scendeva la sera. Il sonno dei giorni precedenti lo aveva disorientato, ma il suo cervello era stranamente lucido. Si era ripromesso di fermarsi al bar dell'albergo per un caffè, ma le gambe lo avevano portato direttamente all'esterno, nella incipiente notte parigina.

Percorrendo, diretto a est, Rue des Petits Champs, provò una crescente eccitazione. Svoltò poi a destra in Rue de Richelieu, dove l'aria era dolce del profumo dei gelsomini, proveniente dai giardini del Palais Royal.

Proseguì finché non giunse nel luogo da lui cercato: i portici reali, una distesa di marmo scuro e lucido. Laggiù osservò attentamente il pavimento. In pochi secondi trovò quello che cercava, una fila di medaglioni di bronzo incassati nel marmo. Erano disposti in linea retta, ciascuno era largo una decina di centimetri e portavano le lettere "N" e "S".

"Nord e Sud."

Si diresse a sud, seguendo la fila dei medaglioni. Quando girò attorno all'angolo della Comédie Française, un altro medaglione comparve sul marciapiede. "Sì!"

Le strade di Parigi, come Langdon aveva appreso anni prima, erano decorate di centotrentacinque medaglioni di bronzo, incastonati nei marciapiedi, nei cortili e nelle strade, secondo un asse nord-sud che attraversava la città. Una volta aveva seguito la fila da Sacré-Cœur, a nord della Senna, fino all'antico osservatorio di Parigi. Laggiù aveva scoperto il significato di quel cammino sacro.

"L'originale primo meridiano della Terra. L'antica longitudine zero. L'antica Linea della Rosa di Parigi. La *Rose Line*."

Ora, mentre attraversava Rue de Rivoli, sentiva avvicinarsi la sua meta. A meno di un isolato di distanza.

Il Santo Graal sotto l'antica Roslin attende.

Le rivelazioni si susseguivano. L'antica grafia Roslin, la lama e il calice, la tomba adorna delle opere degli artisti.

"Che Saunière volesse parlarmi di questo? Che avessi indovinato la verità senza saperlo?"

Accelerò il passo, la Linea della Rosa lo chiamava, lo trascinava verso la sua destinazione. Quando imboccò la lunga galleria del Passage Richelieu, sentì rizzarsi i capelli sulla nuca, per l'attesa della rivelazione finale. Alla fine del tunnel sorgeva il più misterioso monumento di Parigi, ideato e fatto costruire negli anni Ottanta dalla Sfinge, François Mitterrand, un uomo che si diceva appartenesse a circoli segreti, un uomo che aveva lasciato a Parigi, come sua ultima eredità, un luogo che Langdon aveva visitato pochi giorni prima, in quella che ormai gli sembrava un'altra vita.

Langdon uscì di corsa dal passaggio e si trovò nella piazza a lui familiare. Si fermò. Senza fiato, alzò gli occhi sulla struttura che luccicava davanti a lui.

"La Piramide del Louvre."

Che luccicava nell'oscurità.

Non perse più di un attimo ad ammirarla. Gli interessava molto di più ciò che aveva alla sua destra. Si voltò e sentì di essere nuovamente sulla invisibile Linea della Rosa, che lo portava al Carrousel du Louvre, l'enorme cerchio di erba circondato da siepi ben curate, un tempo sede delle feste in onore della natura, i riti gioiosi che celebravano la fertilità e la dea.

Quando oltrepassò le siepi e salì sull'erba, Langdon ebbe l'impressione di trovarsi in un altro mondo. Quel terreno sacro era adesso caratterizzato da uno dei più strani monumenti della città. Nel centro, tuffata nella terra come un abisso di cristallo, c'era la grande piramide di vetro da lui vista alcune notti prima, quando era passato per l'ingresso sotterraneo del Louvre.

"La *Pyramide Inversée*."

Tremante, Langdon si spinse fin sull'orlo e osservò il sotterraneo, illuminato da una luce color ambra. Sotto di lui, sul pavimento del lungo atrio, c'era un'altra minuscola struttura che Langdon aveva citato nel suo manoscritto.

Ora, la possibilità a cui sembrava impossibile credere divenne sempre più convincente. Alzò gli occhi al Louvre ed ebbe l'impressione che le grandi ali del museo lo avvolgessero. Gallerie piene dalle maggiori opere d'arte esistenti al mondo.

Opere di Leonardo, di Botticelli...

Adorna dell'arte eseguita dai maestri per amor suo, Lei giace.

Pieno di meraviglia, guardò ancora una volta, attraverso il vetro, la minuscola struttura.

"Devo scendere laggiù!"

Uscì dal cerchio di erba e corse all'entrata del Louvre, alla base della piramide. Gli ultimi visitatori della giornata uscivano allora dal museo.

Oltrepassò la porta, scese la scalinata e si allontanò lungo l'atrio sotterraneo, in direzione della *Pyramide Inversée*.

Andò avanti di corsa finché non arrivò in una vasta sala. Sopra di lui, sospesa al soffitto, luccicava la piramide inversa, un'enorme sagoma di vetro a forma di "V", così grande da togliere il fiato.

"Il Calice."

Langdon seguì con lo sguardo il suo spigolo, fino alla punta, che distava meno di due metri da terra. E laggiù, direttamente sotto il vertice, c'era la seconda, minuscola struttura.

Una piramide in miniatura. Alta meno di un metro, era la sola struttura di quel colossale complesso che fosse stata costruita in una scala così piccola.

Nel suo manoscritto, mentre parlava della complessa raccolta di oggetti d'arte riguardanti la dea, Langdon aveva citato la piccola piramide.

Questa struttura in miniatura sporge dal pavimento come se fosse la punta di un iceberg, la cima di un'enorme cripta piramidale, sommersa nella terra come una camera nascosta.

Illuminate dalle luci soffuse del sotterraneo deserto, le due piramidi parevano indicarsi tra loro: i loro corpi erano perfettamente allineati, le loro punte quasi si toccavano.

Il Calice sopra, la Lama sotto.

La lama e il calice custodiscono le sue porte.

Langdon sentì Marie Chauvel che gli assicurava: "Un giorno la verità apparirà davanti a lei."

Langdon era sotto l'antica Linea della Rosa, circondato dalle opere dei grandi maestri. "Quale posto migliore, per Saunière, dove custodire la tomba?" Adesso capiva il significato dei versi del Gran Maestro. Alzò lo sguardo e vide, attraverso il vetro, il cielo pieno di stelle.

Riposa infine sotto il cielo stellato.

Come un mormorio di spiriti nell'oscurità, ricordò alcune frasi. "La ricerca del Santo Graal è la ricerca del luogo dove inginocchiarsi davanti alle ossa di Maria Maddalena. Un viaggio per pregare ai piedi della regina cancellata dalla storia."

Con un profondo senso di riverenza, Robert Langdon si inginocchiò.

E allora, per un attimo, gli parve di udire una voce di donna – la saggezza delle età passate – sussurrare fino a lui la sua benedizione, dal profondo della terra.

QUESTO VOLUME È STATO IMPRESSO
NEL MESE DI AGOSTO DELL'ANNO 2004
PRESSO MONDADORI PRINTING S.P.A.
STABILIMENTO NSM – CLES (TN)

STAMPATO IN ITALIA – PRINTED IN ITALY